ID0943046

로마인 이야기

로마인 이야기 2

한니발 전쟁

시오노 나나미 지음 · 김석희 옮김

한길사

ROMA-JIN NO MONOGATARI II

HANNIBAL SENKI

by Nanami Shiono

Copyright © 1993 by Nanami Shiono

Original Japanese edition published by Shincho-Sha Co., Ltd.
Korean translation rights arranged with Nanami Shiono
through Japan Foreign-Rights Centre

Translated by Kim Suk-hee
Published by Hangilsa Publishing Co., Ltd., Korea, 1995

塩野七生, ローマ人の物語 II(ハンニベル戦記), 新潮社, 1993

제2차 포에니 전쟁에서 로마에 대항해 카르타고군을 지휘했던 한니발.
그의 존재를 빼고는 사실상 카르타고를 이야기하기가 어렵다.

적국 로마를 격파하기 위해 대군을 이끌고 가는 한니발. 그는 아버지 하밀카르에게 다짐했던 복수의
서약을 실행하기 위해 10만 병력과 코끼리 부대를 이끌고 알프스를 넘는 대모험을 강행한다.

트라시메노 전투 기념비. 트라시메노 호수는 기원전 217년 집정관 가이우스 플라미니우스가 이끄는
로마군이 한니발에게 패한 곳으로 유명하다.
이 전투에서 한니발이 이끄는 아프리카·이베리아·갈리아 용병부대가 북쪽 호수 근처에 있는 협곡에
매복하고 있다가 로마군에 기습을 가하여 1만 5천 명을 죽이고 약 6천 명을 포로로 잡는 성과를 올렸다.

흑해 연안의 망명지에서 최후를 맞이하는 한니발. 그는 자기를 잡으러 문앞까지 병사들이 온 것을
알고는 몸에 지니고 다니던 독약을 마시고 장렬히 생을 마감하였다.

로마인 이야기 2

한니발 전쟁

시오노 나나미 지음 · 김석희 옮김

한길사

로마인 이야기 2
한니발 전쟁

독자 여러분께

개별적 사건이나 현상을 주로 연구하는 학자를 제외하면, 역사에 대한 접근방식은 크게 다음 두 가지로 나눌 수 있을 것입니다.

첫번째는 호소하거나 주장하고자 하는 것의 예증으로 역사를 이용하는 방식인데, 마키아벨리한테서 그 전형을 찾아볼 수 있습니다.

마키아벨리의 대표작은 『군주론』과 『정략론』이지만, 『정략론』은 의역이고 원제목은 '티투스 리비우스의 『로마사』 첫 10권에 대한 논고'입니다. 이 책을 보면, 마키아벨리가 폴리비오스와 플루타르코스도 깊이 읽었지만, 리비우스의 『로마사』에 기술된 역사적 사실을 주로 이용하는 방식을 채택하고 있음을 알 수 있습니다. 이처럼 역사를 '이용하는' 방식을 채택한 최근의 인물로는 『강대국의 흥망』을 쓴 폴 케네디를 들 수 있겠습니다.

역사에 대한 두번째 접근방식을 채택한 인물 가운데 로마사의 고전으로 평가되는 작품을 남긴 저자로는, 로마 건국부터 율리우스 카이사르의 사망까지를 쓴 테오도어 몸젠과 오현제 시대부터 동로마 제국의 멸망까지를 다룬 에드워드 기번을 들 수 있을 것입니다.

이 두 사람으로 대표되는 접근방식을 한마디로 말하면 서술이 아닐까 합니다. 그들에게 역사 서술은 수단이 아니라 목적인 것입니다.

나는 첫번째 방식과 두번째 방식의 우열을 논하고 있는 것은 아닙니다. 단지 두 가지가 다르다고 말하고 있을 뿐입니다.

그런데 첫번째와 두번째 방식의 차이는 무엇으로 나타나는가. 단적으로 말하면 분량의 차이로 나타납니다. 첫번째 방식을 채택한 이들의 저서는 한두 권으로 끝나는 반면에, 두번째 방식을 채택한 이들의 저서는 열 권을 넘는 게 보통입니다.

왜 이렇게 분량에 차이가 생기는가 하면, 두번째 방식을 택한 작가들은 역사가 과정에 있다고 생각하기 때문입니다.

결과를 아는 게 목적이라면, 수험생 필독서니 뭐니 하는 이름이 붙은 역사 요약서만 한 권 읽으면 충분합니다. 고교용 세계사 교과서에도 로마사 관련 부분은 10페이지도 채 안됩니다. 하지만 일단 경과를 추적하기 시작하면, 분량은 그 수천 배를 훨씬 넘게 됩니다. 이처럼 분량이 많아지는 까닭은 장황하게 쓰고 싶어서가 아니라, 과정을 추적해가야만 비로소 역사의 진실에 다가갈 수 있다고 생각하기 때문입니다. 나도 이 두번째 부류에 속한다고 할 수 있겠습니다.

그러나 나는 같은 파인 몸젠에게 동조하지는 않습니다.

계몽주의 시대에 살았던 이 독일인은 '역사가 심판한다'를 '역사가가 심판한다'로 생각했던 것 같습니다. 그의 『로마사』는 간행되자마자 대성공을 거두었고, 당시 그는 아직 장년이었는데도 카이사르의 죽음까지만 쓰고 절필해버렸습니다. 제정 로마에 대해서는 한마디도 쓰지 않았습니다. 당시에도 독자들은 유감스럽게 여겼다지만, 몸젠 자신은 그 이유를 글로 남기지 않았습니다. 하지만 그의 『로마사』를 읽어보면, 그가 붓을 놓은 이유는 자명합니다.

계몽주의 시대의 아들인 몸젠은 서술하면서도 비판하지 않을 수 없었을 것입니다. 그 결과, 공화정 시대의 로마를 호의적으로 심판한 그로서는 제정 시대의 로마에 대해서는 쓸 수가 없게 된 것입니다.

나는 인간과 그 인간의 소산인 체제는 시대의 요구에 따라 변화할 필요가 있다는 마키아벨리의 주장에 찬성합니다. 나 역시 심판한다면, 그심판의 근거는 시대의 요구에 따랐느냐 아니냐 하는 단 한 가지입니다.

나는 이 연작의 전체 제목을 『로마인 이야기』로 붙였습니다. 하지만이 제목의 라틴어역에는 역사나 이야기를 뜻하는 '히스토리아' 나 '메모리아' 대신, 결국은 같은 뜻이겠지만, 나는 굳이 '게스타이' 라는 낱말을 사용했습니다. 'RES GESTAE POPULI ROMANI', 즉 '로마인의 여러 소행'을 쓰고 싶다는 것입니다. 집필의 방향을 이렇게 삼은데에는, 어떠한 사상도, 어떠한 윤리 도덕도 심판하지 않고, 인생 무상을 숙명으로 짊어진 인간의 행적을 추적해 가고 싶다는 뜻이 담겨있습니다.

역사는 과정에 있다는 사고방식에 입각하면, 전쟁만큼 좋은 소재도없을 것입니다. 전쟁만큼 당사국 국민의 모습을 적나라하게 보여주는것도 없기 때문입니다.

『로마인 이야기』의 제2권인 『한니발 전쟁』은 기원전 264년부터 기원전 133년에 이르는 130년 세월이 서술 대상이 됩니다. 로마인에게 이시대는 대외 전쟁의 시대였습니다. 이 전쟁은 카르타고와 벌인 포에니전쟁을 중심으로 하여 그리스와 시리아에까지 영향이 미쳤습니다.

제1권 『로마는 하루아침에 이루어지지 않았다』에서 다룬 그리스가제2권에서는 종말을 맞이할 것입니다. 제2권에서 본격적으로 등장하는 카르타고도 끝내는 멸망했습니다. 2천 년 뒤에 태어난 우리는 그사실을 결과로서는 누구나 알고 있습니다.

지성에서는 뛰어난 그리스인인데, 경제력과 군사력을 갖춘데다 한니발이라는 희대의 명장까지 갖고 있던 카르타고인인데, 왜 로마인에게 패했을까. 독자 여러분이 그 과정을 하나하나 쫓아가면서 이 점을 생각해주신다면, 저자인 나로서는 그보다 더 기쁜 일이 없겠습니다. 제2권에서 다루는 시대는 제1권에서 서술한 과정을 통해 로마인이 쌓아올린 체제가 그 진가를 시험당하는 기회이기도 했기 때문입니다.

기원전 3세기부터 2세기에 걸친 무렵이 되면, 사료도 훨씬 풍부해집니다. 동시대인들이 남긴 사료도 많고, 등장인물들의 얼굴도 한결 보기가 쉬워집니다. 한니발과 스키피오를 비롯한 등장인물들과 우리 사이에 2천 년의 세월이 가로놓여 있다고는 생각할 수도 없을 정도입니다. 나는 그들을 눈앞에 보는 듯이 그려볼 수 있고, 그래서 쓰는 일도 한결 즐겁습니다. 읽는 여러분도 아마 즐거움을 만끽할 수 있을 것입니다.

1년 동안에 세계사 전반을 가르쳐야 한다는 제약이 있는 건 알고 있지만, 고등학교 교과서에는 이 제2권에서 다루어진 내용이 고작 몇 줄로밖에 나와 있지 않습니다.

—이탈리아 반도를 통일한 뒤, 해외 진출을 꾀한 로마는 지중해의 제해권과 교역권을 장악하고 있던 페니키아인의 식민지 카르타고와 사활을 건 투쟁을 벌였다. 이것을 포에니 전쟁이라고 부른다. 카르타고를 멸망시키고 지중해 서부의 패권을 장악한 로마는 그후 동방으로 진출하여 마케도니아와 그리스의 여러 도시들을 차례로 정복하고, 나아가 시리아 왕국을 무찔러 소아시아에 대한 지배권을 획득했다. 이리하여 지중해는 로마의 내해가 되었다—

이것이 고등학생이라면 반드시 알아야 하고 모르면 낙제하는, 결과로서의 역사입니다. 그밖의 것들은 과정이기 때문에 즐거움도 되고 생각할 재료도 제공해주는, 어른을 위한 역사라고 하겠습니다.

1993년 봄, 로마에서
시오노 나나미

16

프롤로그

장화처럼 생긴 이탈리아 반도의 '발부리'에 금방이라도 닿을 것처럼 시칠리아 섬이 자리잡고 있다. 이탈리아 본토와 시칠리아 섬을 갈라놓고 있는 해협은 시칠리아 동쪽 끝에 있는 도시 메시나의 이름을 따서 예로부터 메시나 해협이라고 불렀다. 최단거리는 불과 3킬로미터. 본토 쪽 연락선 발착지인 빌라산조반니에서 메시나 항구까지도 7킬로미터밖에 떨어져 있지 않다. 이 두 지점을 잇는 연락선을 타면, 커피를 주문하여 천천히 다 마실 때쯤에는 벌써 목적지에 도착해 있다.

빌라산조반니에 서면, 그곳을 떠난 연락선이 맞은편의 메시나에 도착하여 사람과 자동차를 싣고 되돌아오는 모습이 손에 잡힐 듯이 바라다보인다. 현대에 와서 이 해협에 다리를 놓으려는 계획이 여러 번 수립되었지만, 도중에 교각을 세울 수 있는 작은 섬이 없어서 번번이 무산되곤 했다. 아마 언젠가는 이곳에도 다리가 놓이겠지만, 지금 상태로는 배로 해협을 건널 수밖에 없다.

배로 건널 수밖에 없다면, 메시나 해협의 상태는 2천여 년 전이나 지금이나 별차이가 없다는 얘기가 된다.

이탈리아 본토 쪽에 서서 시칠리아 섬을 바라보았을 때 가슴에 차오르는 생각도 그때나 지금이나 비슷하지 않을까. 바로 그 생각이 로마와 카르타고의 대결을 초래한 실마리가 되었다.

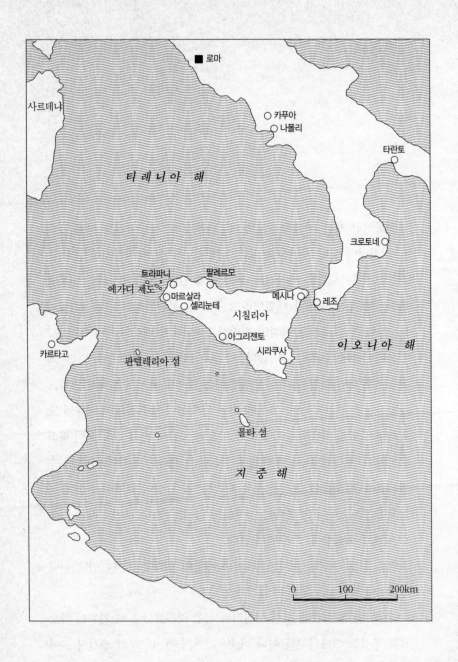

사르데냐

로마

티레니아 해

카푸아
나폴리

타란토

크로토네

트라파니   팔레르모
에가디 제도
          마르살라   메시나   레조
          셀리눈테
                    시칠리아

카르타고

            아그리젠토
판텔레리아 섬   시라쿠사   이오니아 해

                    몰타 섬

            지 중 해

0   100   200km

제1장

제1차 포에니 전쟁

기원전 264년~기원전 241년

기원전 265년, 로마 원로원은 전례없는 난제 앞에서 고심하고 있었다. 구원을 청해 온 메시나의 대표에게 회답을 주어야 할 필요에 쫓기고 있었기 때문이다.

메시나는 시칠리아의 최강국인 시라쿠사의 공격을 받고 있었는데, 자력으로는 이 위기를 타개할 수 없다고 생각하여 카르타고에 의지할 것인가, 로마에 구원을 청할 것인가를 놓고 의견이 갈라져 있었다. 그래도 로마파가 우세했던 것은 엎드리면 코 닿을 곳에 있는 레기움(오늘날의 레조)의 상황 때문이었다.

오늘날에는 칼라브리아 지방에 있는 칼라브리아 주의 주도가 되어 레조칼라브리아라고도 불리는 이 도시는 해협을 사이에 두고 메시나와 마주보는 위치에 있다. 레조도 메시나나 시라쿠사와 마찬가지로 그리스인의 식민지에 기원을 둔 도시다. 로마가 북쪽의 루비콘 강에서 남쪽의 메시나 해협까지 이탈리아 반도를 평정한 무렵부터 레조도 로마의 세력하에 들어가 있었다. '로마 연합'에 가맹한 도시로서, 국내의 자치권은 완전히 보장받은 상태였다. 이 레조를 아침 저녁으로 마주보고 있는 메시나 주민들은 카르타고에 지원을 요청하기보다는 로마에 의지하는 쪽을 선택한 것이다.

그러나 지원을 요청받은 로마는 망설이고 있었다. 로마인은 법을 존중한다. 동맹관계에 있는 우방이라면 구원을 요청받았을 때 응하는 것이 의무지만, 메시나와는 동맹관계가 아니었다. 게다가 메시나에 가려면, 아무리 좁은 해협이라고는 하지만 바다를 건너야 한다. 로마 군단은 한번도 바다를 건넌 적이 없었다. 군선(軍船)은 있지만, 수송선단조차 갖고 있지 않았다. 지금까지 선박이 필요할 때는 '로마 연합'에 속해 있는 항구도시 나폴리나 타란토가 대행해주었다. 지금까지는 그것으로도 충분했다. 그런 로마인이 발을 물에 담그기를 망설인 것은

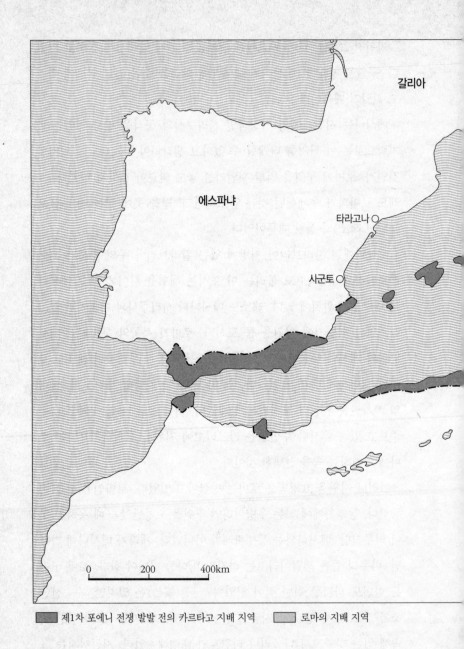

갈리아

에스파냐

타라고나 ○

사군토 ○

0   200   400km

제1차 포에니 전쟁 발발 전의 카르타고 지배 지역   로마의 지배 지역

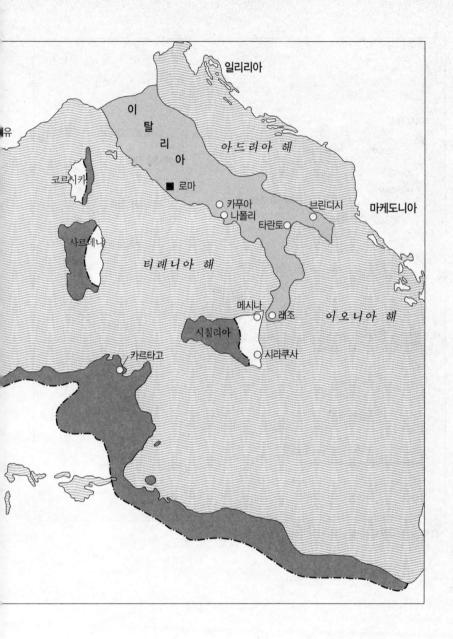

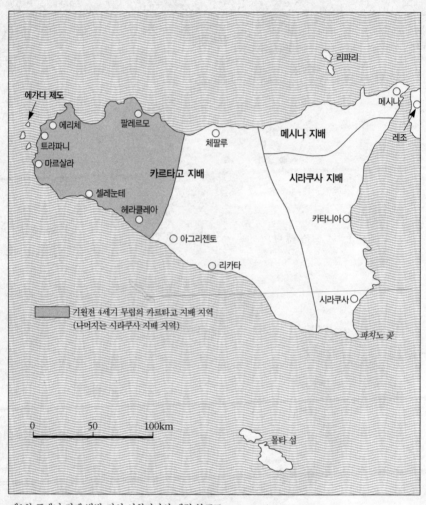

리파리

에가디 제도

에리체   팔레르모

트라파니

마르살라   체팔루   메시나 지배

메시나

레조

카르타고 지배   시라쿠사 지배

셀레눈테

헤라클레아

카타니아

아그리젠토

리카타

시라쿠사

기원전 4세기 무렵의 카르타고 지배 지역
(나머지는 시라쿠사 지배 지역)

파치노 곶

0   50   100km

몰타 섬

제1차 포에니 전쟁 발발 전의 시칠리아의 세력 분포도

당연한 일이었을 것이다. 농경 민족인 로마인은 이웃 도시에 갈 때도 배에 돛을 다는 그리스인과는 달랐다. 하지만 로마가 지원 요청을 거절하면, 메시나는 카르타고에 의지할 게 뻔하다. 더구나 기원전 3세기 중엽인 이 무렵, 카르타고는 이미 시칠리아의 서쪽 절반을 자기 세력 하에 두고 있었다. 이때까지의 시칠리아 역사는 그리스 식민도시들 사이의 항쟁사라 해도 좋았지만, 어부지리를 얻은 것은 카르타고였던 것이다. 그래도 시칠리아의 동쪽 절반에 건재한 시라쿠사와 메시나가 로마와 카르타고 사이의 완충대 역할을 맡고 있었다.

그러나 메시나가 카르타고의 수중에 떨어지면 상황은 달라진다. 완충대가 없어지는 것만이 아니다. 아테네가 쇠퇴한 이 무렵에 카르타고는 지중해 제일의 해운국이었다. 만약에 카르타고가 메시나까지 기지로 삼게 되면, 이탈리아 남부를 둘러싼 해역의 지배권은 카르타고의 것이라고 생각해도 좋다. 그렇게 되면, 로마를 맹주로 하는 '로마 연합' 도시들의 안전에 심각한 문제가 생긴다.

또한 로마인이 감히 발을 들여놓지 못하는 메시나 해협도 지중해 최강의 함대를 가진 카르타고에는 문제가 되지 않는다. 메시나가 카르타고의 수중에 넘어가는 것은 로마인에게는 이탈리아 본토와 시칠리아 섬 사이에 눈에 보이지 않는 다리가 놓이는 것을 의미했다.

그런데도 원로원은 여전히 태도를 결정하지 못하고 있었다. 그래서 지금까지는 원로원에서 결의한 정책을 민회에 회부하여 승인을 요구했지만, 이때만은 로마의 최고 결정기관인 민회에 결의 자체를 요구하게 되었다. 시민권 소유자, 즉 병역 의무자들로 구성된 민회가 내린 결의는 메시나의 요청을 받아들이자는 것이었다.

참전을 결의했다고는 해도, 이 참전이 카르타고와의 정면 대결로 이어져 제1차 전쟁만도 23년 동안이나 계속되리라고 생각한 로마인은 하나도 없었다.

로마의 목적은 불빛까지 식별할 수 있을 만큼 가까이에 있는 메시나를 강대국인 시라쿠사나 카르타고에 넘겨주지 않는 것이었다. 메시나가 '로마 연합'에 가담하면, '다리'를 놓는 것은 오히려 로마가 된다. 일단 결정만 내려지면 신속하게 행동하는 로마인이지만, 메시나를 지원하기 위해 파견된 것은 집정관 한 명이 이끄는 2개 군단뿐이었다. 카르타고와의 격돌을 예상하고 있었다면, 너무 적은 병력이었다.

제1차 포에니 전쟁의 첫해인 기원전 264년, 메시나를 지원하기 위해 로마군을 이끌고 간 집정관은 아피우스 클라우디우스였다. 클라우디우스 가문──아피아 가도를 건설한 아피우스도 이 가문 출신이다──은 공화정 수립 당시부터 로마의 명문이다. 대대로 평민계급에 대해 강경한 자세를 취해온 것으로도 유명한 가문이었다. 오만함, 비타협적인 태도, 선견지명, 확고한 의지, 강한 책임감으로 똘똘 뭉친 듯한 남자들뿐이다. 민주정 체제하에서는 도저히 집정관에 뽑힐 것 같지 않은 이들이지만, 로마는 소수 지도체제, 즉 과두정치 국가다. 집정관은 민회에서 선출되지만, 민중에게 인기가 있는 사람이 하나 뽑히면 인기는 없어도 능력이 뛰어난 사람이 남은 한 자리를 차지할 여지는 있다. 실제로 클라우디우스 가문은 같은 명문 귀족으로 민중에게 인기가 높은 코르넬리우스 가문과 발레리우스 가문에 이어 세번째로 많은 집정관을 배출했다. 클라우디우스 가문의 약점으로 여겨지는 특징도 군대를 지휘할 때는 장점으로 바뀌기 때문이었다.

기원전 264년, 집정관 임기 개시일인 3월 15일에 수도 로마를 출발한 로마군은 바로 클라우디우스의 지휘를 받고 있었다. 클라우디우스가 이끌고 있기 때문에, 메시나 해협까지 가는 길도 강행군이었다. 로마군이 레기움에 도착했을 때, 항구에는 벌써 이탈리아 남부의 우방 도시들이 제공한 수송선단이 닻을 내린 채 그들을 기다리고 있었다. 메시나의 동태를 감시하기 위해 파견된 카르타고 함대가 눈앞의 해협을 순항하는 모습이 보였다. 그러나 클라우디우스는 조금도 기죽지 않았다. 그는 한 부관에게 소수의 병력을 주어, 우선 시험삼아 한밤중에 해협을 건느라고 명령했다.

소대는 무사히 맞은편 해안에 도착했다. 그것을 알리는 횃불이 흔들리는 것을 보고, 클라우디우스는 군대 전체가 대낮에 당당히 해협을 건너기로 결심한다. 1만 7천 명의 병력을 태운 선단은 빠른 물살에 몸을 지키기 위해 한 덩어리가 되어 해협을 건너기 시작했다. 이렇게 되면, 카르타고 함대도 방관할 수밖에 없었다.

메시나에 도착한 뒤에도 클라우디우스는 시간을 낭비하지 않았다. 그는 환영나온 메시나의 주민 대표를 만나 로마와 메시나의 동맹 협정을 맺었다. 메시나를 지원하기 위한 군사 개입이 명분을 가질 수 있게 되었다.

이런 로마군에게 위협을 느낀 것은 메시나로 진격하고 있던 시라쿠사만이 아니었다. 시칠리아에 주둔하고 있는 카르타고군도 마찬가지였다. 이렇게 되자, 그리스 민족의 나라인 시라쿠사와 페니키아 민족의 나라인 카르타고는 오랜 적대관계를 청산하고 동맹을 맺었다. 시라쿠사군은 남쪽에서, 카르타고군은 서쪽에서, 로마군이 버티고 있는 메시나를 향하여 진격했다.

클라우디우스는 이런 사태를 팔짱끼고 지켜보기만 할 사람이 아니었다. 그는 우선 시라쿠사의 참주인 히에론에게 강화를 제의했다. 히에론은 이 제의를 거절했다. 강화 제의가 거부당했다는 것은 군사행동에 푸른 신호등이 켜졌다는 뜻이다. 로마군은 당장에 시라쿠사군에게 덤벼들었다.

용병을 주축으로 한 시라쿠사군은 비록 수적으로는 우세했지만, 시민으로 구성된 로마군의 적수가 아니었다. 그들은 금방 격파당하고, 참주 히에론을 앞세워 남쪽으로 달아나기 시작했다. 하지만 집정관 클라우디우스는 추격하지 않았다. 그 대신, 여세를 몰아 서쪽에 진을 치고 있던 카르타고군을 공격했다. 카르타고에 전쟁을 선언한 명분은 동맹국 메시나에 대한 진격이었다. 카르타고군도 시칠리아에 있는 식민지를 지키기 위해 파견된 군대에 불과했다. 시라쿠사군과 마찬가지로 간단히 격파당하고 말았다.

서전에서 성공을 거둔 뒤에도 클라우디우스의 전격작전은 계속되었다. 그는 메시나 수비에 필요한 병력만 남겨놓고, 나머지 군대를 이끌고 남쪽으로 진격했다. 목적지는 시칠리아 제일의 강국인 시라쿠사의 수도. 시라쿠사 영토 안으로 들어간 뒤에도 그는 행군을 늦추지 않고, 단숨에 수도를 둘러싸고 있는 성벽에 이르렀다.

하지만 겨울이 닥쳤다. 남국 시칠리아에서도 관습에 따라 겨울에는 휴전에 들어간다. 군대가 휴전에 들어간 이 계절에, 로마에서는 이듬해 전선을 담당할 집정관을 선출하는 민회가 열린다. 기원전 263년의 집정관으로 선출된 것은 마니우스 발레리우스와 오타틸리우스 크라수스였다.

마니우스는 명문 발레리우스 가문 출신인 귀족이지만, 오타틸리우스라는 이름은 로마 역사상 이때 처음 등장한다. 삼니움족 출신의 평민이니까, 이름이 생소한 것도 당연하다. 삼니움족이라면, 기원전 326년부터 기원전 284년까지 40년 동안이나 로마가 사투를 벌인 상대다. 마침내 굴복한 삼니움족이 '로마 연합'의 일원이 된 지 아직 20년밖에 지나지 않았다. 로마인은 패배한 부족을 동화시키는 데 열심이었고,

그래서 패배한 부족의 상류층 인사에게는 대범하게 로마 시민권을 주었지만, 전쟁이 끝난 지 불과 20년 뒤에 과거의 적을 자기네 지도자로 선출한 것은 특기할 만하다. 로마인의 이같은 성향은 포에니 전쟁을 치르는 로마에 커다란 이점을 가져다주게 된다.

제1차 포에니 전쟁의 2년째에 해당하는 기원전 263년, 원로원은 시칠리아 전선에 발레리우스와 오타틸리우스를 둘 다 파견했다. 집정관 군단은 한 명의 집정관이 지휘하는 2개 군단을 가리킨다. 따라서 집정관이 둘 다 파견되었다는 것은 로마가 지난해보다 두 배나 많은 병력, 즉 4개 군단을 투입했다는 뜻이다.

1개 군단은 로마 시민병과 '로마 연합' 가맹도시에서 지원한 병사들로 편성되어 있었다. 통상적으로 병력은 로마 시민병이 보병 4천 200명과 기병 300명이고, '로마 연합' 가맹도시에서 파견된 병사의 수는 그와 같거나 조금 많았다. 따라서 전략 단위인 '집정관 군단'의 규모는 1만 8천 명 내지 2만 명이었다. 집정관이 둘 다 전선에 나간다면, 로마군의 전력은 3만 5천 명 내지 4만 명에 이른다. 지난해의 집정관 클라우디우스는 후임자 두 사람에게 전선을 인계하고, 휘하 병사들과 함께 귀국했다. 당시 로마에서는 1년마다 총사령관과 병사들이 모두 교체되었다. 시민병이기 때문에 시민 생활에서 오래 떠나 있을 수는 없었기 때문이다.

시라쿠사의 참주 히에론은 세습으로 왕위를 물려받은 게 아니라 실력으로 왕위를 획득한 사람이다. 30대 중반의 나이였지만, 통찰력이 뛰어난 현실주의자였다.

히에론은 시라쿠사가 전략적 요충지에 자리잡고 있고 방어시설도 완벽하기 때문에 쉽사리 함락되리라고는 생각하지 않았다. 그가 두려

위한 것은 시라쿠사가 로마와 싸우는 동안 카르타고가 어부지리를 얻는 것이었다. 그리스 민족과 페니키아 민족은 예로부터 사이가 나쁘다. 히에론도 메시나와 마찬가지로 로마와 카르타고 사이에서 선택을 강요당했다.

히에론이 보낸 강화 사절이 로마군 진영을 방문했다. 로마의 두 집정관은 생각지도 않은 수확에 덤벼들었다. 로마 쪽에서 제시한 강화 조건은 간단하고 관대했다. 싸우는 시늉조차 못하고 투항한 상대에게 제시한 조건이라고는 도저히 생각할 수 없을 정도였다.

1. 양국의 동맹관계는 우선 15년을 기한으로 하되, 이의가 없으면 무한히 경신된다.

2. 로마는 시라쿠사의 완전한 자치권과 독립을 존중한다.

3. 시라쿠사는 로마에 밀을 우선적으로 팔 의무를 진다.

4. 시라쿠사는 로마 연합군에 병력을 제공할 의무를 지지 않는다.

5. 시라쿠사는 로마에 배상금으로 100탈렌트를 지불한다. 25탈렌트는 강화 조인시에, 나머지는 15년 분할로 지불한다.

시라쿠사의 참주 히에론은 로마와 맺은 동맹을 죽을 때까지 지켰다. 로마가 곤경에 빠졌을 때도 배신하기는커녕 지원을 아끼지 않았다. 로마와 동맹을 맺은 것은 현실주의자인 히에론에게는 궁지에서 벗어나기 위한 책략이 아니라 냉정하고 정치적인 선택이었던 것이다. 시라쿠사는 그후 50년 동안 평화와 번영을 누리게 된다.

로마는 여기서 전쟁을 끝내도 좋았을 것이다.

메시나가 '로마 연합'의 일원이 되었기 때문에, 해협이 좁은 것을 걱정할 필요가 없어졌다. 게다가 시칠리아의 강국 시라쿠사도 로마의 동맹국이 되었다. 메시나와 시라쿠사는 시칠리아 동부의 양대 도시다.

시칠리아 동부의 해안선은 이탈리아 본토의 해안선과 마찬가지로 로마의 우방들이 지켜주게 된다. 이탈리아 남부의 방위를 확실하게 한다는 로마의 당초 목적은 달성된 셈이다. 실제로 시라쿠사와 강화조약을 맺은 직후에 로마는 시칠리아에 2개 군단만 남겨놓고 나머지 2개 군단은 귀국하여, 전력 감축을 실행에 옮기기 시작했다.

그러나 카르타고의 위기감이 높아졌다. 로마와 시라쿠사의 동맹이 성립됨으로써, 카르타고는 현재 상태 이상으로 세력을 확대할 수 있다는 기대가 사라졌을 뿐만 아니라, 시칠리아에 대한 기득권마저 침식당할 우려가 생겼다. 카르타고는 시칠리아 전선에서 본격적으로 맞붙을 것을 결의한다. 육군과 해군을 합쳐 4만이 넘는 대군이 시칠리아 남쪽에 있는 아그리겐툼(오늘날의 아그리젠토)에 상륙했다. 바다를 사이에 두고 카르타고 본국과 마주보는 위치에 있는 아그리젠토를 로마에 대한 전진기지로 삼을 생각이었다.

드디어 로마와 카르타고는 정면으로 부딪치게 되었다. 곧 '포에니 전쟁'—페니키아인과의 전쟁이라는 뜻이다—이라는 명칭이 어울리는 시기에 들어선 셈이다.

제1차 포에니 전쟁이 발발한 기원전 264년까지 로마와 카르타고 사이에 교섭이 전혀 없었던 것은 아니다.

역사적 사실로 남아 있는 최초의 협약은 로마가 공화정으로 이행한 직후인 기원전 508년에 맺어졌다. 이에 따르면, 로마 선박이 시칠리아 서부와 아프리카 북해안에 기항하는 것은 허용되지만, 그밖의 항구에 기항하는 것은 태풍을 피하기 위한 경우라 해도 금지되어 있었다. 한편 로마는 로마를 중심으로 한 라치오 지방의 항구에 대해서는 카르타고 선박의 기항 여부를 결정할 권리를 갖지만, 다른 지방의 항구에 대해서는 카르타고 선박의 기항에 참견할 권리가 없었다.

분명한 불평등 조약이지만, 공화정으로 이행한 직후에 온갖 어려움에 직면해 있던 로마와 이미 강대국이었던 카르타고의 역학관계를 생각하면 당연했을 것이다.

역사적 사실로 남아 있는 두번째 협약은 로마가 이탈리아 중부를 제패한 시기인 기원전 348년에 맺어졌다. 이에 따르면, 카르타고는 사르데냐 섬과 코르시카 섬 서쪽에 있는 서(西)지중해 전역에서 로마와 '로마 연합' 가맹도시들의 통상을 금지하고 있었다. 이 두 섬과 이탈리아 사이에 있는 티레니아 해와 토스카나에서 캄파니아에 걸친 지방의 항구에서는 로마의 주권이 인정되지만, 그밖의 지방에서의 카르타고 통상권은 카르타고의 자유행위로 간주한다고 명기되어 있었다.

이것도 역시 불평등 조약이다. "카르타고의 허락이 없으면 로마인은 바다에서 손도 씻지 못한다"는 말이 이 시대 양국의 역학관계를 반영하고 있었다.

하지만 농경 민족인 로마인에게는 육지에서 해야 할 일이 아직 많이 남아 있었다. 구태여 바다로 나갈 필요도 없었고, 배라고 부를 만한 배도 거의 갖고 있지 못한 실정이었다.

카르타고와의 대결이 만만치 않다는 사실을 로마 원로원이 깨달은 것은 제1차 포에니 전쟁 3년째인 기원전 262년이었다. 메시나와 시라쿠사를 우방으로 끌어들여 걱정이 사라졌다고 생각했던 시칠리아에 4만 명의 카르타고 병력이 상륙했다고 한다. 로마가 시칠리아에 남겨둔 병력은 1만 5천 명에 불과했다.

시칠리아 남부에 있는 아그리젠토는 나폴리나 타란토, 시라쿠사나 메시나와 마찬가지로 기원전 8세기에 지중해 전역에서 이루어진 그리스인의 식민 활동으로 건설된 도시다. 오늘날에도 멋진 신전 유적으로

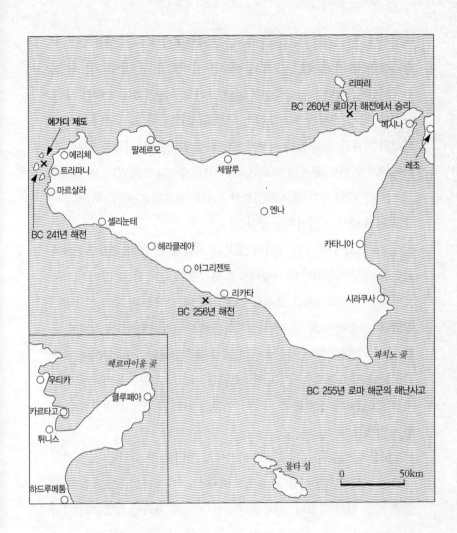

리파리

BC 260년 로마가 해전에서 승리 ✕

메시나

레조

에가디 제도 ✕

에리체

팔레르모

체팔루

트라파니

마르살라

엔나

셀리눈테

BC 241년 해전

헤라클레아

카타니아

아그리젠토

리카타

시라쿠사

✕
BC 256년 해전

파치노 곶

BC 255년 로마 해군의 해난사고

헤르마이움 곶

우티카

클루페아

카르타고

튀니스

하드루메툼

몰타 섬

0   50km

유명하다. 아그리젠토는 시라쿠사만큼 세력이 강하지는 못했지만, 절정기를 훨씬 지난 제1차 포에니 전쟁 당시에도 인구 5만을 거느린 도시국가였다. 일단은 독립국이지만, 카르타고의 세력하에 들어간 지 오래였다. 당시 시칠리아는 그리스 색채가 짙게 남아 있는 동부와 카르타고의 지배를 받고 있는 서부로 양분되어 있었는데, 아그리젠토는 서쪽에 속하면서도 동서의 경계선 가까이에 자리잡고 있었다. 시칠리아의 서쪽 절반을 자기 것으로 생각하고 있는 카르타고는 이 아그리젠토를 로마에 대한 전진기지로 삼았다.

아그리젠토에 대규모 병력이 상륙한 사실을 안 로마 원로원은 4개 군단을 다시 시칠리아에 파병하기로 결정했다. 집정관 두 명이 이끄는 로마군은 아그리젠토를 포위했지만, 그후의 전황은 뜻대로 전개되지 않았다. 집정관이 둘 다 뛰어난 지휘관이 아니었던 탓이다. 지형에 대한 무지 때문에 식량 저장소가 적에게 습격당했다. 시라쿠사의 참주 히에론이 원조해주지 않았다면, 포위된 아그리젠토에 틀어박혀 있는 카르타고군보다 오히려 로마군이 먼저 군량미 부족으로 전투력이 약화될 뻔했다.

로마군이 실수를 저지르고도 위기에서 벗어날 수 있었던 것은 카르타고군의 무책 덕분이었다. 용병으로 구성된 카르타고군도 유능한 장군을 갖고 있지 못했다. 전황은 조금씩 로마에 유리한 쪽으로 전개되기 시작했다.

그해 12월, 포위된 생활에 지친 카르타고 병사들이 밤중에 몰래 아그리젠토를 탈출하여 안전한 마르살라로 도망쳐버렸다. 주민만 남은 아그리젠토는 그로부터 며칠 뒤에 함락되었다. 승리자로 입성한 로마군은 도시를 약탈하고, 2만 5천 명이나 되는 주민을 노예로 삼았다. 로마군이 팔아넘긴 노예는 대부분 시라쿠사 시민이 사들여 몸값은 빚으로 빌려준 셈치고 아그리젠토로 돌려보냈지만, 이때 로마군의 행동은 로마 쪽에 붙을 것인가 아니면 카르타고 쪽에 그냥 남아 있을 것인가를 아직 결정하지 못하고 있던 다른 도시들의 태도를 경화시키는 결과를 낳았을 뿐이다. 제1차 포에니 전쟁을 기술한 아그리젠토 태생의 필리누스도 로마군의 이 만행 때문에 반로마주의자가 되었다.

오랫동안 카르타고 세력권이라고 누구나 믿어 의심치 않았던 아그리젠토의 함락으로, 로마는 이제 되돌아설 수 없는 데까지 나아가버렸다. 시칠리아에 대한 기득권을 포기한다는 것은 생각지도 않는 카르타고와 전면전에 돌입할 수밖에 없게 된 것이다. 이것은 로마와 카르타고 가운데 어느 한쪽이 시칠리아를 완전히 장악하기 전에는 끝나지 않을 숙명을 지닌 전쟁이었다. 제1차 포에니 전쟁은 이 시칠리아를 전쟁터로 하여 전개되었다.

이듬해인 기원전 261년, 로마는 지난해와 마찬가지로 두 명의 집정관과 4개 군단을 시칠리아에 파견했다. 이해의 로마군은 아그리젠토 공략에 성공한 여세를 몰아 계속 진군하여, 카르타고 세력하의 시칠리아 도시들을 차례로 공략하는 데 성공했다. 하지만 이런 전과는 시칠리아의 내륙지방에만 국한되어 있었다. 해안지방의 도시에는 카르타고 본국의 지원이 계속되고 있어서, 육지 쪽에서 공격하여 함락시켜도 그것을 계속 유지할 수가 없었기 때문이다.

로마는 카르타고 본국에서의 보급로를 차단하지 않는 한 시칠리아를 제패할 수는 없다는 것을 깨달았다. 농경 민족인 로마인도 이제 비로소 바다를 제압한다는 것의 의미를 이해한 셈이다.

육지에서 이기면 그 땅에 식민도시를 건설하여 요새로 삼고, 그 요

새들을 잇는 가도를 건설하여
방어망을 구축하는 데 열심이
었던 로마인이다. 그렇기 때문
에 제해권 확보의 중요성에 눈
을 뜬 것도 빨랐다.

하지만 제해권을 획득하고
유지하는 일은 해군이 없이는 실현할 수 없다. 그런데 당시의 로마에
는 카르타고의 전함에 필적하는 5단층 갤리선 따위는 한 척도 없었
다. '로마 연합'에 가맹한 항구도시가 소유하고 있던 군선은 기껏해
야 3단층 갤리선이 고작이었다. 그리스인의 군선은 3단층 갤리선이었
기 때문이다. 전성기의 아테네도 마찬가지였다.

노잡이가 배의 동체 부분에 평행으로 층층이 만들어진 3층의 단 위
에 줄지어 앉아서 노를 젓기 때문에 3단층이라고 한다. 5단층 갤리선
은 이 단이 5층이 된다.

같은 갤리선이라도, 고대와 중세 베네치아의 갤리선은 여러 가지로
달랐다. 그중에서도 가장 큰 차이는 고대에는 노잡이들이 각각 하나의
노를 저은 반면, 중세 베네치아 갤리선의 경우에는 노잡이 셋이 하나
의 노를 다루었다는 점이다.

두번째 차이점은 고대 갤리선의 경우에는 노잡이들이 갑판 밑에 앉
았지만, 중세 베네치아 갤리선의 경우에는 갑판 위에 줄지어 앉았다는
점이다. 인구가 많지 않은 베네치아에서는 접근전이 벌어지면 노잡이
들도 노를 버리고 전투에 가담할 필요가 있었기 때문이다. 베네치아의
전투원은 한 척당 40명이 한도였다.

노잡이까지 전투에 가담할 필요가 없었던 고대에는 전투원으로 군
선에 타는 병사의 수가 훨씬 많아진다.

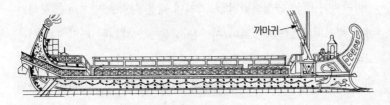

까마귀 →

로마의 군선

100명의 노잡이를 필요로 하는 3단층 갤리선에서는 전투원이 한 척 당 100명이었다. 배의 길이와 높이가 훨씬 큰 5단층 갤리선의 노잡이 수는 300명, 전투원의 수도 역시 300명이었다.

트라팔가르 해전 이전에는 해상 전투에서도 접근전으로 승부를 결 정하는 것이 통례였기 때문에, 높은 위치에서 낮은 위치에 있는 적을 공격하는 편이 유리할 것은 뻔하다. 5단층 갤리선은 노잡이가 앉아 있 는 단이 5층이나 되기 때문에 배의 높이도 훨씬 높아진다. 그리고 3단 층 갤리선의 노잡이 수가 100명인 반면 5단층 갤리선의 노잡이는 300 명이나 되기 때문에, 3단층 갤리선에 비해 세 배의 마력을 가진 모터 를 장착하고 있는 셈이나 마찬가지였다.

5단층 갤리선을 120척이나 소유하고 있던 카르타고는 역시 지중해 최강의 해군국이었다.

이 카르타고와 바다에서 싸우려면, 로마도 역시 5단층 갤리선을 만 들 수밖에 없다. 3단층 갤리선밖에 없는 '로마 연합'의 항구도시에 의 지할 수는 없기 때문에, 로마는 자력으로 배를 건조할 수밖에 없었다.

군선 건조술이 전혀 없는 로마는 카르타고를 모방하기로 했다. 메시 나 해협을 처음 건넜을 때 노획한 카르타고의 5단층 갤리선이 있었다. 로마인은 그것을 해체하여 하나하나 복제하는 방법으로 군선을 건조 하기 시작했다.

이리하여 배는 완성되었지만, 거기에 태울 사람을 양성하는 문제가 아직 해결되지 않았다. 로마 시민은 강을 오르내리는 배밖에는 타본 적이 없었다. 나폴리를 비롯한 항구도시 시민들의 지도를 받아, 육지에 설치된 모형 선박 위에서 구령에 맞추어 노를 젓는 훈련이 시작되었다. 오늘날 대학 조정부 같은 데서 신참자를 훈련할 때 사용하는 방법과 비슷했다. 이 훈련으로 얼마나 솜씨가 늘었는지는 모르지만, 일단은 노잡이를 확보할 수 있었다. 돛이나 키를 다루는 선원은 항구를 가진 동맹 도시의 지원에 의지했다.

아무리 그렇더라도 이듬해 봄에 벌써 바다로 나간 것은 무모하다고 밖에는 달리 말할 수가 없다. 그래도 5단층 갤리선 100척과 3단층 갤리선 200척으로 이루어진 로마 최초의 해군이 탄생했다.

지휘를 맡은 것은 그나이우스 코르넬리우스 스키피오—후세의 명장 스키피오 아프리카누스의 할아버지다—였다. 육전에서는 눈부신 공훈을 쌓은 그도 해군을 지휘하기는 이번이 처음이었다. 아니, 군선을 지휘해본 경험자가 한 명도 없는 로마에서는 누가 지휘를 맡았다 해도 마찬가지였을 것이다. 이해에 로마는 스키피오에게는 해군을 맡기고, 두일리우스에게는 육군을 맡겨, 두 집정관이 모두 시칠리아 전선에 파견되었다.

그러나 해운국은 하루아침에 이루어지지 않는다. 육로로 남하한 군대는 무사히 메시나에 도착했지만, 바다로 남하한 해군은 각 선박의 보조가 맞지 않아 소나기식 항해가 되어버렸다.

앞장서서 나아가고 있던 스키피오는 뒤처진 아군 선박이 따라오기를 기다리는 동안 한 가지 일을 처리하기로 마음먹었다. 가까이에 있던 17척만 이끌고 리파리 섬을 점령하러 간 것이다. 이 섬을 수중에 넣으면 로마에서 시칠리아로 가는 해로가 확보된다고 생각했기 때문이다.

작은 섬이라서 점령은 간단히 끝났다. 하지만 팔레르모에 있던 카르타고군이 이것을 알게 되었다. 카르타고는 해운국인 만큼, 리파리 섬의 전략적 가치도 알고 있었다. 카르타고는 당장 20척의 군선을 파견하여 리파리 섬 수복에 나섰다.

카르타고인은 이런 경우의 전투 방법도 알고 있었다. 밤중에 리파리섬 앞바다에 도착한 카르타고 함대는 항구 출입구를 봉쇄했다. 이튿날아침, 항구에 정박해 있는 배 위에서 눈을 뜬 로마군 병사들은 싸워보지도 못하고 항복할 수밖에 없는 상태인 것을 알았다. 선원들은 산으로달아났지만, 집정관을 비롯한 로마 병사들 대부분이 포로가 되었다.

너무 일찍 포로가 되어버린 스키피오는 그로부터 얼마 후 로마와 카르타고의 포로교환으로 귀국한다. 패장을 벌하지 않는 로마의 방식 덕분에 그는 6년 뒤에는 다시 집정관에 선출되어 전선에 복귀하게 된다.

총사령관이 포로가 되어버렸지만, 후속 함대는 배를 한 척도 잃지않고 모두 무사히 메시나에 입항했다. 로마 집정관을 사로잡은 카르타고 함대가 적장을 팔레르모로 호송하는 일에 신경을 쓴 나머지 리파리주변 해역에 대한 감시를 소홀히 한 것이 로마로선 다행이었다.

육군 담당 집정관인 두일리우스는 해군 지휘관까지 겸하게 되었다. 두일리우스도 스키피오와 마찬가지로 바다에는 무지했지만, 시칠리아에 일찍 도착했기 때문에 전선에서의 정보를 수집할 시간 여유를 가질수 있었다.

두일리우스는 로마군이 비록 카르타고와 같은 5단층 갤리선을 가지고 있어도 바다에서는 카르타고를 당할 수 없다고 생각했다. 그래서그 불리함을 만회하기 위해, 그때까지 어떤 민족도 배 위에 설치한 적이 없는 신무기를 고안해냈다. 로마 병사들은 그것을 '까마귀'라고 불렀다.

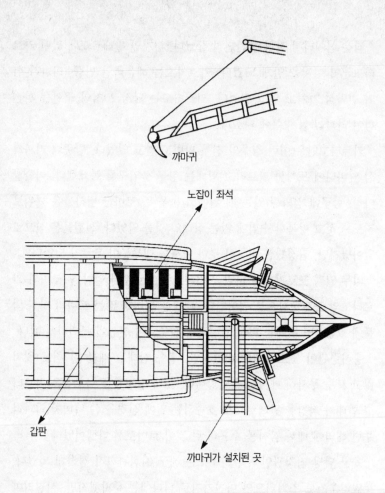

까마귀

노잡이 좌석

갑판

까마귀가 설치된 곳

'까마귀'는 항해중에는 뱃머리와 가장 가까운 돛대에 로프로 고정되어 있는 일종의 잔교다. 뱃머리부터 적선에 접근하면, 돛대에서 풀려난 '까마귀'는 적선 갑판으로 떨어진다. '까마귀' 끝에 붙여놓은 날카로운 철제 갈고리가 낙하할 때의 힘으로 갑판에 꽂혀 고정된다.

로마 병사들은 이 다리를 통해 적선으로 물밀듯 쏟아져 들어간다. 항해술에 자신이 없는 로마인은 이 '까마귀'를 이용하여 해상 전투를 육상 전투로 바꾸려고 생각한 것이다. 또한 '까마귀'는 180도로 방향을 전환하는 것도 가능하도록 되어 있다. 적선이 좌우 어느 쪽에 나타나도, 일단 접근에만 성공하면 '까마귀'는 위력을 발휘할 수 있었다.

'까마귀' 같은 신무기를 생각해낸 것은 로마에 해운의 전통이 없었기 때문이다. 해운국의 뱃사람은 항해술에 자신이 있을 뿐만 아니라, 선박의 미관도 소중히 여긴다. 모든 돛을 활짝 펼친 범선의 아름다움은 바다에 목숨을 건 사나이들의 자부심을 북돋운다. '까마귀' 같은 기묘한 물체를 돛대에 부착하는 것은 그들에게는 배와 바다에 대한 모독이었다. 바다의 사나이가 아닌 로마인은 그런 것에는 전혀 신경을 쓰지 않았다.

두일리우스는 '까마귀'를 장착한 함대를 이끌고 메시나를 떠났다. 5단층 갤리선 100척으로 이루어진 카르타고 함대가 팔레르모를 떠나 메시나로 향하고 있다는 소식이 들어왔기 때문이다.

두 함대는 밀라초 앞바다에서 만났다. 이곳에서 로마와 카르타고 사이에 처음으로 본격적인 해전이 벌어졌다. 군선의 수만으로도 카르타고는 로마 해군의 1.5배가 된다. 또한 항해술의 차이는 문외한이 보아도 명백했다.

배를 한 줄로 늘어세우는 것조차 뜻대로 못하는 로마 해군을 보고 일찌감치 진형을 갖추고 있던 카르타고 병사들은 큰 소리로 비웃었다. 양군이 접근할수록 비웃음 소리는 더욱 높아졌다. 로마 군선의 돛대에 꼭 매미처럼 달라붙어 있는 기묘한 물체를 보고, 카르타고 병사들은 배꼽을 쥐지 않을 수 없었다.

하지만 마침내 전열을 갖춘 로마 함대가 한 줄로 늘어서서, 아니 실제로는 비뚤비뚤한 한 무더기가 되어 카르타고 함대를 향해 돌격을 개시하자마자, 카르타고 병사들의 얼굴에서는 웃음이 싹 사라졌다.

뱃머리가 부서지는 것도 아랑곳하지 않고 돌격해온 로마 군선에서 큰 소리를 내며 '까마귀'가 떨어졌다. 카르타고 선박의 갑판에 파고든 '까마귀'를 따라 로마 병사들이 물밀듯 쏟아져 들어왔다. 로마 군단의 중추라고 일컫는 중무장 보병들이다. 그들과 백병전이 벌어지면 카르타고의 용병들은 당해낼 재간이 없다. 로마 해군이 해상 전투를 육상 전투로 바꾸어버렸기 때문에 카르타고가 자랑하는 항해술도 발휘할 수 없게 되었다. 적의 주요 전력을 무력화시키는 전법을 해상에서도 응용할 수 있었던 셈이다.

전황은 처음부터 끝까지 로마의 일방적인 우세 속에서 전개되었다. 침몰한 카르타고 선박이 15척. 노획된 카르타고 선박이 30척. 그 중에는 카르타고 해군의 총사령관이 타고 있던 장선(將船)까지 포함되어 있었다. 총사령관은 전령용 쾌속선을 타고 도망쳤기 때문에 포로가 되는 것을 간신히 면할 수 있었다. 카르타고군의 전사자는 3천 명. 포로는 무려 7천 명에 이르렀다. 로마군의 손실은 하찮은 것이었다고 한다. 밀라초 앞바다에서 벌어진 로마와의 첫번째 해전에서, 카르타고는 시칠리아에 파견한 해군의 3분의 1을 잃었다.

승전보를 받은 수도 로마의 기쁨은 '하늘에라도 오를 듯한 기쁨'이라고 형용할 수밖에 없는 것이었다. 조심조심 바다로 나아가본 해군이 지중해의 최대 최강인 카르타고 해군을 상대로 정정당당한 해전을 벌인 끝에 승리를 거둔 것이다. 승장인 두일리우스는 대리석 기둥 좌우에 노획한 카르타고 선박의 뱃머리를 꽂은 승리의 기념비를 만들어 로마로 보냈다. 로마인은 그것을 '포로 로마노' 광장 한복판에 세워놓고 승리를 축하했다. 카르타고와 전쟁을 시작한 지도 어언 다섯 해가 지나가고 있었다.

오랫동안 계속되는 전쟁도 1년 내내 싸우는 것은 아니다. 우선 겨울철의 자연 휴전기가 있다. 그리고 여러 가지 이유로 전선이 활기를 잃어버리는 해도 있었다. 제1차 포에니 전쟁도 밀라초 앞바다 해전에서 로마가 승리한 기원전 260년에 이은 기원전 259년과 그 이듬해인 기원전 258년에는 눈에 띄는 움직임이 없는 상태로 지나갔다. 그래도 카르타고보다는 로마가 더 집요했다. 시칠리아 전체는 동남부에 뿌리를 내린 시라쿠사, 동북부와 중앙부로 진출한 로마, 그리고 서부로 후퇴하는 카르타고로 삼분되었다. 포에니 전쟁이 시작되기 전에 비하면, 시칠리아에서 카르타고 세력의 후퇴는 두드러졌다. 게다가 그 이듬해인 기원전 257년에는 로마가 해전에서 두번째 승리를 거두게 된다.

이때의 전쟁터는 시칠리아 북쪽 바다에서도 팔레르모에 가까운 해역이었다. 오늘날 시칠리아 자치지역의 수도인 팔레르모는 당시에는 시칠리아 서해안의 항구도시인 트라파니와 마르살라와 더불어 카르타고 세력의 거점이 되어 있었다. 적의 거점 가까이까지 가서 싸웠으니까, 로마 해군의 행동 반경도 상당히 넓어져 있었다. 게다가 로마는 이 해전에서도 승리를 거두었다. 카르타고의 손실은 분명치 않지만, 밀라초 앞바다에서 입은 손실만큼 심하지는 않았던 모양이다. 그러나 로마인에게 자신감을 안겨주기에는 충분했다.

로마는 전쟁터를 시칠리아 섬에서 카르타고 본국으로 옮기기로 결정했다. 아프리카 진격 작전에는 해군이 필수적이지만, 해전에서 두 번의 승리를 거둔 로마는 이제 남 못지않은 해운국이 되었다고 자부했는지도 모른다.

그해 겨울, 로마의 외항 오스티아와 나폴리, 레조, 메시나에서는 조선공들이 휴일도 없이 일했다. 지금까지의 두 배나 되는 군선을 건조할 필요가 있었기 때문이다. 로마의 의도를 간파한 카르타고에서도 조선소가 활기를 띠었다. 해운국 카르타고의 명예를 지키기 위해서라도, 단 한 명의 로마 병사도 아프리카 땅을 밟게 할 수는 없었다.

기원전 256년 봄이 찾아오자, 로마는 새로 건조한 230척의 군선을 진수했다. 카르타고는 250척을 바다에 내보냈다. 로마도 카르타고도 거의 모든 선박이 5단층 갤리선이다. 이만한 전력이 한 해역에 투입되는 것은 지중해 해전사상 처음 있는 일이었다.

5단층 갤리선 한 척당 승무원 수는 노잡이가 300명에 전투원이 120명, 선원이 100명이니까 모두 합하면 500명이 넘는다. 230척이면 12만 명에 이른다. 여기에 수송선단이 추가된다. 기원전 256년에 선출된 집정관은 둘 다 해군을 지휘하게 되었다. 로마는 최초의 아프리카 원정에 총력을 기울여 달라붙었다.

노잡이와 선원만 태운 로마 함대가 메시나를 떠났다. 병사들은 육로를 따라 행군한다. 시칠리아 남쪽 끝에 있는 파치노 곶을 돌면 에크노무스(오늘날의 리카타)라는 항구도시가 있다. 배와 병사들은 여기서 합류하도록 되어 있었다.

로마군의 진격을 저지하기 위한 카르타고 함대는 이미 마르살라에 도착해 있었다. 로마 함대가 리카타로 떠난 것을 알고, 그들도 마르살라를 떠나 남동쪽으로 항로를 잡았다. 리카타에서 로마 병사들이 승선하기 전에, 적은 수의 선원만 타고 있는 로마 함대를 공격할 작정이었다. 그러나 로마군의 행동은 신속했다.

병사들의 승선도 끝나고, 아프리카를 향해 남서쪽으로 항로를 잡고 있던 로마 함대 앞에, 이미 전열을 갖춘 카르타고 함대가 모습을 드러냈다. 로마 해군의 군선은 230척인데 상대는 250척이다. 그 250척이 카르타고 선원의 우수한 항해술을 과시하며 중앙과 양쪽 날개로 나뉘어 일직선으로 다가왔다. 해전의 정석에 충실한 활 모양의 진형이었다.

로마 함대를 지휘하고 있던 두 집정관은 이 카르타고 함대와 싸우기 위해 전례없는 원뿔 모양의 진형을 편성했다.

전체의 약 3분의 1에 해당하는 80척이 집정관 레굴루스가 탄 장선을 선두로 비스듬히 늘어서서 원뿔의 한 변을 이룬다. 또 한 명의 집정관 불소가 탄 장선을 선두로 하는 80척도 비스듬히 늘어서서 원뿔의 또 한 변을 이룬다. 장선 두 척이 만든 원뿔의 끝은 물론 적을 향하고 있다. 원뿔의 밑변에 해당하는 해역에는 속도도 떨어지고 전투원도 타지 않은 수송선단이 배치되었다. 수송선단의 배후에는 그것을 지키는 제3선단이 대기한다. 후위에 해당하는 이 선단에는 70척이 배치되었다.

장선 두 척을 앞세운 로마의 제1선단과 제2선단이 적의 중앙부를 공격하는 것으로 싸움이 시작되었다. 공격을 받은 카르타고 함대의 중앙부가 그 공격을 견뎌낼 수 있었던 것은 잠시뿐이었다. 우선 카르타고 함대의 중앙부가 후퇴하기 시작했다. 반대로 카르타고의 좌익은 출발이 늦은 로마 수송선단을 공격했다. 그리고 우익은 로마의 제3선단을 향해 돌진했다. 로마 함대를 분리시켜 포위하는 것이 항해술에 능하고 수적으로도 우세한 카르타고의 전술이었다. 이리하여 리카타 앞바다에서 벌어진 해전은 전쟁터가 삼분됨으로써 카르타고 쪽의 뜻대로 전반전을 마쳤다.

그러나 로마의 제1선단과 제2선단의 공격은 카르타고의 예상보다 훨씬 대단했다. 이 두 선단의 집중 공격을 받은 카르타고 해군의 중앙부는 어느덧 패주하기 시작했다. 로마 해군은 그 뒤를 쫓지 않았다. 적선을 쫓아내고 방향을 바꾼 제1선단의 80척은 카르타고 좌익의 공격을 받아 고전하고 있는 수송선단을 구하러 달려갔다. 제2선단의 80척도

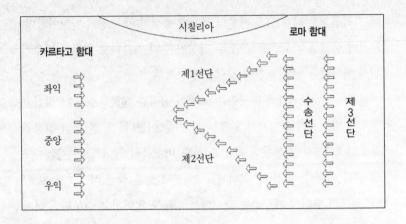

제3선단이 싸우고 있는 해역으로 돌아왔다. 곤경에 빠진 것은 카르타고의 좌익과 우익이다. 앞뒤에서 협공을 받게 된 것이다. 그래도 탁 트인 해역에서 싸우고 있던 우익은 도망칠 수 있었지만, 육지와 가까운 해역에서 싸우고 있던 좌익은 도망칠 길마저 차단되었다. 로마 함대에 둘러싸인 카르타고의 좌익은 침몰하거나 사로잡혀 전멸하고 말았다.

로마가 잃은 배는 24척. 카르타고 쪽의 손실은 침몰한 배가 30척에 사로잡힌 배가 63척이었다. 카르타고는 세번째 해전에서도 로마에 패한 것이다.

카르타고는 도망쳐온 157척을 수도 앞바다에 배치하고 배수진을 쳤다. 하지만 로마는 해전을 바라지 않았다. 아프리카 북해안으로 바싹 다가온 로마군은 적군 함대가 배치되어 있는 카르타고 만(灣)을 피해, 거기서 곶을 돌아 동쪽에 있는 클루페아 해변에 상륙했다. 로마군은 순식간에 클루페아 마을을 공격하여 점령한 다음, 그곳을 아프리카 전선의 기지로 삼았다. 시칠리아에서 이곳까지의 보급로를 확보하는 일은 카르타고 함대를 세 번이나 무찌른 로마 해군이 맡았다. 시칠리아와 아프리카 사이의 바다에 떠 있는 몰타 섬과 판텔레리아 섬도 이미 로마군에 점령되어 있었다.

이해에 로마군이 아프리카에 상륙한 뒤에도 이에 맞설 적이 없었다. 클루페아 주변은 당장 로마군에 항복했고, 카르타고 본국이 보내온 병력도 격퇴당했다. 이번 전투에서 사로잡아 로마로 보낸 포로가 무려 2만 명에 이를 정도였다.

이 때문에 낙관적이 되었는지, 가을이 되자마자 로마 원로원은 집정관 한 명에게 절반이 넘는 병력을 이끌고 귀국하라는 훈령을 내렸다. 이듬해의 집정관을 선출하기 위해 겨울철에 열리는 민회는 현직 집정관이 소집하도록 규정되어 있기 때문에 이를 위해 집정관 한 명을 본국으로 소환한 것이기도 했지만, 시민병으로 구성된 로마 군단에서는 1년마다 병사를 교체하는 것을 바람직한 일로 여기고 있었다. 로마인은 최초의 해외 원정에서도 종래의 방식을 쓰면 된다고 생각했다.

아프리카에서 겨울을 나게 된 것은 집정관 레굴루스가 지휘하는 1만 5천 명의 보병과 500명의 기병, 40척의 군선과 선원뿐이었다. 겨울철 숙영지는 오늘날의 튀니스 근처였다. 수도 카르타고에 대한 공략은 이듬해 봄에 아군이 도착하기를 기다려 시작될 테고, 그 준비도 다 끝났기 때문에 겨울철 숙영지를 안전한 클루페아보다 카르타고에 더 가까운 튀니스로 결정한 것이다.

수도 바로 옆에 적군이 숙영지를 설치한 것에 위기감을 느낀 카르타고 정부는 로마 집정관 레굴루스에게 강화 사절을 보냈다. 레굴루스도 강화 제의를 받아들여 조건을 제시했다.

첫째, 카르타고는 시칠리아 섬과 사르데냐 섬에서 철수할 것.

둘째, 해군을 해산하고 함대를 로마에 양도할 것.

카르타고 정부는 받아들일 수 없는 조건이라 하여 이를 거부했다. 수도에 적이 바싹 다가와 있는 것은 사실이지만, 카르타고군은 육군과 해군이 모두 건재했다. 이듬해 봄에 재개될 전쟁에 대비하여 카르타고 는 스파르타 출신의 용병대장 크산티포스를 고용했는데, 이 사람은 이 집트와 시리아에서 전투를 치러본 경험이 풍부한 역전의 용사였다.

일반 병사와 중대 지휘관까지는 외국인 용병에 의지하지만, 총지휘 는 카르타고 귀족이 맡는 것이 전통적인 규칙이었다. 이름높은 용병대 장 크산티포스를 고용하긴 했지만, 카르타고는 종래의 방식을 답습할 생각이었다. 카르타고에 도착해서 카르타고군을 시찰한 크산티포스 는, 이런 군대와 함께 싸웠다가는 용병료를 받기도 전에 자신과 부하 들의 생명이 위태로워진다고 생각했다. 그래서 크산티포스는 고용주 인 카르타고 정부에 건의했다. 요컨대 로마에 패한 것은 병사들 탓이 아니라 지휘관 책임이라고 말했던 것이다. 자존심이 상한데다 잇딴 패 배로 자신감마저 잃어버린 카르타고 귀족들은 그렇다면 네가 직접 한 번 해보라고 대답했다.

이튿날부터 크산티포스는 카르타고군을 훈련하기 시작했다. 코끼리 부대를 확보하고 누미디아 기병도 고용하여, 이들을 활용하는 전술도 세웠다.

해가 바뀌어 봄이 찾아오자마자 카르타고군은 로마군에게 싸움을 걸었다.

로마 집정관 레굴루스가 저지른 과오는 아군의 도착도 기다리지 않 고 적의 도전을 받아들인 것이었다.

과두정치는 선거를 거치지 않는다는 점이 다를 뿐, 의회 민주주의와 비슷하다. 지도층을 구성하는 이들에게는 국정 제일선에서 활약할 기 회를 가능한 한 평등하게 부여할 필요가 있다. 그러지 않으면 과두정치는 기능을 발휘하지 못한다.

이 체제에는 장점도 많지만 단점도 적지 않다. 그 단점 가운데 하나는 총사령관을 겸임하는 집정관이 임기중에 전과를 올리려고 애쓰기가 쉽다는 점이다. 전과를 올리면 개선장군으로 귀국할 수가 있다. 수도에서 개선식을 거행하는 것만큼 로마 시민으로서 명예로운 일은 없었다. 임기중에 사령관의 직무를 아무리 충실하게 수행했다 해도, 그 열매인 승리가 이듬해 집정관의 임기 개시일인 3월 15일 이후로 넘어가면, 그것은 신임 집정관의 업적이 되어버린다. 이것은 로마 집정관을 속전속결형으로 만들기 쉬워서, 포에니 전쟁 같은 장기전에서는 무시할 수 없는 결함이 되었다. 레굴루스도 후임 집정관이 아프리카에 도착하기 전에 전과를 올리고 싶었던 것이다.

아프리카에서는 봄이 이탈리아보다 일찍 찾아온다. 기원전 255년, 봄이 막 찾아온 그 전쟁터에 우선 카르타고군이 투입되었다. 보병 1만 2천 명에 기병 4천 명, 그리고 코끼리 100마리. 군대 규모로는 중간 정도지만, 총지휘는 스파르타인인 크산티포스가 맡는다. 도전에 응한 로마군은 보병 1만 명에 기병이 500명. 보병은 로마군의 중추인 중무장 보병만으로 구성된 정예부대다. 다만 코끼리는 한 마리도 없다.

코끼리를 전투에 이용할 때는 코끼리 목 위에 올라타고 앉아 코끼리를 다루는 사람 외에, 코끼리 등 위에 올려놓은 높은 망루에 서너 명의 병사가 타고 공격해 온다. 고대의 코끼리는 근대전의 전차와 같다고 생각해도 좋다. 레굴루스가 지휘하는 로마군이 아무리 정예부대라 해도 보병 수에서 이미 열세인데다 기병의 수는 8분의 1밖에 안되고, 게다가 '전차'는 한 대도 갖지 못한 상태였다.

그래도 총사령관의 작전 능력이 각별히 뛰어났다면 전황은 다른 방향으로 전개되었을지도 모른다. 하지만 레굴루스는 정정당당하게 대결하는 것을 더없는 자랑으로 여기는 고지식한 장수였다.

로마군은 제1차 포에니 전쟁 10년째에 처음으로 철저한 패배를 맛보게 된다. 해군이 기다리고 있는 클루페아까지 도망치는 데 성공한 병사는 2천 명에 불과했다. 8천 명이나 되는 로마 병사들의 시체가 전쟁터에 방치되었다. 집정관 레굴루스를 비롯한 500명의 병사들이 포로로 붙잡혔다.

이미 로마를 떠난 신임 집정관 두 명은 아프리카로 가는 길에 들른 시라쿠사에서 이 사실을 알았다. 그들은 상황이 완전히 변했는데도, 그대로 군대를 이끌고 아프리카로 건너갔다. 클루페아에 있는 7천 명의 병력과 40척의 군선과 선원들을 방치해둘 수는 없었기 때문이다.

로마군이 접근하고 있다는 것을 안 카르타고도 육전에서의 승리에 기분이 좋아졌기 때문에, 네번째 해전에 도전해볼 마음이 내켰다. 여기서 이기면 시칠리아와 아프리카 사이의 제해권을 다시 장악할 수 있었다.

카르타고 만에서 북동쪽으로 돌출해 있는 헤르마이움 곶(오늘날의 봉 곶) 앞바다에서 로마와 카르타고의 네번째 해전이 벌어졌다. 이번에는 로마군이 이겼다. 카르타고는 114척이나 되는 군선을 침몰이나 화재로 잃었다. 지중해 세계에서 최강의 해군국으로 꼽히던 카르타고도 경쟁상대인 그리스가 쇠퇴한 뒤로는 적다운 적을 만나지 못했다. 오랫동안 실전 경험을 쌓지 못한 군대는 약체화를 피할 수 없다. 기원전 3세기의 카르타고는 해운국이기는 했지만, 더 이상 해군국은 아니었던 것이다.

네번째 해전의 승리가 로마 집정관 두 명의 눈을 흐리게 하지는 않았다. 클루페아 항구로 들어간 로마 함대는 거기에 남아 있던 병사들을 배에 태우고 시칠리아를 향해 돛을 올렸다. 전진기지에서 철수함으로써 아프리카 진격 작전의 실패를 인정한 셈이다.

로마군은 시칠리아 남해안까지 왔을 때 엄청난 태풍을 만났다. 그일대는 바위나 돌이 많은 해안이 줄곧 이어져 있다. 가까이에 피난할항구도 없는 난바다에서 태풍을 만났을 때 반드시 피해야 할 일은 해안선에 지나치게 접근하는 것이다.

로마 함대의 키잡이들은 '로마 연합'에 가맹한 항구도시에서 온 선원들이다. 그들은 태풍 피해를 최소한으로 줄이는 요령을 알고 있었지만, 바다에 익숙하지 않은 로마 장군들은 그들의 주장에 반대했다.

육지도 보이지 않는 바다에서 태풍에 농락당하는 공포를 견딜 수 없게 된 로마인들은 해안에 접근하라고 선원들에게 명령했다. 게다가 배들이 뿔뿔이 흩어지지 않도록 한 무더기가 되어 접근하라는 명령이었다. 선원들은 당연히 항변했지만, 경험이 없는 자에게는 설득도 효과가 없다. 게다가 무경험자 쪽이 명령을 내리는 위치에 있다. 230척으로 이루어진 로마 함대는 바람과 비와 거센 파도 때문에 잘 보이지도 않는 해안으로 접근해 갔다.

결과는 지중해사상 최대라고 일컫는 해난사고였다. 안벽(岸壁)에 부딪치거나 배들끼리 충돌하여 시라쿠사 항까지 피난할 수 있었던 것은 230척 가운데 불과 80척뿐이었다. 그 일대의 해변은 표착한 시체로 메워졌다고 한다. 이 해난사고로 로마는 6만 명의 병력을 잃었다. 집정관이 둘 다 살아남은 것은 그들이 타고 있던 배가 장선이고, 그래서 숙련된 선원들이 조종하고 있었기 때문이다. 해전에서는 이겼지만 태풍에는 이기지 못한 로마인은 역시 해운의 전통을 갖지 못한 민족이었다.

이 소식을 전해 들은 로마인은 깊은 슬픔으로 죽은 병사들을 애도했고, 카르타고인은 기뻐 날뛰었다.

로마에는 최악의 결과로 끝난 그해 겨울, 카르타고에서 강화 사절이 로마를 찾아왔다. 지금이야말로 유리한 조건으로 강화를 맺을 수 있다고 생각했을 것이다. 그런데 강화 사절은 카르타고인이 아니었다. 카르타고 정부는 포로로 잡은 레굴루스를 강화 사절로 보냈던 것이다. 레굴루스의 임무는 로마 원로원을 설득하는 것이었다. 카르타고가 제시한 강화 조건은 시칠리아를 완전히 포기하라는 것이었다. 레굴루스는 설득에 성공하든 실패하든, 임무를 끝낸 뒤에는 카르타고로 돌아오겠노라고 약속해야 했다.

로마에 도착하여 원로원 의원들 앞에 선 레굴루스는 카르타고의 감시인이 옆에서 지켜보고 있는데도, 카르타고 쪽이 기대한 것과는 정반대 되는 행동을 취했다. 카르타고와 강화를 맺으라고 설득한 게 아니라, 오히려 맺지 말라고 설득한 것이다.

원로원 의원들은 아프리카 작전이 실패로 끝난데다 전대미문의 해난사고로 의기소침해 있었지만, 레굴루스의 참뜻을 이해했다. 여기서 강화에 응하면 지금까지 치른 희생이 헛되이 되어버린다. 또한 기세가 오른 카르타고와 좁은 메시나 해협을 사이에 두고 마주보는 위험도 잊을 수는 없었다.

로마 원로원은 강화 제의를 거절했다. 약속대로 카르타고로 돌아간 레굴루스를 카르타고인은 동그란 바구니 속에 가두고, 코끼리들이 그것을 축구공처럼 걷어차게 하는 방식으로 죽였다.

카르타고 쪽은 유리한 조건으로 강화를 맺을 수 있다고 생각했을 정도니까, 사기도 상당히 높아져 있었다. 스파르타 출신의 용병대장 크산티포스도 이제는 필요없다고 해고해버렸다. 군사력으로 시칠리아를 제패하기로 결정한 카르타고는 로마군과의 싸움에서 위력을 보인 코끼리를 140마리나 시칠리아에 상륙시켰다.

해가 바뀌어 기원전 254년 봄, 카르타고가 시칠리아 서쪽의 마르살라에 코끼리 부대를 상륙시켜 공세를 취하자, 로마도 두 명의 집정관과 두 명의 전직 집정관이 이끄는 병력을 육로와 해로로 나누어 파견했다.

집정관 한 명은 로마가 해군을 가진 첫해에 리파리 섬에서 포로가되었다가 그후의 포로교환으로 귀국한 스키피오였다. 또한 전직 집정관은 둘 다 시칠리아 남해안에서 일어난 해난사고의 책임자였다. 그들이 선원들의 충고를 무시했기 때문에 일어난 사고인 만큼, 그들의 책임은 분명하다. 적에게 포로로 붙잡혔던 사람이나 사고 책임자에게 다시 지휘를 맡기는 것은 명예를 회복할 기회를 주려는 온정이 아니다. 한 번 실수를 저지른 사람은 그 실수에서 틀림없이 교훈을 얻었으리라는 게 그 이유니까 재미있다. 지난해 바다의 무서움을 뼈저리게 맛본 두 사람이 이리하여 전직 집정관이라는 직책으로 또다시 해군을 지휘하게 되었다.

이해에 로마는 석 달이라는 짧은 기간에 220척이나 되는 배를 진수하는 놀라운 재주까지 부렸다. 10년 전까지만 해도 군선 한 척 보유하지 못했던 나라가 말이다. 전직 집정관 두 사람은 여기에 태풍 피해를 면한 80척을 보탠 함대를 이끌고 시칠리아 북해안으로 떠났다.

4개 군단을 이끄는 두 집정관도 메시나에서 북해안을 따라 행군하기 시작했다. 공세로 나온 카르타고군을 육해군 공동 작전으로 맞아 싸우는 동시에, 시칠리아의 카르타고 거점인 팔레르모를 공략하는 것이 로마의 목적이었다.

카르타고군은 왕성한 사기로 공세에 나선 것치고는 전과가 별로 좋지 못했다. 육군과 해군의 공동 작전 체제가 제대로 기능을 발휘하지 못했기 때문이다. 반대로 로마군은 2인3각처럼 육해군의 손발이 척척 맞는 기세였다. 로마는 일찌감치 메시나와 팔레르모 중간에 있는 체팔루 공략에 성공했다. 이리하여 메시나에서의 보급로가 확보되었다. 또한 로마 동맹국인 시라쿠사에서의 보급로는 로마 세력권에 있는 시칠리아 중심부의 엔나를 통해 기능을 발휘할 수 있었다.

그러나 팔레르모는 카르타고가 시칠리아의 거점으로 삼고 있었던 만큼, 그렇게 호락호락 함락되지는 않았다. 로마군의 팔레르모 함락은 이듬해에야 이루어졌다. 팔레르모 주민들 가운데 친로마파가 대세를 차지했기 때문이다. 그들의 안내를 받아 시내에 들어간 로마군은 친카르타고파였던 1만 4천 명의 주민을 사로잡은 다음, 몸값을 내면 자유민으로 풀어주고 몸값을 내지 않으면 노예로 팔겠다고 선언했다. 1만 3천 명이 노예 신세가 되었다. 친로마파였던 2만 5천 명의 주민은 물론 자유의 몸으로 팔레르모에서 계속 살게 되었다.

이 조치는 시칠리아 서부의 요충인 팔레르모가 로마의 수중에 들어간 것 때문에 당황하여 허둥대고 있던 주변 도시의 주민들에게 영향을 주었다. 그들은 로마군이 쳐들어오기 전에 성문을 여는 쪽을 택했다.

시칠리아 전체에서 카르타고 쪽에 남은 것은 남해안에 있는 헤라클레아, 그 서쪽에 있는 셀리누스(오늘날의 마리넬라 셀리눈테), 릴리바이움(오늘날의 마르살라), 드레파눔(오늘날의 트라파니)뿐이었다. 이 도시들은 모두 시칠리아 서쪽의 항구도시여서, 카르타고 본국의 지원을 기대할 수 있는 위치에 있었다.

팔레르모 함락으로 시작된 기원전 253년의 시칠리아 전선은 카르타고의 공세를 물리치는 데 성공한 로마군의 우세 속에 끝나려 하고 있었다. 이듬해 봄, 함락된 팔레르모 대신 카르타고의 보급기지가 된 마르살라를 공략할 준비도 갖추어졌다.

그런데 겨울철 휴전기를 이용하여 시칠리아를 떠나 모국으로 돌아가던 로마 함대가 이탈리아 서해안을 따라 북상하기 시작했을 때 무시무시한 폭풍우를 만나고 말았다. 이번에는 지휘관들이 선원들의 충고에 따랐지만, 그 일대의 바다는 호메로스의 영웅 오디세우스의 표류담에도 나와 있듯이 험하기로 유명한 곳이었다. 또다시 로마 해군은 150척 가까운 배와 수많은 인명을 잃었다.

기원전 255년과 기원전 253년에 바다에서 잇따라 일어난 참사로, 그처럼 대단한 로마인도 기가 꺾여버린 모양이다. 이듬해와 그 이듬해에는 해군 재편성을 주장하는 사람이 아무도 없었다. 시칠리아와 아프리카 북해안 사이의 제해권을 유지하기 위해 60척의 군선을 파견한 것이 고작이었다.

반면에 로마의 두번째 해난사고를 알게 된 카르타고는 지금이야말로 팔레르모를 탈환할 수 있는 절호의 기회라고 생각했다. 카르타고는 150마리로 늘어난 코끼리 부대를 앞세워 마르살라를 떠나 팔레르모로 진격했다.

로마인이 코끼리의 파괴력을 대면한 것은 이때가 처음은 아니었다. 이탈리아에 처음 코끼리를 데려온 것은 에페이로스의 왕 피로스였지만, 로마군은 세번째 전투에서 코끼리 부대를 이겼다. 하지만 그 전투는 4반세기 전의 일이다. 코끼리떼를 목격한 로마 병사들의 머리에 맨먼저 떠오른 것은 4년 전에 겪었던 레굴루스의 참패였다. 그때의 전투로 8천 명이나 되는 로마 병사들이 코끼리떼에 밟혀 죽었다. 그때보다 더 많은 코끼리떼가 몰려오자, 마르살라 공략 따위는 생각지도 못할 형편이었다.

평원에서의 전투는 이제 불가능해졌다. 코끼리떼의 모습을 보자마자 로마 병사들은 주눅이 들고 말았다. 장교들이 아무리 호통을 쳐도 병사들은 한 발짝도 나가려 하지 않았다. 바다에서는 태풍을 무서워하고, 육지에서는 코끼리가 무서워 벌벌 떠는 형편이니, 이해의 로마군은 옛 모습을 찾아볼 수 없을 만큼 초라했다.

이듬해의 집정관 선거를 위해 수도로 돌아간 동료를 대신해서 팔레르모 방어를 맡고 있었던 사람은 집정관 메텔루스였다. 그는 코끼리에 대한 병사들의 두려움을 없애는 것이 선결 문제라고 판단했다.

팔레르모 시가지를 둘러싼 성벽 바깥은 방어를 목적으로 한 해자로 둘러싸여 있었다. 메텔루스는 이 해자를 더 깊고 더 넓게 팠다. 그리고 바닥은 사람조차 걸어다니지 못할 만큼 좁게 팠다. 그런 다음, 정석과는 반대로 병사들 대부분을 성벽 안쪽에 배치했다. 집정관이 한 사람밖에 없다는 것을 알고 있는 카르타고군은 여기까지 파죽지세로 밀고 들어왔기 때문에 팔레르모 성벽 바깥에 진을 친 뒤에도 기세가 등등했다. 그들은 당장 공격을 시작했다.

메텔루스는 중무장 보병이 아니라 경무장 보병을 내보냈다. 투창을 주무기로 삼는 그들은 카르타고군의 선두에 서서 다가오는 코끼리떼가 팔레르모 근처를 흐르는 시내를 건널 때까지 기다렸다. 그리고 코끼리떼와 뒤따라오는 적의 주력부대가 시내를 건너자마자, 적병이 아니라 코끼리떼를 향해 창을 던졌다. 창을 다 던진 뒤에는 쏜살같이 성벽 안으로 도망쳐 들어왔다.

코끼리는 일단 내닫기 시작하면 멈추기가 어렵다. 코끼리들은 로마군의 투창에 상처를 입고 잔뜩 화가 나 있었다. 쿵쿵 지축을 울리며 흙먼지 속을 돌진해온 코끼리들은 대부분 해자 속으로 곤두박질을 쳤다.

해자 앞에서 간신히 걸음을 멈출 수 있었던 코끼리도 상처의 고통 때문에 코끼리를 부리는 사람의 뜻대로 움직이지 않았다. 성이 나서 날뛰는 코끼리떼에 짓밟힌 것은 코끼리떼를 따라오고 있던 카르타고 병사들이었다.

메텔루스는 중무장 보병들에게 출동 명령을 내렸다. 그들이 성 밖으로 달려나가 허둥대고 있는 적을 처리하는 동안, 경무장 보병들이 성벽 위에 나타나 해자 속에서 날뛰고 있는 코끼리떼를 향해 창을 던졌다.

팔레르모 공방전은 로마군의 완승으로 끝났다. 포획한 코끼리 10마리 외에는 대부분의 코끼리가 목숨을 잃었다. 카르타고군의 전사자는 2만 명을 헤아렸고, 지휘관과 함께 마르살라로 도망칠 수 있었던 병사는 극소수에 불과했다.

이 전투를 지휘한 카르타고 장군은 본국으로 소환되어 사형에 처해졌다. 제1차 포에니 전쟁이 시작된 뒤 패전 책임을 지고 사형당한 카르타고 장군은 전쟁 첫해에 로마군이 메시나 해협을 건너게 했다는 이유로 사형에 처해진 지휘관에 이어 이번이 두번째였다. 카르타고인은 패전 책임을 묻지 않는 로마인과는 정반대 방식을 취하는 민족이었다.

승장이 된 메텔루스는 코끼리를 새긴 기념 은화를 만들었다. 코끼리에 대한 공포를 극복한 것은 팔레르모 방어에 성공한 것보다 더 기념하고 축하할 만한 일로 간주되었다.

코끼리에 대한 두려움을 극복한 로마인은 바다에 대한 두려움도 잊기 시작했다. 기원전 250년, 이탈리아 각지의 조선소에서 200척의 군선이 진수되었다. 그해에 로마는 새로 편성된 함대와 4개 군단을 마르살라 공략에 투입했다.

카르타고도 진지했다. 이제 시칠리아에서 카르타고 세력하에 남아 있는 도시는 마르살라와 트라파니뿐이었다. 이 두 항구도시는 30킬로미터의 거리를 두고 시칠리아 서해안에 나란히 자리잡고 있다. 마르살라가 있기 때문에 트라파니도 유지할 수 있다. 이 두 도시 가운데 하나라도 잃으면, 시칠리아의 카르타고 세력은 바다로 밀려나게 된다.

이 마르살라를 방어하기 위해 카르타고는 1만 명의 용병을 파견했다. 트라파니에는 대함대를 파견했다. 또한 본국에서는 10만 명의 용병을 모집하기 시작했다.

카르타고 본국에서 본격적으로 병력이 투입되는 바람에, 로마군의 마르살라 공략은 난항을 거듭했다.

우선 로마군은 요새화한 항구도시를 공략하는 데에는 아직 미숙했다. 게다가 트라파니 항구에 있는 카르타고 함대가 마르살라를 바다 쪽에서 봉쇄하려는 로마 해군을 방해했다. 또한 트라파니에서 당일치기로 파견되는 카르타고 기병대가 육지 쪽의 로마군 포위망을 방해했다. 게다가 항구도시이기 때문에, 카르타고 본국에서 식량이나 무기가 보급되는 것을 차단할 수도 없었다. 마르살라를 둘러싸고 전선이 교착 상태에 빠져 있는 동안, 겨울철 휴전기가 닥쳐왔다.

이듬해인 기원전 249년, 제1차 포에니 전쟁도 어언 16년째를 맞이했다. 이해에 준비를 갖추고 출정한 두 명의 집정관 가운데 한 사람은 클라우디우스 풀케르였다. 포에니 전쟁 첫해에 과감한 공격으로 기선을 제압한 아피우스 클라우디우스와는 같은 가문에 속한다.

풀케르에게는 220척의 군선으로 편성된 함대를 이끌고 바다 쪽에서 트라파니를 공격하는 임무가 주어졌다. 그가 카르타고군을 트라파니에 묶어두고 있는 동안, 또 한 명의 집정관인 유니우스는 마르살라 공격을 맡게 되었다. 로마 원로원은 대담하고 용맹한 기질을 가진 클라우디우스 가문의 후예에게 교착상태를 타개할 사명을 맡긴 것이다. 풀케르는 함대를 이끌고 30킬로미터 북쪽에 있는 트라파니로 떠났다.

그러나 트라파니를 수비하고 있던 카르타고의 장군은 220척이나 되는 5단층 갤리선이 쳐들어오는데도 동요하지 않았다. 그는 로마 해군이 사람을 상대로 한 해전에는 강하지만 바다에는 약하다는 것을 간파하고 있었다.

정석에 따르면, 항구를 등지고 적을 맞아 싸우는 전법을 택해야 한다. 하지만 그는 그렇게 하지 않았다. 로마 함대가 접근하고 있다는 통보를 받자마자, 그는 트라파니 항구에 정박중인 함대에 출항 명령을 내렸다. 항구를 떠난 카르타고 함대는 트라파니에서 조금 북쪽으로 올라간 해역으로 가서, 남쪽에서 올라오는 로마 함대를 기다렸다. 그리고 로마 함대가 트라파니 항구 근처에 도착할 때를 기다려, 마침내 수평선 위에 모습을 나타냈다. 항구에서 대기중인 트라파니 함대를 포위할 작정이었던 로마 함대는 오히려 벼랑으로 둘러싸인 해안선을 등지고 포위당하는 꼴이 되어버렸다.

카르타고 함대 지휘관은 접근전에서는 로마 병사들이 강하다는 것을 알고 있었다. 또한 떨어져서 싸우는 한, 항해술이 뛰어난 카르타고가 유리하다는 것도 알고 있었다.

카르타고 함대는 로마 함대와 일정한 거리를 유지하면서, 로마 군선들을 깊은 바다까지 몰아넣었다. 그물을 조금씩 좁히는 어부의 방식과 같았다.

로마 해군은 카르타고와 가진 해전에서 처음으로 패배를 맛보았다. 220척 가운데 93척이 포획되고 30척이 침몰했으며, 2만 명에 이르는 병사들과 선원들이 파도 속으로 사라졌다. 로마인은 수영에 능숙하지 못한데다 갑옷을 입고 있어서 피해가 훨씬 컸다. 나머지 병사들은 간신히 해안까지 헤엄쳐 간 다음, 육로를 따라 마르살라를 공격하고 있는 로마군 진영으로 달아났다.

집정관 풀케르는 포위망을 뚫고 탈출하는 데 성공했지만, 수도 로마로 소환되어 1만 2천 데나리우스의 벌금형을 선고받았다. 로마 해군에 첫 패배를 안긴 데 대한 책임을 물었기 때문이 아니라, 지휘관에게는 있을 수 없는 행동을 했다는 이유로 처벌받은 것이다.

풀케르는 트라파니를 공격하러 떠나기에 앞서 새점을 쳤는데, 로마군 지휘관이 출정을 앞두고 새점을 치는 것은 상례적인 행사였다. 닭이 모이를 쪼아먹는 모양을 보고 길흉을 점치는 것이다. 로마군의 전략이 닭의 기분에 좌우되면 지휘관에게는 곤란하기 때문에, 종군하는 점쟁이는 대개 닭을 굶겨서 모이를 잘 쪼아먹게 한다.

그런데 점을 치는 날, 무슨 까닭인지 닭이 도무지 모이를 쪼아먹으려 하지 않았다. 병사들이 불안한 얼굴로 지켜보는 가운데, 닭은 이리저리 돌아다니기만 할 뿐이었다. 이에 화난 풀케르는 산책만 하고 있는 닭을 붙잡더니, "물이라면 먹겠느냐!" 하고 외치며 바다에 내던졌다. "저런 짓을 해도 괜찮을까?" 로마 병사들은 속으로 물으면서, 찜찜한 기분으로 전선을 향해 떠났던 것이다.

종교를 믿고 안 믿고는 결국 개인의 문제다. 하지만 공동체를 이끄는 사람은 개인적 신념에만 충실하면 되는 보통 사람과는 처지가 다르다. 트라파니 항구 밖의 해전에서 패하지만 않았다면 벌금형까지는 선고받지 않았을지도 모른다. 하지만 종교를 업신여긴 뒤에 벌어진 전투는 로마군의 패배로 끝났다. 집정관 클라우디우스 풀케르는 패배 때문이 아니라 지도자에게는 용납되지 않는 얕은 생각 때문에 처벌받은 것이다. 로마에서 손꼽히는 명문 귀족인 그도 막대한 벌금을 냈기 때문에, 대대로 살아온 저택을 더 이상 유지하지 못하고 결국은 팔 수밖에 없었다고 한다.

기원전 249년은 로마에는 아주 나쁜 해가 되었다. 이듬해가 되어도 시칠리아의 로마군은 눈에 띄는 행동을 취하지 못했다. 로마에 좋은 소식이라면, 시라쿠사의 참주 히에론이 아무 조건도 없이 동맹 조약을 경신해준 것뿐이었다. 덕분에 로마군은 배후에 대한 걱정 없이 마르살라와 트라파니에만 전념할 수 있었다.

기원전 247년은 로마에서는 5년마다 시행되는 국세조사의 해였다. 로마 시민권을 가진 17세부터 60세까지의 남자 수와 경제 상태를 조사하기 위한 것인데, 여느 때 같으면 성인 남자 수가 10퍼센트 넘게 늘어난다. 그런데 그해에는 오히려 17퍼센트가 줄어들었다. 로마 연합군의 주력을 이루고 있는 로마만큼 심하지는 않겠지만, '로마 연합' 가맹도시들도 인구감소를 피할 수 없었을 것이다. 육전에서의 손실보다 해난사고에 의한 손실이 더욱 컸다. 손실은 인명만이 아니었다. 군선과 수송선의 손실은 로마의 국고를 탕진시켰다. 전쟁 18년째를 맞이한 로마는 모든 면에서 완전히 소모되어 있었다.

한편 카르타고는 해전에서 여러 번 패배했다 해도, 대형 해난사고는 겪지 않았다. 전투에서 죽은 병사들도 외국인 용병이니까, 카르타고 자체의 인구에는 영향을 주지 않았다. 소모 정도로 비교하면 확실히 로마가 열세였을 것이다. 게다가 기원전 247년에 카르타고는 젊고 유능한 장수를 시칠리아 전선에 파견했다.

바르카—페니키아어로 번갯불이라는 뜻이다—라는 성을 가진 하밀카르가 바로 그였다. 30대 초반이었던 하밀카르는 나중에 로마인의 악몽이 된 한니발의 아버지이다. 하밀카르가 시칠리아 전선을 담당하게 된 기원전 247년은 전쟁사상 최고의 전술가로 꼽히는 한니발이 이 세상에 태어난 해이기도 하다.

그러나 포에니 전쟁에서 카르타고인은 자국에 유리한 기회를 활용하는 데 서툴렀다. 이때도 유능한 사령관을 파견해놓고는, 그를 계속 강력하게 지원해야 할 본국 정부가 둘로 분열되어 있었다.

경제인이 국정까지 담당했다는 점에서, 고대 카르타고는 중세와 르네상스 시대의 베네치아와 비슷하다. 또한 정치체제가 과두정치였다는 점도 베네치아와 비슷하다. 하지만 결정적인 차이는 바다 위에 건설된 베네치아에는 농경지가 전혀 없고, 그래서 해외 무역과 국내 수공업에 전력을 투입하지 않을 수 없었던 반면, 카르타고에는 예로부터 농업이라는 또 다른 길이 있었다는 점이다.

북아프리카 일대는 지금은 비도 적고 녹지도 많지 않은 곳으로 변해버렸지만, 고대에는 전혀 그렇지 않았다. 카르타고인의 영농기술은 뛰어났고, 그 능력을 충분히 발휘할 수 있는 환경도 갖추어져 있었다. 그들은 다른 한편으로는 페니키아 민족의 전통을 이어받은 뛰어난 통상민족이기도 했다.

따라서 카르타고 국정을 담당하는 경제인들이 늘상 '국내 중시파'와 '해외 진출파'로 분열된 것도 무리는 아니다. 어느 한쪽의 생산력이 낮으면 발언권도 약해지고, 그에 따라 국론이 통합될 수도 있었겠지만, 양쪽이 모두 높은 생산성을 유지하고 있었기 때문에 해결이 쉽지 않았다.

국내파는 북아프리카 일대에 대한 지배권을 확대하는 일에는 적극적이었지만, 세력을 해외로 확대하는 일에는 소극적이었다. 해외로 진출해도 그들이 이익을 직접 누릴 수는 없으니까 당연한 일이었다. 시칠리아 점령에 집착하는 것은 해외파였고, 국내파는 아프리카에 대한 지배권을 확립하는 것이야말로 선결 문제라고 주장해 왔다. 카르타고

가 좋은 기회를 맞이하고도 오히려 소극적이 될 때가 많았던 것은 국
내파가 해외파의 발목을 잡아당겼기 때문이다. 국내파의 리더가 한노
가문이라면, 하밀카르나 한니발이 속해 있는 바르카 가문은 해외파의
리더로 간주되었다.

로마가 인적으로나 물적으로 완전히 소모되어 있던 기원전 247년에
시칠리아 전선에 파견된 하밀카르는 이런 국내 사정 때문에 좋은 기회
를 활용할 수 있을 만큼 충분한 병력을 제공받지 못했다. 그에게는 2개
군단 정도의 병력이 주어졌는데, 시칠리아 서해안까지 밀려난 카르타
고의 세력을 일거에 만회하기에는 역부족이었다. 하밀카르는 시칠리아
전선의 교착상태를 지속시키면서, 국력이 소모된 로마가 먼저 강화를
제의해 오기를 기다릴 작정이었다. 그렇게 되면 시칠리아의 카르타고
세력을 적어도 전쟁 발발 이전의 상태까지는 돌이킬 수 있기 때문이다.
하밀카르의 이런 전망은 절반은 적중했지만, 절반은 빗나가게 된다.

충분한 병력을 갖지 못한 하밀카르는 시칠리아에 남아 있는 카르타
고 세력하의 두 항구도시—마르살라와 트라파니—를 거점으로 삼
지 않았다. 두 도시 가운데 하나를 거점으로 삼았다가 로마군에 포위
당할 것을 우려했기 때문이다. 그는 움직임이 봉쇄당하는 것을 꺼렸
다. 주도권은 자신이 잡지 않으면 안된다. 마르살라와 트라파니를 아
직 보유하고 있기 때문에, 시칠리아 서해안과 카르타고 본국 사이의
제해권은 여전히 카르타고가 장악하고 있었다.

하밀카르는 팔레르모 근교에 우뚝 솟아 있는 산(오늘날의 펠레그리
노 산) 위에 거점을 두었다.

이 산 위에 서면 팔레르모 시가지와 항구가 한눈에 내려다보인다.
로마에서 남하하는 함대도 저 멀리 수평선 위에 나타난 시점부터 감시

할 수 있다. 게다가 산에서 내려와 해안을 따라 서쪽으로 조금만 가면, 카르타고에서 온 배가 닿을 수 있는 만도 있다. 이 만은 높은 벼랑으로 둘러싸여 있어서, 팔레르모 항구에 정박해 있는 로마 함대에 들킬 염려가 없었다.

산 위에 진영을 설치한 하밀카르는 거기서 해안을 따라 좀 멀리 돌아가긴 하지만, 아군이 굳게 버티고 있는 트라파니까지의 보급로도 확보했다. 그 일대는 바다까지 줄곧 평지가 이어진다. 이 평지를 감시할 수 있는 것은 에리체 산 정상뿐이지만, 에리체 산은 해안선에서 너무 멀리 떨어져 있었다. 따라서 에리체를 점령한 로마 병사들이 팔짱을 끼고 지켜보는 가운데, 카르타고 병사들은 아무런 방해도 받지 않고 유유히 평지를 왕복할 수 있었다.

그러나 하밀카르가 산정에만 틀어박혀 있었던 것은 아니었다. 군대와 함께 자주 산을 내려와, 마르살라를 공략하고 있는 로마군의 배후를 기습하여 그들을 괴롭혔다. 그러나 한번도 로마군에게 정식으로 싸움을 걸지는 않았다. 전력 차이가 너무 컸기 때문이다.

하밀카르는 육지에서만이 아니라 바다에서도 게릴라 전법을 사용했다. 먹이가 된 것은 '로마 연합'에 가맹해 있는 이탈리아 남부의 그리스 도시와 이탈리아 중부의 에트루리아인의 상선이었다.

하밀카르의 전법은 교묘하고 효과적이었다. 기원전 247년부터 기원전 243년까지 4년 동안, 포에니 전쟁은 하밀카르의 뜻대로 전개되었다. 펠레그리노 산에 대한 로마군의 공격도 번번이 실패로 끝났다. 하밀카르의 전망은 여기까지는 완전히 들어맞았다. 들어맞지 않은 것은 아무리 기다려도 로마의 강화 사절이 나타나지 않은 것이었다.

로마는 교착상태에 빠진 지 오래된 시칠리아 전선을 타개할 길을 찾고 있었다. 그 결과 마련된 전략은 카르타고 본국과 하밀카르를 잇는 보급로를 차단하는 것이었다.

이것은 시칠리아 서해안과 카르타고 본국 사이의 제해권을 획득하지 않고는 실현할 수 없는 일이었다. 이 해역의 지배권을 빼앗기면 시칠리아를 완전히 잃게 된다는 사실을 알고 있는 카르타고는 반드시 함대를 파견할 것이다. 하밀카르 때문에 마르살라와 트라파니도 공략하지 못하고 있던 로마는, 카르타고 함대를 해전에서 격파함으로써 하밀카르와 마르살라와 트라파니를 동시에 고립무원의 상태로 몰아넣을 계획을 세웠다.

로마는 포에니 전쟁이 시작된 뒤 네번째로 함대를 새로 편성하기로 결정했다. 지금 가지고 있는 배들은 대부분 노후했기 때문에, 모든 선박을 새로 건조할 필요가 있었다.

상대가 카르타고인 이상, 함대 규모는 적어도 200척에 5단층 갤리선이 아니면 안된다. 5단층 갤리선을 200척이나 새로 만들어야 하는데, 기원전 242년 당시의 로마 국고는 텅 비어 있는 것이나 다름없는 상태였다.

원로원은 세금을 늘리는 것이 최선책이라고는 생각하지 않았다. 하물며 지금까지의 관례를 어기면서까지 동맹도시들에게 전비 부담을 요구하는 것은 생각하지도 못할 일이었다. 원로원은 전시국채를 발행하기로 결의했다.

전쟁이 끝난 뒤 상환능력이 회복되었을 때 갚는다는 것이 조건이었다. 이런 조건으로 전시국채 구입을 요구받은 것은 로마 시민 전체가 아니었다. 구입이 의무화된 사람은 유산계급과 원로원 의원 및 정부 요직에 있는 자들뿐이었다. 이렇게 하여 재원을 마련한 로마는 200척의 5단층 갤리선을 새로 건조하고, 집정관 카툴루스에게 지휘를 맡겨

바다로 내보냈다.

　오랜만에 본격적인 함대가 도착했다고 해서 시칠리아 서해안의 상태가 일변한 것은 아니었다. 그해가 끝날 때까지 카르타고에서는 함대가 출동하지 않았기 때문이다. 하지만 효과는 있었다. 바다에서 공격하는 로마 함대 덕분에 마르살라 항구가 로마의 수중에 떨어진 것이다. 이리하여 로마 함대도 마르살라라는 천연의 양항을 사용할 수 있게 되었다. 이 소식이 카르타고에 전해지면, 카르타고도 결단을 내리지 않을 수 없을 터였다.

　기원전 241년 3월, 카르타고는 국내파를 침묵시키는 데 성공했는지 본격적인 함대를 파견했다. 일찌감치 3월에 출동한 것은 로마군의 병사 교체기를 노렸기 때문이다. 로마의 신임 집정관의 임기가 3월 15일부터 시작되기 때문에, 그해의 로마군 교체 병력이 시칠리아에 도착하는 것은 일러야 4월 말이다. 카르타고는 로마군의 전력이 줄어든 시기를 노려 군량 보급을 끝내둘 작정이었다. 그러나 이것은 오산이었다. 로마는 전황이 중대 국면에 접어든 것을 깨닫고 있었던 것이다. 그래서 육군은 겨울철 휴전기 때문에 병력이 반으로 줄었지만, 해군 전력은 집정관 카툴루스와 함께 고스란히 남아 있었다.

　카르타고의 오산은 이것만이 아니었다. 해난사고를 거듭 겪은데다 8년 전에는 해전에서도 패배한 로마군이 쉽사리 싸움을 걸어오지는 못할 거라고 카르타고는 예측했다. 그래서 기원전 241년 봄에 출동한 카르타고 함대는 함대라기보다 수송선단이라고 부르는 편이 어울리는 것이었다. 시칠리아의 카르타고군이 반년은 충분히 견딜 수 있는 군량과 무기를 가득 싣고 있었다.

　본국을 떠난 카르타고 함대는 북동쪽으로 진로를 잡고, 마르살라와 트라파니 사이의 앞바다에 떠 있는 마레티모 섬에 일단 닻을 내렸다.

거기서 시칠리아 서해안에 접근할 기회를 노리자는 것이다.

에가디 제도에서도 가장 서쪽에 자리잡고 있는 작은 섬이 마레티모 섬이다. 카르타고 함대는 트라파니 북쪽에 있는 에리체 근처 해안에 군량을 상륙시킬 작정이었다. 트라파니 앞바다는 로마 함대가 감시하고 있을 위험이 있었다.

집정관 카툴루스는 트라파니 항구 따위는 감시하고 있지 않았다. 적 함대가 출동하기만을 애타게 기다리고 있던 그는 고대하던 소식이 들어오자마자 당장 모든 함대에 북상 명령을 내렸다. 집결지는 에가디 제도 가운데 하나인 파비냐나 섬. 카르타고 함대가 정박해 있는 마레티모 섬과 파비냐나 섬의 거리는 10킬로미터밖에 안된다. 카툴루스는 이 파비냐나 섬에서 적이 움직이기를 기다렸다.

로마 함대가 파비냐나 섬에 있다는 것을 카르타고 함대가 몰랐다고는 도저히 생각할 수 없다. 그 일대에서는 3월이면 이미 고기잡이철이다. 200척이나 되는 5단층 갤리선이 어부들의 눈을 속일 수는 없다. 로마 함대가 10킬로미터 떨어진 곳에 있다는 것을 알면서도 카르타고 함대는 예정했던 행동을 바꾸지 않았다는 얘기다.

3월 10일 아침, 바람이 서풍으로 바뀌었다. 게다가 강풍이었다. 마레티모에서 동쪽에 있는 에리체로 가기에는 더없이 좋은 순풍이다. 마레티모에서 약간 동남쪽에 있는 파비냐나 섬의 카툴루스도 이 바람이라면 반드시 적이 나올 거라고 확신했다. 하지만 마레티모 섬에서 나온 적에게 싸움을 걸 것인지 말 것인지를 두고 조금 망설였다.

에리체로 가는 카르타고 함대의 앞길을 가로막으면 서풍을 정면에서 받게 된다. 카르타고 함대에는 순풍이지만 로마 함대에는 역풍이된다. 강풍이니까 파도도 높다. 이래서는 로마 쪽에 불리하다.

그러나 카툴루스는 불리함을 무릅쓰고 싸움을 걸기로 결심했다. 로마 군선들이 가진 이점은 군량을 가득 실어 무거운 적선보다 가볍다는 것이었다.

카툴루스는 돛을 내리고 노만 저어서 출동하라고 아군 함대에 명령했다. 서쪽을 향해 전속력으로 달려간 로마 함대는 마레티모를 떠나려 하고 있던 카르타고 함대 앞을 가로막았다. 이미 전투태세에 들어간 로마 함대를 보고, 카르타고 함대도 돛을 내렸다. 해전은 노젓기만으로 배를 조종하면서 싸우는 것이 관례이기 때문에, 돛을 내리는 것은 도전을 받아들이겠다는 의사표시이기도 했다.

서풍은 여전히 강하게 불고 있었다. 돛을 내려도 대형선이기 때문에 강하게 밀린다. 강풍과 높은 파도에 밀린 카르타고 군선들은 동쪽에 진을 친 로마 함대를 향해 무서운 기세로 돌진해 왔다. 여기저기서 배들끼리 부딪치는 소리가 들렸다. 격돌로 맞물린 배에서 적선으로 옮겨 타고 싸우는 병사들의 함성이 주위를 압도했다.

격전이었지만, 승부는 순식간에 결정되었다. 카르타고의 배는 50척 이상이 침몰했고, 70척 이상이 로마에 나포되었다. 나머지는 때마침 방향을 바꾼 바람의 도움으로 본국까지 도망칠 수 있었다.

승리한 로마 함대도 추격할 수 있는 상태는 아니었다. 대부분의 배는 수리가 필요했다. 로마측의 손실도 카르타고측의 사망자 수도 사료는 밝혀주지 않는다. 다만 본국으로 달아난 총사령관은 패배의 책임을 지고, 카르타고에서는 극형으로 되어 있는 책형(磔刑 : 죄인을 나무기둥에 묶어놓고 찔러 죽이는 형벌)에 처해졌다. 제1차 포에니 전쟁이 시작된 이래 패전 책임을 지고 사형에 처해진 카르타고 사령관은 이제 세 명이 되었다.

카르타고 정부는 겨울철 휴전기도 기다리지 않았다. 하밀카르에게 전령을 급히 파견하여, 로마에 강화를 제의하라고 명령했다. 집정관 카툴루스도 하밀카르의 제의에 응했다. 이리하여 두 명의 현실주의자 사이에 제1차 포에니 전쟁을 끝내기 위한 강화 교섭이 시작되었다.

마키아벨리가 칭찬을 아끼지 않았던 점이지만, 공화정 로마에서는 군사령관을 겸임하는 집정관에게 일단 임무를 주어 내보낸 뒤에는 원로원조차도 작전에 간섭하지 않는 것이 관례였다. 임지에서 전략이나 작전을 짜는 것도 완전히 집정관에게 일임되어 있었다. 패전 책임을 묻지 않는 것도 걱정없이 임무에 전념할 수 있도록 하기 위해서였다. 또한 강화를 제의하거나 제의받는 것은 물론이고, 강화 조건을 제시하는 것부터 강화 교섭에 이르기까지 모든 것이 집정관에게 일임되어 있었다.

국가의 최고 결정기관인 민회가 하는 일은 집정관이 매듭지은 강화에 찬성이나 반대 의사를 표시하는 것뿐이었다. 강화는 민회 투표에서 승인을 받아야만 비로소 발효된다. 강화를 교섭하는 동안은 휴전하기로 되어 있었다.

카툴루스와 하밀카르가 동의한 강화 내용은 다음과 같다.

1. 카르타고는 시칠리아 섬에서 철수하고, 시칠리아에 대한 영유권을 영원히 포기한다.

2. 카르타고는 시라쿠사를 포함한 로마 동맹국들에 대해 싸움을 걸지 않기로 약속한다.

3. 포로는 양국 모두 몸값을 받지 않고 석방한다.

4. 카르타고는 로마에 대한 배상금으로 2천 200탈렌트를 10년 분할로 지불한다.

5. 로마는 카르타고의 자치와 독립을 존중한다.

이런 내용의 강화에 대해 찬반의 의사표시를 요구받은 민회에서는 반대표가 다수를 차지했다. 23년에 걸친 긴 전쟁이었다. 단순 계산으로도 희생은 로마가 훨씬 컸다. 그런데 이것이 승자가 맺을 강화인가. 로마 시민은 석연치 않았다.

이런 경우, 로마에서는 10명의 원로원 의원으로 구성된 조사단이 파견된다. 하지만 시칠리아에 도착한 그들도 카툴루스의 의견에 동의하는 데에는 그리 오랜 시간이 걸리지 않았다.

강화 조건이 약간 변경되었을 뿐이다. 배상금 액수가 2천 200탈렌트에서 3천 200탈렌트로 바뀌었고, 증액분은 분할상환이 아니라 강화가 발효한 뒤에 일시불로 지불하기로 결정되었다. 그밖에 에가디 제도와 몰타 섬, 판텔레리아 섬 같은 시칠리아 주변의 섬들도 로마 영토로 귀속되었다.

카르타고는 아프리카의 농업 생산만으로도 1년에 1만 탈렌트가 넘는 수익을 올리고 있었다. 또한 몰타나 판텔레리아의 로마 영유는 기정 사실을 추인하는 데 불과했다.

로마는 상대가 받아들이기 쉬운 조건으로 강화를 맺었다. 귀국한 조사단의 보고를 들은 로마 시민도 이번에는 찬성표를 던졌다.

기원전 264년부터 시작하여 23년 동안 계속된 제1차 포에니 전쟁은 기원전 241년에 끝났다. 카툴루스는 그해 6월에 로마로 개선했다. 로마인도 평화를 만끽하는 데 열중했다. 기원전 673년부터 줄곧 열려 있던 야누스 신전의 문도 무려 432년 만에 닫혔다. 전쟁의 신 야누스 신은 이제 그만 쉬시라는 뜻이다.

로마와 카르타고 사이에 벌어진 제1차 포에니 전쟁은 서지중해 지역에만 국한되었고, 게다가 그 일부에 불과한 시칠리아가 전쟁터였기 때문에 형태로는 국지전이다. 하지만 강대국 카르타고와 신흥국 로마가 대결한 이 전쟁은 투입된 전력의 양으로 보아도 단순한 국지전은 아니었다. 이만한 전력을 장기간에 걸쳐 투입할 수 있는 나라는 지중해 세계에서는 이 두 나라밖에 없었다. 전투행위는 끝났지만, 지중해 세계의 내일을 결정할 나라는 이집트도 시리아도 마케도니아도 아니고, 카르타고나 로마 가운데 하나였다.

로마에서 카툴루스가 네 필의 백마를 앞세우고 개선식을 거행하고 있을 무렵, 트라파니와 마르살라에서는 카르타고 세력을 철수하는 작업이 착수되고 있었다. 카르타고에서 파견된 용병들에 이어, 시칠리아에서 식민지 경영에 종사해온 카르타고인들도 섬을 떠나야 했다.

혼란은 없었다. 난민들의 소동도 일어나지 않았다. 시칠리아 주민의 대다수를 차지하는 그리스인에게 카르타고의 시칠리아 철수는 카르타고의 지배에서 로마의 지배로 바뀌는 것을 의미할 뿐이었기 때문이다.

카르타고는 이렇게 시칠리아에서 400년 동안 쌓아올린 기득권을 송두리째 상실하고 말았다. 그것은 지중해 서쪽 바다를 잃는 것이기도 했다.

제2장

제1차 포에니 전쟁 이후

기원전 241년~기원전 219년

전쟁이 끝난 뒤에 무엇을 어떻게 했느냐에 따라 그 나라의 장래는 결정된다. 승패는 이미 판가름났으니까 어찌 해볼 도리가 없다. 문제는 거기서 얻은 경험을 어떻게 살리느냐다.

후세에 살고 있는 우리는 기원전 241년에 끝난 제1차 포에니 전쟁과 기원전 218년에 일어난 제2차 포에니 전쟁 사이에 23년의 세월이 막간처럼 놓여 있는 것을 알고 있다. 이 23년을 로마인과 카르타고인은 각각 어떻게 사용했느냐가 문제다.

이 23년은 모든 로마인과 대다수 카르타고인에게는 휴전 기간이 아니었다. 로마인도, 극소수를 제외한 카르타고인도 로마와 카르타고 사이에 전쟁이 또다시 일어나리라고는 생각하지 않았다.

기원전 241년에 맺어진 로마와 카르타고의 강화는 전승국과 패전국 사이에 체결된 강화조약에 불과하다. 로마가 패권 국가가 되고, 카르타고가 그 세력하에 들어간 것은 아니었다. 카르타고는 이탈리아 반도에 있는 카푸아나 타란토처럼 패전 후에 '로마 연합'에 가맹한 동맹국이 아니다. 시칠리아에 있는 시라쿠사처럼 15년마다의 동맹 경신을 고려한 우방국도 아니다.

카르타고는 전쟁을 해서 졌다. 그래서 시칠리아에 가지고 있던 영토를 포기하고 배상금도 지불해야 했지만, 독립된 자주국가라는 점은 조금도 달라지지 않았다. '독립성'에 조금쯤 그림자가 드리워진 게 있다면, 그것은 로마와 동맹관계를 맺은 나라한테는 싸움을 걸지 않겠다고 조약에 명시한 것뿐이었다. 하지만 카르타고는 구태여 이탈리아나 시칠리아에 손을 대지 않아도 충분히 살아갈 수 있었다. 제1차 포에니 전쟁 이후의 카르타고인은 로마와 다시 싸우기를 바라지도 않았고, 예상도 하지 못했다.

하밀카르는 제1차 포에니 전쟁의 마지막 6년을 용감히 싸웠지만, 해군이 해전에서 패했기 때문에 강화 교섭의 역할을 맡아야 했던 인물이다. 전쟁이 끝났을 때, 그는 마흔 살도 채 되지 않은 나이였다. 그의 가슴속에 설욕에 대한 야망이 숨어 있었다 해도 무리는 아니다. 그리고 하밀카르가 속해 있는 바르카 가문은 한노 가문의 농업경제파와는 달리, 해외통상을 부의 원천으로 삼는 자들의 리더였다. 시칠리아를 포기한 것이 서지중해까지 포기하는 결과가 되는 데 남보다 더 민감했던 것도 당연하다. 하밀카르와 그에게 동조하는 카르타고인만이 언젠가는 로마와 다시 싸우기를 바라고 있었던 게 아닐까.

전쟁이 끝난 뒤에는 이긴 쪽보다 진 쪽이 더 많은 압박에 시달리는 것은 어쩔 수 없다. 로마가 전쟁의 신 야누스 신전의 문을 닫고 평화를 만끽하고 있었던 것과는 대조적으로, 카르타고 본국은 불온한 분위기에 감싸여 있었다.

카르타고는 국방을 외국인 용병에 의지하고 있는 나라였다. 따라서 시내에서도 떼지어 걷는 용병들의 모습을 보는 일이 드물지 않다. 끼리끼리 무리를 짓는 것은 그들의 출신지가 갈리아나 에스파냐나 그리스나 아프리카 등 각각이어서, 카르타고에서는 서로 말이 통하지 않았기 때문이다. 전쟁이 끝난 것은 이들 용병들이 전쟁터였던 시칠리아에서 대거 돌아왔다는 뜻이기도 했다.

전쟁이 끝났으니까, 이제 필요가 없게 된 용병들은 각자 고국으로 돌아가야 한다. 그들도 귀국에는 동의했지만, 그 이전에 카르타고 정부가 용병료를 지불해주기를 기다리고 있었다.

그런데 패전으로 말미암아 재정 긴축의 필요성을 절감하고 있던 카르타고 정부는 이들이 요구하는 용병료 지불에 응하지 않았다. 전쟁은 여름도 되기 전에 끝났다. 전투 기간으로 되어 있는 봄부터 가을까지의 절반밖에 일하지 않았으니까, 용병료도 절반만 주면 된다는 것이 카르타고 정부의 생각이었다. 물론 용병들은 납득하지 않았다. 게다가 이들은 무장을 하고 있었다.

용병들은 출국할 때까지 머물러 있던 시카를 떠나 수도 카르타고로 갔다. 2만 명의 무장병이 20킬로미터 앞까지 몰려오자, 카르타고 정부는 교섭에 응할 것을 승낙한다. 처음에는 타당한 요구를 내걸었던 용병들이 교섭에 나선 카르타고 고관의 태도에 화가 나서 요구 조건을 끌어올렸다. 그러는 동안 용병들의 출신지 가운데 하나인 리비아가 이들에게 동조하는 움직임을 보였다. 카르타고의 속령인 리비아에서는 포에니 전쟁이 끝난 뒤에 세금이 두 배로 늘어났고, 그 때문에 불만이 고조되고 있었다.

카르타고의 전후 대책에 불만을 품은 것은 리비아만이 아니었다. 로마와 달리 카르타고에서는 지배자인 카르타고인과 피지배자인 다른 민족은 같은 카르타고 영토 안에 살면서도 차별을 받고 있었다. 이런 카르타고에서 피지배자의 불만은 지배자인 카르타고인에 대한 반란으로 발전할 위험이 상존하고 있었다. 수도 카르타고에 이은 제2의 도시 우티카마저 불만파 쪽으로 기울어질 무렵에는 처음에 2만 명이었던 반란군이 5만 명으로 늘어나 있었다.

포에니 전쟁이 끝난 이듬해인 기원전 240년, 카르타고 정부는 이미 그들을 반란군으로 단정하고 무력 진압을 결의했다. 1만 명의 병력이 조직되었고, 총지휘는 하밀카르가 맡았다. 그에게 무술을 배우고 있던 누미디아 기병 2천 명도 진압군에 가담했다.

용병을 중심으로 하는 반란군은 수적으로는 우세했지만 지휘관이 없었다. 더구나 전술이 뛰어난 하밀카르 앞에서 반란군은 적수가 되지 못했다. 당장 6천 명이 사망하고, 2천 명이 포로가 되고, 나머지는 도망치는 결과로 끝났다. 하지만 이듬해인 기원전 239년, 포로에게 베푼 하밀카르의 온정을 반란군은 원수로 갚았다. 반란군은 교섭에 나선 카르타고 고관을 사로잡아 팔다리를 자르고 코와 귀를 베어내고 생매장하는 만행을 저질렀던 것이다.

하밀카르도 이제는 반란군을 처단할 수밖에 없다고 생각했다. 그러나 반란군은 아직도 수적으로 우세하다. 하밀카르는 전체 병력이 정면으로 부딪치는 전투를 피하고 소규모 전투를 되풀이하면서, 마침내 높직한 산마루로 반란군을 몰아넣는 데 성공했다. 그리고는 산 주위를 튼튼한 울타리와 참호로 둘러싸고, 반란군이 자멸하기를 기다렸다.

굶주림에 시달린 반란군은 급기야는 포로나 노예를 죽여 그 고기를 먹으면서 저항을 계속했지만, 필경은 항복할 수밖에 없을 터였다. 하밀카르는 교섭단으로 10명을 하산시키면 전원의 목숨을 보장하겠다고 말했다.

10명이 하산했다. 이들은 한 사람도 산 위로 돌아가지 않았다. 이미 살해되었기 때문이지만, 아무것도 모르는 반란군은 그들이 배신한 줄 알고 버렸던 무기를 다시 들었다.

이것이 하밀카르가 기다리고 있던 기회였다. 사방에서 몰려오는 코끼리떼에 둘러싸인 반란군은 산 위의 분지로 쫓겨들어가 코끼리떼에 짓밟혀 전멸했다. 사망자는 4만 명이 넘었다고 한다. 반기를 들었던 우티카도 이것을 알고 항복했다. 3년 4개월의 세월이 흐른 기원전 238년 여름, 카르타고에 대한 반란은 완전히 진압되었다.

그동안 로마와 시라쿠사는 카르타고의 위기를 이용하지 않았다. 그러기는커녕 속령들이 배반하는 바람에 식량이 부족한 카르타고 정부의 요청을 받아 수도 카르타고에 밀을 수출하기까지 했다. 이것은 제1차 포에니 전쟁의 승자 로마도, 전통적으로 카르타고와 사이가 나빴던 시라쿠사도, 이 기회를 틈타 카르타고를 궤멸시킬 마음은 없었다는 것을 입증한다.

　로마가 불난 집에 들어가 도둑질을 하는 것과 비슷한 행위를 전혀 하지 않은 것은 아니었다. 해안지방만 카르타고의 식민지가 되어 있던 사르데냐 섬의 주민들이 본국 카르타고의 혼란을 알고 반기를 들었다. 카르타고인 총독을 죽인 그들은 사절을 로마에 보내 지원군 파견을 요청했다. 제1차 포에니 전쟁에서 제해권의 중요성을 깨달은 로마는 물론 이 요청을 받아들였다. 지원군으로 온 로마군은 1개 군단에 불과했지만, 사르데냐 섬에서 카르타고의 지배를 종식시키기에는 충분했다. 카르타고 정부는 이에 항의했지만, 국내의 혼란 때문에 기정 사실을 뒤집을 여유는 없었다. 사르데냐 섬도 로마의 세력하에 들어갔다.

　사르데냐가 수중에 들어오면, 바로 북쪽에 있는 코르시카 섬도 자동적으로 로마의 것이 된다. 이리하여 로마는 시칠리아와 사르데냐 및 코르시카에 대한 지배권을 얻어, 이탈리아 남쪽과 서쪽 바다의 제해권을 확보하게 되었다. 이것은 서지중해의 제해권이 점점 카르타고의 손을 떠나 로마의 것이 되어가는 것을 의미했다.

　반란이 진압되어 위기는 일단 벗어났지만, 제1차 포에니 전쟁이 끝난 뒤의 카르타고는 국내 중시파와 해외 진출파의 분쟁까지 끝내지는 못했다.

　해외파의 리더인 하밀카르는 국내파가 우세한 카르타고를 떠나, 에스파냐에 거점을 만들기로 결정했다. 에스파냐에는 이미 카르타고 식민지가 있었지만, 카디스를 중심으로 하는 에스파냐 남해안에만 한정되어 있었다. 그것을 보다 넓고 본격적인 식민지로 개발하려는 것이다. 하밀카르는 이제 막 40대에 접어든 장년의 나이였다. 이런 그를 따르는 카르타고인도 적지 않았다.

에스파냐로 이주할 때 하밀카르는 아홉 살 난 맏아들 한니발을 데려 갔다. 한니발이 나중에 말한 바에 따르면, 그가 에스파냐에 같이 데려 가달라고 부탁하자, 그의 아버지는 아홉 살짜리 아들을 바알 신전으로 데려가서 평생 로마를 적으로 삼을 것을 서약시킨 뒤에야 에스파냐로 함께 가는 것을 허락했다고 한다.

과거에는 '헤라클레스의 두 기둥'이라고 불렸던 오늘날의 지브롤터 해협을 건너 에스파냐로 이주한 하밀카르는 이곳에서 탁월한 조직 능 력을 발휘한다. 그를 따라온 카르타고 병사들을 주체로 하고, 전투에 서 무찌른 원주민을 용병으로 가담시킨 하밀카르의 카르타고군은 지 휘관의 절묘한 전술 덕분에 에스파냐 원주민을 상대로 한 싸움에서 패 배를 모르는 놀라운 전과를 거두었다.

지배 지역은 급속히 확대되었고, 그 땅은 카르타고인 특유의 영농기 술에 의해 높은 생산성을 자랑하는 농장으로 변모했다. 에스파냐에 많 은 광맥도 풍부한 광산으로 다시 태어났다. 특히 은광 개발로 하밀카 르의 식민지 경영은 결정적인 성공을 거두었다. 50년 뒤에 에스파냐 를 찾은 로마인 카토가 그 높은 생산성에 경탄했다고 할 만큼 은광은 높은 수익을 가져다주었고, 이 수익이 하밀카르의 재원이 되었다.

에스파냐의 카르타고 세력권은 하밀카르가 이주한 지 9년 뒤에는 에스파냐 동남부를 제패할 만큼 확대되었다. 여기서 생기는 이익은 자 활 범위를 훨씬 넘어서서, 본국의 농장 경영에 투자할 정도가 되어 있 었다. 카르타고는 시칠리아 상실을 만회하고도 남는 식민지를 획득한 셈이다. 하지만 이곳 에스파냐 식민지는 본국과는 거의 독립해 있어 서, 바르카 가문의 왕국이라고 할 정도였다.

이주한 지 10년째가 되는 기원전 228년에는 에스파냐 동해안에 '신(新)카르타고'라고 이름지은 도시가 건설되었다. 여기에는 왕궁이라고밖에 볼 수 없는 바르카 가문의 성도 세워졌고, 에스파냐 각지에서 나는 산물은 모두 이곳에 모이게 되었다. 이 '신카르타고'(오늘날의 카르타헤나)는 에스파냐를 지배하는 바르카 가문의 거점이자 상징이 되었다.

하밀카르 자신은 신도시가 완성되는 것을 보지 못하고 1년 전에 전사했다. 그 뒤를 이은 것은 오랫동안 하밀카르의 부장으로 일했고 하밀카르의 사위이기도 한 하스드루발이었다. 직계 후계자인 한니발은 아직 18세에 불과했다.

하스드루발은 꽤 유능한 후계자임을 보여준다. 장인이 시작한 사업을 뿌리내리게 한 것은 그의 공적이었다.

그동안 로마는 에스파냐에서 카르타고 세력이 커지는 데 대해 경계심을 품었을 거라고 생각하기 쉽지만, 실제로는 그렇지 않았던 모양이다. 나중에 이야기하겠지만, 로마 자체도 전혀 한가롭지 않았기 때문이다. 게다가 카르타고 본국에는 로마에 대한 설욕의 움직임이 전혀 없었다. 여전히 카르타고는 포에니 전쟁 전과 똑같은 방식으로 속령을 지배하고, 병력도 필요하면 돈으로 고용한 용병에게 의존하는 방침을 바꾸지 않았다.

기원전 226년에 로마는 하스드루발과 협정을 맺었다. 에스파냐 북부를 서쪽에서 동쪽으로 가로질러 흐르는 에브로 강 이북으로는 카르타고가 세력권을 넓히지 않는다는 협정이었다.

이것은 비록 에브로 강 이남으로 한정하긴 했지만, 로마가 카르타고의 에스파냐 지배를 인정했다는 이야기다. 에브로 강은 피레네 산맥의 바로 남쪽을 흐르고 있기 때문에, 사실 로마는 에스파냐의 거의 전역에서 카르타고의 지배를 인정한 셈이 된다.

이 협정의 목적은 에스파냐에서 카르타고 세력이 더 이상 확대되는 것을 막기 위해서가 아니라, 오랫동안 로마의 우방이었던 마르세유의 세력권을 지키는 데 있었다. 이해에 마르세유와 만 하나를 사이에 두고 마주보는 엠포리아이도 로마의 동맹도시가 되었다. 마르세유와 엠포리아이는 둘 다 그리스인의 식민지로 건설된 도시국가다. 서지중해의 그리스계 주민들은 지배보다 동맹관계를 좋아하는 로마의 세력하에 들어가는 쪽을 선택했다.

로마는 제1차 포에니 전쟁이 끝난 뒤 23년을 어떻게 보냈을까.

가장 두드러진 현상은 이 시기에 로마인들이 그리스 문화에 열중하기 시작한 것이다. 아테네가 건재했던 시절부터 그리스 문화의 일대 근거지였던 시라쿠사의 문화 수준은 타란토를 비롯한 이탈리아 남부의 그리스계 도시들과는 비교가 되지 않았다. 이 시라쿠사가 로마의 우방이 되었다. 로마의 양갓집 자제들은 모두 그리스어 습득을 위해 남쪽을 향했다. 당시에는 그리스어가 라틴어보다 언어로서 완성도가 높은 탓도 있었다. 또한 그리스어의 사용권은 지중해 세계 전역에 걸쳐 있었다.

그리스 문화에 대한 열풍에 들떠 있었던 것은 양갓집 자제만이 아니다. 그리스 희극을 모방한 것이 분명한 라틴 희극이 로마에서 처음으로 상연되기 시작했다. 작자는 리비우스 안드로니코스. 그의 희극이 로마에서 상연된 기원전 240년부터 라틴 문학사가 시작된다고 여겨질 정도다. 안드로니코스는 그리스어를 읽지 못하는 일반 서민을 위해 필요한 부분만 발췌해서 번역한 것이긴 하지만, 호메로스의 서사시를 라틴어로 번역하기까지 했다.

최초의 라틴 희극작가로 되어 있는 플라우투스가 활약한 것도 이 무렵이다. 그 역시 그리스 희극을 모방했지만, 안드로니코스보다는 로마화한 작품을 썼다. 플라우투스가 쓴 희극은 나중에 르네상스 시대의 희극에 영향을 주어, 18세기의 베네치아 희극작가 골도니한테까지 이어지는 이탈리아 희극의 원천이 된다.

어쨌든, 민중을 상대로 대성공을 거두었다는 플라우투스의 희극에는 곳곳에 그리스어가 사용되고 있다. 민중도 그 정도의 그리스어는 이해했던 모양이다. 그걸 생각하면, 두 언어를 사용하는 경향이 있는 로마인의 층이 두꺼운 데에는 그저 경탄할 수밖에 없다.

그런데 이 시기의 로마인에게 인기가 높았던 이 두 희극작가는 둘 다 로마 시민이 아니었다. 안드로니코스는 그 이름으로도 알 수 있듯이 그리스인이다. 기원전 272년에 로마가 타란토를 점령했을 때 포로가 되어, 노예로 로마에 끌려왔지만, 주인인 리비우스가 그의 재능을 인정하여 자유민으로 만들어주었다. 그래서 그의 정식 이름도 리비우스 안드로니코스가 되었다.

플라우투스는 노예는 아니었지만, 로마 시민도 아니었다. '로마 연합'에 가맹한 움브리아족 출신으로, 로마에 나와서 여러 직업을 전전한 뒤 배우가 되었고, 각본과 연출에도 손을 대서 성공한 인물이다. 작품 소재를 찾기 위해 기존 비극이나 희극을 해체하여 활용한 사람이니까, 만약 카르타고에 극작이 존재했다면 반드시 활용했을 것이다. 하지만 카르타고인은 한노의 『아프리카 항해지』나 마고의 『농장 경영서』 같은 실용서적 외에는 쓰기를 좋아하지 않은 민족이었다. 플라우투스는 그런 카르타고인을 자신의 작품 속에서 다음과 같이 평하고 있다.

"그 사람은 어느 나라 말이나 다 알고 있다. 하지만 자기 나라 말 외에는 모르는 척한다. 어쨌든 카르타고인이니까."

제1차 포에니 전쟁이 끝난 뒤 로마인 사이에 퍼진 '그리스 열풍'은 원로원을 중추로 하는 지도층한테도 바람직한 현상이었다. 원로원은 새로 얻은 시칠리아를 어떻게 통치할 것인가 하는 문제의 해결에 쫓기고 있었기 때문이다. 이것은 로마가 처음으로 직면하는 문제였다.

그리스 식민지에서 출발한 도시가 많은 시칠리아는 그리스어권에 속한다. 로마와 동맹관계에 있는 시라쿠사는 독립국이지만, 실제로는 이 시라쿠사조차도 로마 세력하에 들어왔으니까 피지배국이라고 말할 수 있다. 더구나 시칠리아의 다른 도시들은 로마가 군사력으로 획득한 지방이었다. 그것이 현실이라 해도, 정복자가 피정복민의 언어 습득에 열심이고 문화를 좋아한다면, 피정복민의 심정에도 미묘한 영향을 줄 수밖에 없다. '그리스 열풍'은 원로원이 바라는 바였다. 그들은 솔선하여 피정복민을 가정교사로 초빙하거나 비서로 고용하고, 자제를 피정복지로 유학보냈다. 물론 그리스 문화가 뛰어났기 때문이기는 하지만.

로마인의 남다른 점은 뭐든지 자기들이 다 하려들지 않았다는 점이다. 그들은 어느 분야에서나 자기네가 제일이어야 한다고는 생각하지 않았다. 이제 완전히 로마에 동화한 에트루리아인은 여전히 토목사업에서 솜씨를 발휘했고, 이탈리아 남부의 그리스인은 통상을 맡고 있었다. 시칠리아가 세력하에 들어와 본격적으로 그리스 문화가 도입된 이후로는 예술도 철학도 수학도 모두 그리스인에게 맡긴 듯한 느낌이 든다. 이런 로마인의 개방성은 세월의 흐름에 따라 점점 확대되어갔다.

이민족을 통치하는 것은 누구에게나 어려운 일이다. 로마인은 냉정하게 현실을 파악한 뒤, 시칠리아 통치에 적합한 새로운 체제를 만들어냈다.

여기서『로마인 이야기』제1권에서 기술한 것, 즉 '로마 연합'의 맹주인 로마와 가맹국 사이의 관계를 기억해주기 바란다.

거기서도 말했듯이, 기원전 4세기 중엽에 창설된 '로마 연합'은 로마와 다른 도시국가의 단순한 집합체가 아니었다. 맹주 로마와 가맹도시의 관계는 문자 그대로 제각각이었다. 열거하면 다음과 같다.

우선, 연합의 맹주인 로마.

이 나라 주민은 자유민이면 귀족과 평민의 구별없이 모두 로마 시민권을 갖고, 그 때문에 시민의 의무이자 직접세의 납세 방식이기도 한 병역 의무를 부여받았다. 당연히 로마 시민권을 가진 자의 권리인 투표권을 갖고, 로마의 공직에 출마할 피선거권도 갖는다. 국정에 참여할 권리를 갖고 있었다는 뜻이다. 재산이라고는 자식밖에 없다는 의미에서 프롤레타리라고 불린 무산자는 납세 의무를 면제받았기 때문에 병역 의무도 없었다. 이들은 재산을 가진 시민에 비하면 그 수가 적긴했지만, 그래도 선거권은 행사할 수 있었다. 이들도 로마 시민이었기 때문이다.

다음은 기원전 4세기 중엽을 기술한 '제1권'에서 두번째로 거론한 여러 부족들이다. 하지만 그로부터 1세기가 지난 뒤에는 이들도 대부분 로마 시민권을 획득함으로써 어엿한 로마 시민이 되었기 때문에, 기원전 3세기 후반을 기술하고 있는 여기서는 따로 다루지 않겠다. 이들은 로마가 왕정이었을 때부터 '라틴 동맹'의 가맹국이었지만, 기원전 390년에 켈트족의 침략으로 타격을 받은 로마를 배신했다가 그후 재기한 로마에 패배한 부족들이다. 플루타르코스도 말했듯이, 이들은 패자까지도 동화시키는 로마인의 사고방식 덕분에 1세기 전에 완전한 로마 시민권 소유자가 되었다.

따라서 '로마 연합'을 구성하는 두번째 부류에 속하는 도시는 '제1권'에서 세번째로 거론한 '무니키피아'다.

로마는 이 무니키피아의 주민들에게 '선거권 없는 시민권'을 주었다. 이것은 로마 국정에 참여할 선거권과 피선거권이 없다는 뜻이고, 그밖의 모든 점에서는 로마 시민과 동등한 권리를 갖는다. 사유재산도 로마법에 근거한 보호를 받을 수 있었다. 게다가 자국 안에서의 자치는 완전히 보장되어 있었다. 현대 이탈리아에서도 '무니치피오'는 지방자치단체를 뜻한다.

세번째는 현대인이 식민지로 번역하는 '콜로니아'다.

전략상 중요하다고 여겨지는 지역에 많을 때는 6천 명이나 되는 남자들이 정착한다. 가족을 데리고 이주하는 사람도 있지만, 대부분은 독신이다. 현지인 여자와의 결혼에 따른 혼혈화는 구태여 법률에 명기할 필요도 없을 만큼 당연하게 여겨지고 있었다.

완전한 로마 시민권 소유자가 이주자의 대다수를 차지하고 있는 경우에는 '로마 식민지'라고 부르고, 선거권 없는 시민권 소유자나 그밖의 사람들이 대다수를 차지하는 경우에는 '라틴 식민지'라고 불렀다. 이리하여 로마는 전략 요충지마다 항구적인 요새를 건설했다. 하지만 이 '콜로니아'는 사회적으로 보면 신도시 건설과 마찬가지였다. 지나는 길에 덧붙이자면, 독일의 쾰른은 '콜로니아'를 독일어로 읽은 것이다.

'로마 연합' 가맹국의 네번째 부류는 역사학에서 동맹시나 동맹국으로 총칭하는 도시국가다. 로마인은 이들을 '소키'라고 불렀다. 소키는 라틴어의 맏딸이라 해도 좋은 현대 이탈리아어에서는 '공동 경영자'를 의미한다.

이들 '소키'가 다른 동맹 부족이나 도시와 같은 점은 로마와 싸워서

졌다는 것이고, 다른 점은 옛 '라틴 동맹'의 가맹 부족처럼 기원전 4세기 중엽에 패배한 것이 아니라 그후에 패배했다는 점이다. 이탈리아 반도 중부에서 남부에 걸쳐 그리스인이 건설한 식민도시를 기원으로 하고 있다는 공통점을 가진 여러 도시가 이 '소키'에 속했다.

로마와 동맹관계를 맺은 역사가 짧은 이들 도시에도 로마는 완전한 자치권을 인정하고 있었다. 그뿐 아니라, 지배계급에 속하는 사람들에게는 로마 시민권을 취득하라고 장려하기까지 했다. 이들은 로마 시민권을 취득해도 고국의 시민권을 버릴 필요가 없었기 때문에, 로마인은 과거의 패배자에게 이중국적마저 인정해주었다는 얘기가 된다.

무니키피아도 콜로니아도 소키도 승자인 로마에 해마다 조공이나 조세를 바칠 의무는 없었다. 로마는 이들 도시에 병력 제공을 요구했기 때문이다. 서구 사상의 뿌리가 되는 고대 그리스와 로마에서는 자금 제공보다 병력 제공이 더 명예로운 협력 방식으로 여겨지고 있었다.

로마는 이처럼 동맹자와는 사례별로 다른 관계를 수립했지만, '사례별'이라는 것은 어디까지나 '구별'이었지 '차별'은 아니었다. 간선도로인 아피아 가도에서 그 증거를 볼 수 있을 것이다.

아피아 가도는 우선 로마에서 '로마 식민지'인 테라치나까지 건설되었다. 다시 그것은 '소키'인 카푸아까지 연장된다. 이어서 '라틴 식민지'인 베네벤토까지 연장되고, 더욱 남하하여 '라틴 식민지'인 베누시아까지 건설되었다. 타란토가 로마 세력하에 들어온 뒤에는 이 동맹국까지 연장되었고, 그후 '라틴 식민지'로 건설된 브린디시에 이르러 가도 전체가 완성되었다.

로마→'로마 식민지'→'동맹국'→'라틴 식민지'→'라틴 식민지'→'동맹국'→'라틴 식민지'

로마인이 생각하고 실행에 옮긴 도로망은 그 동맥인 로마 가도가 보여주듯이, 군사적 목적을 우선하는 사고방식의 결과임은 두말할 나위도 없다. 하지만 잘 만들어진 도로체계는 다른 면에서도 기능을 발휘하게 마련이다. 로마 가도에는 통행료가 없었고, 누구나 지나다닐 수 있었다. 행군하는 군대를 만나면 물론 옆으로 비켜서야 했겠지만, 포도주통을 가득 실은 마차도, 장작더미를 짊어진 당나귀도 마음대로 지나다녔다. 산적이나 강도를 만날 위험도 줄어들었다. 당연한 일이다. 군부대의 왕래가 잦은 길에 산적이 출몰할 리가 없다.

로마인은 요즘 말로 '사회간접자본'의 중요성에 주목한 최초의 민족이 아닌가 싶다. 사회간접자본이 생산성 향상으로 이어지는 것은 현대인이라면 누구나 알고 있다. 생산성 향상이 생활수준 향상으로 이어진다는 것도 누구나 알고 있다.

후세에 유명해진 '로마화'는 곧 '사회간접자본'을 말하는 게 아니었을까. 그리고 로마인의 진정한 협력자는 '로마화'의 이점을 깨달은 피지배 민족이 아니었을까.

그러나 카르타고와 전쟁을 벌인 끝에 얻은 시칠리아는 로마에는 완전히 새로운 사례였다.

첫째, 카르타고의 복귀를 허용해서는 안되었다. 둘째, 시라쿠사 외에는 엇비슷한 군소 도시국가들이 할거하고 있는 시칠리아에는 '로마 연합' 방식을 적용할 수 없었다. 시칠리아의 역사는 사실상 이 군소 도시들 사이의 분쟁으로 점철된 역사였고, 이런 시칠리아에는 거의 대등한 사이에서나 기능을 발휘하는 '로마 연합' 방식이 적합하지 않았기 때문이다. 또한 시칠리아에 질서와 안정을 확립하지 않는 한, 카르타고에게 도로 빼앗길 위험을 늘 걱정할 수밖에 없었다.

로마인은 시칠리아를 '프로빈키아'(속주)로 삼기로 결정했다. 속주는 지금까지 로마의 지배 개념에는 없었던 새로운 개념이다. 하지만 로마인은 시칠리아 전체를 속주화한 것은 아니다. 여기서도 로마인은 사례별로 대처했다.

우선, 로마가 독립과 자치를 존중하겠다고 약속한 시라쿠사가 있다. 로마와는 대등한 동맹관계에 있는 나라다. 시라쿠사는 로마에 병력을 제공할 의무조차도 지고 있지 않았다. 그래도 로마 세력하에 들어왔기 때문에 방어, 특히 오랜 숙적이었던 카르타고에 대한 방어를 걱정할 필요가 없어졌다. 시라쿠사의 참주 히에론의 의무는 동맹을 15년마다 경신하는 것과 밀을 로마에 우선적으로 파는 것뿐이었다. 이 시라쿠사는 속주가 아니었다.

두번째 예외는 제1차 포에니 전쟁의 발단이 된 메시나다. 통치계급의 기반이 약한 이 도시국가를 로마는 나폴리와 같은 동맹국으로 삼았다. '로마 연합'의 '소키'가 된 것인 만큼 국내의 자치권은 그대로 보유하면서 로마에 대해서는 해군기지를 제공하고 함대를 유지할 의무를 진다.

그밖에 팔레르모, 세제스타, 에리체 같은 도시들이 메시나와 같은 지위를 누렸다. 카르타고 영토였지만 일단 로마에 굴복한 뒤에는 계속 충성을 바친 이들 도시에 대해 로마는 완전한 자치권을 허용했다. 따라서 이런 도시에도 '속주법'은 적용되지 않았다.

시라쿠사의 통치지역은 시칠리아 섬의 약 4분의 1을 차지하고, 메시나와 팔레르모 같은 자유도시의 영토를 합하면 4분의 1이 되기 때문에 로마가 속주로 삼은 지역은 시칠리아의 절반에 불과했다는 이야기가 된다. 그래도 이것은 '로마 연합' 방식을 뛰어넘는 새로운 지배 방식이 시작된 것을 의미했다. 또한 사르데냐와 코르시카는 섬 전체가 속주로서 로마의 통치를 받게 되었다.

여기서도 로마인의 '사회간접자본'은 동맹국과 속주를 차별하지 않았다. 어쨌든 로마인에게 사회간접자본의 주요 목적은 군대의 신속한 이동에 있었기 때문이다.

로마 세력권 안에 사는 사람은 지금까지는 두 종류로 나뉘어 있었다. 로마 시민권을 가진 사람과 갖지 않은 사람이다. 시민권을 갖지 않은 사람도 로마 동맹국의 백성인 이상, 병역 의무를 다하는 것으로 직접세를 낸다는 점은 시민권 소유자와 마찬가지였다. 그런데 제1차 포에니 전쟁이 끝난 뒤에는 속주민이 추가되어 세 종류로 나뉘게 되었다.

오늘날 프랑스의 프로방스는 로마의 속주, 즉 '프로빈키아'에 어원을 두고 있다. 그러면 로마인은 이 프로빈키아에서 처음으로 체험하는 속주 통치를 어떻게 시작했을까.

우선 집정관과 같은 '임페리움'이다. 이 경우에는 통치에 관한 전권을 부여받은 법무관(프라이토르)이 로마에서 파견된다. 로마 집정관은 두 명이지만, 속주의 최고통치자인 법무관은 한 사람이다. 그 밑에 회계감사관을 비롯하여 소수의 사무관이 로마에서 해마다 파견된다. 해마다 파견되는 것은 이들이 로마 민회에서 선출되기 때문이다. 시칠리아 속주를 다스리는 법무관의 주재지는 시칠리아 서부의 마르살라로 결정되었다. 카르타고가 당시에는 적국이 아니라 해도, 시칠리아는 강대국 카르타고와 마주보는 최전선에 있었고, 그 중에서도 마르살라는 카르타고와 가장 가까운 항구도시였기 때문이다.

로마의 속주법은 시칠리아의 절반과 아직 해안지방밖에 개발되지 않은 사르데냐와 코르시카에 적용되었을 뿐이지만, 속주의 가장 큰 특징은 로마의 직할통치를 받는다는 것 외에 영토 전체가 로마의 직할령이 되었다는 데 있었다. 토지는 모두 몰수되어 로마의 공유지가 되었고, 주민들은 이 토지를 빌려서 농업이나 목축을 했다. 토지 임차료는 지주인 로마 정부에 낸다.

'로마 연합' 동맹국의 백성들도 영토의 일부를 로마에 몰수당했다. 그들도 역시 로마 정부에 토지 임차료를 내고 있었다. 동맹국과 속주의 차이는 몰수된 토지가 일부냐 전부냐의 차이였다.

로마 시민도 필요하면 나라에서 땅을 빌려 농업이나 목축을 한다는 점에서는 마찬가지였다. 토지 임차에는 상한이 있어서, 원로원 의원조차도 500유겔리(약 125헥타르) 이상은 빌릴 수 없었다. 간접세 이외에 로마 국고의 주요 수입원은 이런 공유지를 빌려주고 받는 임대료였다.

속주의 세번째 특징은, 속주민의 별명이 '납세 의무자'였던 것에서 알 수 있듯이, 그들만은 직접세 납부가 의무화되어 있었다.

속주민은 수입이나 수확의 10퍼센트를 세금으로 로마 정부에 납부했다. 농민은 현물로 납부했다. 이 직접세는 수입의 10분의 1을 바친다는 의미에서 '십일조'라는 별명으로 불렸다.

그밖에 5퍼센트의 간접세가 있지만, 이것은 로마 시민이나 동맹국 주민도 내는 세금이다.

직접세를 10퍼센트로 매긴 근거는 시라쿠사 참주가 백성에게 부과하고 있던 세율이 10퍼센트였기 때문이지만, 시칠리아에 대한 세력 확장을 꾀하고 있던 시절의 카르타고도 아프리카 속령에는 25퍼센트 내지 50퍼센트나 되는 무거운 세금을 부과하면서도 시칠리아만은 우대하여, 경쟁자였던 시라쿠사처럼 10퍼센트의 조세율을 고수해 왔기 때문이다. 로마도 시라쿠사나 카르타고를 의식했던 것이다.

'십일조'는 의무화되어 있었지만, 속주민은 로마 시민이나 동맹국 시민에게 부과된 병역 의무를 지지 않았다. 다시 말하면, 로마 시민과 동맹국 시민이 직접세 대신 내고 있던 '혈세'는 낼 의무가 없었다.

또한 토지 임차료도 상식적인 선에 머물렀던 모양이다. 속주에서는 로마 시민이라도 농경지를 빌려야 한다고 규정되어 있었지만, 기후가 좋은 시칠리아에서 농지를 빌려 임차료와 십일조를 내고도, 십일조를 낼 필요가 없는 이탈리아 본토에서 농사를 짓는 것보다 수익률이 높다고 말하는 로마인이 있었을 정도다.

누진세제도도 없이 일률적으로 수입의 10분의 1만 내면 되니까, 나 같아도 기꺼이 낼 것이다. 필요경비나 소득 따위를 따지기 시작하면 인간은 못된 꾀를 부리게 되는 법이다. 일률적으로 10분의 1을 세금으로 받으면, 국세청의 규모를 절반으로 줄여도 충분할 것이다.

고대 로마인은 '국세청'조차 민영으로 하고 있었다. 푸블리카누스, 의역하면 '공공업무를 대행하는 자'가 세금 징수를 도급맡고 있었다. 그들은 해마다 지난해의 수확고를 참고로 하여 올해의 예정 수확고를 산출한다. 그것을 가지고 징세권 입찰에 참가한다. 납세자가 낼 수 없을 만큼 많은 액수를 제시하면, 입찰에 이겨도 자기가 파산할 위험이 있기 때문에 타당한 선으로 낮추는 것이 보통이었다. '공무 대행인'의 몫은 십일조 가운데 10분의 1이었다. 또한 그들은 징세 사무에 관한 모든 서류를 속주 통치관에게 제출해야 했다.

로마는 이 징세 청부업을 개인보다는 속주가 되기 전에 존재했던 각 도시가 담당하도록 장려했다. 시칠리아에서는 외부인이 푸블리카누스가 된 적이 없다. 로마는 직접세의 1퍼센트라도 현지로 환원되도록 조처했던 것이다.

그후 제2차 포에니 전쟁이 일어나 로마는 전례없는 위기에 직면했는데, 이 시기에 임시로 10분의 1세를 5분의 1세로 증액한 해가 있었다. 그때도 세금으로 납부되는 것은 10분의 1뿐이었고, 나머지 10분의 1에 해당하는 수확물은 로마 정부가 사들였다.

이런 속주 통치를 받은 시칠리아는 당장 로마의 곡창으로 변했다. 세금으로 납부되는 밀만 해도 매년 200만 모조(약 1천 800만 리터)에 이르렀다고 한다. 세금을 내고 남은 밀은 물론 자유롭게 팔 수 있었다. 그 판매처가 카르타고에서 로마로 바뀐 것은 당연한 일이었다.

가격이 이탈리아산 밀의 절반 내지 3분의 1 정도밖에 안되는 시칠리아산 밀이 들어오자, 넓은 농경지가 없는 로마 근교의 농업이 맨 먼저 경쟁력을 잃었다. 로마 근교의 농지가 밀밭에서 포도밭이나 올리브밭으로 바뀐 것은 바로 이 무렵부터였다.

속주민에게는 병역 의무가 없으니까, 방어는 패권국가 로마의 책임이다. 로마는 그러나 제1차 포에니 전쟁이 끝난 뒤에는 평화가 찾아왔다고 생각했기 때문에, 시칠리아에 보병 4천 200명과 기병 200명밖에는 주둔시키지 않았다. 방어라면 카르타고에 대한 방어이기 때문에, 속주 총독인 법무관이 주재하는 마르살라가 로마군의 주둔지였다.

속주 통치도 나중에는 폐해가 나타나지만, 기원전 3세기에는 꽤 순조롭게 돌아갔다. 속주법에 정해진 대로 종교의 자유는 완전히 보장되었고, 속주민은 통치방법이 불공정하다고 여겨지면 로마 원로원에 직접 호소할 수 있는 권리도 인정받고 있었다. 언어도 지배자인 로마인이 그리스어를 습득하는 데 열심인 상태라서, 속주민이 된 그리스계 시칠리아인에게는 불편이 전혀 없었다.

속주가 된 이후 시칠리아에서는 오랫동안 끊이지 않았던 각 도시간의 분쟁도 자취를 감추었고, '사회간접자본' 정비에 열심인 로마인 덕분에 생산성도 계속 향상되었다. '팍스 로마나'(로마 주도의 평화)를 맨 먼저 누리게 된 것은 시칠리아의 그리스인이 아니었나 싶다.

그러나 로마는 패권국가였다. 패권국가는 세력하에 있는 나라들을 방어할 의무를 지는 동시에, 그런 나라 주민들의 이익을 지킬 의무도 진다. 제1차 포에니 전쟁이 끝나 야누스 신전의 문을 닫고 평화를 자축한 로마인이 10년도 지나기 전에 다시 그 문을 열지 않을 수 없게 된 것은 동맹자들의 이익을 지키기 위해서였다.

이탈리아 반도의 동부는 아드리아 해에 면해 있다. 옛 유고슬라비아와 현재의 알바니아에 해당하는 이 일대는 고대에는 일리리아라고 불렸다. 일리리아인이 살고 있었기 때문이다. 이 일리리아 일대는 복잡한 후미가 많아서, 예로부터 해적의 소굴이 되는 경우가 많았다. 에페이로스 왕국이 건재하던 시대에는 경찰관 역할을 맡는 사람이 있었지만, 에페이로스도 쇠퇴하고 마케도니아 왕국도 거기까지 손이 미치지 않으면 아드리아 해는 해적의 독무대가 된다. 이 피해를 누구보다도 많이 받은 것은 통상국이었던 이탈리아 남부의 그리스계 도시들이었다. 로마는 일리리아인의 왕에게 사절을 보내 해적 행위를 중단하라고 요청했다.

그리스가 전성기였던 시절에도 여전히 미개발 민족이었던 일리리아인은 이 요청을 진지하게 고려하지 않았을 뿐만 아니라, 사절을 죽이는 만행을 저질렀다. 로마는 일리리아인과 싸우기로 결의했다.

기원전 229년, 두 집정관이 이끄는 2만 명의 보병과 2천 명의 기병은 200척의 군선을 타고 브린디시를 떠났다. 로마군의 첫번째 그리스 침공이다.

로마의 정규군이 쳐들어오자, 해적들은 눈 깜짝할 사이에 뿔뿔이 흩어져버렸고, 그들의 거점 가운데 하나인 아폴로니아도 함락되었다. 로마군은 이 아폴로니아를 기지로 삼았다.

일리리아인은 강화를 요구해 왔다. 로마군은 아폴로니아와 그 주변의 영유를 조건으로 강화에 응했다. 이리하여 로마는 브린디시와 아폴로니아가 양쪽에 마치 두 개의 문설주처럼 서 있는 아드리아 해의 출입구를 세력권에 넣게 되었다. 이곳을 통해 그리스와 통상하는 이탈리아 남부 도시들의 배도 해적에게 습격당할 위험이 사라졌다.

로마는 일리리아인을 제압함으로써 동쪽 방어선을 확고히 하게 되었다. 남쪽과 서쪽의 방어선은 시칠리아와 사르데냐를 획득함으로써 확고해졌다.

방어선을 확고히 한다는 생각에서 보면, 남은 것은 북쪽뿐이다. 이탈리아 북쪽에 사는 민족은 갈리아인이다. 이제부터는 그리스식 호칭인 켈트족 대신 갈리아인이라고 부르겠다. 이 갈리아인은 로마와 직접 국경을 맞대고 있지는 않지만, 로마의 동맹자인 에트루리아인과 움브리아족과는 국경을 맞대고 있었다.

미개발 민족인 갈리아인은 늘어나는 인구를 먹여 살릴 만한 농경법을 알지 못했다. 먹고 살 수 없게 되면, 병력을 앞세워 다른 곳으로 이동했다. 갈리아인은 기원전 390년에 로마를 습격했듯이, 언제나 민족이동의 가능성을 가진 화산 같은 존재였다. 마케도니아 왕국조차도 북쪽의 트라키아에 대한 대책을 잊지 못했던 것은 그 지방에 살고 있는 켈트족에게 남하할 여지를 주지 않기 위해서였다.

그러나 갈리아인이 로마의 북쪽 국경을 항상 위협하고 있었던 것은 아니다. 수확이 충분하여 얌전하게 지내는 해도 있었다. 또한 갈리아인 자체가 많은 부족으로 나뉘어 있어서, 그 부족들 사이의 투쟁에 골몰하느라 남하할 엄두를 내지 못하는 해도 많았다. 로마가 경계하지 않으면 안되었던 것은 갈리아인의 거주지역 전체에 기근이 들고, 부족들 사이에 공동투쟁 체제가 성립되는 해였다. 기원전 238년부터 기원전 227년까지는, 불온한 움직임은 간혹 있었지만 단속적이어서 로마가 집정관 군단을 파견할 필요까지는 없었다.

그런데 기원전 226년은 달랐다. 알프스를 사이에 두고 이탈리아 쪽에 사는 갈리아인과 갈리아(오늘날의 프랑스) 쪽에 사는 갈리아인 사이에 공동투쟁 체제가 성립된 것이다. 그 일대에서 굶주림에 시달리는 수많은 배를 채워주려면 로마 영토로 남하할 수밖에 없었다.

이듬해인 기원전 225년, 5만 명의 보병과 2만 명의 기병으로 이루어진 갈리아군이 포 강을 건너 남하하기 시작했다. 이들을 맞아 싸우는 로마군은 이번 기회에 북쪽 문제를 근본적으로 해결하기 위해, 집정관 두 명에게 각각 2개 군단씩을 주어 파견했다. 로마 시민병은 보병 2만 1천 명에 기병 1천 200명. 동맹국에서 참전한 병사는 보병 3만 명에 기병 2천 명. 모두 합하면 보병 5만 1천 명에 기병 3천 200명의 병력이다. 로마는 그해에 동원한 현역 병력의 거의 전부를 이 북부 전선에 투입하게 된 것이다.

집정관 파포스는 북부 전선에서도 동쪽에 있는 리미니로 향했고, 집정관 아틸리우스 레굴루스는 서쪽에 있는 피사로 갔다.

갈리아군은 약탈하면서 남하해 왔다. 도중에 매복하여 기다리고 있던 로마군은 갈리아군을 양쪽에서 협공했다. 격전이었다. 레굴루스가 이 전투에서 전사했다. 그래도 로마군의 승리로 끝났다. 언제나 그렇듯이, 갈리아 병사들은 초반에는 폭발적인 힘을 발휘하지만 그것을 오랫동안 유지하는 데에는 서투르다. 갈리아 쪽 사망자는 4만 명에 이르렀고, 포로는 1만 명을 헤아렸다. 나머지는 포 강 북쪽으로 도망쳤다.

이듬해인 기원전 224년, 로마는 두 명의 집정관과 4개 군단을 다시금 북부 전선으로 파견했다. 로마군은 이번에는 리미니 북쪽을 지나 아드리아 해로 흘러드는 루비콘 강을 건넜다. 지난해에 입은 타격을 회복하지 못하고 있던 갈리아인은 로마군의 공격을 받고도 소규모 전투로 저항할 수밖에 없었다. 로마군은 갈리아인을 분열시켜 와해하는 작전으로 나왔다. 몇몇 유력 부족이 로마와의 강화에 응했다.

그 이듬해인 기원전 223년, 로마군을 이끌고 있던 두 명의 집정관 가운데 하나는 과감한 성격으로 유명한 가이우스 플라미니우스였다. 사령관의 성격을 반영하여, 로마군은 과감하게 포 강을 건너 갈리아인의 거주지역까지 쳐들어갔다. 갈리아인도 분발하여 5만 명의 병력을 모아서 맞서 싸웠다. 하지만 전투는 로마의 승리로 끝나고, 또다시 유력한 몇몇 부족이 로마와 강화를 맺었다.

사태가 이 지경에 이르자, 갈리아인 전체가 위기감을 품었다. 이듬해가 되자마자, 알프스 산맥을 넘어온 원군을 포함하여 5만 명의 갈리아군이 로마군에게 공세를 취했다. 로마군은 두 명의 집정관과 4개 군단으로 그 공격을 격퇴했다. 격퇴했을 뿐만 아니라, 포 강 상류까지 치고 올라가 알프스 이남의 갈리아인 거점이었던 오늘날의 밀라노까지 공략했다.

이 전투에서 갈리아 부족장 한 명이 로마 집정관에게 일 대 일의 대결을 제의해 왔다. 두 명의 집정관 가운데 하나인 마르켈루스가 그 도전을 받아들였다. 마르켈루스는 일개 병졸이라면 예비역에 편입될 나이인 48세였지만, 갈리아인은 전사의 개인적인 능력에는 뜻밖에 경의를 표한다. 도전을 받아들이지 않을 수는 없었고, 마르켈루스도 이런 것을 좋아하는 성격이었다.

군대 전체가 지켜보는 가운데 벌어진 결투는 로마 집정관의 승리로

기원전 6세기 중엽			
	재산 단위 : 아세	병력 단위 : 백인대(켄투리아)	표수
제1계급	100,000 이상	기병 18 보병 80	98
제2계급	75,000~ 100,000	보병 20	20
제3계급	50,000~ 75,000	보병 20	20
제4계급	25,000~ 50,000	보병 20	20
제5계급	12,500~ 25,000	보병 30	30
무산계급	재산이라고는 자식밖에 없는 자	보병 5 평시에는 병역 면제	5
계		기병 18(1,800) 보병 170(17,000)	193

끝났다. 훗날 한니발에 대한 '이탈리아의 칼'로 찬양받게 되는 클라우디우스 마르켈루스에 관한 에피소드다.

기원전 220년이 될 무렵에는 알프스 이남의 갈리아인은 일단 평정되었다고 말할 수 있게 되었다. 알프스 이남의 갈리아인이 전부 로마에 굴복한 것은 아니었지만 로마와 강화를 맺은 부족은 늘어나 있었다. 로마는 국경을 루비콘 강에서 포 강으로 옮기기로 결정했다. 기원전 218년에는 포 강에 면한 피아첸차와 크레모나에 '라틴 식민지'가 건설되었다. 리미니에서 피아첸차까지 가도를 건설할 계획도 세워졌다. 수도 로마에서 리미니까지는 그보다 4년 전에 플라미니우스가 플라미니아 가도를 건설했다. 로마는 포 강 이남의 이 일대를 로마화할

기원전 241년 개혁			
	재산 단위 : 아세	병력 단위 : 백인대(켄투리아)	표수
제1계급	100,000 이상	기병 18 보병 70	88
제2계급	75,000 ~ 100,000	보병 70	70
제3계급	50,000 ~ 75,000	보병 70	70
제4계급	25,000 ~ 50,000	보병 70	70
제5계급	12,500 ~ 25,000	보병 70	70
무산계급	재산이라고는 자식밖에 없는 자	보병 5 평시에는 병역 면제	5
계		기병 18(1,800) 보병 350(35,000)	373

작정이었다. 하지만 한니발이 그럴 시간 여유를 주지 않았다.

제1차 포에니 전쟁과 제2차 포에니 전쟁 사이의 23년 동안, 로마인이 시칠리아 속주 통치와 일리리아 해적 퇴치와 갈리아인을 상대로 한 전투만으로 세월을 보낸 것은 아니었다. 제1차 포에니 전쟁이 끝난 직후인 기원전 241년, 로마인은 참으로 의미있는 개혁을 단행했다. 기원전 6세기 중엽의 왕정 시대에 제6대 임금 세르비우스가 완성한 세제와 선거제 및 군제를 무려 300년 만에 개혁한 것이다.

로마는 이제 테베레 강 주변에 모이는 농민이나 양치기들의 나라가 아니었다. 이탈리아 반도만이 아니라 시칠리아와 사르데냐까지 세력권을 넓힌 국가가 되어 있었다. 세르비우스의 체제는 이제 그 실정에 맞지 않게 되었다. 그러나 로마인은 바꿀 필요가 있는 것은 바꾸지만 바꿀 필요가 없는 것은 바꾸지 않기 때문에, 대개혁을 강행하지는 않았다. 세르비우스의 제도를 실정에 맞게 손질했을 뿐이다. 기원전 241년의 개혁을 세르비우스의 제도와 비교하면 앞의 표와 같다. 계급은 5년마다 '국세조사'로 판정된 자산 정도에 따라 정해졌다.

두 제도를 비교해볼 때 눈에 띄는 변화는 우선 로마 사회의 중산계급화다. 왕정 시대에는 제1계급이 가진 표만으로 민회에서 충분히 과반수를 획득할 수 있었다. 그런데 제1차 포에니 전쟁이 끝난 뒤에는 제1계급과 제2계급 및 제3계급까지 동원하지 않으면 과반수가 성립하지 않게 되었다. 더욱 광범위한 시민의 뜻을 국정에 반영할 수 있게 되었다는 말이다. 중산계급의 확대는 지난 300년 동안 로마인 사회가 건전하게 성장해 왔다는 뜻이기도 하다.

투표권으로 나타나는 권리의 확산은 병역으로 나타나는 의무의 확산으로 이어진다. 로마 군단을 구성하는 시민병도 더욱 광범위한 시민권 보유층으로 이루어지게 되었다. 이것은 군단 지휘관에게 귀족과 평민의 차별이 전혀 존재하지 않았던 것과 더불어, 로마라는 국가의 거국일치체제를 강화하는 데 효과적으로 작용하게 된다.

로마 군단

무엇이든 체계화하기를 좋아하는 로마인의 성향은 로마 군단 편성에 가장 잘 나타나 있다. 위기에 신속하게 대응하려면 체계화해두는 것이 최선책이지만, 군주의 한마디로 병력을 모으거나 필요해진 뒤에 비로소 용병을 모집하는 것이 일반적이었던 시대에 로마인의 방식은 특이하기 이를 데 없는 것이었다.

우선, 로마 시민권 소유자는 누구나 35개의 행정구 가운데 하나에 소속되어 있다. 각 행정구에 소속된 17세부터 60세까지의 남자는 무산자를 제외하고는 모두 병역 해당자로서, 소유하는 자산에 따라 5계급으로 나뉜다. 이들은 다시 현역과 예비역으로 구분된다. 현역은 17세부터 45세까지이고, '유니오레스'라고 불렀다. 주니어(junior)의 어원이다. 46세부터 60세까지는 예비역이고, '세니오레스'라고 불렀다. 시니어(senior)의 어원이다. 하지만 장교급이 되면 연령 제한이 없었다. 그래도 60세가 넘으면, 다른 사람으로 대신하기 어렵다고 여겨진 인물이 아닌 경우에는 퇴역하는 것이 보통이었다.

자연 휴전기로 되어 있는 겨울에 로마의 마르스 광장에서 민회가 열린다. 거기서 우선 이듬해에 전선을 담당할 집정관 두 명이 선출된다. 이어서 장교 선거가 실시된다. 로마군의 전략 단위는 집정관 한 명이 이끄는 2개 군단인데, 집정관이 두 명이기 때문에 모두 4개 군단이 된다. 4개 군단에 필요한 장교는 24명으로 정해져 있었다. 그 가운데 10명은 10년 이상 군무 경험자이고, 따라서 나이도 27세 이상이 아니면 민회 선거에 입후보하는 것조차 인정되지 않는다. 나머지 14명은 최소한 5년의 군무 경험을 쌓고 나이도 23세 이상이면 유자격자로 인정되었다.

민회에서 선출된 24명의 장교는 표를 많이 얻은 순서대로 다음과 같이 배속된다.

처음 4명은 제1군단. 다음 3명은 제2군단. 그 다음 4명은 제3군단. 그 다음 3명은 제4군단. 이것으로 득표수에 따른 14명의 배속이 결정된다. 그리고 나머지 10명은 득표수가 아니라 나이를 기준으로 배속이 결정되었다.

나이가 많은 순서대로 처음 2명은 제1군단, 그 다음 3명은 제2군단, 그 다음 2명은 제3군단, 마지막 3명은 제4군단으로 간다. 이리하여 군단마다 6명씩인 상급 지휘관의 배속이 끝난다. 이것으로도 알 수 있듯이, 4개 군단 가운데 '기관차'는 제1군단이었다.

집정관이 결정되고, 그 밑에서 손발 역할을 맡을 장교들의 선출과 배속이 결정되면, 35개의 행정구는 추첨을 하여 이듬해 병력을 제공할 행정구를 결정한다. 4개 군단만 편성하는 해에는 8분의 7 이상의 행정구에 소속된 사람들이 즉시 귀가 조치를 받는다. 이런 행정구의 주민은 나이를 불문하고 예비역이 된다. 물론 추첨에서 계속 빠지는 운좋은 행정구가 있으면 곤란하기 때문에, 그 점은 적당히 조정했던 모양이다. 로마인은 체계화를 좋아했지만, 융통성이 없지는 않았다.

추첨에서 군무를 담당하기로 결정된 행정구의 남자 가운데 현역 해당자는 모두 카피톨리노 언덕에 소집된다. 여기서도 전원이 군무에 종사하는 것이 아니라, 필요한 수만큼만 군무에 종사할 것을 요구받는다.

우선 4개 행정구마다 4명씩, 16명이 앞으로 나선다. 나이도 체격도 비슷한 사람이 나서는 것이 불문율이다.

그 가운데 4명을 제1군단 장교들이 자기 휘하에 넣는다. 이어서 제2군단, 제3군단, 제4군단의 차례로 각 군단의 장교들이 4명씩 자기 휘하에 배속시킨다. 이것이 끝나면, 4개 행정구에서 다시 4명씩, 16명이 앞으로 나선다. 이번에는 제2군단부터 '배속'이 시작되어, 제3군단, 제4군단, 제1군단의 순서로 진행된다. 이것이 끝나면 다시 16명이 앞으로 나서고, 이번에는 제3군단부터 제4군단, 제1군단, 제2군단의 순서로 배속이 진행된다. 그리고 다음 배속은 제4군단부터 시작되어 제1군단, 제2군단, 제3군단의 순서로 진행된다. 정원에 도달할 때까지 이 과정을 되풀이하는 것이다. 복잡하고 혼란스러울 것 같지만, 로마 시민은 많을 경우에는 평생 동안 10번이나 군무에 종사하기 때문에 익숙해져 있다. 그리 넓지 않은 카피톨리노 언덕 위에서도, 익숙한 그들은 이렇다 할 혼란도 없이 일을 진행할 수 있었을 것이다. 이 복잡한 배속 방법은 각 군단이 비슷한 수준의 병사로 구성되기 위해서는 꼭 필요한 방책이었다.

로마의 상비군은 4개 군단이고, 1개 군단에 속하는 로마 시민병의 수는 보병과 기병을 합하여 4천 500명 안팎으로 정해져 있었다. 강력한 적과의 싸움이 예상되는 해에는 병력을 5천 명으로 증강한다. 4개 군단이면 1만 8천 명 내지 2만 명이 된다. 그래서 '일보 앞으로'도 이 숫자에 이르면 끝났다. 남은 사람은 예비역이 되어 귀가했다.

로마 병사들은 보통 시민이다. 따라서 로마는 쓸데없는 징집을 극도로 싫어했다. 그러나 만약의 경우에 대비한 징병체계는 갖추어져 있었다. 우선 그해의 군무를 담당하기로 결정된 행정구의 현역 가운데 귀가 조치된 사람, 그 다음에는 그밖의 행정구에 소속된 현역병, 그것으로도 부족하면 군무 담당 행정구의 예비역이 소집되는 식으로, 소집 순서는 확실히 정해져 있었다. 군무를 면제받은 무산자까지 소집되는 일은 어지간해서는 일어나지 않았다. 자산 소득을 기대할 수 없는 무산자를 징집하면, 생활 수단을 빼앗는 꼴이 되기 때문이다.

기병은 가장 많은 자산을 가진 제1계급에서 나오게 마련이었고, 4개 군단을 통틀어 1천 200기였다. 기병의 경우는 수를 늘리거나 줄이지 않았다. 기병은 수가 적은 탓도 있어서, 각 군단에 대한 배속은 보병보다 먼저 이루어지는 것이 상례였다. 1개 군단마다 300기씩 배속되었다.

군단 편성이 끝나면, 집정관이나 장교들과 함께 모든 병사가 바로 눈앞에 있는 신전으로 간다. 자유를 누리는 시민으로서, 자신이 속해 있는 국가와 가족을 지키기 위한 군무를 성실히 수행할 것을 신들에게 맹세하는 것이다.

이 일이 끝나면 집정관이 집회 일시와 장소를 알린다. 집합일은 대개 3월 15일로 되어 있었다. 병사들은 그날이 올 때까지 집에서 지낼 수 있었다.

로마 시민병 편성이 끝난 뒤에야 비로소 집정관 두 명은 '로마 연합'의 동맹국에 대해 이듬해 봄에 전선에 나갈 병력을 파견해달라고 요청한다. 각 동맹국은 자치국이니까 참전자를 선발하는 방식도 각자 자유롭게 선택하면 좋겠지만, 대부분의 도시에서는 로마 방식을 답습했던 모양이다.

각 동맹국이 다국적군이라고 할 수 있는 '로마 연합군'에 참가하는 비율은 로마와 맺은 협약에 따라, 각 동맹국의 성인 남자 인구에 비례하여 정해져 있었다. 그래도 기원전 225년의 시점에서 로마의 병역 해당자 수는 28만 명인 반면, 동맹국 전체의 병역 해당자 수는 60만 명에 이르고 있었다고 역사가 폴리비오스는 계산했다. 게다가 로마의 경우에는 현역과 예비역을 합한 수가 28만 명인 반면, 동맹국은 현역만 60만 명이었다.

로마가 통상적으로 동원하는 전력인 4개 군단은, 갈리아인과의 잇따른 전투로 병력을 증강하지 않을 수 없었던 기원전 225년을 예로 들면 다음과 같이 배분되어 있었다.

로마 시민병 : 보병―20,800명
기병―1,200명   합계 : 22,000명
동맹국 병사 : 보병―30,000명
기병―2,000명   합계 : 32,000명

시칠리아를 비롯한 속주 방어(로마 시민병만)

　　　　　　보병 ―8,400명

　　　　　　기병 ―400명　　합계 : 8,800명

　　　로마 시민병 합계 ―30,800명

　　　동맹국 병사 합계 ―32,000명

　로마의 병역 해당자 가운데 현역과 예비역의 비율을 대충 2 대 1로 계산하면, 로마의 현역병 수는 20만 명이 된다. 동맹국의 현역병은 60만 명이다. 그런데도 해마다 동원되는 병력은 거의 같다. 그렇다면 로마 시민은 동맹국 주민에 비해 세 배나 많은 병역을 치러야 했다는 얘기가 된다.

　로마 군단의 총지휘권은 언제나 로마인이 장악하고 있었다. 하지만 그것은 패권자였기 때문만이 아니라, 남보다 훨씬 큰 희생을 감수했기 때문이 아닌가 여겨진다.

　집정관의 요청을 받아, 정해진 날짜에 정해진 곳에 집합한 로마 시민병과 동맹국 병사들은 로마의 군율에 따라 싸울 것을 최고사령관인 로마 집정관에게 맹세한다. '로마 연합군'은 비로소 기능을 발휘하기 시작하는 것이다.

　집결지에 모인 동맹국 병사들은 각자 자기 나라 지휘관의 인솔을 받고 있었다. 집정관이 소집하는 작전회의에는 이런 동맹국의 지휘관들도 참석했다.

　이렇게 편성된 '로마 연합군'의 핵심을 이루는 로마 시민병은 전술적인 이유와 '납세' 의무의 다소에 따라 다음과 같은 다섯 부류로 나뉘어 있었다. 단위는 평상시의 전략 단위인 2개 군단이다.

　우선 600기로 이루어진 기병은 30기씩 20개 분대로 나뉜다. 두번째가 경무장 보병(벨리테스)이다. 경무장 보병은 자산 조사에서 제4계급이나 제5계급에 속한다고 판정된 시민들로 구성되었다. 병력 수는 2천 400명. 이들은 경무장만 해도 되기 때문에 전위나 유격대로 쓰이는 경우가 많았다.

로마 군단은 곧 중무장 보병으로 여겨지고 있었던 사실에서도 알 수 있듯이, 로마군의 주력은 상류층과 중류층의 로마 시민들로 이루어진 중무장 보병이었다. 자산 조사에서 제1계급과 제2계급 및 제3계급 출신은 모두 여기에 들어가고, 제4계급에 속하는 사람도 때로는 중무장 보병에 편성되었다.

3열 횡대로 늘어서서 싸우는 것이 정석이었던 로마군에서는 이 중무장 보병도 다음 세 부류로 나뉜다.

첫째는 최전선에 배치되는 '하스탈리'. 전투 경험이 적은 17세 이상의 젊은이로 구성된다. 병력 수는 2천 400명.

두번째 줄은 로마 군단의 핵심인 중무장 보병 중에서도 핵심적 존재로 알려진 '프린키페스'. 최전선이 돌파된 경우, 굳게 버텨서 완패를 막는 것이 이들의 역할이다. 나이는 30대. 병력 수는 역시 2천 400명.

세번째 줄은 40세 전후부터 현역 최고 연령인 45세까지의 시민병으로 구성된 '트리알리'. 체력은 조금 떨어지지만 전투 경험에서는 베테랑인 이들에게 후위를 맡기는 것이 로마의 방식이었다. 병력 수는 1천 200명.

3열 횡대를 구성하는 로마의 중무장 보병인 '하스탈리'와 '프린키페스'와 '트리알리'가 중대라면, 각 중대는 다시 20개의 소대로 나뉜다. 로마군이 유연한 전투방식을 취할 수 있었던 요인은 바로 이것이다. '하스탈리'와 '프린키페스'의 소대는 각각 120명의 병력으로 구성되고, '트리알리'만 60명으로 편성되었다. 이것이 로마 군단의 최소 전투 단위인 '백인대'(켄투리아)이고, 백인대를 지휘하는 자가 고대 로마를 소재로 한 영화에는 반드시 등장하는 '백인대장'(켄투리오)이다.

총사령관의 참모를 맡거나 중대를 지휘하는 장교는 민회 투표에서 선출되고, 그렇기 때문에 명문 자제나 유명한 무장이 선출되기 쉬운 반면, '백인대장'만은 그가 속해 있는 소대원의 투표로 선출된다. 말하자면 하사관에는 산전수전을 다 겪은 베테랑이 선출되는 것이 보통이었다.

그러나 '켄투리오'를 하사관으로 해석하는 것은 그들의 사회적 지위로 보나 다음에 이야기할 이유 때문에라도 망설이지 않을 수 없다.

우선, 로마의 중무장 보병이 차지하고 있던 사회적 지위는 상당히 높았다. 당시 로마에서 그들은 결코 비엘리트가 아니라, 중류층이나 상류층에 속하는 사람들이었다. 국정의 최고 결정기관인 민회의 과반수를 장악하고 있었던 것이 그들이다. 시민군인 이 시대의 로마군에서 주력은 바로 자기들이라는 긍지로 충만한 전사들이었다.

둘째, 2개 군단이면 백인대장은 모두 60명인데, 이들 가운데 득표수가 많은 순서대로 12명까지는 집정관이 소집하는 작전회의에 참석할 수 있었다. 여기에는 12명의 장교와 기병대장 1명과 동맹국 지휘관들도 참석한다.

따라서 로마 군단의 백인대장은 단순한 하사관이 아니었다. 그렇기는커녕 로마 군단의 주축으로 여겨진 것은 상급 지휘관인 장교가 아니라, 하급 지휘관인 백인대장이었다. 그들이야말로 로마 군단의 최소 전투 단위인 '소대'의 선두에 서서 병사들을 이끌고 싸우는 책임자였다.

무장으로서 최고사령관의 능력은 백인대장들을 얼마나 효율적으로 부릴 수 있느냐에 따라 결정되었다고 한다. 카이사르를 정점으로 하는 로마 명장들은 모두 백인대장의 마음을 완전히 사로잡아, 그들을 수족처럼 다룰 수 있었던 사람들이었다.

로마 병사의 무장에 관해서 말하자면, 오랫동안 자기 부담이었던 로마군의 무장도 기원전 3세기에는 군장을 통일해야 할 필요성 때문에 국가가 지급하게 되었다. 물론 병사들에게 지급되는 '경비'에서 군장 비용을 공제하긴 했지만.

경무장 보병의 장비는 칼과 투창과 방패, 간단한 투구와 가슴바대와 샌들식 군화였다.

방패는 지름이 90센티미터쯤 되는 그리스식 원형 방패다. 투구와 가슴바대와 신발은 가죽제품이다. 투구에 화려한 장식을 다는 것은 게르만족이나 갈리아인에 비해 키가 작은 로마인의 키를 조금이라도 커 보이게 하기 위해서였기 때문에, 군대의 주축인 중무장 보병한테만 허용되었다.

투창은 끝으로 갈수록 가늘어져 낭창낭창하게 되어 있고, 길이는 1미터쯤 된다. 한 번 던져버리면 두 번 다시 사용할 수 없지만, 적의 손에 넘어가도 한 번 사용한 투창은 사용할 수 없다. 휠 만큼 가느다란 끝부분이 꽂힌 순간 부러져버리기 때문이다.

중무장 보병은 전위와 중앙과 후위로 나뉘어 있어도, 장비는 모두 똑같았다. 로마인은 그것을 중장비로 생각했지만, 중세의 중장비에 비하면 상당히 가벼운 셈이었다.

투구는 쇠나 구리로 만든다. 그 위에 50센티미터쯤 되는 장식을 다는데, 이 장식은 깃털 따위로 되어 있다. 갑옷은 가슴만이 아니라 등도 완전히 덮도록 되어 있지만, 얇게 편 쇠나 두꺼운 가죽으로 만들어졌다. 정강이를 덮는 경갑도 같은 재료다.

방패는 이 시대에는 가로가 1.2미터에 세로가 1.5미터인 타원형이었다. 적이 칼을 휘두르며 덤벼들거나 땅에 세워둘 경우를 생각해서, 폭이 25센티미터인 테두리 부분은 쇠로 보강했다. 나머지 부분은 날아오는 돌멩이나 투창, 또는 적이 내지르는 칼의 힘을 피할 수 있도록 곡선을 그리며 부풀어올라 있고, 중심 부분도 적의 공격력을 피하기 위해 주발을 엎어놓은 모양으로 만들어져 있었다. 방패는 두 장의 널빤지를 맞붙여 기본형을 만든 다음, 안쪽 면에는 마포를 대고 바깥쪽에는 소가죽을 댔다. 상당히 무거웠을 것으로 생각되지만, 키는 비록 작아도 건장한 로마인의 체격에는 손색이 없었다.

칼은 기원전 205년에 스키피오가 개혁할 때까지는 가늘고 긴 모양이었다. 스키피오 아프리카누스는 에스파냐 원주민이 사용하고 있던 양날 단검을 도입했지만, 기원전 205년 이전의 로마 병사는 단검으로 찌르기보다는 장검으로 베는 검법을 사용했다.

창은 던져도 좋고 찔러도 좋도록 되어 있었다. 길이는 3미터나 되고, 사정거리는 25미터에 이르렀다고 폴리비오스는 기술하고 있다. 로마 병사들은 굵은 창과 가느다란 창을 하나씩 지니는 것이 규칙이었다. 하지만 이 규칙에 반드시 따라야 하는 것은 나이가 젊은 '하스탈리'와 '프린키페스'뿐이었고, 40세 이상의 병력으로 편성된 후위의 '트리알리'는 하나만 휴대해도 좋았던 모양이다. 하나라 해도 무게가 1킬로그램을 넘는다.

중무장 보병이 주력으로 여겨지고 있던 로마 군단에서 기병은 수도 적고 전력으로서도 낮은 평가를 받았지만, 군장을 나라에서 지급하게 된 뒤에도 부유층에서만 기병을 제공하고 있었던 데에는 이유가 있다. 고대에는 말을 능숙하게 타는 것 자체가 태어났을 때부터 익숙해지지 않으면 습득하기 어려운 일종의 특기였기 때문이다.

고대에는 등자가 존재하지 않았다. 등자는 중세의 발명품이다. 그렇기 때문에 승마술이 전투력으로 활용되기는 어려웠다. 로마 군단에서 기병은 전령이나 척후 역할을 맡는 경우가 많았고, 전쟁터에서도 패주하는 적을 추격하는 데 동원되는 것이 고작이었다. 기병의 기동력이 유기적으로 활용되지 못했기 때문에, 2개 군단에 600기밖에 없어도 충분했다. 로마 군단의 기병대는 명문 자제들을 위한 '사관학교'라는 느낌이 강했다.

보병의 무장은 계속 개량되고 있었던 반면, 로마 기병의 무장은 그리스 기병의 무장을 모방했을 뿐이었다. 갑옷과 투구, 칼과 창과 원형 방패가 로마 기병의 무장이었다.

로마 군단의 이런 기병 이용법이야말로 한니발에게 찔린 최대의 약점이 되었다.

집결지에 모인 로마 시민병은 중대와 소대로 편성되고, 무기 공급 등 모든 절차를 끝내버린다. 그와 동시에 동맹국에서 온 병사들도 편성을 끝낸다. 그들의 편성 방식은 로마 시민군과는 조금 달랐다.

우선, 동맹국에서 적격자로 추천한 자들이 집정관의 근위대를 구성한다. 집정관의 잡다한 일상사와 신변의 일을 돌보아주고 호위까지 맡는 병사들인데, 나중에 이야기할 숙영지에서도 집정관의 숙소 바로 옆에서 숙영한다. 로마는 최고사령관에 대한 신변 보호를 로마 시민이 아니라 동맹국인 외국 시민에게 맡겼던 것이다. 동맹도시들도 이 역할을 맡을 사람으로는 자기 나라의 지휘관 후보생을 파견했다. 그래서 로마도 그 보답으로 이들을 장교와 동등하게 대우했다.

다음에는 동맹국에서 온 병사들 가운데 기병의 3분의 1과 보병의 5분의 1을 선발하여 정예부대를 편성한다. 로마 군단에서 중무장 보병의 핵심인 '프린키페스'에 해당하는 동맹국의 정예부대다.

기병의 나머지 3분의 2와 보병의 5분의 4는 2개 부대로 나뉜다. 로마 시민군에서는 제1군단과 제2군단으로 불리지만, 동맹국 병사의 경우에는 우익과 좌익으로 불린다. 우익과 좌익의 최소 전투 단위인 소대는 같은 도시나 같은 지방 출신자로 편성되어 있었다. 소대장도 역시 동향 사람이었다.

집결지에서 이런 편성이 모두 이루어지는 것은 언제라도 전투에 대처할 수 있기 때문이다. 따라서 행군할 때도 이 편성 단위로 순서를 짜는 것이 관례였다.

동맹국의 정예부대가 먼저 출발한다. 근위병을 거느린 집정관도 이 선두부대와 함께 행군한다.

그 다음에는 동맹국의 우익 부대가 행군한다. 이들의 짐을 실은 짐마차가 그 뒤를 따른다.

세번째는 제1군단의 로마 시민병과 그 뒤를 따르는 짐마차 대열.

네번째는 제2군단의 로마 시민병과 짐마차.

마지막은 동맹국의 좌익 부대와 짐마차 대열로 끝나는 것이 평상시 로마군의 행군 순서였다.

이런 순서로 행군하면, 도중에 적을 만나도 당장 진형을 갖출 수 있다. 가로로 길게 이어져 있는 것을 세로로 펼치기만 하면 되기 때문이다.

기병은 자기들이 소속된 군단의 양옆에서 행군하거나 짐마차 대열의 양옆에서 행군했다.

적이 배후에서 습격해올 우려가 있으면, 평소에는 선두에서 행군하는 집정관과 동맹국 정예부대가 대열의 맨 뒤로 돌아갔다. 나머지 순서는 바뀌지 않았다.

적이 습격해올 우려가 없는 경우에는 행군 도중에 순서가 바뀔 때도 많았다. 휴식이나 물이나 식사를 평등하게 누릴 수 있도록 하기 위한 배려 때문이다.

행군로가 포장되어 평탄하고 폭이 넓어서 걷기 쉬운 로마 가도나 느긋하게 행군할 수 있는 평야인 경우, 3열 종대나 4열 종대로 행군하고, 짐마차 대열도 뒤따라 오지 않고 병사들과 나란히 나아갈 때가 많았다. 만약의 경우에는 짐마차를 방패 삼아 방어할 수 있었기 때문이다.

로마군의 행군 거리는 보통 하루에 20킬로미터였다.

여기까지만 이야기해도 벌써 매사를 교본처럼 체계화하기 좋아하는 로마인의 성향이 엿보이는 것 같아 웃음이 나오지만, 하루 행군을 끝내고 숙영지를 세우는 단계에 이르면 그 체계화가 극에 달했다는 느낌이 든다.

그러나 로마인에게는 무엇이든지 체계화해야 할 이유가 있었다. 지휘관부터 병사까지, 군대 전체가 해마다 바뀌는 것이다. 그러니, 누가 해도 같은 결과를 낳기 위해서는 자세한 부분까지 미리 결정해둘 필요가 있었다.

그렇기는 하지만, 로마인은 참으로 철저했다. 고작 하룻밤 사용할 숙영지도 우직하게 교본대로 건설했다. 교본도 잘 만들어져 있어서, 제정 시대가 된 뒤에도 바꿀 필요가 없었다. 바꾸기는커녕, 로마인은 이 숙영지 건설법을 신도시 건설에도 적용했다.

해질녘이 가까워지면, 당번을 맡고 있는 장교 한 사람이 1개 소대를 이끌고 그날 밤의 숙영지를 건설하기에 알맞은 땅을 찾으러 간다. 방어에도 문제가 없고, 마실 물도 가까이에 있고, 2개 군단으로 쳐서 2만 명 가까운 사람을 수용할 수 있을 만큼 넓은 땅을 찾아내면, 그 한복판에 하얀 깃발을 세운다. 거기가 집정관의 천막이 쳐질 곳이다. 그곳을 중심으로 숙영지가 건설되는데, 줄자로 거리를 재는 것이 아니라 걸음으로 잰다. 한 걸음의 거리는 1피트, 약 30센티미터다.

이리하여 가로 600미터에 세로 800미터쯤 되는 숙영지가 결정된다. 사방에 뚫린 출입구로부터 뻗어 있는 넓은 길은 중앙에서 교차한다. 변고가 일어나도 병사들이 혼란에 빠지지 않도록, 이 중앙로는 넓게 잡는다. 이어서 각 막사와 중요한 시설물의 설치장소를 걸음으로 재어서 결정하고, 그 자리에 깃발을 세워둔다. 이 일이 끝날 무렵에는 본대가 도착하기 때문에, 그후의 작업은 모두 함께한다.

숙영지를 양분하는 중앙로 옆에 성화대가 설치된다. 제물을 바쳐 신들의 보호를 부탁하거나 새점을 치는 곳이다. 그 옆에는 연설대가 설치된다. 로마 군단에서는 총사령관인 집정관이 장병들에게 연설하는 것이야말로 사령관과 부하의 의사소통을 강화하는 데 더없이 중요한 일로 여겨지고 있었다.

집정관의 천막은 성화대 뒤에 쳐진다. 그 바로 옆에는 군단의 재정을 관리하는 회계감사관의 천막이 자리잡는다. 집정관의 천막을 지키듯 근위병들의 천막이 늘어서고, 장교 12명의 천막이 그 바깥쪽을 에워싼다. 기병과 동맹국 지휘관들의 천막도 이 구역에 쳐진다. 그리고 숙영지 아래쪽에는 군단 병사들의 천막이 각 군단마다 차례로 쳐진다. 동맹국 병사들도 마찬가지다. 천막 사이의 거리도 모두 같고, 실을 팽팽히 잡아당긴 것처럼 반듯하게 줄을 지어야 한다. 마구간은 숙영지의 외벽을 따라 세워진다. 이것도 하룻밤 사용할 것이지만, 날림으로 짓지 않는다. 사방을 지키는 참호와 울타리가 완성되면 숙영지 건설도 끝난다. 어쨌든 교본이 완벽하니까, 뜻밖에도 짧은 시간에 끝낼 수 있었던 모양이다. 병사들도 익숙해져 있었을 것이다.

로마군의 우직한 숙영지 건설은 다른 민족들 사이에서도 유명하여, 로마군은 도착하자마자 우선 숙영지부터 건설하는 것으로 정평이 나 있었다. 나중에 스키피오 아프리카누스는 이 평판을 이용하여 상대의 의표를 찌르게 된다.

천막 설치가 끝나면 모두 청소를 한다. 천막 사이에 뻗어 있는 길을 비로 쓸고 물을 뿌린다. 식사는 이런 일을 모두 끝낸 뒤에 시작한다. 천막별로 제각기 추렴한 식료품을 모아서 교대로 요리했다. 설거지와 불의 처리법도 엄밀하게 규정되어 있었다. 다른 민족보다 먼저 훌륭한 하수도를 만든 로마인이다. 숙영지에도 변소를 설치하여, 아무데나 대소변을 보지 못하도록 했다.

야간에는 일몰부터 새벽까지의 시간을 4등분하여, 4교대로 보초를 서도록 했다. 역사책에는 '제3 감시 시간이 시작되는 동시에 은밀히 출동했다'는 식의 기술이 자주 나오는데, 이것은 밤 12시를 말한다. 해가 뜨고 지는 시각은 계절에 따라 다르지만, 한 번의 보초근무는 세 시간 정도였다. 로마 시민병과 동맹국 병사의 차별없이, 모두 나흘에 한 번씩은 보초를 섰다고 한다.

날이 밝으면 우선 아침을 먹는다. 훌륭한 사령관일수록 병사들의 위장 상태에 주의를 기울인 모양이다. 식사가 끝나도 제멋대로 행동하는 것은 허용되지 않는다. 첫번째 나팔이 울리면 천막을 걷거나 짐을 꾸린다. 두번째 나팔이 울리면 그것을 짐마차에 싣는다. 세번째 나팔이 울리기 시작하면 숙영지를 떠나 행군하기 시작한다. 행군 순서는 앞에서 말한 것과 같다.

유일하게 규정되어 있지 않은 것은 병사들의 식사 내용이지만, 이것은 시민 생활을 하고 있을 때와 별차이가 없었기 때문에 구태여 정해둘 필요도 없었을 것이다.

로마인은 육식 인종이 아니었다. 생선은 좋아했지만, 고기에는 집착하지 않는다. 전투의 연속으로 밀 보급이 끊기는 바람에 어쩔 수 없이 고기를 먹었다는 기록이 있을 정도다. 그런 로마인의 주식은 밀가루를 이용한 빵이나 밀가루를 주로 한 죽이었다. 야채나 과일은 좋아했다. 치즈나 우유, 양젖도 좋아했는데, 이것들과 생선이 단백질 공급원이었던 모양이다.

갈리아인이나 게르만족은 고기를 좋아한다는 점에서 로마인과 달랐다. 로마 병사들은 갈리아인, 특히 훗날 접촉하게 된 게르만족에게 체격으로 압도당하여 자주 열등감에 시달렸으니까, 고기를 먹어서 체위 향상을 꾀했더라면 좋았을텐데, 그런 노력은 전혀 하지 않았다. 전투는 체력으로 결정되는 게 아니라고 생각했거나, 아니면 해산물과 곡물, 치즈, 올리브유와 포도주를 주로 먹는 지중해식 식사 습관을 버릴 수 없었는지도 모른다. 로마 병사의 식사도 행군할 때는 우유나 양젖을 넣어 끓인 죽이나 빵, 거기에 치즈 한 조각과 양파와 포도주 한 잔을 곁들인 것이었다. 이런 식사로 세계를 정복했으니 어이가 없다. 덧붙여 말하면, 현대 서구인이 고기를 좋아하는 것은 그들의 선조가 갈리아인이나 게르만족이기 때문이다.

로마군에서는 군율과 상벌도 상세히 정해져 있었다. 이것도 역시 지휘관이 해마다 바뀌는 상태에서 공정을 기하기 위해서였다.

상에 대해서 말하면, 특별히 용맹을 떨친 병사에게는 철제 창이나 철제 잔이 주어졌다. 성을 공격할 때 맨 먼저 성벽에 매달린 병사한테는 황금 사슬이 주어졌다. 아군을 구한 병사한테는 구원받은 병사가 떡갈나무 잎으로 만든 관을 주었다.

무엇보다도 명예로운 일은 백인대장에 선출되는 것이었다. 철제 잔도 황금 사슬도 떡갈나무 잎 관도 모두 그 사람의 경력이 되었지만, 백인대장을 몇 번 지냈다는 것만큼 빛나는 경력은 아니다. 사람을 소개할 때는, 이 사람은 백인대장을 몇 번 지냈다는 식으로 말한다. 제1군단의 '프린키페스'에서도 제1소대 백인대장을 지냈다면, 그것은 훈장과도 바꿀 수 없는 명예로 여겨졌다.

다음으로 벌에 대해서 말하면, 로마군의 엄격한 군율은 밤마다 우직하게 숙영지를 짓는 것 이상으로 유명했다.

야간 보초 근무중에 잠들거나 임무를 게을리한 병사에게는 사실상의 사형이 기다리고 있었다. 모든 병사가 양쪽에 늘어서서 그 사이를 지나가는 병사를 몽둥이로 때리기 때문에, 살아남는 경우는 거의 없었다. 또한 도둑질을 하거나 위증을 하거나 집합시간에 세 번 늦은 병사도 그 죄에 상응하는 벌을 받았다.

전투에 임해서 열심히 싸우지 않았거나 너무 일찍 적에게 등을 보인 경우에는 개인이 아니라 집단의 죄가 되기 때문에, 군단이나 부대 전체가 벌을 받는다. 가장 가벼운 벌은 다른 병사들에게 밀이 배급될 때 벌을 받은 병사들은 보리를 배급받는 것이다. 보리는 말의 사료니까, 그들은 말이나 다름없다는 뜻이었다. 그보다 무거운 벌은 숙영지 안에 천막을 치는 것을 허락받지 못하는 것이었다. 숙영지를 둘러싼 울타리 밖에 벌받은 병사들의 천막이 늘어서게 된다.

로마는 패전한 사령관도 처벌하지 않았을 정도니까, 가장 무거운 벌은 전투에서 졌을 때가 아니라 집단으로 군율에 어긋나는 행위를 한 경우, 즉 총사령관에게 반기를 든 경우에 받는 벌이다. 군단 전체가 추첨을 하여, 10명에 1명의 비율로 희생자가 선택된다. 이 사람이 동료들의 죄를 모두 짊어지고 심한 채찍질을 당한 뒤 참수형에 처해진다. '10분의 1 처형'으로 통칭되는 이 형벌은 로마군에서는 최고의 엄벌로 되어 있었다. 자신도 같은 죄를 지었으면서 동료를 처형하는 역까지 말아야 하니까, 정신적으로도 잔혹하기 이를 데 없는 벌이었다.

로마군의 군율은 엄격한 것으로 알려져 있었지만, 공정하게 실시되는 것으로도 유명했다. 아들을 처형한 집정관의 이야기는 오랫동안 후세에 전해졌다.

로마의 국고 수입은 국유지의 임차료와 간접세, 속주에서 들어오는 십일조로 구성되어 있었다. 직접세는 속주민 외에는 '혈세', 즉 병역으로 치르는 것이 규칙이었다. 따라서 군무에 종사하는 동안은 보수를 주지 않는 것이 원칙이지만, 종군 경비까지 부담시키면 부담이 너무 무겁다. 그래서 군무가 여름만으로 끝나지 않게 된 기원전 4세기 초부터 일종의 일당 같은 것을 지불하도록 제도가 바뀌었다.

보병—중무장 보병과 경무장 보병의 구별없이, 하루에 4아세.

백인대장—하루에 8아세.

기병—하루에 12아세.

중무장 보병으로 종군할 의무를 지는 사람은 5만 아세가 넘는 자산을 가진 로마 시민이다. 이들의 일당이 4아세라면 너무 싸다. 노예라도 재능있는 자는 하루에 12아세 정도 벌 수 있는 시대였다. 4아세는 급료라기보다는 경비라고 말할 수밖에 없다. 그거야 어쨌든, 자유시민이라는 것도 꽤 힘든 노릇이었다. 동맹국에서 참가한 병사들의 일당은 각자의 출신국이 부담했던 모양이다.

종군 병사에게는 로마에서 식량이 지급되었지만, 여기에서도 로마 시민은 불리했다. 한 달치 지급량을 비교해보면 다음과 같다.

로마 시민 보병—밀 6모디우스.

로마 시민 기병—밀 18모디우스와 말 사료용으로 보리 63모디우스.

동맹국 보병—밀 6모디우스.

동맹국 기병―밀 16모디우스와 말 사료용으로 보리 45모디우스.

1모디우스는 약 9리터에 해당한다. 기병에게 밀을 많이 지급한 것은 하인을 데리고 있었기 때문이다. 차별은 존재했지만, 차별받은 것은 오히려 로마 시민병 쪽이었다. 로마는 동맹국 병사한테는 무료로 식량을 지급했지만, 자국 병사한테는 식비를 '급료'에서 공제했기 때문이다.

병역은 참정권을 가진 자유시민의 책무였다. 경제적인 면만 생각하면, 차라리 십일조를 내고 군무를 면제받는 속주민이 훨씬 이익이었을 것이다.

하지만 노예보다 못한 일당을 받고 군무에 종사하는 로마 시민과 동맹국 시민 가운데 여기에 불만을 품는 사람은 하나도 없었다.

그들의 군무 덕분에 카르타고와의 전쟁에 이겨 서쪽과 남쪽의 국경이 안전해졌고, 일리리아 해적도 퇴치하여 동쪽 국경도 안전해졌다. 북쪽 국경의 안전을 유지하는 열쇠는 갈리아인에 대한 대책인데, 여기서도 일단은 갈리아인을 평정하는 데 성공했다.

일단 평정한 포 강 이남의 갈리아인 주거지역을 포함하여, 로마인의 '사회간접자본 정비망'은 제1차 포에니 전쟁이 끝난 뒤 23년 동안 점점 넓게 뿌리를 뻗었고, 더욱 밀도를 높여갔다.

로마와 동맹도시들과 동맹민족을 결집한 '로마 연합'은 군사면에서의 운명 공동체에 머물지 않고, 경제면에서도 운명 공동체가 되어 있었다.

그런 로마가 카르타고와 다시 전쟁을 시작할 요인은 전혀 없었다. 군사행동에 호소한다면, 그 상대는 포 강 이북에 사는 갈리아인뿐이었다.

제3장

제2차 포에니 전쟁 전기

기원전 219년~기원전 216년

아직 로마가 북부 전선의 방어체제를 확립하지 못한 기원전 221년, 카르타고가 지배하고 있는 에스파냐에서는 총독 하스드루발이 살해되었다. 하인으로 부리고 있던 갈리아인이 하스드루발에게 모욕당한 것에 원한을 품고 주인을 죽였다고 한다. 하스드루발은 하밀카르의 뒤를 이어 에스파냐를 통치해 왔지만, 바르카 가문의 사위인 그는 하밀카르의 직계 후계자인 한니발이 성장할 때까지의 공백 기간을 이어주는 다리 역할이기도 했다. 이 다리 역할이 퇴장한 해에 한니발은 26세가 되어 있었다.

부친이 죽은 해에는 18세에 불과했던 한니발이지만, 26세쯤 되면 나이는 부족하지 않다. 에스파냐의 카르타고인은 그의 총독 취임을 만장일치로 인정했고, 본국 카르타고 정부도 그것을 승인했다.

전권을 장악한 한니발은 이듬해 1년을 꼬박 소비하여 에브로 강 이남을 완전히 제패하려고 애썼다. 에스파냐 원주민은 미개발 민족이었지만, 오히려 그렇기 때문에 용맹함에서는 갈리아인보다 뛰어나 이민족이 에스파냐를 완전히 제패하기는 불가능했다.

그 이듬해인 기원전 219년, 28세가 된 한니발은 오랫동안 품고 있던 생각을 드디어 실천에 옮기기 시작한다. 하지만 그것은 나중에야 알게 된 일이고, 당시에는 로마뿐 아니라 카르타고 본국도 이 젊은이의 참뜻을 알아차리지 못했다.

그해에 한니발은 사군토를 공격했다. 에스파냐 동해안에 있는 이 항구도시는 마르세유와 마찬가지로 그리스인이 정착하여 세운 도시이고, 역시 마르세유와 마찬가지로 로마와는 동맹관계에 있었다. 서지중해 지역에 사는 그리스인은 강국 카르타고에 대항하는 수단으로, 이탈리아 남부나 시칠리아의 그리스인과 좋은 관계를 맺고 있던 로마인과 손을 잡는 경우가 많았다.

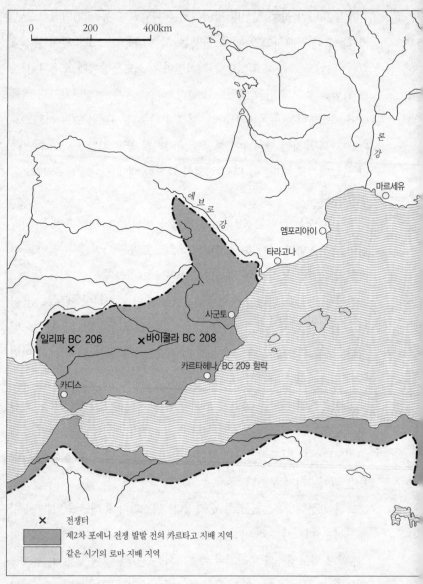

마르세유

론
강

엠포리아이

타라고나

에
브
로
강

사군토

일리파 BC 206
✕

✕ 바이쿨라 BC 208

카르타헤나 BC 209 함락

카디스

0   200   400km

✕   전쟁터

　　　　제2차 포에니 전쟁 발발 전의 카르타고 지배 지역

　　　　같은 시기의 로마 지배 지역

제2차 포에니 전쟁의 무대

BC 218
길라노
크레모나
피아첸차
트레비아 BC 218
피사
메타우로 BC 217
트라시메노 BC 217
로마
오스티아
카푸아
나폴리
칸나이 BC 216
브린디시
아폴로니아
마케도니아
펠라
타란토
크로토네
아테네
메시나
팔레르모
코린트
시칠리아
스파르타
우티카
마르살라
아그리젠토
카르타고
시라쿠사
자마 BC 202
드루메툼
지 중 해

한니발의 공격을 받은 사군토 주민들은 급히 동맹국 로마에 사절을 보내 구원을 요청했다. 로마인은 동맹관계를 소중히 여기는 민족이었지만, 그해의 상황은 너무 나빴다.

이탈리아 북부를 흐르는 포 강까지 북쪽 방어선을 연장한 해라서, 피아첸차와 크레모나에 방어 요새가 될 식민도시를 막 건설한 참이었다. 이들 도시로 가는 동맥인 가도도 아직 착공하지 않았다. 군단을 당장 이동시킬 수 있는 로마식 가도, 즉 고속도로식 가도가 건설될 때까지는 포 강 이북의 갈리아인이 봉기할 경우에 대비하여 그 식민도시에 군단을 주둔시켜둘 필요가 있었다. 따라서 먼 에스파냐까지 원군을 파병할 여유가 없었다.

로마는 이 문제를 외교로 해결하려 했다. 원로원 의원 두 명을 사군토에 사절로 보냈다.

로마 사절 두 사람은 사군토를 공격하고 있는 한니발을 만나, 로마와 동맹관계에 있는 도시를 공격하는 것에 항의했다. 하지만 28세의 젊은이는 애매한 소리만 할 뿐 확실한 대답을 주지 않았다. 그뿐만 아니라, 로마 사절들이 이곳에 머물러 있으면 살기등등한 병사들한테서 신변을 지켜줄 자신이 없다고 은근히 협박까지 하는 형편이었다. 이야기가 되지 않는다고 판단한 로마 사절은 사군토를 떠나 카르타고 본국으로 갔다. 그런데 한니발의 편지가 그들을 앞질러 도착해 있었다.

로마는 카르타고 정부에 정식으로 항의를 제기했지만, 그들에게도 약점이 없었던 것은 아니다.

사군토는 에브로 강 남쪽에 있다. 하스드루발이 죽기 전인 기원전 226년에 로마와 맺은 협정에서, 카르타고는 에브로 강 북쪽까지는 침략하지 않겠다고 약속했다. 당시 로마는 에스파냐에 이해관계를 가지고 있지 않았기 때문에, 이 조항은 오로지 동맹국인 마르세유를 위한 것이었다.

로마가 왜 그 협정에서 사군토에 대해서는 한마디도 언급하지 않았을까. 사군토가 기원전 226년에는 아직 로마와 동맹을 맺지 않았을까. 아니면 로마는 사군토가 아무리 에브로 강 남쪽에 있다 해도 로마와 동맹을 맺고 있는 이상, 카르타고가 사군토를 침략하지는 않을 거라고 믿었던 것일까. 어쨌든 사군토라는 도시는 미묘한 위치에 있었다.

카르타고 본국에서도 확답을 얻지 못한 두 사절은 로마로 돌아왔다. 원로원은 이 문제를 토의한 끝에, 다시 다섯 명의 사절을 카르타고에 보냈다. 이번에는 다섯 명이 모두 원로원에서도 유력한 의원들이었다. 결정권까지 부여받은 사절단이다. 정말로 로마는 이 시기에 전쟁을 하고 싶지 않았던 모양이다.

결과는 마찬가지였다. 에스파냐 식민지 경영에 성공하여 유복해진 카르타고의 유력자들은 한니발에게 사군토 공격을 중지시키기는커녕, 한니발의 신병을 인도해달라는 로마인들의 요청을 깨끗이 묵살해버렸다.

'국내파'의 리더인 한노만이 불길한 예감을 품고, 로마의 명예를 손상시킬 기회가 생겼다고 기뻐 날뛰는 동포들의 눈을 뜨게 하려고 애썼다. 그는 이렇게 말했다.

"성품이 격렬한 그 젊은이가 바르카 가문에 속해 있다는 것이 이중으로 위험하다. 로마의 동맹도시 사군토를 공격하는 것은 또다시 로마와의 전쟁으로 이어질 것 같은 예감이 든다. 우리가 지금 해야 할 일은 한니발에게 사군토에서 손을 떼라고 명령하는 것이다."

하지만 한노의 말에 귀를 기울인 사람은 거의 없었다. 카르타고 정부는 한니발이 사군토를 공격한 것은 사군토 쪽에서 먼저 싸움을 걸어왔기 때문이라고 로마 사절단에게 말했다. 빤한 거짓말을 무엇보다 싫어하는 로마인들은 더 이상 참을 수 없었다. 그들은 사군토에서 병력을 철수하든가, 아니면 로마와 전쟁을 하든가, 양자택일을 하라고 카르타고 정부에 요구했다. 카르타고 정부의 회답은 '사군토에서 병력을 철수할 수 없다'는 것이었다.

로마인만이 아니라 카르타고인도 이런 작은 사건이 제2차 포에니 전쟁으로 이어지리라고는 생각하지 않았던 것 같다. 그러는 동안에도 사군토 공략전은 계속되고 있었고, 전쟁을 시작하느냐 마느냐의 여부는 로마에서는 민회가 결정할 일이었다.

사절단이 귀국할 즈음, 사군토가 함락되었다는 소식이 로마에 전해졌다. 기원전 219년도 어느덧 가을로 접어들어 있었다. 사군토는 무려 8개월 동안 버틴 끝에 함락된 것이다. 살아남은 주민은 모두 노예가 되었고, 이들을 포함한 전리품을 팔아서 얻은 이익은 3등분되어, 일부는 병사들에게 분배되고 일부는 카르타고 본국에 보내지고 나머지 3분의 1은 한니발의 전쟁 경비로 남겨졌다. 이 소식을 들은 로마 민회는 카르타고에 대한 선전포고를 가결했다.

로마인조차도 고대 최고의 전술가로 인정하게 된 한니발인데, 사군토 공략에 8개월이나 걸렸다. 현대 전사가들은 쌍방의 군대가 어울려서 싸우는 대규모 회전의 전술에서는 한니발이 뛰어난 재능을 발휘했지만, 성을 공격하는 전술은 서툴렀다고 평가한다.

하지만 한 번이라도 사군토를 살펴본 사람이라면, 그런 도시쯤은 203고지를 공략할 때 악전고투한 노기 마레스케(러일전쟁 때 여순을 함락한 일본 육군대장) 같은 사람도 쉽게 함락할 수 있을 거라고 생각할 게 분명하다. 내 생각에, 한니발은 일부러 시간을 질질 끈 것 같다. 사군토 공략전을 오래 끌어, 로마의 선전포고를 유발하려 한 게 아닐까. 곤경에 빠진 동맹국을 내버려두고 못 본 체하는 것만큼 당시 로마인의 뜻에 어긋나는 행위는 없었기 때문이다.

에브로 강 이남에 자리잡고 있는 사군토를 공격하는 것뿐이라면, 기원전 226년에 맺은 협정에 위배되지 않는다. 하지만 그가 남몰래 결심하고 있던 에브로 강 이북으로의 진격은 완전히 협정 위반이 된다. 그러나 로마가 선전포고를 하면 그 문제도 저절로 해소된다. 전쟁에 들어가면 협정을 지킬 의무도 사라지게 마련이다.

한니발이 원한 것은 로마가 협정에 넣는 것을 잊어버렸을 만큼 작은 도시인 사군토가 아니라, 로마의 선전포고가 아니었을까. 그가 적으로 삼으려 했던 것은 법을 존중하는 로마인이었다.

에스파냐의 카르타고 세력의 거점—신(新)카르타고로 불린 카르타헤나—에서 겨울을 나고 있는 한니발에게 기다리던 소식이 전해졌다. 로마가 선전포고를 한 것이다. 로마인이 '한니발 전쟁'이라고 부르게 된 제2차 포에니 전쟁은 이렇게 막이 올랐다. 이 전쟁의 목적과 전쟁터가 어디가 될 것인지를 아는 사람은 서른도 채 되지 않은 한 젊은이뿐이었다.

기원전 218년 5월, 29세의 한니발은 준비를 끝낸 군대를 이끌고 카르타헤나를 떠났다.

후세에 살고 있는 우리는 그 시점에서는 한니발밖에 몰랐다는 것을 알고 있다. 한니발과 그의 군대가 에브로 강을 건너고 피레네 산맥을 넘어, 현재의 프랑스인 갈리아 땅에 들어가 론 강을 건너 프랑스를 횡단한 다음, 알프스 산맥을 넘어 이탈리아로 진격한 것을 알고 있다. 한니발이 대군을 이끌고 코끼리 부대까지 데리고 알프스를 넘은 것이야말로 그후 2천 200년 동안 역사에 흥미가 없는 사람도 한번쯤은 들은 적이 있는 유명한 역사적 사실이 되었다.

한니발은 그러나 2천 년이 지난 뒤에도 박수갈채를 받고 싶어서 그런 모험을 감행한 것은 아니다. 모험이 좋다는 이유만으로 모험을 할 수는 없다. 그렇다면 그는 왜 그 길을 선택했을까. 왜 알프스를 넘는 모험을 강행했을까. 바로 이런 의문이 고개를 쳐든다.

결론부터 말하면, 한니발에게는 다른 선택의 여지가 없었다. 아버지 하밀카르의 유지를 받들기 위해서라도, 한니발의 최종 목적은 로마를 격파하는 것이다. 하지만 이탈리아 밖에서 싸우면 로마에 이길 수 없다는 것은 시칠리아가 전쟁터였던 제1차 포에니 전쟁이 입증하고 있다. 따라서 전쟁터는 로마의 근거지인 이탈리아가 아니면 안되었다.

하지만 지중해 한가운데에 장화 모양으로 불쑥 튀어나와 있는 이탈리아 반도로 쳐들어간다 해도, 카르타고 본국에서 가장 가까운 거리에 있는 남쪽에는 로마가 속주로 삼은 시칠리아 섬이 버티고 있다. 그리고 제1차 포에니 전쟁 이후, 카르타고와 시칠리아 사이의 제해권은 로마 해군이 장악한 상태였다.

그렇다면 동쪽의 아드리아 해에서 쳐들어가는 것은 어떨까. 에스파냐에서 아드리아 해까지는 우선 거리가 너무 멀었다. 항해중의 위험은 항해 거리에 비례한다. 또한 시칠리아를 지난 뒤에도 이탈리아 남부의 항구도시와 '로마 연합'의 동맹국 앞바다를 지나가게 된다. 다행히 성공하여 아드리아 해에 침입할 수 있다 해도, 로마 해군에 저지당할 위험이 있는 것은 거기도 마찬가지였다. 로마는 그리스 서해안의 일리리아 지방까지 세력하에 두고 있었기 때문이다.

이탈리아 서쪽에서 진격한다면, 에스파냐에서는 서지중해만 횡단하면 된다. 하지만 여기에 성공할 가능성은 희박하다. 도중에 있는 사르데냐와 코르시카는 둘 다 로마의 속주였고, 규모가 적긴 하지만 로마 육군과 해군이 상주해 있다. 이 해역에서도 대여섯 척이라면 모를까, 수백 척에 이를 게 뻔한 대규모 수송선이 로마의 방해를 받지 않고 무사히 군대를 실어나를 수 있으리라고는 생각되지 않았다.

기원전 218년의 시점에서 로마의 방어선은 동쪽과 서쪽과 남쪽이 모두 철벽이었다.

남은 방법은 북쪽에서 처들어가는 것뿐이지만, 이 방면에도 넓은 프랑스를 횡단하고 알프스 산맥을 넘어야 하는 어려움이 기다리고 있다. 그 일대의 원주민인 갈리아인은 로마인의 친구도 아니었지만, 카르타고인의 친구도 아니었다.

이 길에는 이점도 있었다. 로마가 포 강까지 방어선을 확장했지만, 아직은 확고한 방어선이 아니라는 점이다. 피아첸차와 크레모나에 식민지를 건설했지만, 그 도시와 기존 방어선을 잇는 가도도 만들어지지 않았다. 또한 그 일대에 살고 있는 갈리아인도 일단은 로마와 강화를 맺었지만, 전투에서 졌기 때문에 강화를 맺었을 뿐이다. '사회간접자본'에 의한 '로마화'의 혜택을 받고 납득하여 로마 산하에 들어가 있는 것은 아니었다. 로마인은 그 일대의 '사회간접자본' 설비에 이제 막 손을 댔을 뿐이었다.

한니발은 이 이탈리아 북부에서 로마의 방어선을 돌파할 가능성을 발견했다. 또한 알프스를 넘는 것은 어렵고 희생도 클 게 분명하지만, 당시 로마인이 생각하고 있던 것과는 달리 불가능한 일은 아니라는 것을 한니발은 알고 있었을 것이다.

나중에도 이야기하게 되겠지만, 한니발이 동시대인에 비해 단연 뛰어난 점은 정보의 중요성에 착안한 점이었다. 그는 이탈리아 쪽에 사는 갈리아인과 프랑스 쪽에 사는 갈리아인들이 가축 따위를 데리고 알프스를 넘어 왕래하고 있다는 사실도 당연히 알고 있었을 것이다. 몇

년 전에 로마군과 싸운 갈리아 병력에는 론 강 일대에서 온 갈리아인도 섞여 있었다. 한니발은 갈리아 원주민이 하고 있는 일을 코끼리 부대까지 거느린 대규모적인 형태로 실행하려 한 것이다. 한니발의 이 '알프스 넘기'는 모험이긴 했지만, 냉철한 계산을 토대로 하여 실행된 모험이었다.

한니발의 그후 행동을 상당히 자세하게 추적할 수 있는 것은 그가 기록자를 동행했기 때문이다. 이것 역시 알렉산드로스 대왕을 본받은 것인지도 모른다. 한니발의 그리스어 교사이기도 한 그 기록자는 실레노스라는 이름의 그리스인이었다.

한편 로마 쪽에도 기록자가 있다. 한니발과는 동시대인으로, 원로원 의원을 지내고 있던 파비우스 픽토르가 그 사람이다.

이 두 사람의 저술은 현재 남아 있지 않다. 그래도 고대인이라면 읽을 수 있었을 것이다. 한니발이 46세 되던 해에 태어난 그리스인 폴리비오스와 그보다 200년 뒤에 살았던 로마인 리비우스는 둘 다 이 2대 일차사료를 참고했다고 말했다. 이 두 사람의 말에 따르면, 한니발이 카르타헤나를 떠날 때 이끌고 있던 병력은 보병 9만 명에 기병 1만 2천 명, 그리고 코끼리 37마리였다.

그밖에 한니발은 카르타고 본국을 수비하기 위해 2만 명의 병력을 파견했고, 에스파냐를 수비하기 위해 보병 1만 2천 명과 기병 3천 명, 코끼리 21마리를 남겨놓았다. 그에게는 카르타고 본국보다 오히려 에스파냐가 모국이라고 할 수 있었다. 그래서 에스파냐의 방위는 동생인 하스드루발에게 맡기는 한편 막내동생 마고는 큰형 한니발이 이끄는 원정군과 동행했다.

보병 9만 명에 기병 1만 2천 명이라면 엄청난 규모다. 기병은 아프리카의 누미디아 출신이 중심이었고, 보병은 아프리카의 리비아 출신과 에스파냐인이 2 대 1의 비율로 섞인 혼성군이었다. 카르타고군의 전통을 충실히 따라서, 장교를 제외하고는 모두 용병이었다.

그러나 29세의 젊은이는 이 많은 병력을 모두 이탈리아까지 데리고 갈 수 있다고도 생각하지 않았고, 데려가려고도 하지 않았다. 군량 확보의 어려움이 예상되는 적지로 쳐들어가는 것이다. 실제로 에브로 강을 건넜을 때, 그는 피레네 산맥에서 에브로 강까지의 방위를 위해 보병 1만 명과 기병 1천 명을 남겨놓았다. 그와 동시에, 한니발은 먼 곳으로 끌려갈 것 같은 낌새를 채고 동요하기 시작한 에스파냐 병사들에게는 선선히 귀가를 허락했다. 한니발은 행군하는 것을 보고 병사를 선발했다. 피레네 산맥을 넘어 프랑스 쪽으로 들어갔을 때, 그의 병력은 보병 5만 명에 기병 9천 명, 그리고 코끼리 37마리가 되어 있었다.

한니발이 에브로 강을 건넜을 때, 변고를 알리는 전령이 급히 로마로 떠났다. 로마와 동맹관계에 있는 에브로 강 이북의 해안도시 타라고나나 엠포리아이의 주민들이 눈치를 챈 게 분명하다. 변고가 일어났다는 소식은 이 일대에서는 가장 유력한 로마의 동맹도시인 마르세유를 거쳐 로마로 보내졌다.

소식을 받은 로마에서는 처음에는 피레네 산맥 이남의 에스파냐 전역을 정복하는 것이 한니발의 목적일 거라고 생각한 모양이다. 그리고 에스파냐에서 군사행동을 일으킨 한니발에게 호응하여 카르타고 본국도 시칠리아로 쳐들어올 게 분명하다고 판단했다. 따라서 카르타고를 상대로 한 전쟁터는 이번에는 시칠리아와 에스파냐 두 곳이 될 거라고 생각했다.

그해에 집정관으로 선출된 것은 귀족 출신인 푸블리우스 코르넬리우스 스키피오와 평민 출신인 티베리우스 셈프로니우스 롱구스였다. '로마화'를 추진해야 할 필요성 때문에, 두 사람의 당초 임지는 포 강 유역으로 정해져 있었다. 바로 그때 '한니발이 에브로 강을 건넜다'는 소식이 들어왔다. 당장에 코르넬리우스 스키피오의 임지는 에스파냐로, 셈프로니우스 롱구스의 임지는 시칠리아로 변경되었다.

평시에도 로마는 해마다 4개 군단을 편성한다. 로마는 카르타고에 선전포고를 하긴 했지만, 그것이 당장 전투 상태로 이어지리라고는 생각하지 않았기 때문에, 기원전 218년인 그해에도 4개 군단밖에 편성하지 않았다. 에스파냐에서 들어온 급보를 받은 로마는 편성이 끝난 4개 군단 외에 2개 군단을 더 편성하기로 결정했다. 이탈리아 반도를 무방비 상태로 놓아둘 수는 없었기 때문이다.

집정관 코르넬리우스에게 주어진 2개 군단은 다음과 같이 구성되어 있었다.

로마 시민병—보병 8,000명에 기병 600명.

동맹국 병사—보병 14,000명에 기병 1,600명.

이를 합하면 보병 22,000명에 기병 2,200명, 합계 24,200명.

집정관 셈프로니우스에게 주어진 2개 군단은 다음과 같이 구성되어 있었다.

로마 시민병—보병 8,000명에 기병 600명.

동맹국 병사—보병 16,000명에 기병 1,800명.

이를 합하면 보병 24,000명에 기병 2,400명, 합계 26,400명.

로마 연합군에서는 평시에는 로마 시민병과 동맹국 병사의 비율이 거의 1 대 1이지만, 유사시에는 인구가 많은 동맹국 병사가 우선 증원된다. 그리고 위기가 더욱 고조되면, 1개 군단의 로마 시민병 수가 평시의 4천 명에서 5천 명으로 증원되는 것이 관례였다.

이를 보아도 '한니발이 에브로 강을 건넜다'는 소식을 받은 단계에서, 로마 원로원은 그저 경종을 울리는 정도의 반응밖에는 보이지 않았다는 것을 알 수 있다.

집정관 코르넬리우스가 이끄는 2만 4천 200명의 병력은 피사로 가서, 거기서 기다리고 있는 5단층 갤리선 60척을 타고 에스파냐로 떠났다.

집정관 셈프로니우스와 2만 6천 400명의 병력은 3단층 갤리선과 5단층 갤리선 160척과 12척의 수송선을 타고, 로마의 외항 오스티아를 떠났다. 행선지는 시칠리아다.

셈프로니우스에게 코르넬리우스보다 많은 군선과 수송선까지 주어진 것은 그의 임무가 시칠리아 방위만이 아니었기 때문이다. 코르넬리우스의 군대가 한니발을 저지하는 데 성공하면, 셈프로니우스는 카르타고 본국에 대한 상륙작전을 개시하는 임무도 띠고 있었다. 이것을 보아도, 에스파냐를 떠나기 전에 카르타고 본국을 수비하기 위해 2만 명의 병력을 파견한 한니발의 선견지명은 역시 옳았다.

집정관 두 사람이 한 명은 서쪽으로, 또 한 명은 남쪽으로 떠나자마자, 로마에 두번째 소식이 들어왔다. '한니발이 피레네 산맥을 넘고 있다'는 것이다.

로마는 29세의 젊은이의 속셈을 예측할 수 없게 되었다. 에스파냐와 프랑스 사이를 가로막고 있는 피레네 산맥을 넘는다면, 에스파냐 전역을 정복하는 것이 한니발의 의도가 아닌 것은 분명하다. 그렇다면 대군을 이끌고 넘어오는 것은 무엇을 하려는 속셈일까. 마르세유를 비롯하여 그리스계 도시가 많은 남프랑스를 정복하려는 것일까. 어쨌든 해로를 따라 서쪽으로 가고 있던 코르넬리우스는 우방 마르세유에 들르도록 되어 있었기 때문에, 조만간 카르타고 젊은이의 참뜻도 분명해질 터였다.

　한편 집정관 셈프로니우스는 시칠리아에 도착하여 동맹국 시라쿠사의 참주 히에론과 협의한 뒤, 시칠리아 서부로 가서 마르살라에 진을 쳤지만, 시칠리아 섬 전체가 지극히 평온한 데 우선 놀랐다. 몸소 선단을 이끌고 카르타고 근해까지 가서 조사해보았지만, 카르타고 본국에도 불온한 움직임은 전혀 보이지 않았다. 카르타고는 한니발의 동태를 주목하고 있는 기색조차 보이지 않았다. 한니발이 보낸 2만 명의 병력도 무료하게 시내를 배회할 뿐이다. 그래도 셈프로니우스는 시칠리아에서 이탈리아 남부까지의 연안 경비를 강화하라고 휘하 해군에 지시했다.

　집정관 코르넬리우스의 군단을 태운 함대는 무사히 마르세유에 입항했다. 그러나 거기서 기다리고 있는 것은 적이 피레네 산맥을 넘었다는 소식과 한니발이 모습을 감추었다는 보고였다. 한니발과 5만 명이 넘는 군대가 어디로 갔는지 모른다는 것이었다.

　당시 갈리아라고 불렸던 프랑스는 오늘날처럼 경작지가 지평선까지 줄곧 이어져 있지는 않았다. 평원이기는 했지만, 숲과 늪으로 메워진 자연의 땅이었다. 초원이나 경작지라면, 멀리 떨어져 있어도 피어오르는 흙먼지 때문에 대군의 행군을 감출 수는 없다. 하지만 아름드리 나무가 울창한 삼림이 겹겹이 포개져서 시야를 가리고 있는 지방이라면, 행방을 감추는 것도 그리 어려운 일은 아니었다. 그리고 프랑스는 땅이 넓다.

　코르넬리우스는 적군을 탐색하도록 300명의 기병에게 마르세유인 안내인을 딸려서 내보냈다. 보고가 들어올 때까지 병력은 마르세유 항에서 대기했다.

　탐색은 쉽지 않았다. 한니발과 그의 군대가 마르세유 근처까지 와서 모습을 감춘 게 아니라, 피레네 산맥을 넘자마자 행방을 감추었기 때문이다.

한니발에게는 '행방불명'도 예정된 행동이었다. 로마의 동맹국 마르세유와 그 세력이 미치는 남프랑스 일대를 피해 내륙지방으로 크게 우회하는 길을 선택한 것은 쓸데없는 노력과 희생을 피하기 위해서였다.

알프스에서 발원하여 리옹을 지나 마르세유 근처에서 지중해로 흘러드는 론 강은 흐름이 그다지 빠르지는 않지만, 풍부한 수량은 여름철에도 전혀 줄어들지 않는다. 도도하게 흐른다는 표현이 딱 어울리는 강이다. 알프스로 가려면 이 강을 건너야 한다. 하지만 코르넬리우스는 아직 한니발의 참뜻을 알지 못했다.

29세의 젊은이는 일찍이 아무도 이룩하지 못한 위업에 도전하면서도, 흥분하여 눈과 머리가 흐려지지는 않았다. 프랑스에 들어간 뒤에도 어떤 부족은 돈으로 회유하고 어쩔 수 없는 경우에만 힘으로 억누르면서, 수많은 부족으로 나뉘어 있는 갈리아 지방을 돌파했다. 한니발은 그의 움직임을 알아차린 로마가 군대를 보내오리라는 것도 예측하고 있었다. 그래서 로마군과 마주치지 않고, 마르세유와 그 부근의 그리스인한테도 눈치채이지 않고 론 강을 건널 수 있는 지점을 찾았다. 회유한 갈리아인한테서 얻은 정보와 여느 때처럼 파상적으로 내보낸 척후병이 가져오는 정보를 토대로 도강지점이 결정되었다. 강 속에 산재하는 모래톱 덕분에 물의 흐름이 완만해져, 코끼리까지 끼여 있는 대군이 건너기에 좋은 지점이다. 오늘날의 발랑스 근처인 것으로 여겨진다. 마르세유에서 론 강 상류로 150킬로미터나 거슬러 올라간 지점이기 때문에, 로마군과 마주칠 위험도 거의 없었다.

하지만 5만 명의 대군이 강을 건너는 것이다. 소대마다 수십 차례로 나누어 건너지 않으면 불가능하다. 그런데 그렇게 하면, 병력의 일부만 강을 건넌 시점에서 론 강 동쪽 연안에 사는 갈리아인의 습격을 받을 우려가 있었다. 실제로 뗏목을 만들기 위해 나무를 베는 작업을 시작하자마자, 이를 알아차린 갈리아인들이 맞은편 연안에 나타나 노골적인 적개심을 보이는 일까지 일어났다.

한니발은 부하 한 명에게 기병대를 주어 40킬로미터 상류로 보냈다. 기병뿐이라면 강을 건너기도 쉽다. 기병대는 40킬로미터 상류에서 론 강을 건넌 다음, 그 일대의 갈리아인 마을을 모두 습격하여 불태우라는 명령을 받았다. 그동안 나머지 병력은 모두 뗏목 만들기에 전념한다.

모래톱이 산재하는 강 맞은편에서 불길과 연기가 치솟은 것은 이 작전이 끝났다는 신호였다. 이미 맞은편에서 적개심을 드러내고 있던 갈리아인들도 썰물처럼 모습을 감추었다. 마을이 불타자, 강 맞은편에서 카르타고군을 향해 칼을 휘두르고 있을 계제가 아니었기 때문이다.

5만 명의 병력과 말, 짐수레와 코끼리떼의 론 강 도강작전이 시작되었다. 모래톱에만 의존하지 않고, 도강지점의 상류와 하류에는 물의 흐름을 완만하게 하기 위한 울타리를 세웠다. 밧줄도 몇 가닥이나 강을 건너질러 강 양쪽의 나무에 고정시켰다. 그래도 공포에 질린 병사와 코끼리는 발을 헛디디거나 뗏목을 잘못 조종하여, 울타리를 부수고 하류로 사라졌다.

방해를 받지 않고 도강을 끝낼 수는 있었지만, 론 강을 건넌 뒤 한니발에게 남은 병력은 보병과 기병을 합하여 4만 6천 명이었다고 한다. 피레네 산맥을 넘었을 때의 병력이 5만 9천 명이니까, 갈리아에 들어온 뒤부터 론 강을 건널 때까지 1만 3천 명을 잃은 셈이다. 하지만 이 손실도 한니발의 계산에는 다 들어 있었을 것이다.

29세의 젊은이는 상당한 시간을 필요로 하는 론 강 도강을 아무 방해도 받지 않고 끝내기 위해, 후위 기병대를 론 강 하류로 파견하여 순찰을 돌게 했다. 그 500기의 기병대가 탐색하러 나온 로마 기병대와 마주쳤다.

기병대끼리 전투가 벌어졌다. 그 결과 로마는 300기 가운데 140기를 잃었고, 카르타고는 200기를 잃었다. 이것으로 코르넬리우스는 비로소 한니발의 행방을 포착할 수 있었다.

도강지점으로 달려온 코르넬리우스는 그러나 한니발이 이미 사흘 전에 도강을 끝냈으며, 카르타고군은 잠시도 쉬지 않고 곧장 알프스로 떠났다는 사실을 알았다. 보병을 거느리고 사흘 거리를 따라잡을 수는 없다. 하지만 로마군의 주력인 중무장 보병이 없이는, 설령 따라잡는다 해도 전투를 벌일 수가 없었다.

한니발의 의도가 비로소 분명해졌다. 알프스를 넘어 북쪽에서 이탈리아를 침공할 작정인 것이다. 실제로 한니발과 그의 군대는 론 강을 건넌 뒤에는 골짜기를 따라 북동쪽으로 방향을 잡고, 현재의 그르노블로 향하고 있었다. 그르노블에서 갈 곳은 알프스밖에 없다.

코르넬리우스는 여기서 양자택일을 해야 했다. 갈리아인이 봉기했다는 소식을 받고 포 강 유역에 보내기 위해 일부 병력을 피사에 놓아두고 올 수밖에 없었지만, 아직 그의 휘하에는 2만 명의 병력이 남아 있었다. 이 병력을 이끌고 이탈리아로 돌아가, 알프스를 넘어올 한니발을 맞아 싸울 것인가. 아니면 한니발을 맞아 싸우는 것은 동료인 셈프로니우스에게 맡기고, 자신은 예정대로 에스파냐로 가서 한니발의 배후지인 에스파냐의 카르타고 세력을 궤멸하는 데 전념할 것인가.

하지만 셈프로니우스는 시칠리아에 파견되어 있었다. 남쪽 끝에 있는 시칠리아에서 북쪽의 알프스 기슭까지는 쉽게 달려올 수 있는 거리가 아니다. 또한 이 시점에서 코르넬리우스는 카르타고 본국에 싸울 기미가 전혀 없다는 것을 알지 못했다. 그리고 마르세유에서 로마의 동맹 도시 엠포리아이까지는 넓은 만 하나만 가로지르면 도착할 수 있다. 엠포리아이에 상륙하면, 피레네 산맥을 넘지 않아도 에스파냐에 들어갈 수 있다. 반대로 군대를 이끌고 피사로 돌아가려면, 엠포리아이로 가는 것보다 두 배나 먼 해로를 되돌아가야 한다. 그렇기는 하지만, 로마 집정관은 이탈리아 방위의 최고 책임자였다. 이탈리아로 가고 있는 것이 분명해진 적을 그대로 방치한 채 에스파냐로 가버리는 것은 용납되지 않았다.

코르넬리우스는 절충이라고 볼 수도 있는 방식을 택했다.

동행한 동생 그나이우스 코르넬리우스 스키피오에게 남은 병력을 전부 주어서 에스파냐로 보내고, 그 자신은 직속 장교만 데리고 이탈리아로 돌아가, 이미 편성된 2개 군단을 이끌고 알프스에서 내려올 한니발을 맞아 싸우겠다는 생각이다. 몇 척만 항해하면, 두 배나 먼 거리도 문제가 아니었다.

나중에 증명되지만, 이때의 선택은 4년 뒤라면 아마 옳았을 것이다. 코르넬리우스한테서 급보를 받은 로마 원로원은 예비로 편성해둔 2개 군단을 현역으로 승격시켜, 마르세유에서 도착할 집정관을 기다리도록 피사로 보냈다. 동시에 시칠리아의 셈프로니우스에게도 급히 북상하라는 명령을 내렸다. 카르타고군과의 전쟁터는 이제 시칠리아가 아니라 이탈리아 북부가 될 것이 분명했다.

한니발의 군대가 어느 경로를 통해 알프스를 넘었는지는 그후 2천 200년의 세월이 흘렀는데도, 그리고 많은 연구자들이 필사적으로 탐구했지만 여전히 확실하지 않다. 연구자들이 주장하는 경로는 모두 여섯 가지나 된다. 고대에도 이미 두 가지 설이 있었다.

그리스인 역사가 폴리비오스는 오늘날의 피콜로산베르나르도 고개를 넘었다고 주장한다. 로마인 역사가 리비우스는 그보다 조금 남쪽으로 내려간 곳에 있는 몽주네브르 고개를 통해 넘었다고 주장한다.

독일 역사가 몸젠은 폴리비오스의 설을 지지하고 있다. 한편, 자신이 직접 군대를 이끌고 알프스를 넘어본 경험이 있는 나폴레옹은 리비우스의 설을 지지했다.

폴리비오스의 설에 따르면, 그르노블을 떠난 한니발은 북동쪽으로 방향을 바꾸어 표고가 2천 188미터인 피콜로산베르나르도 고개를 넘어 이탈리아로 들어가, 북쪽에서 토리노를 공략했다는 얘기가 된다.

반대로 리비우스의 설에 따르면, 그르노블에서 정동쪽으로 방향을 잡아 표고가 1천 854미터인 몽주네브르 고개를 통해 알프스를 넘은 다음, 수사 골짜기를 따라 동쪽으로 나아가 토리노로 쳐들어갔다는 얘기가 된다.

덧붙여 말하면, 알프스를 넘는 모험을 감행한 한니발이 마주친 진정한 어려움은 코끼리떼를 데리고 산을 넘는 일이었을 거라고 나폴레옹은 말했다. 실제로 한니발보다 160년 뒤에는 율리우스 카이사르도 대군을 이끌고 알프스를 넘었다. 한니발과는 반대로 이탈리아 쪽에서 프랑스 쪽으로 넘었지만.

이래서 한니발이 알프스의 어느 지점을 넘었는지는 확실치 않지만, 어떻게 넘었는지는 분명하다. 한니발과 동행한 그리스어 교사인 실레노스가 그것을 기록으로 남겼다. 폴리비오스와 리비우스도 물론 이 기록을 참고했다.

그거야 어쨌든, 당시 로마인이 불가능하다고 믿었던 것이 반드시 잘못은 아니었다고 여겨질 만큼, 코끼리까지 낀 대군이 알프스를 넘는다는 것은 지극히 어려운 일이었다.

산악 민족은 원래 타고난 성격부터 폐쇄적이고, 그렇기 때문에 의심이 많다. 알프스 기슭에 도착하긴 했지만, 한니발 군대의 사기에 그림자를 드리운 것은 눈앞에 우뚝 솟은 산맥의 위용만은 아니었다. 적의를 노골적으로 드러내고 멀리서 그들을 둘러싸고 있는 갈리아인의 칼은 숲속에서도 번쩍거렸다.

쓸데없는 노력과 희생을 싫어하는 한니발은 여기서도 부족장들을 회유하려고 애쓴다. 우리가 원하는 것은 이곳을 통과하는 것뿐이고 적은 로마인이라고 말하면서 금품을 주는 것이 그의 상투적인 방식이었다. 알프스 기슭에서도 이 방법은 성공하여, 부족장들은 산을 넘을 때 쓰라고 모피 망토까지 보내왔다. 모피 망토도 고마웠겠지만, 그보다는 희생을 최소한으로 줄일 수 있는 길을 가르쳐준 것이 더 고마웠을 것이다. 하지만 같은 갈리아인이라 해도, 알프스 기슭에 사는 부족과 산중에 사는 부족은 다르다. 그리고 한니발은 갈리아인이 가르쳐주는 정보라도 처음부터 믿지는 않았다.

한니발은 갈리아인을 놀라게 하여 적대행위를 단념시키기 위해 코끼리떼를 앞세우고 행군하기 시작했다. 론 강을 건널 때 잃은 코끼리를 빼고도, 30마리는 아직 건재했던 모양이다. 코끼리떼 뒤에는 군량을 실은 짐수레와 보병군단이 따라간다. 후위는 기병이 맡았다. 29세의 젊은이는 총사령관답게 안전한 행렬 한가운데에서 행군하지는 않았다. 그들을 침입자로 간주하여 절벽에서 바위를 굴리거나 길모퉁이에 매복했다가 화살을 쏘아대는 산악 민족 때문에 아군에 희생자가 나올 때마다, 맨 앞으로 달려가는 것은 항상 총사령관인 한니발이었다.

계절은 9월. 산 속에서는 첫눈이 흩날리기 시작하는 시기다. 처음 보는 코끼리에 겁을 먹었는지, 갈리아인이 정면으로 싸움을 걸어오는 일은 없었지만, 남국 태생인 코끼리에게 알프스 산중의 기후가 기분좋을 리가 없다. 코끼리들은 걸핏하면 난폭해졌고, 그것을 달래는 사람도 눈이 흩날리는 곳을 통과하기는 처음이었다. 길은 낭떠러지를 따라 구불구불 나 있는 좁은 길밖에 없었다. 여기서 한 발짝만 헛디디면 골짜기 바닥으로 떨어진다.

코끼리들은 동물의 직감으로 위험한 장소에 오면 꼼짝도 하지 않는다. 그것을 앞으로 나아가게 하려고 보병들까지 동원하여 뒤에서 떠민다. 하지만 추락 위험은 곳곳에 도사리고 있었다. 발을 헛디딘 코끼리나 짐수레가 사람을 길동무로 삼아 골짜기 바닥으로 사라져갔다. 단말마의 비명이 구름낀 하늘을 뚫고 들려올 때마다 저 뒤에서 따라오는 기병들의 마음까지 우울해졌다.

모든 병사들이 편히 쉴 수 있는 숙영지 건설 따위는 생각조차 할 수 없었다. 산악 민족이 사용하는 피난처나 요새를 만나면, 신들의 은총으로 여겨지기까지 했다. 천막을 칠 곳조차 찾지 못하여, 천막을 몸에 둘둘 감고 바람과 추위를 막는 밤이 허다했다. 모닥불은 피웠지만, 추위를 막을 수는 없었다. 총사령관 한니발도 일개 용병과 마찬가지로 꽁꽁 얼어붙은 식사를 목구멍에 밀어넣고, 일개 용병과 마찬가지로 낭떠러지 아래서 선잠을 잤다. 하지만 그는 일개 병졸이라면 생각하지 않아도 되는 여러 가지 일을 생각하고, 상황에 따른 판단을 즉석에서 내릴 필요가 있었다.

산을 오르기 시작한 지 아흐레째에 고갯마루에 도착할 수가 있었다. 사람도 말도 코끼리도 모두 기진맥진해 있었다. 고갯마루 근처에 군대 전체가 쉴 만한 평지가 펼쳐져 있었다. 29세의 총사령관은 병사들을 전부 집합시키고, 동쪽 방향을 가리키면서 말했다. 그쪽으로는 저 멀리 이탈리아가 푸른 하늘 밑에 희미하게 보였다.

"저곳이 이탈리아다. 이탈리아에 들어가기만 하면, 로마 성문 앞에 선 거나 마찬가지다. 여기서부터는 이제 내리막길뿐이다. 알프스를 다

넘은 뒤에 한두 번만 전투를 치르면, 우리는 이탈리아 전체의 주인이 될 수 있다."

병사들의 표정에서 쌓이고 쌓인 피로와 불만이 사라져가는 것 같았다. 이 역사적 사실을 공부했는지, 그보다 2천 년 뒤에 이탈리아로 쳐들어간 나폴레옹은 알프스 고개 위에서 병사들에게 이와 똑같은 취지의 연설을 했다.

그러나 산을 내려가는 것은 올라가기보다 더 어려웠다. 갈리아인은 한니발이 알프스를 통과할 뿐이라는 것을 알고 더 이상 그들을 공격하지 않았지만, 알프스 산 속의 계절은 완전히 겨울로 접어들었다. 추위는 날이 갈수록 혹독해지고, 살을 찌르는 바람의 고통은 화살에 맞은 고통과 맞먹을 정도였다. 온종일 내린 눈은 날이 밝고 보면 밤새 얼음으로 변해 있다. 얼어붙은 길을 내려오는 것은 코끼리가 아니더라도 지옥이었다. 앞서가는 병사들이 지표면의 얼음을 떼어낼 때까지 부대 전체가 멈춰서서 기다려야 할 때도 많았다. 얼어붙은 눈 위에 다시 눈이 쌓인 곳은 어디보다도 위험했다. 나아갈 수 있을 줄 알고 발을 내디디면, 밑에 있는 얼음에 미끄러져버린다.

눈사태를 만날 위험도 많았다. 한번은 눈사태로 길이 완전히 파묻혀, 그 길을 뚫느라 온종일 발이 묶인 적도 있었다. 사람이나 말이라면 지나갈 수 있지만 짐수레나 코끼리가 통과하기는 어려운 곳에서는, 낭떠러지의 바위까지 깎아내려 길을 넓힌 적도 있었다. 올라갈 때보다 더 많은 병사들이 추위와 피로를 견디지 못해 길가에서 얼어붙거나 발을 헛디뎌 골짜기 아래로 사라졌다. 코끼리도 몇 마리나 병사들과 같은 운명을 밟았다.

한니발이 알프스를 넘는 데 들인 날수는 전부 합하여 보름이었다고 한다. 뒷날 한니발 자신이 남긴 기록에 따르면, 알프스를 넘어 이탈리아 땅에 내려선 시점에서 그의 병력은 보병 2만 명과 기병 6천 명, 합계 2만 6천 명이었다.

론 강을 건넌 시점에서는 보병과 기병을 합하여 4만 6천 명이었으니까, 알프스를 넘으면서 치른 희생이 보병과 기병을 합하여 무려 2만 명이나 된 셈이다. 피레네 산맥을 넘은 시점과 비교하면, 뒤에 남기고 온 시체는 3만 3천 명에 이른다. 일찍이 아무도 이룩하지 못한 위업이긴 했지만, 치른 희생도 엄청난 규모였다.

하지만 29세의 젊은이는 그것까지도 다 계산에 넣고 있었던 게 아닐까. 로마인의 본거지인 이탈리아를 전쟁터로 하려면, 아무리 희생이 크더라도 알프스를 넘어 북쪽에서 쳐들어갈 수밖에 없었다. 한니발의 군대는 카르타헤나를 떠난 뒤 이탈리아 땅에 들어갈 때까지 넉 달이 걸렸다.

알프스를 내려온 곳에 펼쳐져 있는 골짜기에서 한니발은 군대 전체에 보름 동안의 휴식을 주었다.

로마 군단이 굶주림과 피로로 기진맥진하여 내려온 한니발 군대를 알프스 기슭에서 기다리고 있었다면 간단히 이길 수 있었을 거라고 말한 학자가 있다. 불가능한 일을 가지고 농하면, 역사를 다룰 자격이 없다. 그해는 로마가 피아첸차와 크레모나에 식민지를 막 건설한 해였다. 피아첸차는 한니발이 알프스에서 내려온 지점에서 동쪽으로 250킬로미터나 떨어져 있다. 이 피아첸차와 알프스 사이에 가로놓인 지방은 아직 갈리아인의 천하였다. 그것을 알고 있었기 때문에, 한니발도 알프스를 넘는 모험을 감행한 것이다. 로마군이 알프스 기슭에 매복하고 기다린다는 것은 불가능한 일이었다.

병사들이 피로를 씻고 있는 동안 한니발이 한 일은 사실 이 일대의 갈리아인을 회유하는 것이었다. 이때의 회유는 그의 병력이 무사히 통과하기 위해서가 아니라, 한니발 군대에 가담하여 로마와 싸울 용병을 모으기 위해서였다. 국방에 용병을 쓰는 것이 전통인 카르타고에는 전부터 갈리아인 용병이 적지 않았다.

알프스의 이쪽이라는 의미에서 키살피나라고 불리는 이탈리아 북부의 갈리아인은 지난 200년 동안 줄곧 로마에 억눌리기만 했다. 항상 남하하려는 성향을 가진 그들이지만, 기원전 390년에 로마를 점령한 일 따위는 옛날의 꿈이 되어버린 실정이다. 게다가 로마는 지금까지는 줄곧 루비콘 강을 북쪽 국경으로 삼고 있었는데, 그것을 포 강까지 확장하고 있다. 포 강 남쪽과 북쪽에 피아첸차와 크레모나라는 두 식민지를 건설한 것이 로마의 의도를 여실히 보여주고 있었다. 알프스 이남에 사는 갈리아인은 여기에 반발했지만, 싸움을 걸어도 큰 전투에서는 항상 로마군이 이긴다. 그래서 키살피나의 갈리아인은 느리긴 하지만 꾸준히 전진하는 로마인 앞에서 계속 후퇴하는 상태에 있었다. 그런데 마치 하늘에서 내려온 것처럼 카르타고인이 도래한 것이다. 함께 힘을 합쳐 로마와 싸우자고 한다. 당장 갈리아의 몇몇 부족이 한니발과 동맹을 맺었다.

하지만 이탈리아 안의 갈리아인은 많은 부족으로 나뉘어 있었다. 게다가 이들은 동족끼리 자주 싸우고 있었다. 또한 타민족에 대한 본능적인 의심도 강했다. 한니발은 말로 설득해서 성공하지 못한 경우에는 무자비하게 힘으로 해결했다. 갈리아인의 본거지 가운데 하나인 토리노는 한니발 군대의 공격을 받아 단 하루 만에 함락된다.

그래도 알프스 이남에 사는 갈리아인이 모두 한니발에게 기울어진 것은 아니었다. 갈리아 민족을 가까이에서 관찰한 한니발은 그들을 휘하로 끌어들이려면 로마군과 싸워서 이기는 수밖에 없다고 판단했다. 토리노를 함락한 뒤, 한니발은 적을 찾아 동쪽으로 갔다.

한니발이 이탈리아로 쳐들어간 기원전 218년, 그들을 맞아 싸우게 된 로마의 전력, 즉 로마가 동원할 수 있었던 병력은 어느 정도였을까.

누구나 품는 이 의문에 대해서는 한니발의 동시대인인 로마의 원로원 의원 픽토르가 대답해준다. 앞에서도 말했듯이, 로마인이 쓴 최초의 역사책으로 여겨지는 이 사람의 저술은 현재 존재하지 않지만, 그것을 베낀 폴리비오스나 리비우스 덕분에 우리도 그 내용을 알 수 있다.

거기에 따르면, 루비콘 강에서 메시나 해협에 이르는 '로마 연합' 가맹국 전역에서 동원할 수 있었던 병력은 전부 합해서 75만 명이다. 이 가운데 약 3분의 1을 '로마 연합'의 맹주인 로마 시민이 차지하고 있다.

로마는 맹주인 만큼 의무도 동맹국들보다 무거워서, 로마 시민 가운데 동원할 수 있는 병력은 17세부터 45세까지의 현역만이 아니라 46세부터 60세까지의 예비역도 포함한 숫자다. 동맹국들은 현역만 헤아린 숫자다. 로마 시민과는 달리, 유사시에도 예비역까지 소집되는 일은 없었기 때문이다.

번잡해지기 때문에 여기서는 생략하겠지만, 제2차 포에니 전쟁의 현장 증인이기도 한 픽토르는 '로마 연합'에 가맹한 동맹국이나 각 지방에서 동원할 수 있는 병력을 열거했는데, 이 기록을 보면 로마인은 패배자조차 자기들한테 동화시켰다고 말한 플루타르코스나 '로마 연합'을 정치 건축의 걸작이라고 평한 토인비의 주장이 전적으로 옳다는 것을 알 수 있다. 후세의 우리가 기원전 4세기 초에 로마에 패한 뒤 소멸해버린 줄 알았던 에트루리아 민족은 기원전 3세기 말의 이 시점에서도 5만 명의 보병과 4천 명의 기병을 동원할 수 있는 '로마 연합'의 훌륭한 일원이었다. 또한 기원전 4세기부터 기원전 3세기에 걸쳐 40년 동안이나 로마와 사투를 거듭한 끝에 패배한 삼니움족도 7만 명의 보병과 7천 명의 기병을 동원할 수 있는 '로마 연합'의 동맹자였다.

로마는 이 패배자들을 피지배민족이라는 소극적인 존재가 아니라, '소키'——이 말은 현대 이탈리아어에 공동 경영자를 뜻하는 낱말로 남아 있다——라는 적극적인 존재로 대우했다. 그렇기 때문에 가도를 비롯한 로마의 '사회간접자본' 설비에서도 동등한 대우를 받았다. 그리고 이것이 제1차 포에니 전쟁에서도 승리한 요인의 하나가 되었지만, 한니발과 대결하는 제2차 포에니 전쟁에서도 로마가 가진 진정한 힘이 되었다.

75만 명의 동원력을 가지고 있던 이탈리아에 2만 6천 명의 병력을 이끌고 쳐들어온 한니발은 숫자로만 보면 무모한 모험을 감행한 미치광이로밖에 보이지 않는다. 그러나 내막은 그렇게 간단치 않다.

로마 연합군 병사들은 출신국이 로마든 동맹국이든 상관없이, 모두 '직접세'를 부담할 경제력을 가진 시민이었다. 기병이나 중무장 보병이 되면, 중류 내지 상류의 경제를 가진 공동체의 핵심적 존재였다. 그 핵심을 모조리 동원하면 공동체는 성립하기 어렵다. 실제로 로마와 동맹국은 시민들이 가능한 한 평등하게 돌아가면서 병역을 치르도록 배려하고 있었다. 따라서 이탈리아로 쳐들어온 한니발이 75만 명을 동시에 상대하는 일은 있을 수 없었다.

또한 '로마 연합'이 동부의 일리리아인과 북부의 갈리아인을 동시에 상대하지 않을 수 없었던 기원전 225년에 동원된 전체 병력은 속주인 시칠리아와 사르데냐에 주둔한 병사들까지 포함해서 6만 2천 800

명이다. 전시에도 이 정도밖에 안된다. 북쪽에서 쳐들어온 한니발이 당면한 적으로 간주하지 않을 수 없었던 병력은 5만 정도였을 것으로 여겨진다.

그래도 2만 6천의 병력밖에 갖지 못한 한니발에게는 수적으로 두 배나 우세한 적이다. 하지만 2분의 1이라 해도, 한니발이 이끌고 있는 전력은 내실에서 로마군과는 차이가 있었다.

한니발의 2만 6천 명은 피레네 산맥을 넘고, 프랑스를 횡단하면서 적대적인 갈리아인을 잇따라 무찌르고, 론 강을 건널 때도 살아남고, 알프스를 넘는 고초도 견뎌낸 병사들이다. 정예라는 표현이 어울리는 명실상부한 전사 집단이었던 것이다.

그들은 또한 5개월 동안 한솥밥을 먹으며 동고동락한 동지들이다. 에스파냐인, 리비아인, 누미디아인 등 여러 인종의 혼합체지만, 연대감이 생기게 마련이다. 게다가 그들은 천재적 재능을 소유한 젊은 장군의 지휘를 받고 있었다. 로마 연합군처럼 1년마다 사령관부터 병사들까지 모조리 교체되는 군대가 아니었다. 수적으로는 절반밖에 안되지만, 전력이라는 점에서는 전혀 손색이 없었을 것이다.

한니발이 이끄는 2만 6천 명은 보병 2만과 기병 6천으로 이루어져 있었다. 보병과 기병의 비율이 약 3 대 1이다. 한편 중무장 보병을 주력으로 하는 로마 연합군에서는 보병과 기병의 비율이 전통적으로 10 대 1을 넘는 경우가 없었다.

한니발이 치른 전투를 추적해보면, 그가 알렉산드로스 대왕의 전술을 철저히 공부한 것을 알 수 있다. 따라서 그가 보병과 기병의 비율을 강하게 의식하고 있었던 것도 쉽게 상상할 수 있다. 대국 페르시아로 쳐들어간 알렉산드로스가 이끌고 있던 군대는 보병 3만 1천에 기병 5천 명. 보병과 기병의 비율은 6 대 1이었다.

마케도니아의 젊은이가 이끈 3만 6천의 병력과 카르타고의 젊은이가 이끈 2만 6천의 병력을 비교해보면, 한니발 군대가 기병에서는 우위에 있었지만 전체적인 전력은 열세인 것 같다. 하지만 알렉산드로스는 페르시아로 쳐들어간 직후에 전력을 증강할 방법이 없었다. 반면에 한니발은 갈리아인을 우군으로 끌어들인다는 '수단'이 있었다. 모든 면을 검토해보아도, 29세의 카르타고 장군은 결코 무모한 모험을 감행한 것이 아니었다.

전투 결과를 좌우하는 전술은 콜럼버스의 달걀인 동시에 콜럼버스의 달걀이 아니다. 아무도 생각지 못한 방식으로 문제를 해결한다는 점에서는 콜럼버스의 달걀이지만, 그 방식을 답습해도 누구나 반드시 같은 결과를 낳지는 못한다는 점에서 콜럼버스의 달걀이 아니다. 그 방식을 살리느냐의 여부는 그 방식을 실제로 구사하는 인간의 재능에 좌우될 수밖에 없다. 알렉산드로스니까 성공했지, 누가 해도 성공한다고 단정할 수는 없다. 한니발은 알렉산드로스의 선례를 참고하면서도, 나름대로의 독자성으로 그 방식을 살렸다.

뛰어난 장군은 주력 부대를 얼마나 유효하게 사용하느냐에 따라 전투 결과가 결정된다는 것을 알고 있다. 그 주력 부대를 유효하게 사용하려면, 비주력 부대의 존재가 필수적이라는 것도 알고 있다. 2만 6천은 한니발의 주력 부대였다. 그런 그가 이탈리아에 사는 갈리아인을 회유하려고 애쓴 것은 비주력 부대가 필요했기 때문이다.

많은 부족으로 갈라져 부족들 사이에서도 싸우는 일이 많고, 전쟁터에서도 폭발력은 있지만 지구력이 떨어지는 것이 갈리아 민족의 특성으로 되어 있었다. 이 약한 조직력은 그들의 사회 구성에도 나타났고, 그 때문에 야만족이나 비문명인으로 간주되고 있었다. 한니발도 갈리아 민족의 이런 특성을 알고 있었다. 그는 알프스 이남의 갈리아인을 동맹자로 취급하지는 않았다. 동맹은 맺었지만, 실제로는 용병으로 생각하고 있었다. 즉 로마인이 동맹국을 의지하고 있었던 것처럼 갈리아인에게 의지하지는 않았던 것이다. 그러나 비주력 부대는 필요했다.

한니발의 속셈은 모르지만 로마인을 증오하는 갈리아인은 조금씩이나마 꾸준히 한니발의 깃발 아래 모여들게 되었다.

알프스를 넘는 데 성공한 지 한 달도 지나기 전에, 한니발 밑에 모여든 갈리아인 병력은 1만 명을 넘어섰다. 2만 6천이 3만 6천으로 늘어난 셈이다. 게다가 당시의 갈리아는 아프리카의 누미디아와 더불어 기병의 산지이기도 했다.

그동안 로마 쪽도 예상하지 못했던 방향에서 쳐들어온 적을 맞아 싸울 태세를 갖추고 있었다.

마르세유에서 되돌아온 집정관 코르넬리우스는 피사에서 기다리고 있던 2개 군단을 이끌고, 이제는 최전선 기지가 된 피아첸차로 직행했다. 하지만 그에게는 이 시기에 자기 군대만 가지고 한니발과 싸움을 시작할 마음은 없었다.

로마 지휘관들 가운데, 간접적으로나마 한니발의 재능을 경험한 사람은 코르넬리우스뿐이다. 론 강을 건너는 방식으로 보나, 누구나 불가능하다고 믿었던 것과는 달리 알프스를 넘는 데 성공한 것으로 보나, 이 모든 일을 예상 밖으로 짧은 기간에 해치워버린 수완으로 보아도, 코르넬리우스는 이제 더 이상 한니발을 단순한 애송이라고는 생각할 수 없었다.

더구나 한니발 군대는 갈리아인 병력까지 추가하여 계속 증강되고 있다고 한다. 2개 군단으로는 수적으로도 열세다. 동료 집정관 셈프로니우스가 이끄는 2개 군단이 당초에 파견되었던 시칠리아를 떠나 북상하고 있었다. 코르넬리우스는 아군이 도착하기를 기다리기로 했다. 계절도 11월에 들어서 있었다. 여느 때라면 겨울철의 자연 휴전기였다.

티치노 – 제1회전

지금까지 로마인이 만난 적은 겨울이 되면 마치 약속이나 한 듯이 휴전했기 때문에, 로마군은 소수의 수비대만 남기고, 로마 시민병들은 로마로 돌아가 민회에 참석하고, 동맹국에서 온 병사들도 각자 고향으로 돌아갈 수 있었다. 하지만 이번의 적은 코끼리까지 데리고 알프스를 넘는 등 비상식적인 일을 단행한 한니발이다. 그 젊은이한테는 상식이 통할 것 같지 않았다. 로마의 2개 군단은 최전선 기지가 된 피아첸차에 그대로 묶이게 되었다. 게다가 피아첸차는 아직 충분히 요새화가 되지 않았기 때문에 언제 적이 쳐들어올지 모르는 상태에서 겨울을 나야 했다.

집정관 코르넬리우스는 병사들의 사기를 높여주어야 할 필요를 느꼈다. 그는 병사들을 집합시켜놓고, 그 앞에서 연설을 시작했다.

"전사 여러분, 만약 여러분이 마르세유까지 나와 함께 갔던 병사들이라면, 나는 아무것도 할 말이 없었을 것이다. 그들이라면 로마군과 카르타고군의 첫 대결이 로마 쪽의 대승으로 끝난 것을 알고 있기 때문이다."

실제로는 기병끼리의 작은 충돌에 불과했고, 아군 전사자는 140기인데 적의 손실은 200기니까 대승이라고는 말할 수 없는 전과였지만, 코르넬리우스의 목적은 한니발과 처음 대면하는 부하들을 고무하는 것이었다.

"하지만 여러분은 그때의 눈부신 전과를 직접 보지 못했다. 그래서 한마디 해두는 편이 좋을 것 같아서 여러분을 집합시켰다.

여러분은 새로운 적과 싸운다고 생각해서는 안된다. 그들은 우리가 23년 전에 무찌른 패배자의 잔당이다. 우리는 그들에게 이겨서 시칠리아와 사르데냐를 얻었다. 그렇기 때문에 이것은 대등한 전사끼리의 싸움이 아니라, 승자와 패자가 다시 맞붙는 싸움이라고 생각해도 좋다.

게다가 그들은 알프스를 넘어오느라 이미 전력의 3분의 2를 잃어버렸다. 그뿐 아니라 굶주림과 추위에 시달리고, 몸은 온통 오물투성이가 되고, 암석에 다친 병사들이다. 손발은 꽁꽁 얼고, 근육도 경직되고, 모든 병사와 말이 인간이나 말이라기보다는 의지도 없이 떠도는 유령에 더 가깝다.

23년 사이에 카르타고인이 다시 태어난 것이 아니다. 우리가 지금 적으로 삼고 있는 것은 우리가 에가디 제도 해전에서 무찌르고 시칠리아에서 쫓아낸 바로 그 카르타고인이다.

그들이 이번에는 우리 땅에 침입했다. 따라서 이번 전쟁은 시칠리아의 패권을 둘러싼 싸움이 아니다. 우리의 국토 이탈리아와 우리 각자의 가족을 지키기 위한 싸움이다. 여러분 한 사람 한 사람이 어떻게 싸우느냐가 우리 국토와 우리 가족의 운명을 결정한다. 신들이 우리 모두를 보호해주시기를!"

카르타고군의 숙영지에서도 한니발이 병사들을 모아놓고 사기를 북돋우고 있었다. 이 젊은이는 로마의 명문 중에서도 명문인 코르넬리우스와는 다른 방식을 취했다.

한니발은 마치 구경거리를 보여주려는 것처럼, 모인 병사들을 둥글게 둘러서게 했다. 그리고는 알프스를 넘으면서 포로로 잡은 갈리아인들을 그 한가운데로 끌어냈다. 갈리아인들은 무거운 사슬로 굴비 두름처럼 묶여 있고, 붙잡힌 뒤 음식을 먹지 못했기 때문에 비쩍 마르고, 거의 벌거벗은 꼴로 혹한의 산 속을 끌려왔기 때문에 동상에 걸려서 서 있기조차 어려운 상태였다.

한니발은 부하에게 명령하여 그들의 사슬을 풀어주고, 통역을 통해 다음과 같이 말했다.

"원하는 자에게는 결투를 허락하겠다. 이긴 자에게는 무기와 말을 주고 자유롭게 풀어주겠다."

가련한 갈리아 포로들은 모두가 결투를 희망했다. 그들 사이에 애처로운 결투가 시작되었지만, 그것이 진행될수록 결투하는 갈리아인과 그것을 구경하고 있는 병사들은 똑같은 감정을 품게 되었다. 누구나 이긴 자에게는 박수를 보냈지만, 패하여 죽음을 맞이한 갈리아인에게도 가혹한 삶을 끝낼 수 있었던 사람에 대한 공감으로 승자보다 더 많은 박수를 보냈던 것이다. 이 결투가 끝났을 때, 29세의 장군은 병사들에게 말했다.

"너희들이 방금 본 갈리아인과 똑같은 마음가짐으로 싸운다면, 우리는 반드시 승리할 수 있다고 확신한다. 방금 본 것은 구경거리가 아니다. 너희들의 현재 실정을 비추는 거울이다.

우리의 좌우는 두 개의 바다로 막혀 있다. 여기서 도망치려 해도 배가 없다. 눈앞에 있는 것은 포 강이다. 론 강보다 크고 물살이 세다. 등 뒤에는 알프스가 우뚝 솟아 있다. 엄청난 고생 끝에 겨우 넘어온 산맥에 다시 도전하고 싶은 사람은 하나도 없을 것이다.

너희에게는 로마군과의 첫 전투에서 이기느냐, 아니면 패하여 죽느냐 하는 길밖에 남아 있지 않다. 너희가 승자가 되면, 불사신조차도 바랄 수 없는 보수를 손에 넣게 될 것이다. 로마군에게 이기기만 하면, 시칠리아와 사르데냐는 물론이고 로마인이 소유하고 있는 모든 것이 너희 것이 된다. 로마인이 지배하고 있는 모든 땅의 지배자는 너희가 된다.

휴식은 충분히 취했을 것이다. 앞으로의 고생은 에스파냐를 떠난 뒤 알프스를 넘을 때까지의 고생과는 다르다. 똑같은 고생이라도 보수가 기다리는 고생이 될 것이다.

적장이 누군지는 나도 모른다. 적장이 누구든, 전쟁터에서 태어나 숙영지에서 자라고 용장 하밀카르를 아버지로 둔 나와는 비교할 수 없다. 대군을 이끌고 에스파냐에서 이탈리아까지 먼 길을 온 나와 어깨를 나란히 할 수 있는 장군은 로마에 아무도 없다.

이 전쟁은 반드시 이긴다. 그리고 전쟁이 끝나면, 너희들에게는 카르타고든 에스파냐든 이탈리아든 원하는 나라의 땅을 주겠다. 조세는 자식대까지 면제다. 땅보다 금화를 원하는 자에게는 응분의 금화를 주겠다. 카르타고 시민권을 원하는 자에게는 그것도 주겠다."

한니발은 노예들에게도 약속했다. 싸움에 참가하면 자유민으로 만들어주겠노라고. 그들은 병사로 참전한 상전들을 따라 이곳까지 온 처지였다. 하인 노릇을 하던 노예가 자유민이 되어도 불편하지 않도록, 병사들에게는 한 사람당 두 명의 로마인을 노예로 주겠다고 약속했다. 총사령관의 강력한 자신감은 병사들에게도 전해져, 그들은 한니발의 연설을 우렁찬 함성으로 매듭지었다.

겨울철인데도 전투를 원한 한니발은 로마의 2개 군단이 피아첸차에 있다는 정보를 입수하자마자, 군대 전체를 이끌고 숙영지를 떠났다. 행군 방향은 물론 피아첸차가 있는 동쪽이다.

피아첸차에 있는 집정관 코르넬리우스는 이 시기에 전쟁을 시작할 마음은 없었지만, 아군이 도착할 때까지 적정 시찰 정도는 끝내두고 싶었다. 그는 기병 전원과 소수의 경무장 보병만 거느리고 피아첸차를 떠나 서쪽으로 갔다.

피아첸차에서 포 강을 거슬러 올라간 곳에 있는 티치노(오늘날의 파비아)를 등지면, 포 강 유역에서도 가장 평탄한 지대가 펼쳐져 있다. 오늘날에는 이탈리아 제일의 쌀 경작지다. 로마 기병대는 포 강의 지류 가운데 하나인 티치노 강에 다리를 놓고, 서쪽으로 계속 나아갔다. 하지만 그 일대에 들어선 직후, 저 멀리 서쪽 지평선에서 흙먼지가 피어오르는 것이 보였다. 동시에 적도 로마 기병대를 알아차린 모양이었다. 한니발도 기병만 데리고 지형을 조사하기 위한 실지 답사를 나와 있었던 것이다.

양군은 거리를 좁혔다. 로마 집정관이 가는 곳에는 12개의 권표(權標 : 공권력의 상징으로, 막대기 묶음에 도끼를 맨 것)를 든 12명의 호위대가 따라다닌다. 한니발도 적의 기병대에 집정관이 끼여 있다는 것을 알았다. 로마군 병사들도 다가오는 카르타고 기병대의 모습을 보고, 저 유명한 한니발이 직접 기병대를 이끌고 있다는 것을 알았다. 이렇게 되면 전투가 벌어질 수밖에 없었다.

한니발이 이끌고 있던 기병의 전력은 확실하지 않다. 하지만 4천이었던 로마 쪽보다는 많았다고 한다. 로마의 경무장 보병들은 첫 화살을 쏜 뒤에는 적군 기병의 돌파력에 겁을 먹고 후방으로 뿔뿔이 흩어져버렸기 때문에 전력에 보탬이 되지 않았다. 로마군과 한니발 사이에 치러진 첫 전투는 기병전이었다.

한니발은 접근하면서 진형을 정비했다. 기병으로는 가장 우수한 누미디아 출신 기병을 양쪽 날개에 배치한 진형이다. 중앙에는 카르타고와 에스파냐 출신 기병을 배치하고, 그 자신이 몸소 지휘를 맡았다. 반대로 로마 쪽에서는 신뢰할 수 있는 로마와 동맹국 기병이 본대를 구성하고, 그 전위에 로마와 강화를 맺은 부족 가운데서 참전한 갈리아인 기병을 배치했다.

전황은 처음 얼마 동안은 호각지세로 전개되었다. 하지만 카르타고군의 양쪽 날개를 맡은 누미디아 기병의 전투력은 대단해서, 그들과처음 격돌한 갈리아 기병이 순식간에 희생의 제물로 바쳐졌다. 로마군의 전위를 격파한 누미디아 기병은 선전하고 있는 로마 본대에 육박했다. 로마 기병은 적에게 포위당할지도 모른다는 공포에 사로잡혀 도망치려 했다. 집정관 주위까지 허술해졌다. 이 기회를 놓치지 않고 카르타고 기병들이 로마 집정관을 둘러쌌다. 상처를 입고 적병에게 포위된집정관을 구해낸 것은 그날 처음 출전한 젊은 기사였다.

로마 기병은 중상을 입은 집정관을 보호하면서 한 무더기가 되어 패주하기 시작했다. 더 이상 전쟁터에 남아 있다가는 수적으로나 전투력으로도 우세한 카르타고군에 포위되어 전멸당할 게 뻔했다. 경무장 보병을 걱정할 여유는 없었다. 보병들 가운데 일부는 풀숲으로 달아났지만, 갓 만든 다리를 파괴하는 임무를 맡은 병사들은 다리를 건넌 기병이 동쪽으로 도망친 뒤에 파괴 작업을 시작했기 때문에, 미처 달아나지 못하고 600명이 포로가 되었다. 이들은 한니발에게 귀중한 정보원이 되었다.

한니발은 다 잡은 로마 집정관을 아슬아슬하게 놓쳐버린 것을 못내아쉬워했다지만, 그보다는 집정관을 구해낸 젊은 기사를 놓친 것을 더애석하게 여겼어야 했다. 집정관의 아들인 그 기사는 그해 나이 17세.아버지와 같은 푸블리우스 코르넬리우스 스키피오라는 이름을 가진그는 앞으로 16년 뒤에는 로마군을 이끌고 자마 전투에서 한니발과대결하게 된다.

피아첸차까지 도망쳐 돌아온 집정관 코르넬리우스는 중상으로 괴로워하면서도, 적의 전력은 정확히 관찰하고 있었다. 카르타고 기병의 전력이 월등히 우세한 것으로 판명된 이상, 평원에서 숙영하는 것은 절대 피해야 한다고 그는 생각했다. 갓 건설한 피아첸차의 방비는 아직 허술해서, 휘하의 2개 군단과 시칠리아에서 도착할 2개 군단을 합한 4개 군단의 숙영지로는 안전하지도 않고 너무 좁았다.

트레비아 - 제2회전

피아첸차 근처에서 포 강으로 흘러드는 지류 가운데 트레비아 강이 있다. 알프스에서 발원하는 티치노 강은 북쪽에서 포 강으로 흘러들지만, 아펜니노 산맥에서 발원하는 트레비아 강은 같은 지류라도 남쪽에서 포 강으로 흘러든다. 트레비아 강이 흐르는 일대는 아펜니노 산맥에 더 가까이 있기 때문에, 기병 활동에 불리한 울퉁불퉁한 지형을 이루고 있었다.

코르넬리우스는 이 일대에서도 가장 높고 넓은 언덕 위에 견고한 요새를 세웠다. 4개 군단을 위한 요새니까, 성채라고 하는 편이 어울리는 숙영지다. 그는 여기서 겨울을 날 생각이었다.

한편 한니발은 이대로 아무 일도 하지 않고 겨울을 날 생각은 추호도 없었다. 그는 포로를 심문하여 얻은 정보로, 가까운 카스테조 마을이 단순한 촌락이 아니라 로마군의 군량 저장소라는 것을 알아냈다. 그는 보병과 코끼리 부대에게 동쪽으로 진군하라고 명령한 다음, 기병만 이끌고 이 마을을 습격했다. 이리하여 로마군을 위한 군량 저장소는 카르타고군을 위한 군량 저장소로 바뀌었다.

주변의 갈리아인 마을을 약탈하여 식량을 확보할 필요가 없어졌기 때문에, 한니발이 갈리아인 회유작전을 펴기가 더 쉬워졌다. 또한 티치노에서 기병전을 벌인 결과도 갈리아인에게 영향을 주어, 갈리아인의 참전 신청은 계속 늘어났다. 그래도 이탈리아 북부 전역에 사는 갈리아인의 절반 정도가 카르타고 쪽에 붙었을 뿐이다. 많은 갈리아인은 아직도 정세를 관망하고 있었다. 한니발은 해가 바뀌기 전에 다시 한 번 싸움을 벌여, 갈리아인의 동향을 결정적으로 카르타고 쪽으로 돌려놓고 싶었다. 그는 충분한 군량을 휴대한 카르타고군에게 다시 동쪽으로 진격할 것을 명령했다.

한편 셈프로니우스가 이끄는 2개 군단이 이탈리아를 남쪽에서 북쪽까지 행군하여, 드디어 코르넬리우스가 기다리는 숙영지에 도착했다. 그들은 시칠리아와 그 주변 해역을 방위하기 위해 모든 군선을 남겨놓고 왔기 때문에 해로를 따라 북상하지 못하고, 처음부터 끝까지 두 다리로 걸을 수밖에 없었다.

병사들이 피아첸차에서 남쪽으로 20킬로미터 떨어진 숙영지에서 피로를 풀고 있는 동안에도 두 집정관은 토의를 거듭했다.

코르넬리우스의 생각은 이대로 겨울을 나자는 것이었다. 숙영지는 적도 쉽사리 쳐들어올 수 없는 요충지에 세워져 있다. 군량 저장소인 카스테조가 적의 수중에 들어간 것은 뼈아픈 손실이었지만, 피아첸차 동쪽의 갈리아인은 아직 로마의 동맹자였다. '로마 연합'의 동맹국에 의존하지 않을 수 없게 되었다 해도, 리미니에서 피아첸차까지는 줄곧 평야가 이어져 있으니까 보급도 용이하다. 게다가 계절도 한겨울이다. 이 지방의 12월은 알프스에서 불어오는 바람 때문에 추위가 혹심하다. 강이 얼어붙지 않는 것은 물살이 너무 빠르기 때문이었다.

집정관 셈프로니우스의 생각은 달랐다.

티베리우스 셈프로니우스 롱구스는 평민 출신이다. 이 시대의 평민

티치노, 트레비아 주변도

출신 집정관 중에는 강경한 사람이 많았다. 개인적인 명예심이나 출세욕에 사로잡혀 그러는 것은 아니다. 호민관이 평민의 대표였던 시대보다, 평민 출신이 귀족을 포함한 로마 시민 전체의 대표인 집정관에 선출된 시대에는 자기가 평민계급의 대표자라는 것을 더 강렬하게 의식한다. 자기 출신계급을 위해서라도, 그리고 자기 뒤를 이을 평민계급 출신 집정관을 위해서라도 분발해야 한다고 생각하는 것이다. 그러다 보니 필요 이상으로 강경하게 나가는 경우가 많았다.

정보 수집에 열심인 한니발은 셈프로니우스의 심리까지 파악했던 모양이다. 셈프로니우스라면 도발에 응할 거라고 생각했다. 코르넬리우스가 중상을 입은 것도 한니발은 알고 있었다. 집정관 두 사람이 로마군을 이끌고 있는 경우에는 두 사람이 하루씩 교대로 지휘를 맡도록 규정되어 있었다. 한 사람이 중상을 입으면 나머지 한 사람이 계속 지휘를 맡는다. 한니발은 적장으로 생각해야 할 상대는 셈프로니우스뿐이라고 판단했다.

29세의 젊은이는 대낮에 당당히 트레비아 강둑 언저리까지 군대를 전진시켰다. 그는 거기에 진영을 설치했다. 강을 사이에 두고 있긴 하지만, 로마군 진영에서 7.5킬로미터밖에 떨어져 있지 않은 곳이다. 게다가 군량을 조달할 필요도 없었지만 자주 소대를 내보내 부근을 약탈하며 돌아다녔다. 로마군 진영 안에서는 날이 갈수록 셈프로니우스의 발언권이 강해지고, 코르넬리우스의 설득은 힘을 잃어갔다.

기원전 218년 12월 말, 1년 중에서도 낮이 가장 짧고 밤이 가장 긴 동짓날 전날, 한니발은 막내동생 마고를 데리고 주변 지형을 조사하러 나갔다. 트레비아 강 서안을 특히 꼼꼼하게 조사한 뒤, 관목숲이 있는 곳을 가리키며 동생에게 말했다.

"저곳이 네가 있을 곳이다. 보병 1천과 기병 1천을 선발하여 내일 동이 트기 전에 숙영지를 떠나라. 그리고 내 명령이 있을 때까지 저 숲 속에 숨어 있거라."

숙영지로 돌아온 한니발은 모든 병사에게 충분한 식사를 주도록 명령하고, 이튿날 아침에는 동이 트기 전에 아침식사를 끝내고 모닥불로 따뜻해진 몸에 기름을 발라두라고 명령했다.

양력으로 12월 22일이 되는 그날 아침은 여느 때보다 더한층 추위가 혹독하고, 금방이라도 비가 내릴 것처럼 잔뜩 찌푸린 날씨였다. 로마 병사들은 아직 동이 트기도 전에 진영 밖에서 들리는 때아닌 소음에 놀라 일어났다. 적군 기병이 습격해온 것이다.

집정관 셈프로니우스는 쳐들어온 적군이 기병뿐이라는 것을 알자마자, 당장 휘하 기병 전원에게 출격 명령을 내렸다. 밥 먹을 시간도 주어지지 않았다. 기병들은 군장을 갖추자마자 출격했다. 보병들도 마찬가지였다. 그들은 방한용 털옷을 짐꾸러미에서 꺼낼 겨를도 없이, 짧은 옷 위에 황급히 갑옷을 걸치고, 칼과 방패만 움켜쥔 채 진영 밖으로 뛰쳐나갔다.

그런데 보병들이 목격한 것은 아군 기병의 공격을 견디지 못하고 후퇴하는 적이었다. 티치노 전투에 참가하지 않은 집정관 셈프로니우스와 중무장 보병이 카르타고 기병의 주력인 누미디아 기병과 대결하는 것은 오늘이 처음이었다. 그들은 누미디아 기병이 로마 기병보다 월등한 전투력을 가졌다고 들었는데, 누미디아 기병이 로마 기병에게 밀려 퇴각하고 있는 것이다. 적을 섬멸시킬 수 있는 절호의 기회라고 생각한 것은 총지휘를 맡고 있는 셈프로니우스만은 아니었다. 중무장 보병들도 분발했다. 기병들도 티치노에서 당한 패배를 설욕하려는 마음으로 불타올랐다. 사령관의 추격 명령을 기다릴 필요도 없이, 기병을 선두로 한 로마군은 퇴각하는 적을 쫓아 눈사태처럼 우르르 강을 건넜다. 하지만 거기서 기다리고 있는 것은 이미 진형을 갖춘 카르타고군의 전체 병력이었다.

골짜기를 흐르는 시내라고는 하지만, 비가 내려 물이 불어난 트레비아 강을 건너온 로마 병사들은 가슴까지 흠뻑 젖은 상태였다. 게다가 뱃속은 텅 비어 있었다. 반대로 한니발의 병사들은 이미 배를 충분히 채운데다, 모닥불로 덥힌 몸에는 기름까지 발라서 추위와 비에 대한 대비를 철저히 갖추었다. 그러나 집정관 셈프로니우스에게는 그런 것을 생각하고 있을 겨를이 없었다. 총사령관 곁에서 황급히 흩어진 장교들이 로마군의 진형을 갖추었다. 하지만 이 진형은 티치노에서의 쓰라린 경험을 전혀 살리지 않은 것이었다.

로마군의 병력은 로마와 동맹도시에서 온 병사를 합하여 4만 명. 그 가운데 기병은 4천도 채 안되었다.

한편, 한니발 군대는 에스파냐에서 데려온 2만 6천에 갈리아 병력을 합하여 3만 8천이다. 그 가운데 기병은 갈리아 기병의 참전으로 1만 명에 이른다. 보병 전력은 막상막하라고 할 수 있지만, 기병의 전력 차이는 엄청났다.

로마군은 여전히 주력인 중무장 보병을 중앙에 배치하고, 그 돌파력으로 적의 중앙을 돌파하려는 진형을 짰다. 한니발은 반대로 중앙에 갈리아 보병대를 배치하고, 양쪽 날개로 갈수록 전투력이 강해지도록 진형을 짰다.

포진을 얼핏 보기만 해도 한니발의 의도를 알아차릴 수 있다. 29세의 젊은이는 포위전을 노렸던 것이다. 포위전법은 적의 주력 부대를 무력화시키는 데 의미가 있다. 그것은 전술의 기본이기도 했다.

이 한니발을 배신한 것은 그토록 고생해서 데려온 코끼리였다. 남국 태생인 거대한 '전차'는 알프스는 간신히 넘었지만, 이탈리아 북부의 겨울에는 이기지 못했다. 로마의 경무장 보병이 쏜 화살을 맞고 화가 난 코끼리들은 적진을 교란시키기는커녕, 코끼리를 부리는 사람까지 떨어뜨리고 뿔뿔이 흩어져버렸다. 하지만 나머지는 모두 한니발의 뜻대로 진행되었다.

물에 흠뻑 젖은데다 공복과 추위라는 악조건에도 불구하고, 로마군이 자랑하는 중무장 보병은 놀라운 돌파력을 보여주었다. 그들은 내리기 시작한 진눈깨비를 뚫고 적의 중앙을 향해 쇄도했다. 카르타고군의 중앙은 당장 격파되었다. 중무장 보병의 양옆에 있던 동맹국 보병들도 에스파냐나 리비아 보병을 상대로 용감히 싸웠다. 보병전만 보면, 전황은 로마군의 우세 속에서 전개되고 있었다. 하지만 양군의 기병끼리 격돌한 구역에서는 전황이 거꾸로 전개되고 있었다. 그리고 시간이 흐르면서, 용감히 싸우고 있던 로마군 보병들한테도 공복과 추위와 물에 젖은 몸이라는 악조건이 무겁게 덮쳐오기 시작했다.

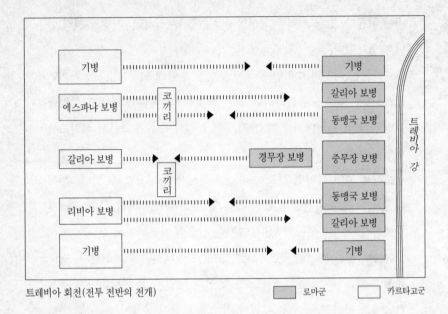

트레비아 회전(전투 전반의 전개)   로마군 ▢   카르타고군 ▢

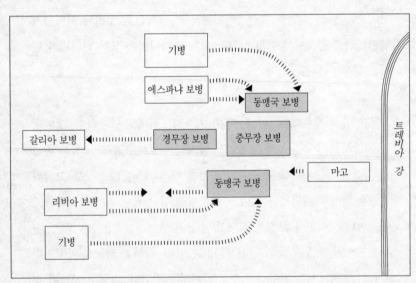

트레비아 회전(전투 후반의 전개)

기병이 격퇴당하여 무방비 상태가 된 로마군 양쪽 날개에 한니발의 보병이 들어왔다. 이어서 로마 기병을 쫓아버린 기병까지 로마군의 배후로 다가온다. 그리고 지금까지 숲속에 숨어 있던 마고의 2천 병력이 로마군의 배후에서 모습을 드러냈다. 한니발 군대의 중앙에 배치되어 있던 갈리아 보병은 너무 약하고, 그들과 싸우는 로마의 중무장 보병은 힘이 강했기 때문에, 완벽한 포위망은 이루어지지 않았지만, 4만의 로마군은 포위된 거나 마찬가지였다.

포위망은 조금씩 좁혀졌다. 로마 병사들은 칼을 휘두를 여지마저 잃어버리고 있었다. 바깥쪽에 있던 병사부터 제물로 바쳐지기 시작했다. 전멸을 피할 수 있는 길은 가장 약한 적의 중앙을 돌파하여 도망치는 방법뿐이다. 로마군 중앙에 있던 집정관 셈프로니우스의 호령에 따라 로마군은 전력을 다해 전면 돌파에 나섰다. 불리해지면 더 이상 싸우지 않고 도망치는 갈리아 병사를 무너뜨리는 것은 그리 어려운 일이 아니었지만, 카르타고군 기병이 둘러싸고 있는 배후는 철벽에 가까웠다.

적의 중앙을 돌파하는 데 성공하여, 하류에서 트레비아 강을 건너 피아첸차까지 도망칠 수 있었던 병력은 1만에 불과했다. 2만 명의 병사들이 포위망 속에 남겨졌다. 카르타고 병사들이 그들에게 덤벼들었다. 이 전투는 더 이상 싸움이 아니라 살육이었다. 간신히 포위망을 뚫고 도망친 병사도 적지 않았지만, 그들은 대부분 진영으로 도망치려고 트레비아 강 속으로 뛰어들었다가 쫓아온 적의 기병에게 살해되어 강물을 붉게 물들였다.

티치노에서 당한 패배는 기병전이었다는 이유로 패배를 인정하지 않았던 로마도 보병과 기병을 모두 투입한 본격적인 트레비아 회전에서의 패배는 인정할 수밖에 없었다. 트레비아 전투의 결과는 병사들 개개인의 전투력이 아니라 전술의 승리였다.

패배한 로마 쪽의 전사자는 2만 명. 집정관 셈프로니우스를 비롯하여 1만 명이 중앙 돌파에 성공하여 피아첸차까지 도망칠 수 있었다. 포위망을 뚫고 도망치는 데 성공한 병사나 진영을 수비하기 위해 남겨진 병사까지 포함하여 로마 쪽의 생존자 수는 1만 5천을 넘지 않았다고 한다. 나머지는 포로가 되었다.

반대로, 승리한 한니발 군대의 전사자는 대부분 갈리아인이었고, 한니발이 에스파냐에서 데려온 병력 가운데서 전사자는 헤아릴 가치도 없을 만큼 적었다. 다만, 코끼리는 한 마리를 제외하고는 모두 죽거나 도망쳐버렸다.

진눈깨비 속에서 벌어진 장시간의 전투는 승리한 쪽 병사들에게도 가혹한 것이었다. 한니발도 패주하는 적의 추격을 단념할 수밖에 없었다. 부상으로 진영에 남아 있었던 코르넬리우스는 몇몇 병사들의 보호를 받으며 피아첸차까지 도망칠 수 있었다. 한니발은 집정관의 17세 된 아들을 또다시 놓쳐버린 셈이었다.

피아첸차에서 재회한 두 집정관은 피아첸차에 남아 계속 버틸 수는 없다는 점에 의견이 일치했다. 트레비아 전투의 결과는 순식간에 포 강 주변의 갈리아인들에게 알려져, 그때까지 로마 쪽에 붙어 있던 부족도, 어느 쪽에 붙을까 망설이고 있던 부족도 일제히 승리자 곁으로 달려갔다. 한니발 군대는 당장 5만 명으로 늘어났다.

두 집정관은 패잔병을 모아서 리미니로 떠났다. 로마는 몇 달 전에 제패를 끝낸 이탈리아 북부를 완전히 포기한 것이다. 그러나 이듬해부터는 전쟁터가 남쪽으로 이동했기 때문에 운명에 맡겨진 피아첸차와 크레모나는 갈리아인들 틈에 남겨졌는데도 제2차 포에니 전쟁이 끝날 때까지 16년 동안 거의 기적적으로 살아남았다. 이것은 좋은 기회를 살릴 줄 모르는 갈리아인의 성향 덕분이기도 했다.

원정 첫해를 눈부신 전적으로 장식한 한니발이었지만, 29세의 젊은
이와 가장 인연이 없었던 것은 승리에 탐닉하는 것이었다.

차례로 찾아와 고분고분 명령에 따르겠다는 뜻을 표하는 갈리아 족
장들을 응대하면서도, 그의 눈은 조금도 흐려지지 않았다. 두 배로 늘
어난 병력도 그를 기뻐 날뛰게 하지는 못했다. 아무리 많은 갈리아인
이 가세해도, 그것으로 로마를 이길 수 있다고는 생각지 않았기 때문
이다.

한니발은 포로한테서 정보를 알아낸 뒤에는 포로 전원을 로마 시민
과 동맹국 시민으로 양분하여 완전한 차별대우를 했다. 로마 시민병에
게는 식사조차 충분히 주지 않고, 가혹한 사역을 시키면서 괴롭혔다.
반대로 동맹국 병사들한테는 충분한 음식을 주고, 손발을 묶지도 않
고, 모닥불 곁에서 몸을 녹이는 것까지 허락했다. 그렇게 잠시 계속한
뒤, 그는 로마 포로만 죽이고, 동맹국 병사들을 모아놓고 말했다.

"나는 로마 연합 전체를 적대시하고 있는 것은 아니다. 내 적은 로마
뿐이다. 너희들에게는 지금 당장 자유를 주겠다. 몸값도 요구하지 않
겠다. 각자 고향으로 돌아가, 여기서 일어난 일과 내가 말한 것을 동포
들에게 전해라. 로마를 떠나 한니발한테 붙으면, 한니발은 그런 나라
들을 적으로 삼지 않고 내 편으로 인정하여 자유와 독립과 안전을 보
장할 것이 분명하다고 전해라."

아직 서른 살도 안된 젊은이는 동원 가능한 병력이 75만 명이나 되
는 이탈리아에 2만 6천의 병력만 이끌고 무작정 뛰어든 것은 아니었
다. 그는 제1차 포에니 전쟁에서 카르타고가 패배한 최대 요인인 '로
마 연합'의 굳은 결속을 무너뜨릴 작정이었다. '로마 연합'을 무너뜨

리는 데에만 성공하면, 더 이상 75만 대 2만 6천이 아니다. 알프스를 넘으면서까지 이탈리아 반도를 전쟁터로 만드는 데 집착한 것은 동맹국의 로마 이반을 유발하기 위해서였다.

한니발은 갈리아인에게 성공한 전략이 '로마 연합' 가맹국에 대해서도 성공할 거라고 생각했다. 그러기 위해서는 포로들에게 은혜를 베풀어 석방하는 정도로는 충분치 않다고 생각했다. 갈리아인의 경우에도 그랬듯이, 로마군과의 전투에 이김으로써 로마 동맹국에 그의 힘을 과시할 필요가 있었다. 따라서 다음 전쟁터, 즉 한니발이 자신의 재능을 멋지게 과시할 수 있는 무대는 반드시 '로마 연합'의 영역인 루비콘 강 이남이어야 했다.

트라시메노-제3회전

패전 책임자는 십자가형에 처해 죽여버리는 것이 관례인 카르타고와는 달리, 로마는 패장을 처벌하지 않는 것을 전통으로 삼고 있었다. 이것은 르네상스 시대의 정치사상가인 마키아벨리가 칭찬을 아끼지 않았던 점이지만, 그 이유를 마키아벨리는 전쟁터에서 뒷일을 걱정하지 않고 지휘에만 전념하도록 하기 위해서였다고 말했다. 물론 그런 이유도 있었을 것이다. 그러나 내 생각에는 단순히 그런 것만은 아니었던 것 같다.

공화정 로마는 민주정 아테네처럼 귀족계급을 배제하고 평민을 주체로 한 정치체제를 선택한 것은 아니었다. 귀족과 평민계급은 그대로 남겨놓고, 양자가 가진 힘을 합쳐 국가의 활력을 효율적으로 발휘하는 체제를 지향한 국가다. 이런 국가체제를 선택한 경우, 귀족과 평민 사이에 일어나기 쉬운 투쟁은 싹이 보일 때 재빨리 잘라내는 노력을 잊어서는 안된다. 로마는 기원전 367년에 리키니우스 법이 성립된 것을 계기로 국가의 모든 요직을 평민한테도 개방한다는 방침을 확립했다. 이에 따라 로마의 최고 통치자인 집정관에 평민 출신이 선출되는 것은 이제 거의 상례가 되어 있었다.

이런 경우, 패전 책임자라는 이유로 처벌하면 재앙의 씨앗이 될 수 있다. 처벌받은 사람이 귀족이면 귀족계급의 불만을 살 수밖에 없고, 처벌받은 사람이 평민이면 평민계급은 그가 평민 출신이니까 처벌받았다고 생각할 게 뻔하다. 책임 추궁은 객관적으로 누구나 납득할 수 있는 기준을 갖기가 어렵기 때문이다. 그래서 로마인은 누구한테도 패전 책임을 묻지 않기로 결정한 것이다.

그러면 전사한 사람은 억울하지 않느냐고 생각하겠지만, 장기적인 이점, 즉 공동체의 이익이라는 관점에 서면 충분히 납득할 수 있다. 국론이 양분되면 국력을 효율적으로 발휘할 수가 없다. 국론이 통일되고 그 결과 국력이 효율적으로 발휘되면 희생도 적어진다. 인간이란 자기 자신의 희생을 감수할 각오는 할 수 있지만 자기 자식까지 지배계급의 무능에 희생되는 것을 감수할 마음은 나지 않기 때문이다.

카르타고나 그리스와 다른 로마의 이 방식은 능력이 있는데도 불운하게도 패장이 된 사람에게 설욕의 기회를 주기도 했다. 어쨌든 패배의 원인이 지휘관의 능력 부족에 있다면 로마 병사인 시민들은 두 번 다시 그를 집정관으로 뽑아주지 않기 때문이다. 패장이라도 능력이 있다고 인정되면 집정관에 재선될 수도 있었다.

트레비아 전투에서 로마군 총사령관이었던 셈프로니우스 롱구스는 그후 다시는 집정관에 선출되지 못했다. 반대로 중상을 입고 참전하지 못한 코르넬리우스 스키피오는 집정관과 동격인 절대 지휘권을 부여받는 전직 집정관에 임명되어, 1만 명의 병력과 함께 에스파냐에 파견되었다.

에스파냐에서는 그의 동생 그나이우스가 2개 군단을 이끌고 한니발의 동생 하스드루발과 싸우고 있었다. 한니발에 대한 '통합참모본부'가 된 로마 원로원은 한니발의 배후지인 에스파냐의 중요성을 충분히 인식하고 있었다. 이 에스파냐 전선을 코르넬리우스 형제에게 맡긴 것이다. 한니발이 '로마 연합'의 붕괴를 노렸다면, 로마는 한니발의 배후지인 에스파냐의 붕괴를 노리고 있었다.

피사를 떠나 에스파냐로 간 전직 집정관 코르넬리우스는 18세가 된 아들을 동행하지 않았다. 처음에는 아버지 휘하에서 출전해도, 그후에는 다른 사람 밑에서 수업을 쌓는 것이 로마의 귀족 자제가 밟는 과정이었다. 이 젊은이를 맡은 사람은 역시 귀족인 아이밀리우스 파울루스였다.

한니발에게는 원정 2년째가 되는 기원전 217년, 로마는 그해에 전선을 담당할 집정관으로 귀족인 세르빌리우스와 평민인 플라미니우스를 선출했다.

온후하고 신중한 성격인 세르빌리우스와는 반대로, 강경하고 대담한 성격을 가진 가이우스 플라미니우스는 한니발을 상대하고자 하는 의욕으로 충만해서 집정관 선거에 출마했고, 동료보다 많은 표를 얻어 당선되었다. 그가 태어난 해는 분명하지 않지만, 기원전 232년에는 호민관에 선출된 경력이 있다. 그후 원로원에 들어간 그는 기원전 227년에는 속주 시칠리아의 총독을 지냈고, 기원전 223년에는 집정관에 선출되어 갈리아인과의 전투를 승리로 이끌었다. 기원전 220년에는 재무관에 선출되어, 오늘날에도 이탈리아의 3번 국도로 남아 있는 플라미니아 가도를 건설했다. 기원전 217년에 집정관으로 선출된 것은 그에게는 로마의 최고 관직에 두번째로 취임하는 것을 의미했다. 그가 호민관으로 선출된 해로 미루어보아, 그해에는 45세 안팎이었을 것으로 여겨진다. 전선의 최고사령관으로는 무르익은 나이였다.

플라미니우스는 트레비아 전투의 패장 셈프로니우스보다 더 평민계급의 옹호자로 여겨지고 있었다. 국유지 임대의 상한선을 125헥타르로 제한하고 원로원 의원이 통상에 종사하는 것을 금하는 법안을 성립시켰다. 이것은 빈부격차를 줄이기 위한 정책이었고, 실제로 제한을 받은 사람 중에는 귀족이 많았다. 하지만 명확한 반귀족 정책으로 만들어진 것이 아니기 때문에, 플라미니우스에 반대하는 분위기가 표면화된 것은 아니다. 로마 귀족들은 드러내놓고 플라미니우스에 반대했을 때의 위험을 잘 알고 있었다. 하지만 플라미니우스는 자신에 대한 귀족계급의 반감을 강하게 의식하고 있었다. 기원전 217년의 집정관 취임은, 그런 플라미니우스에게는 귀족계급의 반감을 뒤집을 수 있는 절호의 기회로 여겨졌다.

공화정 로마에서 집정관은 대개 최전선에 파견된다. 한니발은 볼로냐 근처까지 와서 겨울을 났기 때문에, 이듬해 봄에 한니발이 남하해 오리라는 것은 누구나 예측할 수 있었지만, 어디로 남하해 올 것인지는 예측할 수 없었다.

다른 장군이라면 볼로냐에서 리미니까지는 평원지대를 지나고, 리미니에서 로마까지는 플라미니아 가도를 이용하는 방법으로, 이탈리아 반도를 북쪽에서 남하해 오는 사람 앞을 막아서는 아펜니노 산맥을 넘었을 게 분명하다. 5만 명의 대군과 함께 아펜니노 산맥을 넘으려면 이 길이 가장 쉬웠다. 플라미니아 가도는 불과 3년 전에 건설되었다. 하지만 한니발의 의도를 자신있게 예측할 수 있는 사람은 아무도 없었다.

어디로 남하해 올지 예측할 수 없는 한니발을 맞아 싸우려면 로마는 병력을 양분할 수밖에 없었다. 집정관 세르빌리우스는 리미니로 파견되어 한니발이 플라미니아 가도를 선택한 경우에 대비했다. 집정관 플라미니우스는 아레초로 가서, 적이 아펜니노 산맥을 넘어 토스카나 지방으로 내려올 경우에 대비했다. 집정관에게는 각각 2개 군단이 주어졌지만, 증강되었기 때문에 2개 군단은 2만 5천 명의 병력으로 이루어져 있었다. 두 집정관은 한니발의 동향을 파악하자마자 합류할 예정으로 되어 있었다.

기원전 217년 4월, 30세가 된 한니발은 전군을 이끌고 겨울 숙영지를 떠났다. 겨울을 난 볼로냐에서 리미니로 간 다음 플라미니아 가도를 지나 남하하는 평이한 길은 선택하지 않았다. 그가 택한 길은 볼로냐에서 곧장 아펜니노 산맥을 넘어 피렌체로 내려가는 길이었다. 거리는 짧지만 어려운 길이었다. 리미니에서 기다리고 있는 세르빌리우스와의 충돌을 피하고 싶었기 때문은 아니었다. 다음 전쟁터를 에트루리아인이 사는 토스카나 지방으로 결정했기 때문이다.

에트루리아 도시들이 로마에 등을 돌리면 '로마 연합'의 한 귀퉁이가 무너지게 된다. 플라미니아 가도 주변을 침범하면 피해를 입는 것은 그 일대에 사는 움브리아족이다. 로마 연합군에 동원할 수 있는 병력으로 보아도, 에트루리아인이 5만 명인 반면에 움브리아족은 2만 명에 불과하다. '로마 연합'의 붕괴를 노린다면, 에트루리아인이 사는 토스카나 지방을 전쟁터로 하고, 그 싸움에 이겨서 에트루리아인에게 강한 인상을 심어주는 것이 훨씬 효율적이었다.

이런 설명은 일이 일어난 뒤에나 붙일 수 있는 것이다. 알프스를 넘는다는 전대미문의 위업을 이룩하고, 게다가 쉴 새도 없이 두 번이나 로마군에 참패를 안겨준 한니발의 의도를 당시 로마인은 짐작조차 하지 못했다. 주도권은 완전히 30세의 젊은이가 쥐고 있었다. 로마인은 리미니와 아레초 양쪽에 군대를 배치했지만, 한니발이 눈앞에 나타날 때까지는 그의 동향을 파악하지 못했다.

아펜니노 산맥을 넘는 것은 알프스 산맥을 넘는 것보다 훨씬 쉬웠다. 하지만 아펜니노를 넘어 아르노 강 유역으로 내려왔을 때, 예상치 못한 장애가 기다리고 있었다.

지중해성 기후인 이탈리아에서는 비가 겨울부터 봄까지 집중적으로 내린다. 기원전 217년 봄은 예년에 비해도 비가 많았다. 아펜니노 산맥에서 발원하는 아르노 강은 피렌체를 지나면 몇몇 지류를 모아 피사로 가서 티레니아 해로 흘러드는, 토스카나 지방에서 가장 큰 강이다. 하지만 비가 계속 내리거나 하면 지류 유역의 평지는 물에 잠기기 쉽다. 한니발과 그의 군대는 아펜니노 산맥에서 내려왔을 때 온통 늪지대로 변해버린 평지에 발을 들여놓고 말았다.

늪지대를 돌파하는 데에는 꼬박 3박 4일이 걸렸다. 늪지대를 통과할 때는 리비아와 에스파냐 보병대가 전위에 서고, 그 뒤를 갈리아 병사들이 따라가고, 후위는 누미디아 기병이 지키는 순서로 행군했다. 기병의 임무는 후위를 지키는 것보다는 오히려 어려운 행군에 비명을 지른 갈리아 병사들의 탈주를 막는 것이었다. 병사들은 죽은 말이나 짐차에 기대어 잠깐씩 휴식을 취했다. 잠을 자는 것은 꿈 같은 얘기였다. 한니발은 한 마리밖에 남지 않은 코끼리 등에 올라타고 행군했다. 그는 어려운 행군보다 눈병 때문에 고통을 겪고 있었다. 결국 이 눈병으로 그는 한쪽 시력을 잃게 된다. 희대의 전술가는 이때부터 애꾸가 되었다.

휴식다운 휴식을 병사들에게 줄 수 있었던 것은 피렌체에 도착한 뒤였다. 한니발은 여기서 병마를 쉬게 하는 동안에도 척후를 내보내 정

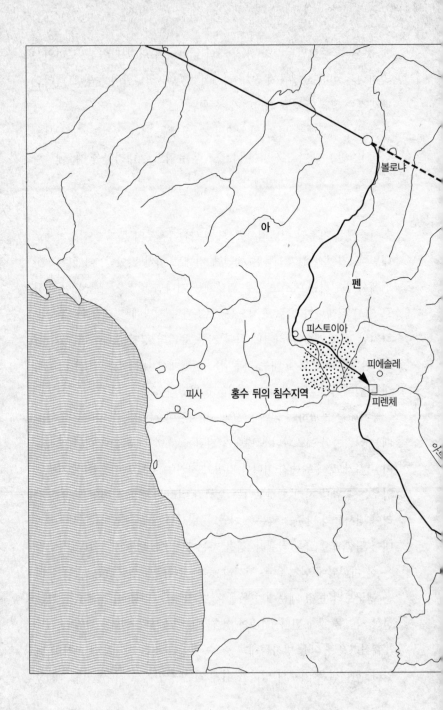

볼로냐

아

펜

피스토이아

피에솔레

피사

홍수 뒤의 침수지역

피렌체

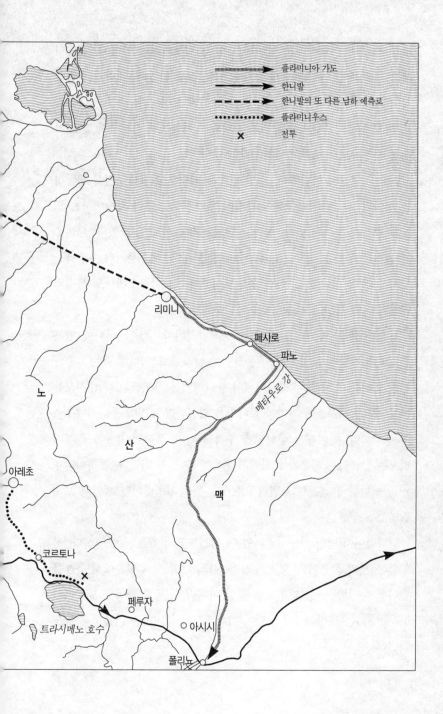

플라미니아 가도
한니발
한니발의 또 다른 남하 예측로
플라미니우스
✕   전투

리미니
페사로
파노
메타우로 강
노
산
맥
아레초
코르토나
✕
펠루자
트라시메노 호수
아시시
폴리뇨

보를 모았다. 피렌체에서 남동쪽으로 100킬로미터쯤 떨어져 있는 아레초에 플라미니우스의 2개 군단이 있는 것도 알았다. 게다가 집정관 가이우스 플라미니우스의 성품까지 알아낸 모양이다. 충분한 휴식으로 피로에서 회복된 병사들에게 한니발은 아레초로 직행하지 말고 아레초를 동쪽으로 보면서 남하하라고 명령했다.

단순한 행군이 아니었다. 주변 일대를 약탈하고 불태우면서 행군하는 것이다. 이 일대는 구릉이 겹겹이 포개진 토스카나 지방에서는 드물게 평지가 펼쳐져 있다. 불타는 연기는 멀리서도 잘 보였다. 아레초는 높직한 구릉을 에워싸듯이 만들어진 도시다. 에트루리아인이 세운 도시 가운데 하나로, 로마의 동맹도시였다. 그 아레초에서도 불길과 연기가 손에 잡힐 듯이 보였다.

집정관 플라미니우스는 적군을 포착하자마자 당장 리미니에 있는 동료에게 전령을 보내 적군의 움직임을 알리고, 리미니에 있는 2개 군단의 남하를 요청했다. 리미니에서 플라미니아 가도를 따라 내려오는 동료 세르빌리우스와 자기가 한니발을 협공한다는 것이 플라미니우스의 생각이었다. 이대로 한니발을 추격해 가면, 플라미니아 가도로 내려오는 아군과는 페루자 근처에서 합류할 수 있을 터였다. 플라미니우스는 리미니에 있는 세르빌리우스에게 우선 기병만이라도 먼저 보내달라고 요구했다.

한니발이 평범한 장군이었다면 이 작전도 성공했을 게 분명하다. 하지만 30세의 젊은이는 정보 수집과 선택, 그리고 그 활용에서 유례를 찾아볼 수 없을 만큼 뛰어났을 뿐만 아니라, 신속한 행동도 발군이었다. 그에게는 로마의 4개 군단이 합류하도록 내버려둘 마음이 추호도 없었다.

전쟁의 실마리를 열지 않고 그저 적을 쫓아가기만 하는 임무는 성미가 강한 장군에게는 분통 터지는 일일 게 분명하다. 로마가 '로마 연합'의 맹주일 수 있는 것은 '로마 연합' 가맹국들을 지키는 역할을 맡고 있기 때문이다. 집정관 플라미니우스는 충실한 동맹자인 에트루리아인이 약탈당하고 집을 잃고 살해되는 것을 뻔히 보면서도 아무 일도 할 수가 없었다. '로마 연합'의 최고 통치자인 집정관의 임무를 남보다 훨씬 강하게 의식하고, 나이도 40대 중반의 한창 나이인 플라미니우스에게는 분통을 억누르는 것만으로도 어려운 일이었을 것이다. 그런 플라미니우스를 사뭇 깔보듯이, 한니발의 군대는 로마군의 코앞에서 만행을 계속하면서 남쪽으로 내려갔다.

아레초와 페루자의 중간쯤 되는 곳에 트라시메노 호수가 시야 가득 펼쳐져 있다. 이탈리아 중부에서는 가장 큰 호수다. 이 호수 북쪽에는 구릉과 호수 사이에 낀 좁은 평지가 동서로 길게 뻗어 있다. 이곳을 지나 동쪽으로 가면, 플라미니우스가 아군과의 합류 지점으로 생각하고 있었던 페루자에 도착할 수 있다.

한니발은 그날만은 행군을 서둘러, 저녁이 되기 전에 트라시메노 호반에 도착했다. 척후병을 미리 내보내 주변 지형을 조사한 그는 호반에 도착한 뒤에도 시간을 낭비하지 않았다. 한니발의 지시에 따라, 각 대대는 각자 담당 구역으로 흩어져 갔다. 오늘밤에는 거기서 야영을 하는 것이다. 불을 피우는 것도 금지되었다.

남쪽으로 내려온 길은 호수와 만난 지점에서 동쪽으로 꺾인다. 꺾이자마자 나타나는 언덕 기슭에는 기병대가 숨었다. 기병대 바로 동쪽에는 갈리아인 병사들이 숨는다. 그 동쪽에는 리비아와 에스파냐의 보병대가 배치되었다. 모두 언덕 기슭을 가득 메운 숲속에 숨어서 아침을

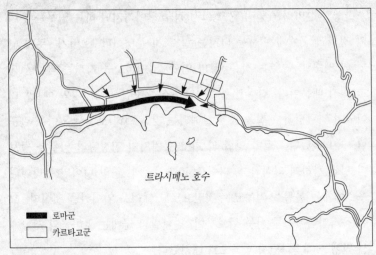

로마군

카르타고군

트라시메노 회전

기다린다. 길쭉한 호반이 끝나는 지점에는 호반에서 나가는 출구를 틀어막는 형태로 중무장 보병대가 진을 쳤다.

위의 지도를 보면 한니발의 의도를 분명히 알아차릴 수 있다. 그는 길쭉하고 좁은 호반으로 적을 끌어들여, 플라미니우스의 군대가 호반에 들어왔을 때 기병은 서쪽에서, 중무장 보병은 동쪽에서, 나머지 보병은 북쪽에서 공격하는 작전을 세웠던 것이다. 유일하게 비어 있는 남쪽에는 넓은 호수가 펼쳐져 있다. 한니발이 장기로 삼는 포위 작전인데, 이번에는 자연까지 작전에 이용했다.

집정관 플라미니우스의 2개 군단은 밤이 된 뒤에 호반에 도착했다. 한니발 군대가 어디서 야영하고 있는지는 아무도 알지 못했다. 플라미니우스는 척후를 내보내 그것을 확인하지 않았다. 호반에 아무도 없고 모닥불도 보이지 않았기 때문에, 로마 병사들은 한니발 군대가 트라시메노 호반을 통과하여 페루자 쪽으로 갔을 거라고 믿었다. 적의 매복이 예상되는 야간 행군은 피하는 게 상책이다. 플라미니우스는 호반에서도 서쪽에 있는 평지에 숙영지를 만들라고 명령했다.

기원전 217년 4월 19일은 트라시메노 호반을 두껍게 덮은 아침 안
개 속에서 밝아오고 있었다. 봄에는 이 일대에 자주 아침 안개가 낀다.
넓은 호수면에서 증발하는 많은 수분을 머금고 있기 때문에 아침 안개
라고는 생각할 수 없을 만큼 짙고, 지표면에 눌러앉아 좀처럼 개지 않
는다. 이른 새벽에는 시계(視界)가 10미터도 안될 때가 많았다. 한니
발은 기상 정보까지 입수했던 모양이다.

오늘이야말로 적을 따라잡을 수 있다고 생각하여 아침 일찍 진을 거
둔 로마군은 아무 의심도 하지 않고 좁은 호반지대에 발을 들여놓았
다. 시계는 얼마 되지 않는다. 각 부대의 선두에서 나아가는 부대 표지
를 겨우 알아볼 수 있을 정도였다. 적은 멀리 있다고 믿고 있는 로마
병사들은 짙은 안개 속에서도 전속력으로 행군했다. 2만 5천 명의 병
력이 길쭉하고 좁은 호반지대에 들어오는 데에는 그리 오랜 시간이 걸
리지 않았다.

처음 이변을 알아차린 것은 로마군의 전위부대였다. 그들은 선두에
서 있었기 때문에, 호반의 동쪽 끝에서 기다리고 있던 적군의 벽에 맨
먼저 부딪쳤던 것이다. 그들은 정면의 적과 용감하게 싸웠지만, 후속
부대는 이변이 일어난 것을 알아차리긴 했어도 짙은 안개 때문에 그
이변이 무엇 때문인지는 알지 못했다. 그들이 원인을 알기도 전에 적
의 기병대가 호반의 서쪽 끝도 막아버렸다. 그러자 언덕 기슭의 숲속
에 숨어 있던 갈리아 병사들과 경무장 보병들도 좁은 호반에 갇혀버린
로마군을 습격해 왔다.

고속도로에서는 사고가 난 것을 모르고 달려온 후속차가 차례로 추

돌사고를 일으키는 경우가 있다. 그와 비슷한 상황이 기원전 217년 봄에 트라시메노 호반에서도 일어난 것이다.

그것은 전투가 아니라 살육이었다. 살육의 고리는 서쪽과 북쪽과 동쪽의 세 방향에서 좁혀져 갔다. 호수로 뛰어들어 도망치려던 로마 병사들도 물을 튀기며 쫓아온 적군 기병의 창에 찔려, 이리저리 도망쳐 다니는 양보다 더 쉽게 살해되었다.

5만 명의 한니발 군대에 대해 2만 5천 명에 불과한 로마군은 절망적인 상황에서도 투지만은 버리지 않았다. 살육이라고 해야 할 전투는 세 시간이나 계속되었다. 집정관 플라미니우스도 지휘가 불가능한 상태에서 일개 기병으로 분전하다가 장렬하게 전사했다. 그의 시신은 전투가 끝난 뒤에도 발견되지 않았다. 집정관이든 일개 병졸이든 구별없이 모두 한꺼번에 피의 제물로 바쳐졌기 때문이다. 안개가 걷힌 트라시메노 호반에는 카르타고 병사들조차 눈길을 돌릴 만큼 끔찍한 참상이 펼쳐져 있었다.

2만 5천의 로마군 병력 가운데 1만 7천이 전사했다. 전위부대 6천 명은 적진 돌파에 성공하여 동쪽으로 도망쳤지만, 호반에서 살육을 끝낸 적군 기병대가 쫓아와 그들을 포위하여 모두 포로로 잡아버렸다. 호수를 헤엄쳐 건너거나 산 속으로 달아나 로마까지 돌아올 수 있었던 사람은 2천 명에 불과했다. 로마는 한니발을 의식하여 증강한 2개 군단을 통째로 잃어버린 셈이다.

한니발 쪽의 손실은 2천 명에 머물렀다. 게다가 그 대부분은 갈리아 병사들이었다. 에스파냐에서 데려온 한니발의 정예부대는 이번에도 고스란히 남았다.

후세의 전사가들은 이 트라시메노 전투를 전투로 인정하지 않는다.

상대를 감쪽같이 속여서 불시에 공격했기 때문이다. 하지만 당시 로마인은 그것이 어떤 방식으로 이루어졌든 간에, 패배는 패배로 인정했다. 로마 시민들에게도 사실 그대로 전했다.

민회 소집권을 가진 집정관 가운데 한 사람은 전사하고 또 한 사람은 전선에 나가 있는 로마에서, 집정관 대신 민회를 소집한 법무관은 어두운 표정으로 시민들에게 말했다.

"우리는 완패당했다."

전사자와 포로로 잡힌 자의 수를 밝히고, 판명된 그들의 이름을 발표했다.

그로부터 불과 사흘 뒤, 법무관은 민회를 다시 소집하지 않을 수 없었다. 또다시 패배했다는 소식이 들어왔기 때문이다.

리미니에 진을 치고 있던 집정관 세르빌리우스가 플라미니우스의 요청에 따라 먼저 보낸 기병 4천은 트라시메노 호반에서 일어난 사건을 모른 채 플라미니아 가도를 따라 폴리뇨 근처까지 와 있었다. 여기서부터는 플라미니아 가도를 버리고 북동쪽으로 방향을 잡아, 한니발을 쫓아올 집정관 플라미니우스의 군대와 합류하기로 되어 있는 페루자로 가면 된다. 하지만 거기서 기다리고 있는 것은 우군이 아니라 누미디아 기병이었다. 수적으로나 전투력에서 열세인 로마 기병은 당장 포위되어 2천 기를 잃었다. 나머지 2천 기는 가까운 마을로 도망쳐 들어갔지만, 제대로 싸워보지도 못하고 모두 포로가 되었다. 리미니에서 남하중인 2개 군단은 기병 전력을 전혀 갖지 못했다는 얘기가 된다. 기병 보충은 쉬운 일이 아닌 만큼, 로마로서는 단순한 숫자로는 나타낼 수 없는 뼈아픈 손실이었다.

트레비아 패전으로 키살피나(알프스 남쪽의 갈리아)를 포기하지 않을 수 없었던 로마는 트라시메노 패전으로 토스카나 지방까지 적에게 내주고 말았다.

그러나 포 강 유역의 키살피나와는 달리, 아르노 강과 테베레 강 사이에 낀 토스카나 지방을 포기하는 것은 로마인으로서는 도저히 생각할 수도 없는 일이었다. 오랜 동맹자인 에트루리아의 도시들은 그렇게 간단히 내놓을 수 있는 게 아니다. 또한 에트루리아인들도 한니발의 힘을 눈앞에서 보았지만, 트라시메노 패전 후에도 한니발 쪽으로 돌아선 도시는 하나도 없었다. 한니발이 다가가도, 코르토나를 비롯한 에트루리아의 도시들은 모두 성문을 굳게 닫은 채 열어주지 않았다. 포 강 유역의 갈리아인과는 달리, 토스카나 지방에 사는 에트루리아인의 '로마화'는 200년의 역사를 갖고 있었기 때문이다.

로마는 이제 플라미니아 가도를 이용하면 사흘밖에 걸리지 않는 거리에 5만 명의 적군을 맞이한 셈이 된다. 수도 로마를 방위할 전력으로는 2개 군단이 있고, 리미니에도 기병이 없는 2개 군단이 남아 있지만, 그것을 합해도 한니발 군대와는 엇비슷한 병력밖에 안된다. 누구나 한니발이 플라미니아 가도를 지나 로마를 공격할 거라고 예상했다. 계절은 이제 막 5월에 접어들어 있었다.

30세의 카르타고 장군은 그러나 누구나 예측한 길을 택하지 않았다. 그는 로마로 직행하는 플라미니아 가도를 버리고, 아드리아 해로 가는 길을 택했다. 휘하 병사들은 대부분 총사령관의 이 선택에 불만을 품었다. 풍부한 약탈품을 기대할 수 있는 수도 로마에는 손가락 하나 대지 못할 뿐 아니라, 이제 주인이 된 토스카나 지방을 떠나 아드리아 해로 빠져서, 해안을 따라 이탈리아 남부로 가려는 것이다. 하지만 장군들한테도 속마음을 털어놓지 않는 것이 한니발의 습관이었다. 장군들도 병사들도, 적과 싸우면 반드시 이기는 젊은 사령관의 뜻을 따를 수밖에 없었다.

이 시점에서 한니발은 로마의 '아성'을 공격하기보다는 우선 아성을 둘러싸고 있는 '바깥 해자'를 메울 생각이었던 것 같다. 트라시메노 전투를 치른 뒤에도 포로들 가운데 로마 시민병만 남기고 동맹도시에서 온 병사들은 석방하는 방식을 취했다. 그는 '로마 연합'이 해체되기를 기다리고 있었던 것이다. 토스카나 지방의 에트루리아인이 로마에 등을 돌리지 않은 것은 오산이었지만, 그것도 시간 문제라고 생각하고 있었다. 이탈리아 남부의 로마 동맹자인 그리스인이 그의 힘을 지켜봐줄 다음 관객이었다.

트라시메노에서 대승을 거두고도 일을 서두르지 않는 것을 보고, 전쟁 2년째에야 대부분의 로마인도 한니발의 전략을 명확히 알게 되었다.

우선 '로마 연합'의 가맹국 영토를 중점적으로 불태우고 약탈한다.

이어서 그것을 좌시할 수 없는 로마군이 출동하면, 싸움을 걸어서 승리한다.

전투에서의 승리가 거듭될 때마다 로마에 등을 돌리는 동맹도시가 늘어난다.

마지막으로 바깥 해자가 다 메워진 상태의 로마를 공격하여 궤멸시킨다.

이 전략은 완전히 이치에 맞는다.

로마 시민병은 공화국 로마의 영토 안에만 있었던 것은 아니다. 로마가 이탈리아 전역에 70개 이상이나 건설한 식민도시에도 로마가 신뢰할 수 있는 시민들이 살고 있었다. 이들이 수도 로마를 공격하는 한니발의 배후에 나타날 가능성은 충분하고도 남았다. 한니발은 전투에서 두 번이나 승리를 거두었지만, 사흘 거리라고 해서 간단히 로마로 쳐들어갈 수는 없었다.

아드리아 해로 빠져나왔을 때, 한니발은 병사들에게 충분한 휴식을 주었다. 병사들은 누더기가 다 된 옷을 벗어버리고, 전사한 로마 병사들한테서 벗겨낸 옷으로 갈아입었다. 이것은 나중에 로마군의 골칫거리가 되었다. 적인지 아군인지 분간할 수가 없게 되었기 때문이다. 그후 로마 병사들은 모두 수염을 깎는 것이 의무화되었다. 한니발 군대를 구성하고 있는 카르타고인과 에스파냐인, 누미디아인은 모두 수염을 기르는 풍습이 있었기 때문이다.

말까지 포도주로 씻어주면서 충분히 휴식을 취한 한니발 군대는 아드리아 해를 왼쪽으로 보면서 이탈리아 남부로 행군했다. 로마 동맹자인 이 지방에서 약탈과 폭행과 방화의 피해를 입지 않은 도시는 하나도 없었다. 빼앗은 물자가 너무 많아서 다 가져갈 수 없을 정도였다고 한다. 하지만 5만 명의 입을 만족시키는 것 자체가 큰 일이었다. 약탈이나 방화는 동맹도시의 로마 이반을 유발할 목적으로 저질러졌지만, 5만 명의 배를 채운다는 단순한 목적도 있었다.

이탈리아 남부의 풀리아 지방에서 제멋대로 분탕질을 한 뒤, 한니발은 전군을 이끌고 토스카나 지방과 더불어 로마의 동맹도시들이 많이 있는 이탈리아 남부의 캄파니아 지방으로 방향을 바꾸었다. 캄파니아 지방에는 아피아 가도가 통과하는 대도시 카푸아, 쿠마, 포추올리, 나폴리, 소렌토 등 로마의 '바다 동맹국'들이 흩어져 있다. 토스카나 지방의 에트루리아인도 로마한테는 소중한 동맹자지만, 캄파니아 지방의 그리스인도 그에 못지않게 중요한 존재였다.

한편 로마는, 적이 수도를 공격할 위험은 적어졌지만, 방위태세를 다시 확립할 필요가 있었다. 로마는 독재관을 옹립하기로 결정했다. 제1차 포에니 전쟁 때 독재관을 옹립한 이후 실로 32년 만에 위기체제가 수립된 것이다. 6개월이라는 짧은 기간이나마 전권을 한손에 틀어쥐는 독재관에는 파비우스 막시무스가 취임했다. 로마의 명문 귀족 파비우스 가문의 총수이기도 한 그는 그해 나이 58세, 이미 두 번이나 집정관에 선출되어 갈리아인에게 승리를 거둔 경력의 소유자다. 전쟁터에서의 실적으로는 누구한테도 뒤지지 않았다. 30세의 한니발은 나이가 두 배나 많은 이 파비우스한테서 지금까지 알았던 로마 장군과는 전혀 다른 모습을 발견하게 된다.

리미니에서 달려온 2개 군단과 새로 편성한 2개 군단을 합하여 4개 군단을 이끌고 한니발을 쫓아간 파비우스의 전략은 단 하나, 한니발과는 전투를 벌이지 않는다는 것뿐이었다.

코르넬리우스, 셈프로니우스, 플라미니우스 등 지금까지 한니발과 싸운 집정관들은 모두 패배를 맛보았다. 58세의 파비우스는 자기라면 이길 수 있다고는 생각지 않았다. 한니발을 상대로 싸우면 자기도 질 거라고 생각했다. 그리고 로마의 장군 가운데 한니발을 이길 수 있는 사람은 지금 상태로는 아무도 없다고 생각했다.

그런 한니발에게 지지 않기 위해서는 아예 싸우지 않으면 된다. 그는 4개 군단의 병력 5만 명을 이끌고 풀리아와 캄파니아를 제멋대로 휩쓸고 다니는 적군의 뒤를 바싹 쫓으면서, 한니발이 싸움을 걸어도 절대 응하지 않았다. 그렇게 해놓고 적군의 소모를 기다릴 작정이었다.

이 파비우스에게는 '지구전주의자'(쿵크타토르)라는 별명이 붙었다. 하지만 쿵크타토르가 지구전주의자를 의미하게 된 것은 훗날의 일이고, 당초에는 '굼뜬 사내'라는 뜻으로 쓰였다.

파비우스가 채택한 전략은 유효성은 인정받았지만, 그 때문에 치러야 할 희생이 너무 컸다. 로마 연합군에는 로마 시민 외에 동맹도시 시민도 참전했다. 그들로서는 자기네 도시가 약탈당하고 불타고 있는데도 그 앞에서 팔짱을 끼고 지켜보는 꼴이다. 로마 시민병도 자신의 무력함을 저주하는 점에서는 그들과 다를 게 없었다. 그들은 연합의 맹주로서 책무를 다하지 못하는 원통함을 느꼈다.

독재관 파비우스의 전략에 반대하는 목소리는 날이 갈수록 높아져 갔다. 한니발에게 또다시 당한 사건이 그 불만을 폭발시켰다.

트라시메노 전투로 시작된 기원전 217년도 늦가을에 접어들고 있었다. 풍요로운 캄파니아 지방을 로마군의 방해도 받지 않고 실컷 약탈한 한니발 군대는 충분히 겨울을 날 만큼 많은 군량을 가지고 풀리아 지방으로 돌아가려 하고 있었다. 5만 명의 병력을 안전하게 월동시키려면, 역시 이탈리아 남부의 풀리아 지방이 가장 적합했기 때문이다.

독재관 파비우스는 기다리고 있던 좋은 기회가 비로소 찾아왔다고 느꼈다. 캄파니아에서 풀리아로 빠지려면, 이탈리아 반도를 등뼈처럼 달리고 있는 아펜니노 산맥을 넘어야 한다. 하지만 이 지점에서는 골짜기 사잇길을 따라가기만 하면 산맥을 넘을 수 있었다. 파비우스는 군대를 셋으로 나누어, 한니발 군대가 통과할 모든 지점에 배치했다. 적이 골짜기로 들어왔을 때 일망타진하려는 것이다.

하지만 30세의 카르타고 장군은 여전히 뛰어난 정보력으로 로마군의 동태를 파악하고 있었다. 그는 골짜기 사잇길로 접어드는 지점까지 왔을 때, 병사들에게 명령하여 마른 나뭇가지를 모으게 했다. 그리고는 짐수레를 끄는 데 사용하고 있던 소들 가운데 2천 마리를 뽑아서 소뿔에 마른 나뭇가지를 묶었다.

한니발은 명령대로 모든 일을 끝낸 병사들을 모아놓고, 저 멀리 앞쪽에 우뚝 솟아 있는 산들 사이에 낀 골짜기 사잇길을 가리키며 말했다.

"우리는 오늘밤 저 지점을 통과한다."

협곡을 사이에 두고 우뚝 솟아 있는 고지 하나에 로마군 병사들이 매복해 있다는 것은 병사들도 알고 있었다. 그런데 한니발은 기다리고 있는 적의 코앞을 통과하겠다는 것이다.

날이 저물고 어둠의 장막이 내릴 무렵, 총사령관의 명령을 받은 전령이 소떼와 함께 대기하고 있는 병사들한테로 달려갔다. 소뿔에 묶여 있는 마른 나뭇가지에 불이 붙었다. 병사들이 쫓아내자, 소떼는 불똥을 흩날리며 로마군이 기다리고 있는 쪽과는 반대방향에 있는 언덕을 향해 달리기 시작했다. 공포에 사로잡힌 2천 마리의 소가 폭주하는 것이다. 잠복해 있던 로마 병사들은 어두운 능선을 따라 움직이는 불빛을 보고, 적이 습격해 왔다고 생각했다. 마치 횃불을 손에 든 수많은 병사들이 일제히 언덕을 달려올라가는 것처럼 보였기 때문이다.

신중한 성격을 가진 파비우스는 야간 전투를 피하고 싶었다. 그리고 적군은 언덕 하나를 점거하려는 모양이다. 언덕 하나쯤 잃어도 협곡에서의 매복작전에는 지장이 없었다. 파비우스는 이튿날 아침까지 군대를 움직이지 않기로 결정했다.

한니발과 그의 군대는 로마 군단의 눈 아래를 지나는 골짜기 사잇길을 그날 밤 사이에 무사히 통과했다. 병사 한 명도 잃지 않았고, 약탈품 한 개도 흘리지 않았다. 이튿날 아침 파비우스가 그것을 알았을 때, 적은 이미 아펜니노 산맥을 넘은 뒤였다. 서둘러 보낸 기병대가 한니발의 후위를 따라잡았지만, 이름난 누미디아 기병을 당해낼 수는 없었다. 아군에는 한 명의 손실도 없었지만, 로마군은 완전히 망신을 당했다.

로마인들은 이때부터 아무리 방해를 받아도 해내고야 마는 것을 "한니발은 무엇이든 통과한다"는 한 마디로 바꾸어 말하게 되었다.

　파비우스는 수도 로마로 소환되었다. 독재관 임기인 6개월이 되려면 아직 멀었다. 수도로 소환된 이유는 제의를 집전하기 위한 것으로 되어 있었지만, 사실상의 면직이었다.

　겨울에도 기후가 온난한 풀리아 지방에서 유유히 겨울을 나고 있는 한니발과는 반대로, 로마에서는 이듬해 전선을 담당할 집정관 선출을 둘러싸고 파비우스가 주장하는 지구전파와 거기에 반대하는 적극전파 사이에 대립이 격화되고 있었다.

　적극전파는 파비우스와 같은 소극전법으로는 적이 소모되기 전에 아군이 먼저 소모되어버릴 거라고 주장했다. 거기에 대해 지구전파는 제1차 포에니 전쟁의 선례를 들어, 직접적으로는 항복시킬 수 없었던 하밀카르를 시칠리아에서 몰아낼 수 있었던 것은 카르타고인한테서 제해권을 빼앗아 카르타고의 보급선을 끊었기 때문이라고 주장했다. 하밀카르는 한니발의 아버지다. 유효한 전략은 아비에 대해서든 아들에 대해서든 유효하다는 주장이다.

　지구전파의 약점은 소뿔 사건의 실패보다도, 동맹도시가 지난 1년 동안 입어야 했던 피해에 있었다. 원로원도 이런 피해가 동맹국들의 이반으로 이어지는 것을 어떻게든 피하고 싶었다.

　결국 이듬해인 기원전 216년의 전선을 담당할 집정관으로는 적극전파와 소극전파에서 한 명씩 뽑아, 귀족 출신인 아이밀리우스 파울루스와 평민 출신인 테렌티우스 바로가 선출되었다. 파울루스는 파비우스와 같은 생각이었고, 바로는 적극전파의 대표로 여겨지고 있었다.

　집정관 선출을 둘러싼 대립은 두 파에서 한 명씩 뽑히는 형태로 수

습되었지만, 민회를 뒤덮고 있는 분위기는 적극전파 일색이었다.

한니발이 이탈리아로 쳐들어온 기원전 218년에는 6개 군단, 그 이듬해인 기원전 217년에는 11개 군단이었던 로마의 병력이 기원전 216년에는 다시 13개 군단으로 증강되었다. 한니발에게 반격을 가하고 싶은 마음에, 로마 시민들은 병역 의무가 늘어나는 쪽에 찬성표를 던진 것이다. 그들이 보기에는, 이듬해 봄부터 시작되는 기원전 216년이 로마와 한니발 사이에 자웅을 겨루는 해가 될 터였다.

대규모 전투로 우열을 결정하는 것은 한니발도 바라는 바였다.

트라시메노에서도 이겼고, 풀리아와 캄파니아 지방을 약탈과 화공으로 괴롭혀 로마의 열세를 보여주었는데, 그리고 무엇보다도 동맹도시의 병사들한테만 온정을 베풀어 고국으로 돌려보냈는데, '로마 연합' 가맹국들 가운데 로마를 버리고 한니발한테 달려온 도시는 하나도 없었다. 로마를 원래의 양치기 마을로 되돌리려면 '로마 연합'을 해체하는 수밖에 없다고 생각하는 한니발에게 이것은 방치해둘 수 없는 문제였다. 그 역시 결전을 필요로 하고 있었다.

칸나이―제4회전

1991년 1월이던가. 공습으로 시작된 걸프 전쟁이 지상전에 돌입하는 것은 시간 문제라고, 전세계가 마른 침을 삼키며 지켜보고 있을 무렵의 일이다. CNN의 실황방송을 보고 있는데, 그날 아침만은 사우디아라비아의 기지도 아니고 야간공습을 받고 있는 이라크도 아닌 평화로운 밀밭 풍경이 화면 가득 펼쳐졌다. 그 밀밭 한복판에 선 기자는 오늘 아침에는 이탈리아에서 중계하겠다고 말하면서 방송을 시작했다.

그는 말했다. 다국적군의 지상전은 언제일지는 모르지만 이제 곧 시작된다. 그 지상전이 어떻게 벌어질 것인가를 예상할 때, 역사상 가장 유명한 지상전을 소개하는 것도 도움이 될 거라고 생각한다.

"제가 지금 서 있는 곳은 이탈리아 남부의 칸나이 평원입니다. 이곳은 지금으로부터 2천 200년 전인 기원전 216년에 한니발과 로마의 대회전이 벌어진 전쟁터입니다."

CNN 기자는 텔레비전 화면에 비친 전황 전개도를 가리키면서, 한니발이 어떤 전술을 사용하여 수적으로 우세한 로마군을 무찔렀는가를 설명했다. 그것을 끝낸 다음, 그는 이렇게 덧붙였다.

"칸나이 전투는 전사 연구에서는 빼놓을 수 없는 전투이기 때문에, 육군사관학교라면 어디서나 가르칩니다. 그렇다면 슈와르츠코프가 알고 있는 것과 마찬가지로, 이라크 장군들도 알고 있다는 뜻입니다."

이 말에는 나도 모르게 웃었지만, 항공기도 헬리콥터도 없었던 시대의 전투가 위성방송 시대 언론인의 관심을 끈 것은 재미있었다. 이제부터 말하는 것은 서구의 사관학교라면 반드시 가르친다는 역사상 유명한 칸나이 전투다.

기원전 216년, 민회에서 병력 증강을 의결한 로마에서는 전투가 재개될 봄에 대비하여 군단 편성이 시작되었다.

평상시 로마의 1개 군단은 앞에서도 말했듯이 보병 4천 200명과 기병 300명의 로마 시민병과 그보다 조금 많은 동맹국 참전자로 편성되어 있다. 집정관 한 명이 이끄는 이른바 '집정관 군단'은 2개 군단이고, 이것이 로마군의 전략 단위였다. 집정관은 두 명이니까, 로마는 해마다 4개 군단을 편성하고 있었다. 따라서 평상시 로마 연합군의 전력은 3만 8천 안팎이 된다.

전시에는 상황에 따라 병력이 증강되었기 때문에, 총전력은 5만 4천이 되었다. 갈리아인과 일리리아 해적을 상대할 때처럼 양쪽의 적과 맞서야 했던 해다. 이 경우, 로마 시민병과 동맹국 병사의 비율은 2 대 3이었다.

결전을 벌이기로 결정한 기원전 216년에는 상대가 한니발 한 사람인데도 로마는 더 많은 병력을 증강했다. 군단의 수를 늘린 것은 아니다. 집정관 한 사람이 지휘하는 것은 여전히 2개 군단이고, 집정관은 두 명이니까, 4개 군단 이상으로 늘릴 수는 없다. 그래서 기원전 216년에 로마는 1개 군단의 규모를 보통 '전시'보다 더 많이 증원했다. 이런 경우의 부담은 '로마 연합'의 맹주이고 총사령관을 배출하는 로마가 우선 떠맡게 된다. 따라서 두 명의 집정관이 하루씩 교대로 총지휘를 맡는 기원전 216년의 전력은 다음과 같았다.

    로마 시민병 : 보병—40,000명

                기병—2,400명   합계 42,400명

    동맹국 병사 : 보병—40,000명

                기병—4,800명   합계 44,800명

                            총계 87,200명

보병과 기병의 비율은 보병 8만에 기병이 7천 200명이니까, 11 대 1이다.

한편, 겨울 숙영지인 풀리아 지방에서 기다리고 있는 한니발 군대는 다음과 같이 구성되어 있었다.

    한니발 휘하 : 보병—20,000명

기병—6,000명   합계 26,000명

갈리아 용병 : 보병—20,000명

기병—4,000명   합계 24,000명

총계 50,000명

이쪽의 보병과 기병의 비율은 보병 4만에 기병 1만이니까, 4 대 1이다.

보병 전력을 비교하면 8만 대 4만으로 로마가 우세하지만, 기병 전력은 로마가 7천 200이고 한니발이 1만이니까 한니발이 우세하다. 로마는 지난해의 트라시메노 전투 직후에 4천의 기병을 잃은 구멍을 메우지 못했던 것이다.

또한 한니발과 맞설 8만 7천의 대군을 하루씩 교대로 총지휘할 집정관은 둘 다 한니발과 싸워본 경험이 없었다. 집정관 아이밀리우스는 한니발이 이탈리아를 침공하기 1년 전에 집정관을 맡아서 일리리아인을 무찌른 실적이 있었지만, 집정관 바로는 일개 병졸로 전투에 참여한 경험밖에 없다. 백인대장 경력조차도 없었던 모양이다. 그런 바로가 군사령관을 겸임하는 집정관에 선출된 것은 그가 주장한 조기결전론을 로마 시민 대다수가 지지했기 때문이다.

두 집정관의 정확한 연령은 알 수 없지만, 집정관에 선출되는 조건이 40세 이상으로 되어 있었던 점으로 미루어볼 때, 31세가 된 한니발보다 최소한 열 살은 많았던 게 분명하다. 어쨌든 기원전 216년의 로마는 가능한 모든 것을 한니발과의 대결에 투입했다.

예년처럼 3월 15일에 군사행동에 들어간 로마군은 적을 찾아 아피아 가도를 남하하기 시작했다. 카푸아를 지나 베네벤토에 가까워졌을 때, 월동하고 있는 한니발을 감시하던 우군한테서 보고가 들어왔다.

거기에 따르면, 한니발은 숙영지를 떠났지만 북상하지 않고 오히려 남하하고 있다는 것이었다. 두 집정관을 선두로 한 8만 7천의 로마군은 그 한니발을 쫓아 이탈리아 남부의 풀리아 지방으로 들어갔다.

어떻게 했는지는 모르지만, 한니발은 쫓아오는 로마군과 아직 부딪쳐보지도 않았는데, 로마군의 규모와 그 구성에서부터 두 집정관의 성격에 이르기까지 모든 것을 파악하고 있었다. 아마 여러 명의 포로를 심문한 결과일 것으로 여겨진다. 그는 기병이 쉽게 위력을 발휘할 수 있는 평원에서의 전투를 생각하고 있었다. 이 무렵에는 로마도 한니발의 의도를 알아차리고 있었다. 그런데도 평원이 많은 풀리아 지방에 들어간 것이다. 적의 두 배나 되는 8만 명의 보병 전력에 자신을 갖고 있었기 때문이다. 당시에도 로마 중무장 보병의 용맹은 아무도 따라갈 수 없는 것으로 유명했다.

추격하는 로마군한테서 달아나듯 남하를 계속하고 있던 한니발 군대는 오판토 강이 아드리아 해로 흘러드는 근처에 펼쳐진 평원까지 와서 행군을 멈추었다. 그리고는 당장 이 강 근처에 있는 칸나이 마을을 습격하여 점령했다. 칸나이는 로마가 동맹국 곳곳에 만들어둔 식량 저장 기지 가운데 하나다. '로마 연합'의 더 나은 기능을 중요시했던 로마는 동맹국 안에서의 약탈을 엄금하고 있었다.

한니발이 칸나이 마을을 공략한 것은 로마군을 자극하려는 목적도 있었지만, 우선은 식량 확보가 목적이었다. 아무리 약탈에 몰두한다 해도, 5만이나 되는 군대를 먹이는 것은 큰 일이다. 로마의 동맹국인 이탈리아 남부의 도시들은 한니발을 적대시하여, 우격다짐으로 열게 하지 않으면 성문을 열지 않는다. 군량 보급에 적극적으로 협력해줄 만한 도시는 아직 하나도 없었다. 또한 카르타고 본국에서의 지원은 기원전 216년인 이 시점까지 한번도 이루어지지 않았다. 에스파냐에서 군량을 구하려 해도, 에스파냐의 카르타고 세력은 코르넬리우스 형제가 이끄는 로마군의 공격을 받고 있어서 먼 이탈리아까지 지원할 형편이 아니었다. 칸나이를 수중에 넣기 전에 한니발 군대는 열흘치 식량밖에 갖고 있지 않았다고 한다.

칸나이에서 식량을 조달한 뒤에는 한니발은 더 이상 군대를 이동시키려 하지 않고, 마을 바로 뒤에 있는 언덕에 진을 치고 거기서 로마군을 기다렸다.

한니발 군대와 10킬로미터쯤 떨어진 곳까지 접근했을 때, 로마군도 행군을 멈추고 거기에 진을 쳤다. 로마군 진영은 평야 한가운데에 건설되었기 때문에, 사방에 높은 울타리와 깊은 참호를 두른 본격적인 진영이었다. 10킬로미터의 평야를 사이에 두고 양군의 대치가 시작되었다.

대치하긴 했지만, 손도 대지 않고 서로 노려보기만 하면서 두 달 가까이를 보낸 것은 아니었다. 양군 모두 손을 대긴 했다.

한니발 쪽에서 2천 명 정도가 나가면, 로마군도 2천 명 정도를 내보내서 응전한다. 이런 규모의 작은 충돌은 자주 일어났다. 그리고 작은 충돌이 거듭될수록 로마의 우세가 두드러지게 되었다. 한번은 로마군 희생자가 100명인데 한니발 군대의 전사자는 1천 700명이나 된 적도 있다. 그렇긴 하지만, 한니발 군대의 손실은 대부분 갈리아 병사였다. 그래도 로마군 진영의 사기는 계속 올라갔다. 이런 상태라면 충분히 이길 수 있다고 생각했다.

31세의 젊은이는 당구나 포커의 고수가 봉으로 점찍은 하수한테 흔히 써먹는 수법을 사용한 것에 불과했다. 처음에는 일부러 져주고, 막판에 몽땅 터는 수법이다.

전투욕에 불탄 로마군은 진영을 오판토 강 왼쪽 연안까지 전진시켰다. 한니발도 당장 같은 쪽으로 진영을 이동시켰다. 양군 사이의 거리는 이제 2킬로미터도 채 안되었다.

당장에 전투의 실마리가 열린 것은 아니었다. 이번에는 양쪽 다 진영에 틀어박힌 채 서로 노려보는 대치 상태가 시작되었다. 그 사이에 로마군은 강 건너편에도 작은 진지를 건설했다. 강의 양쪽에 진영을 가짐으로써 수적으로 우세한 병력을 좀더 효율적으로 사용하려고 생각했기 때문이다. 한니발은 여기에 대해서는 아무 행동도 취하지 않았다.

한니발은 언제나 자기가 원하는 땅에서 자기가 원할 때 전투를 했다. 트레비아도 그렇고, 트라시메노도 마찬가지였다. 그가 원하는 땅으로 적을 유인했다는 점에서는 칸나이도 다를 게 없다. 하지만 한니발은 칸나이에서는 2킬로미터 거리를 사이에 두고 로마군과 대치한 이후로는 적극적인 행동을 전혀 취하지 않았다. 적극적으로 나오기는커녕, 작은 전투 결과에 낙심하여 움직일 수도 없는 것처럼 행동했다.

31세의 장군은 로마군 사령관들의 심리를 꿰뚫어보고 있었다. 그들은 적장의 책략에 빠지는 것을 극도로 경계하고 있었던 것이다. 그들을 전쟁터로 끌어내리려면 그 경계심을 풀어줄 필요가 있었다. 그러기 위해 그는 마치 로마 쪽이 주도권을 쥐고 있는 것처럼 생각하게 했다.

기원전 216년 8월 2일은 두 집정관이 하루 교대로 총지휘를 맡는 것이 규칙인 로마군에서는 테렌티우스 바로가 총지휘를 맡는 날이었다.

그날 동쪽 하늘이 밝아오기 시작하자마자, 로마군의 두 진영에서는 총사령관 바로의 명령을 받은 병사들이 줄지어 나왔다. 바로는 그 군대를 오판토 강의 오른쪽 연안에 집결시켰다. 그가 왼쪽 연안보다 오른쪽 연안을 선택한 것은 끝없는 평원이 펼쳐져 있는 왼쪽 연안에서는 적군 기병이 종횡무진으로 활약할 위험이 있었기 때문이다. 오른쪽 연안은 땅이 울퉁불퉁하여, 기병 전력이 우세한 한니발 군대에 불리할 터였다.

로마군 전체가 포진을 끝낸 것을 본 한니발은 자신도 전군을 이끌고 강을 건너 로마군의 정면에 진을 쳤다. 하지만 무엇 때문인지, 로마군의 진형이 가로로 일직선인 반면에 한니발 군대의 진형은 중앙부가 불룩 튀어나온 활 모양이 되어 있었다.

그날 로마군 총사령관 바로가 생각하고 있던 전술은 이 포진만 보아도 분명하다. 중앙에 배치한 보병대의 진형이 가로로 길지 않고 세로가 긴 사각형에 가깝게 되어 있다. 로마군의 주력인 중무장 보병을 이용하여 적진 중앙 돌파를 노린 것이다. 그렇기 때문에 오판토 강과 칸나이 마을의 배후를 에워싸는 언덕자락에 완만한 경사를 이루며 펼쳐진, 이 지방에서는 비교적 좁은 지역을 전쟁터로 선택한 것이다. 하지만 이런 진형 때문에 로마군의 우익을 맡은 2천 400명의 기병은 오판토 강과 보병대 사이에 낀 좁은 지역에서 세 배나 많은 적과 싸워야 하는 불리함을 안게 된다.

바로는 또한 전쟁터에 가득 포진한 아군 배후에 있는 작은 진영에 1만 명의 병력을 대기시켰다. 기병이 잘 견뎌내고 보병이 중앙 돌파에 성공했을 때, 이 1만 명을 투입하여 전투를 단숨에 승리로 이끌어가려고 생각했기 때문이다.

하지만 트레비아 전투 때와는 전혀 다른 진형을 짠 한니발은 그 수법에 넘어가지 않았다.

전투는 우선 양군이 정석대로 각자의 정면에 있는 적과 맞서는 형태로 시작되었다. 한니발 군대의 좌익은 로마군의 우익과, 중앙은 로마군 중앙의 경무장 보병과, 우익은 로마군의 좌익과 맞서는 식이다. 하지만 양군에서 처음 접촉한 것은 활 모양의 진형을 이루고 있던 한니발 군대의 갈리아 용병과 로마군의 경무장 보병이었다.

이 싸움에서 양군의 격돌은 처음부터 로마의 우세 속에 전개된다. 이것을 본 바로는 보병대 지휘를 맡고 있던 전직 집정관 세르빌리우스에게 중무장 보병대를 투입하라고 명령했다. 로마의 보병 전체가 육박해 오자, 갈리아 용병으로 구성된 한니발의 전위부대는 후퇴했다. 가운데가 불룩한 활 모양이 가운데가 움푹 들어간 활 모양으로 바뀌었다. 로마 보병대의 중앙 돌파에 되도록 많은 시간과 노력을 소비시키기 위해 만든 활 모양의 진형이 효과를 발휘하여, 갈리아 병사들은 후퇴하면서도 여전히 견디고 있었다.

보병전에 이어, 좌우 양쪽에서는 기병들끼리의 전투도 시작되었다. 여기서는 세 배 가까운 전력을 가진 한니발 군대의 좌익이 로마 집정관 아이밀리우스가 이끄는 로마 기병에 대해 처음부터 우세를 보였다. 로마 기병은 강변 쪽으로 조금씩 밀리고 있었다. 그래도 그들은 분전했다. 로마군의 우익을 맡고 있는 이들 기병 중에는 로마 귀족의 자제가 많았기 때문이다. 이들은 말하자면 사관후보생들이다.

한편, 집정관 바로가 이끄는 동맹국 기병으로 구성된 좌익은 누미디아 기병과 수적으로 비슷했기 때문인지 제법 선전하고 있었다. 처음 얼마 동안은 한 걸음도 물러서지 않고 잘 싸웠다.

그동안 중앙에서는 로마군 보병의 맹공을 받은 한니발의 갈리아 용병들이 완전히 침착성을 잃어버렸다. 기세가 오른 로마군 보병은 경무장 보병과 중무장 보병이 한 덩어리가 되어 계속 후퇴하는 적을 열심히 추격했다.

바로 이때, 지금까지 계속 후퇴만 하던 갈리아 병사들이 방어를 그만두고 좌우로 나뉘어 전선을 이탈했다. 이리하여 로마군 중무장 보병은 느닷없이 눈앞에 나타난 한니발 군대의 중무장 보병과 처음으로 마

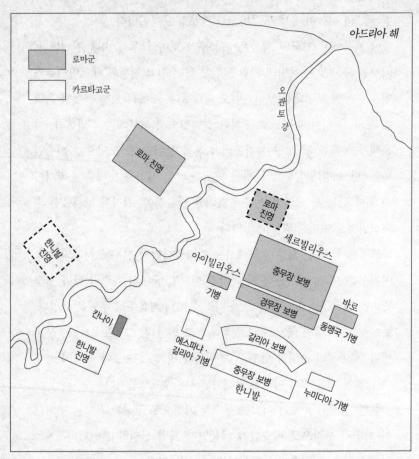

칸나이 회전(포진 직후의 진형)

아드리아 해

로마군

카르타고군

오판토 강

로마 진영

로마 진영

한니발 진영

세르빌리우스

아이밀리우스

중무장 보병

기병

경무장 보병

바로

동맹국 기병

칸나이

한니발 진영

에스파냐·
갈리아 기병

갈리아 보병

중무장 보병
한니발

누미디아 기병

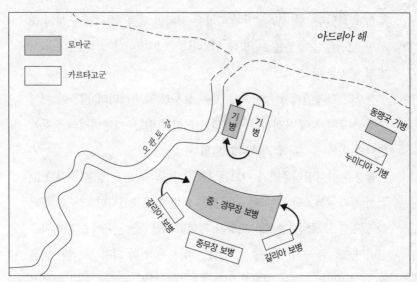

아드리아 해

로마군
카르타고군

오 판 토 강

기병 기병

동맹국 기병

누미디아 기병

중·경무장 보병

갈리아 보병

중무장 보병

갈리아 보병

칸나이 회전(제2단계)

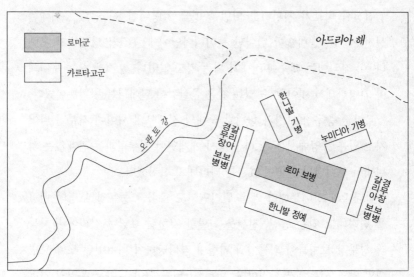

아드리아 해

로마군
카르타고군

오 판 토 강

한니발 기병

누미디아 기병

경무장 보병

갈리아 보병

로마 보병

갈리아 보병

경무장 보병

한니발 정예

칸나이 회전(최종 단계)

주치게 되었다. 한니발 원정에 따라온 정예인 만큼, 한니발 군대의 중무장 보병은 숫자로는 2만밖에 안되지만 7만 명이나 되는 로마군 보병의 맹공을 잘 견뎌냈다.

전쟁터 한복판에서 벌어지고 있는 중무장 보병끼리의 격돌이 이제 분명히 로마 쪽에 유리하게 전개되기 시작한 반면, 기병끼리의 전투는 한니발 쪽에 유리하게 전개되고 있었다.

집정관 아이밀리우스가 이끄는 2천 400명의 기병은 강을 등지고 고립된 상태에서 6천 명에 이르는 적군 기병에게 포위되어 대부분 목숨을 잃었다. 그들은 강으로 도망쳐 들어갔지만, 쫓아온 적을 뿌리치고 건너편으로 무사히 달아날 수 있었던 병사는 얼마 되지 않았다. 말을 잃은 아이밀리우스는 지휘할 기병대도 없어졌기 때문에 아군 중무장 보병들 틈에 뛰어들어 계속 싸웠다.

집정관 바로가 지휘하고 있던 동맹국 기병 4천 800명도 초기에는 선전했지만, 승마술이 뛰어난 누미디아인에게는 결국 당해내지 못했다. 이 좌익에는 패주에 장애가 되는 강도 없었다. 추격해 오는 누미디아 기병한테서 벗어날 수 있는 길은 쏜살같이 달아나는 방법뿐이었다.

로마군 중무장 보병과 한니발 군대의 정예부대 사이에 격투가 벌어지고 있는 중앙에서는, 로마군 병사 개개인의 전투력과는 관계없는 차원에서 한니발의 전술이 효과를 나타내기 시작했다.

한니발의 정예부대가 계속 밀리면서도 로마군 중무장 보병의 맹공을 견뎌내고 있는 동안, 전선을 이탈한 것처럼 보였던 갈리아 병사들과 경무장 보병들이 되돌아와 기병이 격퇴당하여 비어버린 로마 보병대의 양옆으로 다가온 것이다. 바로 그 뒤를 이어 로마군 우익의 기병을 격퇴한 한니발의 좌익 기병도 로마 보병대의 배후로 돌아왔다. 한니발이 생각한 포위작전은 집정관 바로가 이끄는 로마군 기병을 멀찌감치 쫓아버린 누미디아 기병이 전쟁터로 돌아왔을 때 완성되었다.

7만 명의 로마 보병은 5만 명의 한니발 병사들에게 마치 그림으로 그린 것처럼 멋지게 사방을 포위당해버렸다.

'로마 연합'의 핵심을 이루는 시민병들이다. 적에게 포위당했다고 해서 당장 두 손을 들고 항복할 병사들이 아니다. 또한 지금까지의 전투가 모두 그랬듯이, 한니발의 로마군 포위작전은 곧 섬멸작전이었다.

중무장 보병대를 지휘하고 있던 지난해 집정관 세르빌리우스가 전사했다. 말을 잃고도 부하들과 함께 싸우는 쪽을 선택했던 집정관 아이밀리우스도 전사했다. 독재관 파비우스의 부관을 지낸 미누티우스도 전사했다. 기병이나 중무장 보병으로 참전한 80명의 원로원 의원도 거의 다 전사했다. 극소수만이 한니발의 포위망을 돌파하여 목숨을 건졌다. 칸나이에서는 포위작전이 완벽했듯이 섬멸작전도 완벽했다. 그것은 한니발이 적의 주력, 즉 로마 군단의 정예인 중무장 보병을 무력화시킴으로써 실현되었다.

포로가 된 것은 총사령관의 명령을 받지 못해 작은 진지에서 대기할 수밖에 없었던 1만 명의 병사들뿐이었다.

이날의 총사령관인 집정관 바로는 기병 50기만 이끌고, 칸나이에서 산길을 따라 서쪽으로 수십 킬로미터나 들어간 곳에 있는 로마의 식민도시 베누시아로 도망쳐 목숨을 건졌다. 보병 4천 명과 기병 200명은 칸나이에서 북쪽으로 20킬로미터 떨어진 카노사까지 도망쳤다. 그들 중에는 19세가 된 코르넬리우스 스키피오도 끼여 있었다. 트레비아 전투가 끝난 뒤 에스파냐로 파견된 아버지가 아이밀리우스에게 아들을 맡겼기 때문이다. 젊은 스키피오가 한니발의 뛰어난 전술을 접한 것은 이번이 세번째였다.

집정관과 장교들이 베누시아와 카노사로 도망친 것을 알고, 패잔병들이 그곳으로 모여들었다. 그들을 전부 합해도 1만 명이 채 안되었다.

옛사람들의 기록을 믿는다면, 칸나이 전투에서 로마 쪽의 희생자는 무려 7만 명에 이르렀다. 승리한 한니발 쪽의 전사자는 불과 5천 500명. 그 가운데 3분의 2는 갈리아 병력이었다.

그 역사 전체를 조감해보아도, 로마가 이런 참패를 맛본 것은 이 칸나이 전투가 처음이자 마지막이다.

전사자한테서 빼앗을 가치가 있는 물건을 빼앗는 데 이틀날 하루를 꼬박 소비했는데도 다 끝나지 않을 정도였다. 한니발이 승리를 알리기 위해 카르타고 본국에 보낸 그의 동생 마고는 죽은 로마 병사들의 손가락에서 빼낸 금반지를 본국 요인들의 눈앞에 산더미처럼 쌓아올렸다고 한다. 로마 시민에게 금반지는 결혼반지가 아니라 도장이었다. 그래서 모양도 크고 묵직하다. 이런 반지가 수만 개나 쌓이면 얼마나 높은 산이 될지, 나로서는 짐작도 가지 않는다.

로마는 완패 소식을 조용히 받아들였다. 집정관 바로가 패잔병을 모아서 수도로 돌아가자, 원로원 의원을 비롯한 모든 시민이 성문까지 마중나와서 노고를 위로했다. 전사자의 유가족이 상을 입는 기간은 평소의 1년에서 30일로 제한되었다.

테렌티우스 바로를 비난하는 목소리는 전혀 들리지 않았고, 그의 조기결전론에 반대했던 사람들도 이제는 그것을 입에 올리려 하지 않았다. 지금까지의 패전을 지휘한 사람이 모두 평민 출신 집정관이라는 사실을 암시한 귀족은 한 사람도 없었다. 다른 민족은 걸핏하면 '포로 로마노'에 모여 위정자들에게 항의했지만, 그때의 로마에서는 이런 현상도 전혀 보이지 않았다.

화불단행(禍不單行)이라는 말처럼 나쁜 소식은 잇따라 날아드는 법인 모양이다. 칸나이에서 전사한 이들에 대한 애도기간도 아직 끝나지 않은 로마에 갈리아 땅에서 2개 군단이 궤멸했다는 소식이 들어왔다.

이해에 로마는 한니발의 활약에 용기를 얻어 봉기한 갈리아인을 진압하기 위해 법무관 포스투무스가 이끄는 2개 군단을 포 강 유역에 파견했다. 하지만 이 2개 군단이 갈리아 병사들을 추격하다가 함정에 빠지고 말았다. 군대 전체가 한꺼번에 숲속에 들어가는 실수를 저질렀기 때문이다.

갈리아인은 숲속 길을 따라 나 있는 나무를 미리 베어내고, 그것들을 다시 원래대로 세워두었다. 갈리아군을 따라 숲속에 들어간 로마군의 머리 위로 밑동이 잘린 채 서 있던 나무들이 마치 도미노처럼 차례로 떨어져 내려왔다. 2개 군단 8천 600명은 대부분 쓰러진 나무에 깔려 꼼짝 못하고 있다가, 숨어 있던 갈리아 병사들의 습격을 받고 죽어갔다. 얼마 안 되는 생존자의 증언에 따르면, 법무관 포스투무스도 병사들과 운명을 함께했다는 것이다.

로마는 며칠 사이에 통틀어 8만 명이나 되는 병력을 잇따라 잃은 셈이다. 믿음이 깊은 로마 시민들의 심경을 고려한 원로원은 신탁을 청하는 사절을 파견하기로 결정했다. 신탁을 받기 위해 그리스의 델포이로 간 것은 나중에 제2차 포에니 전쟁사를 쓰게 된 원로원 의원 파비우스 픽토르였다. 잇따른 흉보에 로마인이 얼마나 동요했는가를 보여주는 유일한 사례다.

한편, 칸나이의 한니발 진영은 완승을 거둔 날 밤에는 기쁨으로 터질 것 같았다고 한다. 장교들은 저마다 한니발에게 때를 놓치지 말고 로마를 공략하러 가자고 진언했다. 지금 공격하면 닷새 후에는 카피톨리노 언덕에서 저녁을 먹을 수 있을 거라고도 말했다.

31세의 승자는 그런 말에 귀를 기울이지 않았다. 로마의 붕괴는 '로마 연합'의 붕괴로만 실현될 수 있다고 믿은 한니발은 지금 시점에서 수도를 공격하는 것은 시기상조라고 대답했다. 한 장교는 한니발에게 이렇게 말했다.

"장군께서는 승리를 얻을 줄은 알고 있지만 그 승리를 활용할 줄은 모르는군요."

한니발도 젊은 만큼, 마음속으로는 망설였을지 모른다. 하지만 견고한 방어체제를 가진 대도시를 공략하려면, 나중에 시라쿠사나 카르타고의 예가 보여주듯이 2년 내지 3년은 걸릴 것을 각오해야 한다. 또한 하루 만에 승부가 판가름나는 전투라면 모를까, 오랜 기간이 걸릴 게 뻔한 장기전이 되면 갈리아 병사들은 신용할 수 없다. 믿을 수 있는 것은 이제 2만 5천 명으로 줄어든 그의 휘하 병력뿐이다. 이 정도 전력으로 대도시 공략을 강행하는 것은 자멸로 이어질 위험마저 있었다. 로마라는 나라가 수도에만 기능이 집중되어 있는 형태의 국가가 아니라는 점도 한니발은 무시할 수 없었다.

로마라는 나라는 면과 점과 선으로 이루어져 있다. 동맹도시들 사이에 흩어져 있는 식민도시에는 로마 시민이나 로마 시민과 거의 동등한 권리를 누리는 라틴족 시민들이 이주해 있다. 로마 시민권 소유자인 이들은 곧 병사이기도 하다. 이들에게 동맹국 병사들이 가담하여, 수도 로마를 포위 공격하고 있는 한니발 군대를 공격해올 것은 쉽게 상상할 수 있는 일이었다.

속생각이 어떻든 간에, 한니발은 이탈리아 침공을 결심했을 때부터의 기본전략을 변경할 수가 없었다. 따라서 칸나이에서 얻은 승리도 '로마 연합'의 해체라는 이 기본전략을 실현하는 데 활용하지 않으면 안되었다.

칸나이 전투가 끝난 뒤에도 한니발은 포로를 로마 시민병과 동맹국 병사로 양분하여, 동맹국 병사들은 몸값도 요구하지 않고 고국으로 돌려보냈다. 물론 한니발의 적은 로마이고, 로마 이외의 이탈리아인이 아니라는 사실을 고국에 전하겠다고 약속시킨 다음에 석방한 것이다.

한니발 자신도 기본전략을 실현하기 위한 시간을 낭비하지는 않았다. 수도 로마를 공격하지도 않고, 패잔병을 추격하지도 않은 한니발은 남쪽으로 군대를 보냈다. 칸나이의 패전으로 동요하고 있을 게 분명한 이탈리아 남부 도시들을 공격하여 '로마 연합'에서의 이탈을 강요하기 위해서였다.

장화처럼 생긴 이탈리아 반도의 발등에서 발끝까지에 해당하는 칼라브리아 지방 일대에서는 한두 개 도시가 저항을 시도했지만 당장 함락되었고, 그후로는 거의 모든 도시가 한니발에게 성문을 열어주었다. 이 지방의 동맹국 가운데 유일하게 로마 쪽에 남은 것은 메시나 해협에 면해 있는 레조뿐이었다. 가까운 시칠리아에 있는 친로마 세력의 지원을 받을 수 있었기 때문이다. '로마 연합'은 우선 남쪽 귀퉁이부터 무너져내린 셈이다.

로마에 보다 뼈아픈 타격은 카푸아의 이반이었을 것이다. 카푸아는 이탈리아 중남부의 캄파니아 지방에서는 나폴리나 다른 어떤 도시보다도 중요한 도시였다. 로마는 로마에서 출발하는 라티나 가도와 아피아 가도가 교차하는 이 도시국가에 '투표권 없는 시민권'을 부여했다. 로마 국정에 참여할 권리는 없지만, 그밖에는 로마 시민과 동등한 법적 지위를 부여하고 카푸아의 자치권도 완전히 인정하고 있었다. 이처럼 '로마 연합'의 완전한 동맹국이었기 때문에, 카푸아 시민은 로마군에 참가할 의무가 있었다. 지금까지는 로마 시민병과 함께 한니발에 대항해 싸워 온 사람들이었다.

이 카푸아가 칸나이에서 패배한 로마를 버렸다. 동맹국 포로만 계속 석방한 한니발의 계책이 큰 열매를 맺은 것이다.

카푸아는 시민 대표를 한니발 진영에 보내 다음과 같은 조건으로 단독 강화를 제의했다.

1. 강화를 맺어도, 한니발 군대에 병력을 제공할 의무는 없는 것으로 할 것.

2. 카푸아 영토 안에서의 완전한 자치를 인정할 것.

3. 한니발이 사로잡은 로마 시민병 포로 300명을 시칠리아 방어에 참가하고 있는 카푸아 시민 300명과 교환하기 위해 카푸아로 보낼 것.

한니발은 이 조건을 모두 받아들였다. 한니발과 카푸아는 강화를 맺었다.

유력한 도시국가쯤 되면 주변에 위성도시를 몇 개 갖고 있는 것이 보통이다. 카푸아에 이어 근처의 4개 도시가 재빨리 로마에 등을 돌렸다. '로마 연합'은 이탈리아 중남부에서도 허물어지기 시작했다.

기원전 216년을 칸나이의 완승으로 장식한 한니발 군대는 에스파냐를 떠난 지 3년째 되는 해 겨울에 처음으로 천막만 둘러친 땅바닥이 아니라, 지붕과 벽으로 둘러싸인 집 안의 침대 위에서 쾌적한 수면을 만끽할 수 있었다. 한니발은 기원전 216년부터 기원전 215년에 걸친 겨울을 카푸아에서 보내기로 결정했기 때문이다. 에트루리아인이 건설한 이 대도시에서 겨울을 보내면서, 한니발은 31세에 작별을 고하는 동시에 '로마 연합'이 해체되기를 기다릴 작정이었다.

알렉산드로스 대왕과 한니발

2천 300년 전의 인물인 알렉산드로스 대왕의 업적을 찾으려 해도,

현대에 사는 우리가 쉽사리 손에 넣을 수 있는 것이라고는 플루타르코스의 『영웅전』밖에 없다. 그렇긴 하지만, 이 작품에서는 알렉산드로스의 인간성에 다가갈 수는 있어도 그가 구사한 전략 전술까지는 알아낼 수 없다. 서기 1세기의 교양있는 그리스인이었던 플루타르코스는 그런 것에는 별로 관심이 없었고, 그런 종류의 글을 쓰는 데 필요한 전문지식도 없었기 때문이다.

하지만 고대인 가운데 알렉산드로스에 관해 쓴 사람은 플루타르코스만이 아니었다. 알렉산드로스가 이룩한 대원정은 그가 너무 일찍 세상을 떠난 직후부터 고대인들을 계속 매료시켰다. 많은 역사가가 이 젊은 천재의 업적을 쓰는 작업에 도전했다. 사료도 그 당시라면 부족하지 않았을 것이다.

알렉산드로스 자신이 두 명의 기록 담당자를 동행했다. 이 두 사람이 쓴 기록을 토대로, 대왕이 죽은 직후에 두 명의 역사가가 전기를 썼다.

오늘날에는 알렉산드로스와 동행한 두 사람의 기록도, 대왕이 죽은 직후에 두 역사가가 쓴 저술도 사라져버렸다. 하지만 이런 기록을 토대로 하여 쓴 플루타르코스의 『영웅전』이나 쿠르티우스 루초의 『알렉산드로스 대왕전』에서 알렉산드로스의 실상에 가까이 다가갈 수는 있다. 그렇기는 하지만 대왕이 죽은 지 불과 100년 뒤에 살았던 한니발에 비하면, 정보의 양만 생각해보아도 알렉산드로스 쪽이 훨씬 불리한 것은 분명하다.

전략이나 전술을 기술하려면, 그런 것에 대한 관심과 전문지식이 둘 다 필요하다. 플루타르코스만이 아니라 고대 역사가들은 대부분 대왕의 업적을 찬미하는 데에만 열심이었고, 그 업적이 어떻게 실행되어갔는가를 기술하는 데에는 열성을 보이지 않았다. 직접 군대를 이끈 크세노폰이나 펠로폰네소스 전쟁에 참전한 투키디데스, 아카이아 동맹군의 기사단장을 지낸 폴리비오스 같은 유능한 역사가가 한 사람도 알렉산드로스 대왕을 다루지 않은 것이 아쉬울 뿐이다.

하지만 자신이 목적하는 일에 도움이 되는 선례는 없을까 하고, 선인들의 업적에 관심을 갖는 사람은 어느 사회에나 있는 법이다. 한니발도 그런 사람 가운데 하나가 아니었을까. 훗날 그는 스키피오의 질문을 받고, 가장 뛰어난 장군으로 알렉산드로스 대왕을 꼽았다. 자신도 뛰어난 장군이라고 생각했던 한니발이다. 남의 이야기를 전해 들은 것만으로 이렇게 대답할 리는 없다. 장군으로서 알렉산드로스 대왕의 재능을 알고 인정했기 때문에, 가장 뛰어난 장군으로 꼽았을 것이다.

한니발은 이탈리아를 침공하기 전부터, 그리고 제2차 포에니 전쟁을 치르는 동안에도 줄곧 그리스인 하나를 대동했다. 실레노스라는 이름을 가진 이 측근은 이탈리아 원정에 대한 기록을 담당했다. 그는 동시에 한니발에게 그리스어를 가르치는 역할도 맡고 있었다. 알렉산드로스 대왕에 관한 저술은 당시에는 모두 그리스어로 되어 있었다. 실레노스의 역할은 한니발에게 알렉산드로스 대왕의 업적을 읽어주는 게 아니었을까. 그 중에서도 이 카르타고의 젊은 장군이 가장 관심을 갖고 있었던 대왕의 전략과 전술을 중점적으로 읽어주었을 것이다.

나중에 대왕이라는 존칭을 받게 된 알렉산드로스는 22세의 젊은 나이에 3만 6천 명의 병력만 이끌고 광대한 페르시아 제국으로 쳐들어갔다. 이 정도의 병력으로 그는 10만 내지 20만이나 되는 병력을 동원한 페르시아 왕 다리우스와 싸워서 두 번이나 승리했다. 페르시아의 전사자는 10만을 헤아린 반면, 알렉산드로스의 손실은 200명 내지 300명에 불과했다. 0을 하나나 두 개쯤 빼먹은 게 아닌가 싶을 정도다. 옛사람들은 과장되게 쓰는 버릇이 있었다지만, 완승이었던 것은 의심할 여지가 없다.

어떻게 이런 일이 가능했을까. 훌륭하고 위대하다고 감탄하는 것으로 끝내는 일반인과는 달리, 무인이라면 누구나 관심을 갖지 않을 수 없었을 것이다. 특히 75만 명의 동원력을 가진 이탈리아에 그 10분의 1도 안되는 병력을 이끌고 쳐들어가려 했던 한니발의 관심은 더욱 강렬했을 것으로 여겨진다.

알렉산드로스는 18세 때 아버지인 마케도니아 왕 필리포스 2세가 이끄는 군대에 참가하여, 테베와 아테네 연합군을 상대로 카이로네아 전투를 치렀다. 이 전투에서 그는 기병대 지휘를 맡았다. 마케도니아군과 테베와 아테네 연합군은 병력에서는 대등했지만, 이 전투는 마케도니아의 승리로 끝났다. 승리를 결정한 것은 마케도니아 기병의 활약이었다.

고대에는 그리스도 로마와 마찬가지로 중무장 보병이 군의 주력이었다. 중무장 보병대를 구성하고 있던 병사들이 중상류층 시민이었기 때문이다. 카이로네아 전투에 참가한 마케도니아군도 보병과 기병의 비율이 10 대 1이었다.

기병을 직접 지휘하고 그것으로 승부를 결정지음으로써 젊은 알렉산드로스는 기병의 중요성에 눈을 뜬 게 아닐까. 그로부터 2년 뒤 드디어 동방 원정을 떠날 때, 그의 전력은 보병 3만 1천에 기병이 5천이었다. 보병과 기병의 비율이 6 대 1로 바뀌어 있었다. 게다가 그는 기병의 전투력과 방어력을 높이기 위해 중무장 기병까지 고안해냈다.

알렉산드로스 예찬으로 가득 찬 역사책을 그냥 읽으면 신의 재림이라고밖에 생각할 수 없지만, 이런 종류의 관심을 가지고 있으면 이따금 전략과 전술에 관련된 기술이 떠오른다. '적의 측면에서 공격했다' 거나 '배후로 돌아갔다'는 따위의 기술이 그것이다. 또한 5배의 전력을 가진 적과 싸운 이수스 전투를 기술한 부분에서는 '전황 전개를 목격한 알렉산드로스는 자기 군대의 주력이 중무장 보병임을 알면서도, 지금은 기병으로 승부를 결정지을 때라고 판단했다'는 기술까지 나온다.

마케도니아의 이 젊은 장군은 기병이 갖는 기동력을 구사하여 보병과 기병으로 이루어진 군사력을 유기적으로 활용하려고 했다. 군 전체를 유기적으로 활용함으로써 적의 주력부대를 무력화시키려 한 것이다.

그때까지의 전투는 보병은 보병끼리, 기병은 기병끼리 싸우는 것이 정석이었다. 기병의 기동성이 활용되는 것은 패주하는 적을 추격할 때 정도였다. 이런 전법에서는 '양'이 승부를 결정짓는다. 대량의 병력을 싸움터에 내보내는 것이야말로 대제국 제왕의 힘이라고 믿었던 다리우스가 15만 명이나 되는 병력을 이수스 전쟁터에 투입한 것은 결코 알렉산드로스를 두려워했기 때문은 아니다. 이수스 전투 이전에 알렉산드로스와 페르시아가 싸운 것은 단 한번뿐이었다. 알렉산드로스가 다리우스와 대결한 것은 이수스가 처음이었다. 알렉산드로스가 출현하기 전의 전투는 '덧셈식' 전투였기 때문에, 페르시아 쪽에는 대군을 투입할 이유가 있었다. 마케도니아의 젊은이는 종래의 이같은 전투방식을 바꾸어버렸다.

알렉산드로스에게는 보병도 기병도 전쟁터라는 장기판 위에서 전술에 따라 움직이는 말이었다. 그는 적의 보병에 대해 기병을 투입하거나 보병대를 기병과 싸우게 했다. 귀족 출신이 많은 기병의 자부심을 존중하는 것 따위는 그의 관심사가 아니었다. 그의 관심은 자기 군대가 가진 힘을 어떻게 하면 가장 효율적으로 활용할 수 있을 것인가에 있었다. 이것이 전쟁터에서 그가 이긴 요인이었다.

천재는 그 개인에게만 보이는 '새로운' 사실을 볼 수 있는 사람이 아니다. 누구나 뻔히 보면서도 그 중요성을 깨닫지 못했던 '기존의' 사실을 깨닫는 사람이야말로 천재다.

자기 군대의 각 부문을 유기적으로 활용함으로써 양적으로 우세한 적에게 승리를 거두려고 생각했으니까 당연한 일이지만, 전쟁터에서 알렉산드로스는 항상 전투의 주도권을 장악하고, 적이 어떻게 나오는 가를 보려고 기다리는 일은 하지 않았다. 그는 이런 말을 한 적도 있다. "전투는 격동의 상태다. 따라서 전쟁터에서의 모든 행위는 격동적으로 이루어지지 않으면 안된다."

그런데도 알렉산드로스는 전쟁터 밖에서는 신중하게 처신할 줄도 알았다. 그는 이수스에서 완패한 다리우스를 너무 멀리까지 추격하지 않았다. 내륙으로 도망친 다리우스 왕은 내버려두고, 우선 지중해 연안 지방을 제압하는 데 전념했다. 그리스에서의 보급로 확보는 적지에서 싸우고 있는 알렉산드로스에게는 방치할 수 없는 과제였다. 또한 가우가멜라에서 다시 다리우스한테 이긴 뒤에도 그를 추격하기보다는 바빌로니아나 수사 및 페르세폴리스 공략을 우선했다. 다리우스를 추격할 준비에 들어간 것은 이런 페르시아의 주요 도시들을 수중에 넣은 다음이었다.

전투에서 대승한 뒤에도 패주하는 적을 너무 깊이 추격하지 않고, 주변을 계속 공략하여 전투에서의 승리를 확고한 것으로 만드는 알렉산드로스의 방식은 3만 6천밖에 안되는 병력으로 동방에 쳐들어간 그의 군대를 대폭 증강시켰다. 동쪽으로 나아갈수록 그의 군대는 점점 그리스 색채가 옅어진다. 행군 도중에 현지 주민들이 병사로 가담하여 병력이 계속 늘어났기 때문이다.

지금까지 이야기한 알렉산드로스의 전략 전술은 모두 한니발의 방식과 그대로 겹친다고 생각하지만, 특히 마지막 항목은 '로마 연합'의 해체를 중시한 한니발의 관심을 더욱 강하게 끌었을 게 분명하다. 하지만 한니발이 상대하고 있는 것은 페르시아나 그밖에 전제군주제에 익숙한 오리엔트의 백성이 아니었다. 로마와 거의 대등한 동맹관계를 맺고, '사회간접자본'에 의한 '로마화'로 말미암아 로마인과는 경제적으로도 공동운명체가 되어 있었던 이탈리아의 에트루리아인과 그리스인이었다.

한니발이 알렉산드로스를 배운 것은 확실하지만, 그래도 두 사람은 같은 인간이 아니다. 한니발과는 달리, 알렉산드로스는 적의 허를 찌르거나 책략을 꾸민 적이 거의 없었다. 이것은 그리스인과 카르타고인이라는 민족성의 차이가 아니라, 알렉산드로스와 한니발이라는 개인의 성격 차이로 돌릴 수밖에 없다.

호메로스의 영웅들 가운데 알렉산드로스가 가장 사랑한 것은 고귀하고 용감하지만 책략과는 인연이 없는 아킬레우스였다. 한니발이 좋아한 영웅은 알려져 있지 않지만, 교묘한 계략으로 트로이를 함락시킨 오디세우스가 좋다고 말했을지도 모른다.

아무리 교묘하게 고안된 전략 전술도 그것을 실행하는 사람의 성격에 맞지 않으면 성공으로 이어지지 않는다. 사람은 누구나 자기 자신의 기질에 가장 자연스럽게 어울리는 일을 가장 잘할 수 있는 법이다. 기원전 4세기의 '아킬레우스'는 야습조차도 하려들지 않았지만, 한니발은 기원전 3세기의 '오디세우스'였다.

한니발은 유기적으로 전투를 전개하려면 기병을 활용할 수밖에 없다는 것을 알렉산드로스한테서 배운 게 분명하지만, 그런 한니발에게 네 번이나 계속해서 패배를 맛본 로마인은 왜 기병력을 증강하려 하지 않았을까. 기병의 기동성을 알아차리지 못했을까. 아니면 증강하고 싶어도 뭔가 이유가 있어서 그것을 실천에 옮길 수 없었을까.

로마는 티치노 전투에서 이미 한니발의 기병력이 우세한 것을 알아차렸다. 그때의 기병전에서 패배한 집정관 코르넬리우스는 원로원에서 이 점을 보고했다.

또한 트라시메노에서 패배한 집정관 플라미니우스도 남하하는 한니발을 뒤쫓기로 결정했을 때, 리미니에 있는 동료 집정관 세르빌리우스에게 기병대만이라도 먼저 보내달라고 요청했다. 로마 사령관들은 한니발이 강한 이유 가운데 하나가 그의 기병력에 있다는 것을 완전히 파악하고 있었다. 하지만 그것이 당장 기병력의 증강으로 이어지지는 않았다.

첫번째 이유는 공화정 로마의 군대 구성이다. 당시 로마군의 주력은 중무장 보병이었다. 중류와 상류 계급에 속하는 시민들이 시민으로서의 의무를 완수하기 위해 중무장 보병으로 병역에 종사하는 것이다. 공화정 로마의 정신은 이 중무장 보병에 구현되어 있었다.

이 중무장 보병을 소홀히 하는 것은 곧 공화정 로마의 정신을 소홀히 하는 것이 된다. 기병이 중요해졌다고 해서 중무장 보병을 기병으로 바꾸면 로마인은 더 이상 로마인이 아니다.

또한 500년 전부터 줄곧 중무장 보병을 군대의 주력으로 삼아서 지금까지 잘 해왔다. 지금까지 줄곧 유효했던 것을 변혁하는 것만큼 어려운 일은 없다.

두번째 이유로는 당시 로마에 기병이 적었던 사정을 들 수 있다. 지중해 세계의 다른 나라와 마찬가지로, 기병을 모으려 해도 전력이 될 수 있는 기병이 별로 많지 않았다. 이탈리아에는 아펜니노 산맥 주변의 산악지대에 말 산지가 조금 있을 뿐이었다. 기병은 말 산지에서만 배출된다.

과학의 창시자인 그리스인이나 공학의 천재인 로마인이 생각해내지 못한 게 의아할 정도지만, 고대인들은 등자를 알지 못했다.

의학의 아버지라고 일컫는 히포크라테스도, 고대 의학의 대성자인 갈레노스도 오랫동안 말에 올라타고 다리를 축 늘어뜨린 채 있었기 때문에 울혈이 생긴 다리를 기사의 직업병이라고 말했다.

고대 기사들은 아메리카 대륙의 인디언과 마찬가지로 간단한 안장만 놓은 말에 걸터앉아, 등자라는 받침대도 없이 두 다리를 축 늘어뜨린 채였다. 축 늘어진 발로도 말 옆구리를 걷어찰 수는 있다. 따라서 등자가 없어도 말을 타고 달릴 수는 있다.

하지만 말을 타면서 화살을 쏘거나 창으로 찌르려면 말등에서 두 다리에 힘을 주고 버티지 않으면 잘 되지 않는다. 등자가 필요한데, 등자가 없는 이상 두 다리로 말 옆구리를 힘껏 조여서 몸을 말 위에 고정시키는 특수한 기능이 필요했다. 이것은 어릴 적부터 훈련하지 않으면 도저히 습득할 수 없는 기술이다.

이렇게 되면, 기병이 될 수 있는 것은 태어날 때부터 말을 타고 산야를 뛰어다니는 말 산지의 출신자거나 아니면 사회적 지위가 높고 부유한 집의 자제뿐이다. 로마의 세제에서 소유재산이 가장 많은 제1계급에 기병이 할당된 것도 이런 이유 때문이다. 기병력 증강이 급선무라는 것을 알면서도 당장 그것을 실천에 옮기지 못한 데에는 이런 이유가 있었던 것이다.

이런 점에서는 전제군주국이었던 마케도니아나 용병제도를 채택한 카르타고가 기병력 증강에 유리했다. 알렉산드로스는 동방 원정에 나설 때, 북쪽의 트라키아에서 많은 기병을 징집했다. 한니발은 지중해 세계의 기마민족으로 유명한 북아프리카의 누미디아에서 용병을 모집하면 되었다.

로마군이 시민군 체제에서 벗어난 뒤에도, 로마는 중무장 보병을 군의 주력으로 삼는 방침을 바꾸지 않았다. 그 때문에 기병을 어떻게 증강할 것인지는 항상 절실한 과제로 남아 있었다.

율리우스 카이사르는 누미디아와 더불어 지중해의 또 다른 기마민족인 갈리아인들 중에서 휘하 기병을 모집했다. 하지만 제2차 포에니 전쟁 당시, 갈리아인은 한니발 쪽에 붙어 있는 로마의 적이었다. 즉 알렉산드로스 대왕에게 배워서 기병력의 중요성을 깨달은 한니발은 지중해 세계의 기마민족인 누미디아와 갈리아인을 둘 다 자기 군대에 가담시켰다는 얘기가 된다.

로마의 기병력 증강은 이처럼 이중 삼중으로 어려운 상태에 있었다. 이 문제가 해결되려면, 칸나이에서 완패한 뒤에도 다시 14년을 기다리지 않으면 안되었고, 알렉산드로스의 제자인 한니발의 제자가 출현하기를 기다려야 했다.

덧붙여 말하면 등자는 서기 11세기에 이르러서야 겨우 보급된다. 기사가 중세의 꽃이 될 수 있었던 것은 무엇보다도 등자가 출현한 덕분이었다.

제4장

제2차 포에니 전쟁 중기

기원전 215년~기원전 211년

영국 BBC 방송이 제작한 다큐멘터리 프로그램을 볼 때마다, 나는 냉정하기 이를 데 없는 영국인의 객관성에 혀를 내두르곤 한다. BBC 라는 글자를 보지 않아도, 다큐멘터리 내용만 보면 BBC가 제작했다는 것을 알 수 있을 정도다. 그들의 이런 태도는 역사 서술에 가장 적합하 다. 탁월한 역사가는 물론 프랑스에도 독일에도 이탈리아에도 있지만, 총체적으로 보면 아직도 영국의 역사 서술이 가장 신뢰할 만하다.

혈관에 차가운 피가 흐르는 것처럼 냉정하기 짝이 없는 영국인인데 도 그들의 서술이 이따금 열띠게 변할 때가 있다. 그런 대목을 만날 때 마다 나는 쓴웃음을 지으며 혼자 중얼거린다.

"됭케르크(프랑스 북부의 노르 주에 있는 항만도시. 제2차 세계대전 때인 1940년 5월 말부터 6월 초에 걸쳐 독일군의 맹공에 쫓긴 영국-프랑스 연합군 약 34만 병력이 이곳에서 도버 해협을 건너 영국으로 철수했다)에서 철수한 뒤의 브리튼 전투(1940년에 약 3개월 동안 영 국 남부와 런던 상공에서 영국과 독일 공군 사이에 벌어진 공중전)를 생각하고 있구나."

냉정과 침착을 좌우명으로 삼고 있는 영국의 지식인들도 그때를 생 각하면 피가 끓는 것이다. 이제부터 기술하는 것은 영국의 그런 시기 에 해당하는 로마인의 이야기다. 다시 말하면 칸나이에서 한니발에게 참패당한 뒤의 로마인 이야기다. 물론 로마에는 됭케르크에서 총퇴각 한 이후 영국의 항전과 분발을 도와준 미국의 참전은 없었다.

한니발이 칸나이 승전보를 알리기 위해 본국에 보낸 막내동생 마고 가 로마군 전사자들의 손가락에서 빼낸 금반지를 산더미처럼 쌓아올 렸을 때, 카르타고 원로원은 우렁찬 환성으로 가득 찼다. 하지만 로마 에 대한 설욕에 도취해 있는 동료들과는 반대로, 한니발이 속해 있는

'해외파'와 줄곧 사이가 안 좋았던 '국내파'의 거두 한노가 마고에게 물었다.

"라틴 민족 가운데 어느 부족이 우리 쪽으로 돌아섰는가? 서른일곱 개나 되는 라틴 식민도시 가운데 어느 정도가 한니발에게 투항했는가?"

젊은 마고는 긴장한 얼굴로 대답했다.

"아직은 하나도 없습니다."

"그렇다면 적은 여전히 강대하다는 뜻이다. 그래서 말인데, 로마를 후원하는 식민도시나 동맹국 시민에게서 로마를 배신할 낌새라도 보이던가?"

"아직은 모르겠습니다."

"로마인은 한니발에게 강화를 제의해 왔는가?"

"아직은 제의해 오지 않았습니다."

"그렇다면 한니발이 알프스를 넘었을 때와 마찬가지로, 칸나이에서 승리한 뒤에도 카르타고와 로마는 여전히 전쟁중이라는 얘기가 된다. 여러분, 나는 이 시점에서 로마와 강화를 맺을 것을 제안합니다."

그러나 강화는 로마가 바라지 않았다.

이탈리아 중남부 최대의 도시인 카푸아에서 쾌적한 겨울을 보내고 있던 한니발은 이때까지 한번도 한 적이 없는 일을 했다. 여느 때처럼 동맹국 포로들은 몸값도 요구하지 않고 석방한 뒤, 남은 로마 시민병 포로들과 대면한 것이다. 그는 부드러운 어조로 말했다.

"나는 로마인을 섬멸할 목적으로 이 전쟁을 하고 있는 것은 아니다. 나는 다만 명예와 패권을 되찾고 싶을 뿐이다. 일찍이 제1차 포에니 전쟁 때는 우리 아버지가 너희 아버지들에게 양보했지만, 이번에는 내 재능과 신들이 베푼 행운 덕분에 입장이 바뀐 모양이다.

그러니 몸값을 내면 너희들을 자유의 몸으로 풀어주겠다."

이때 포로로 잡혀 있는 로마 시민병의 수는 8천이었다고 한다. 지금까지 네 차례 전투에서 포로로 붙잡힌 로마 시민병은 행군에 방해가 된다는 이유로 처형되었으니까, 칸나이 전투에서만 이렇게 많은 인원이 포로가 된 것이다. 한니발은 포로들에게 대표 열 명을 뽑게 한 다음, 그 열 명에게 측근을 한 사람 붙여서 로마로 보냈다.

동맹국 병사 포로들을 몸값도 받지 않고 석방한 것은 동맹국들의 '로마 연합' 이탈을 촉진하기 위한 목적을 갖고 있었다. 하지만 로마 시민병 포로를 석방하면 귀국하자마자 자기와 다시 맞설 게 뻔한데, 한니발은 왜 그들을 석방하려 했을까. 추측건대 다음 몇 가지 이유 때문이 아닌가 싶다.

첫째, 군량 확보 때문에 어려움을 겪고 있던 한니발에게는 설령 포로라 해도 8천 명의 입은 적잖은 부담이었다. 이 부담은 차라리 없는 게 상책이다. 그렇다고 해서 상대편의 약점을 이용하여 터무니없는 몸값을 요구하지는 않았다. 그가 로마 시민병에 대해 요구한 몸값은 특수한 기능을 갖지 않은 보통 노예의 몸값과 비슷한 액수로서, 몸값으로는 상식적인 선이거나 그보다도 적은 금액이었다.

제1차 포에니 전쟁 때도 로마와 카르타고는 자주 포로를 교환했다. 그리고 어느 한쪽이 포로 수가 부족하면, 부족한 수만큼은 몸값을 내고 되찾았다. 하지만 제1차 전쟁 때는 몸값을 내는 쪽이 항상 카르타고였다. 그때와 다른 점이 있다면, 칸나이에서 패전한 로마 쪽에는 교환할 카르타고 포로가 없다는 것뿐이다. 따라서 로마 병사들을 석방시키려면 몸값을 낼 수밖에 없었다. 다시 말해서 한니발은 특별히 관대하게 행동한 것은 아니었지만, 비상식적인 일을 한 것도 아니었다.

둘째, 한니발이 이탈리아로 쳐들어간 뒤 처음으로 로마 시민병 포로를 석방하려 한 데에는 로마에 강화 의사를 타진하는 의미가 포함되어 있었다. 네 차례의 패전으로 사기가 저하된 로마가 시칠리아와 사르데 냐 및 카푸아 이남의 이탈리아 남부를 포기하는 조건으로 강화에 응하면, 한니발로서는 이탈리아를 침공한 목적도 어느 정도 달성하는 셈이었다. 제1차 포에니 전쟁에서 카르타고가 잃은 것을 모두 되찾을 수 있을 뿐 아니라, 그리스인이 살고 있는 이탈리아 중남부의 비옥한 지방까지 차지하게 되기 때문이다.

수도 로마로 돌아온 10명의 포로 대표는 원로원에서 이야기할 기회를 달라고 부탁했고, 이 요청은 당장 받아들여졌다.

그들은 원로원 의원들 앞에서 한니발의 제의를 그대로 전했다. 몸값 액수도 말했다. 원로원 의원들은 비통한 표정으로 그 말을 경청했다. 한니발에게 잡혀 있는 포로들 중에는 그들의 친척도 있었고, 동료 의원들까지 끼여 있었다. 하지만 원로원 의원들은 열띤 토론을 벌인 끝에 한니발의 제의를 거절하기로 결론을 내렸다. 포로 대표들은 그 대답을 가지고 다시 한니발한테 돌아갔다. 가족과는 만나서 얼싸안았을 뿐, 그대로 헤어졌다.

로마인은 포로가 되는 것을 수치로 생각하지 않았다. 그리고 로마가 8천 명의 전사를 필요로 하지 않았던 것도 아니다. 8천 명의 몸값을 지불할 수 없었던 것도 아니다.

8천 병력이면 2개 군단에 해당한다. 칸나이에서 많은 손실을 입은 기원전 216년 겨울에 로마는 8천 명의 병사를 되찾고 싶은 마음이 굴뚝 같았을 것이다. 이 시기의 로마는 무산자를 빼고는 예비역까지 소집하여 군단을 새로 편성하느라 고심하고 있었다. 그런데 이것으로도 충분하지 않아서 노예 가운데 지원자를 모집하고, 국가가 그들을 주인한테서 사들이는 방식으로 2개 군단을 편성하는 중이었다. 이들 노예의 몸값은 전쟁이 끝난 뒤에 지불하기로 약속되어 있었지만, 한니발이 요구한 몸값과 거의 같았다. 노예 군단을 편성할 정도라면 차라리 몸값을 지불하여 포로들을 찾아오는 게 좋았을 것이다. 또한 포로들 중에는 경제적으로 풍족한 사람도 적지 않았고, 실제로 원로원에서 토의할 때는 자비로 몸값을 낼 수 있는 사람은 내고 낼 수 없는 사람만 국가가 몸값을 내주면 어떠냐는 의견도 나왔다.

로마는 몸값의 지불을 거절한 게 아니라, 한니발의 강화 제의를 거절한 것이다. 돌아온 포로들한테서 로마의 회답을 받은 한니발은 8천 명의 로마 포로들을 모두 그리스에 노예로 팔아넘겼다.

전쟁 수행의 의지를 천명한 로마에서는 원로원 의원 전원이 부동산을 제외한 전재산을 헌납하기로 결의하고, 그대로 실행했다. 전쟁 비용을 마련하기 위한 전시 국채가 발행되어, 무산자 계급을 제외한 모든 시민에게 각자의 경제력에 따라 국채가 할당되었다.

이런 로마에 동맹국들이 자금을 원조해 왔다. 나폴리는 25개의 금화 항아리를 보내왔지만, 원로원은 그 가운데 하나만 감사의 표시로 받고 나머지는 돌려보냈다. 시라쿠사에서도 많은 밀과 1개 부대의 병력을 보내왔다. 로마는 병력 지원은 수용했지만, 밀값은 내고 싶다고 전했다. 로마는 동맹국에 대해 병력 제공은 요구했지만, 자금 지원은 요구하지 않았다.

기원전 215년으로 해가 바뀌었지만, 로마를 둘러싼 상황은 호전될 기미를 전혀 보이지 않았다. 호전되기는커녕 계속 나빠질 뿐이었다.

기원전 215년 봄, 오랫동안 로마의 믿음직한 친구였던 시라쿠사의 참주 히에론이 90세의 나이로 세상을 떠났다. 뒤를 이은 것은 15세밖에 안된 손자였다. 당장 내분이 일어났다. 한니발은 군대가 아니라 공작원을 파견했다. 쿠데타는 성공하고, 소년 군주는 살해되었다. 시라쿠사는 로마와의 동맹을 파기하고 한니발과 동맹을 맺었다. 시라쿠사의 쿠데타 세력은 한니발이 제시한 먹이에 덤벼든 것이다. 한니발은 시라쿠사가 카르타고 쪽에 붙으면 시라쿠사를 시칠리아 전체의 주권자로 삼겠노라고 제의했다.

시칠리아를 포함한 이탈리아 남부의 주요 도시를 들라면, 오늘날에는 나폴리와 팔레르모가 정답이지만 기원전 3세기에는 카푸아와 타란토, 시라쿠사가 정답이었다. 로마는 제2차 포에니 전쟁 4년째에 카푸아와 시라쿠사를 한니발에게 빼앗긴 셈이다.

이때 뜻밖의 낭보가 한니발 진영에 들어왔다. 마케도니아의 왕 필리포스 5세가 한니발에게 동맹을 제의해온 것이다. 이리하여 제2차 포에니 전쟁은 제1차 포에니 전쟁과는 달리, 로마와 카르타고라는 양대 강국의 패권 다툼이 아니라 국제전의 양상으로 전개되기 시작했다.

그해에 22세가 된 마케도니아의 왕 필리포스 5세는 알렉산드로스 대왕을 배출한 왕가의 후예임을 강하게 의식하는 성격의 소유자였다. 마케도니아 왕국의 그리스 패권 회복을 노리는 젊은 왕에게, 아드리아 해에 횡행하는 해적을 퇴치한다는 이유로 일리리아인을 평정하고 그리스 서해안에까지 세력을 확장한 로마는 기분좋은 존재가 아니었다. 필리포스 5세는 로마가 칸나이 전투에서 참패당한 것을 알고, 승자인 한니발과 함께 로마와 싸우기로 결심했다. 왕의 사절은 한니발이 지배하고 있는 이탈리아 남부에 상륙하여 한니발을 만나 동맹을 제의했다. 이 동맹은 한니발과의 공동투쟁 전선을 형성하기 위한 것으로, 그 내용은 다음과 같이 3단계로 나뉘어 있었다.

1. 마케도니아의 왕은 군대를 이끌고 그리스 북서 해안의 일리리아 지방에 있는 로마 세력을 격퇴한다.

2. 마케도니아군은 그리스 남서 해안에 있는 아폴로니아와 두라초의 로마군 기지를 공략한다.

3. 마케도니아의 왕은 군대를 이끌고 이탈리아에 상륙하여, 카르타고군과 함께 로마를 공략한다.

마케도니아가 참전하는 대가로 한니발 쪽에 요구한 의무는 로마와 전쟁이 끝난 뒤 그리스 서해안 지역을 마케도니아 영토로 인정하고, 한니발이 직접 군대를 이끌고 그리스에 상륙하여 마케도니아의 왕과 협력, 마케도니아의 그리스 전역 제패를 실현하는 것이었다.

한니발은 이 제안을 무조건 받아들였다. 기원전 215년 초, 카르타고와 마케도니아라는 지중해 세계의 2대 강국 사이에 동맹이 성립되었다.

로마는 이 동맹의 내용을 재빨리 알아차렸다. 한니발을 만나고 귀국하던 마케도니아 사절이 브린디시를 기지로 하여 아드리아 해를 경비하고 있던 로마 해군에 붙잡혔기 때문이다. 그렇긴 하지만 동맹이 성립된 데에는 변함이 없었다.

한니발이 그리스에서 마케도니아의 패권 회복을 도와주는 문제를 진지하게 고려하고 있었는지는 의심스럽다. 하지만 그는 제1차 포에니 전쟁 때 카르타고가 그토록 집착한 시칠리아 섬을 시라쿠사의 소유로 돌려주는 것까지도 간단히 약속했다. 32세의 장군에게는 로마를 격파하는 것이 무엇보다도 중요한 문제였다. 로마를 격파한 뒤에는 시라쿠사 따위는 카르타고의 적수가 될 수 없고, 마케도니아와 맺은 협약까지도 무시할 수 있는 힘을 얻게 될 터였다. 공수표라도 뗄 가치는 충분했다. 현재 시점에서 시라쿠사와 마케도니아가 참전하면, 로마는 이 두 나라를 상대로 새로운 방어전을 치러야 할 것이기 때문이다.

기원전 215년부터 로마는 동서남북 사방이 적으로 둘러싸이는 신세가 되어버렸다. 동쪽은 마케도니아, 남쪽은 시라쿠사, 서쪽은 에스파냐, 북쪽은 갈리아인. 그리고 이탈리아 안에는 가장 막강한 한니발이 자리잡고 있었다.

통합지휘본부로 변한 로마 원로원은 이 절망적인 상황을 타개하기 위해 처음부터 허풍을 떠는 잘못은 저지르지 않았다. 모든 전선을 시야에 넣고 있으면서도, 로마의 힘으로 가능한 범위 안에서 급박한 전선부터 반격을 개시했다.

동부 전선의 경우, 한니발과의 약정서를 휴대한 마케도니아 사절이 로마군에 붙잡히는 바람에 한니발과 마케도니아 사이에 의사소통이 제대로 이루어지지 못했다. 때문에 그해가 끝날 때까지 마케도니아군은 어떤 행동도 취하지 않았다. 로마는 이 기회를 이용하여 브린디시를 기지로 하는 해군을 강화했다. 브린디시는 로마에서 출발하는 아피아 가도의 종점이다. 로마에서 쉽게 군대를 동원할 수 있는 곳을 전진기지로 하여 아드리아 해의 지배권을 유지하는 것은 바다를 건너야만 이탈리아에 올 수 있는 마케도니아군에 대한 방어책으로도 효율적이었다. 그러나 이 동부 전선에서 로마는 군사력보다는 외교전을 선택하게 된다. 그리스에까지 대군을 파견할 여유가 없었기 때문이다.

남부 전선의 경우, 카르타고 쪽으로 돌아선 시라쿠사를 그대로 방치해두면 시칠리아 전체를 잃을 위험이 있었다. 시칠리아를 잃는 것은 로마와 카르타고 사이의 바다에 대한 지배권을 잃어버리는 것이기도 했다. 그렇게 되면 남부 전선을 적에게 넘겨주게 된다.

로마는 당장 시라쿠사 공략에 나서는 것보다는, 시라쿠사의 배반으로 동요하고 있을 게 분명한 시칠리아의 다른 지방을 확보하는 것이 선결 문제라고 생각했다. 시라쿠사도 중요하지만, 가장 중요한 문제는 한니발에 대한 카르타고 본국의 지원을 막는 것이었다. 이를 위해서라도 제해권은 반드시 유지해야 하고, 제해권을 유지하기 위해서는 시칠리아를 적에게 넘겨주면 안되었다.

그렇다고 해서 시라쿠사라는 강적과 당장에 맞설 필요는 없었다. 칸나이 전투에서 살아남은 병력이 이 남부 전선에 파견되었다. 이것은 패색을 일소하기 위한 방책이기도 했다.

한니발의 배후지라고 할 수 있는 것은 카르타고보다 오히려 에스파냐였다. 에스파냐 전선에서는 코르넬리우스 형제의 전략이 효과를 발휘하여, 로마군이 에브로 강을 건너 남쪽까지 진격할 만큼 전황이 로마 쪽에 우세하게 전개되고 있었다. 오직 이 전선만이 칸나이 전투에서의 참패와 카푸아와 시라쿠사의 이반으로 울적해진 로마인의 기분을 밝게 해주었다.

갈리아인과 맞서 있는 북부 전선의 경우, 갈리아인의 책략에 빠져 2개 군단이 전멸한 뒤 로마군은 루비콘 강 이북에서 완전 철수했다. 하지만 이탈리아 남부에 눌러앉은 한니발에게 갈리아인의 새로운 전력이 합류하는 것은 무슨 수를 써서라도 막아야 했다. 그래서 로마는 리미니와 이탈리아 남부를 잇는 아드리아 해 연안의 피체노에 칸나이의 패장 바로를 파견했다. 그에게는 현지 주민을 조직하여 1개 군단을 편성하는 임무도 부여되었다. 로마 시민병을 보낼 여유가 없었기 때문이다.

칸나이 전투 이후에 로마가 취한 전략 가운데 가장 중요한 것은 동서남북의 모든 방면에서 한니발에 대한 보급로를 차단하는 것이었다. 그를 이탈리아 안에서 고립시키는 것이다. 이것이 실현되지 않는 한 지구전 작전도 효과를 기대할 수 없기 때문이다.

그렇기는 해도 상대가 한니발인 이상, 고립시켜 소모를 기다리는 이

작전을 쓰기도 그리 쉬운 일은 아니다. 칸나이에서 그의 재능을 확인한 로마인은 전쟁을 계속한다는 데에는 이의가 없었지만, 전략을 변경해야 할 필요성은 깨닫고 있었다. '굼뜬 사내' 파비우스의 재등장이고, 지구전 전술의 재인식이다.

로마 원로원은 칸나이 패전 이듬해인 기원전 215년의 집정관으로 파비우스를 선출했지만, 이해부터 시작되는 로마의 지구전법은 파비우스가 독재관 시절에 택한 전술과 똑같은 것이라도 그 내용이 달랐다. 지금까지처럼 집정관 두 사람이 함께 주력 군단을 이끌고 이탈리아 안에 있는 한니발과 맞서는 것이 아니라, 그 군단을 몇 개로 분산시키는 방식을 택한 것이다.

로마인들은 이제 적장은 한니발뿐이라는 것을 알고 있었다. 그와 정면으로 부딪치면 질 게 뻔하니까, 한니발과의 회전(會戰)은 가급적 피하지 않으면 안된다. 하지만 한니발이 지휘하지 않는 카르타고군에 대해서는 망설이지 않고 공격한다.

얄궂은 일이지만, 이 전략이 효과를 발휘한 것은 로마가 칸나이에서 참패했기 때문이기도 했다. 한니발은 칸나이에서 승리하여 이탈리아 남부의 상당 부분을 지배하게 되었지만, 그로 말미암아 그가 지켜야 할 도시와 지방이 늘어났다. 아무리 신출귀몰한 한니발이라도, 이탈리아 남부는 넓다. 그 넓은 지역에서 혼자 신출귀몰해야 한다면……

칸나이 패전 이후, 로마는 고양이가 없는 틈에 판을 치며 날뛰는 쥐의 전략을 택하기로 결정했다. 하지만 로마인은 역시 쥐가 아니었다. 고양이가 나타나도 달아나지는 않았다. 정면 충돌은 애써 피하면서도 주변을 굳게 지키는 일을 게을리하지 않고, 틈만 나면 한니발의 꼬리 정도는 물고 늘어지려고 했다.

제2차 포에니 전쟁 중에서도 로마가 가장 곤경에 빠져 있었던 것으로 여겨지는 기원전 215년부터 기원전 211년까지 4년 동안, 즉 로마가 방어에 전념하지 않을 수 없었던 4년 동안, 후방의 원로원과 일사불란하게 협력하면서 최전방에서 한니발과 맞선 장군이 네 명 있었다. 로마는 병력을 교체할 수 있는 전선에서는 되도록이면 1년마다 병력을 교체했지만, 사령관은 교체되지 않았다.

공화정 로마는 한 사람이 집정관에 계속 선출되는 것은 허용하지 않았지만, 집정관을 역임한 사람은 전직 집정관이나 법무관, 전직 법무관 같은 관명으로 군단을 계속 이끌었다. 전선의 확대와 분산으로 더 많은 사령관이 필요해졌기 때문이기도 하지만, 사령관이 해마다 교체되는 데 따른 불리함을 피하기 위한 계책이기도 했다.

파비우스 막시무스(귀족)—기원전 215년 당시의 나이는 60세. 이 무렵에는 '굼뜬 사내'라는 별명 대신 한니발에 대한 '이탈리아의 방패'라고 불릴 때가 많아졌다.

클라우디우스 마르켈루스(평민)—기원전 215년 당시의 나이는 55세. 그는 한니발에 대해서도 적극전법을 취할 때가 많았고, 그 때문에 '이탈리아의 칼'이라는 별명으로 불리게 되었다.

셈프로니우스 그라쿠스(평민)—기원전 215년 당시의 나이는 42세. 그에게는 노예들을 훈련하여 전력으로 만들고, 그들을 지휘하여 한니발과 싸우는 어려운 임무가 부여되었다.

발레리우스 레비누스(귀족)—당시의 나이는 50세 안팎. 장군으로서의 능력보다는 외교나 행정에 뛰어났다. 그래서 이 사람에게는 다른 나라를 끌어들여 마케도니아에 대처하는 임무가 맡겨졌다.

이들의 이름 뒤에 귀족이나 평민을 덧붙여 적은 것은 로마의 국론이 일치해 있었다는 것을 보여주고 싶기 때문이다. 이 네 사람의 부하인 장교급에도 귀족 출신과 평민 출신이 자연스럽게 뒤섞여 있었다. 귀족 출신이 평민 출신인 총사령관의 부장(副將)을 맡는 경우도 허다했다.

대부분의 나라에서는 위기가 닥치면 국론이 분열되지만, 로마에서는 그런 일이 일어나지 않았다. 한니발에게 참패를 당한 뒤에도, 이것은 로마의 진정한 강점으로 남아 있었다.

이탈리아 남부는 대부분 한니발의 세력하에 들어가버렸지만, 카푸아가 '로마 연합'에서 이탈한 뒤에도 로마가 걱정한 캄파니아 지방의 도미노식 이반 사태는 일어나지 않았다. 로마의 다른 동맹국과 식민지도 '로마 연합'에 계속 남아 있었다. 이것도 역시 로마가 가지고 있던 강점이다.

속주도 로마를 떠나지 않았다. 카르타고 본국이 기회를 놓칠세라 공격한 사르데냐에서는 원주민들이 로마에서 파병한 지원군과 협력하여 카르타고군을 격퇴했다. 시칠리아에서도 시라쿠사의 이탈에 뒤이어 로마를 배반한 도시는 하나도 없었다. 로마의 속주 통치는 이 시대에는 선정 그 자체였기 때문이다. 제2차 포에니 전쟁 기간에도 로마는 속주민에게 부과하는 십일조를 늘리지 않았다. 이탈리아 남부를 한니발에게 빼앗겼기 때문에 밀이 모자라서 속주에 공출을 요청하긴 했지만, 십일조를 초과하는 밀은 돈을 주고 사들였다.

로마가 이런 방식을 택한 데에는 자긍심과 더불어 동맹국이나 속주의 이반을 막으려는 목적도 있었던 것은 물론이다. 어쨌든 이 목적은 충분히 달성되었다. 한니발이 무력으로 강요하지 않는 한, 로마가 우방의 이탈을 염려할 필요는 없었다.

이것은 한니발이 더 이상 무력을 사용하게 해서는 안된다는 뜻이기도 했다. 정면 대결을 피하면서 적의 무력 행사를 막아야 하는 것이다. 기원전 215년부터 기원전 211년까지 로마의 모든 전략은 이 어려운 문제를 해결하는 데 집중되었다.

한편, 한니발한테도 문제가 없었던 것은 아니다. 그 역시 이탈리아 안에서 고립되는 것을 두려워하고 있었다. 그는 정비된 항구를 필요로 했다. 카르타고 본국에서 온 보급선단이 정박할 수 있는 항구. 카푸아는 중요한 도시지만, 바다에 면해 있지 않다. 타란토는 아직 로마 편이었다. 한니발은 풍요로운 농업지대를 배후에 갖고 있으면서 바다 쪽으로도 열려 있는 캄파니아 지방의 항구도시를 어떻게든 손에 넣고 싶었다. 나폴리나 포추올리나 쿠마를 얻을 수 있다면, 카르타고 본국에서 오는 보급선단도 시칠리아를 거점으로 하여 제해권을 장악하고 있는 로마 해군의 시야에서 벗어난 해역을 항해할 수 있기 때문이다. 그렇게라도 하지 않으면, 원래 지원에 소극적이었던 카르타고 본국은 보급선단이 안전하게 도착할 수 있는 항구가 없다는 이유로 이탈리아의 한니발보다는 에스파냐의 카르타고 세력을 더 적극적으로 지원하게 되기 때문이었다.

한니발의 막내동생 마고도 칸나이의 승리를 보고한 뒤에는 지원부대와 함께 이탈리아로 돌아올 예정이었지만, 본국 정부의 명령으로 이탈리아에 데려갈 지원부대와 함께 에스파냐로 보내졌다. 카르타고에서 에스파냐까지는 지브롤터 해협만 건너면 갈 수 있었기 때문이다. 기원전 215년에 한니발의 군사행동은 캄파니아 지방의 항구도시 획득에 집중되었다.

한니발을 저지하기 위해 로마는 캄파니아 지방에 세 명의 장군을 투입했다. 파비우스와 마르켈루스와 그라쿠스가 그들이다. 한니발은 깊은 만의 보호를 받고 있는 나폴리와 포추올리라는 좋은 항구를 노리고 있었다.

로마의 세 장군은 카푸아에 거점을 두고 있는 한니발을 삼면에서 포위하는 형태가 되었다.

집정관 파비우스는 2개 군단을 이끌고 카푸아에서 북서쪽으로 20킬로미터 떨어진 곳에 포진했다. 라티나 가도를 감시할 수 있는 지점으로, 수도 로마의 방어도 겸하고 있었다. 카푸아에서 남동쪽으로 20킬로미터 떨어진 곳에는 전직 법무관인 마르켈루스의 2개 군단이 대기했다. 그리고 아피아 가도를 감시할 수 있는 남서쪽에는 집정관 그라쿠스의 2개 군단이 진을 쳤다. 한니발이 카푸아 남쪽에 있는 나폴리나 포추올리로 군대를 보내려고 하면, 당장 마르켈루스와 그라쿠스가 출동하여 협공하는 구도이기도 했다. 한니발에게 적이 없는 유일한 방향은 북동쪽이었지만, 이쪽은 아펜니노 산맥으로 막혀 있었다.

카푸아에서 출동한 한니발은 삼면을 포위한 로마군에 대해 모두 싸움을 걸었지만, 싸움에 응한 로마 장군은 아무도 없었다. 하지만 그해는 한니발도 이탈리아 남부를 정복하기 위해 휘하 병력의 절반을 내보냈기 때문에, 이런 상태에서 항구 획득 작전을 강행하는 것은 지나친 모험이었다. 절반밖에 남지 않은 병력으로 로마의 6개 군단과 싸우는 것은 무모한 짓이었다. 결국 소규모 충돌만 거듭되었을 뿐, 겨울로 접어들 무렵에는 한니발도 이탈리아 남부로 회군해버렸다.

이해에 로마군은 한니발에게 이기지는 못했지만 지지도 않았다. 한니발로서도 카푸아가 아무리 견고한 성벽에 둘러싸여 있다 해도, 거기서 겨울을 나는 것은 위험해졌다. 겨울은 날 수 있다 해도, 봄이 찾아오면 카푸아에 꼼짝없이 갇히는 사태가 벌어질지도 모른다. 쾌적한 생활 때문에 병사들이 전의를 잃어버릴 우려도 있었다. 결국 한니발은 카푸아에서는 단 한번 겨울을 났을 뿐, 그후로는 이탈리아 남부에서의 야영생활을 선택하게 된다.

　이듬해인 기원전 214년, 공화정 로마에서는 이례적으로 파비우스가 집정관에 연이어 재선되었다. 동료 집정관으로는 마르켈루스가 취임했다. 괄목할 만한 전과가 없었는데도, 민회는 파비우스의 전략을 지지한 것이다. 그리고 이해에 로마는 칸나이에서 당한 손실 때문에 14개 군단으로 줄일 수밖에 없었던 지난해보다 병력을 증강하여 20개 군단을 전선에 투입했다.

　루비콘 강 이북을 방위하기 위해, 오랜만에 2개 군단을 파견했다. 기지는 플라미니아 가도의 종점인 리미니. 이들의 임무는 이탈리아 남부의 한니발 진영에 갈리아의 병력이 유입되지 못하도록 저지하는 것이었다.

　리미니가 북쪽의 최전선이라면, 리미니와 이탈리아 남부 사이의 연락을 차단하는 피체노에는 바로가 현지에서 편성하는 데 성공한 1개 군단이 진을 쳤다.

　수도 로마를 방위하는 병력은 2개 군단이다.

　한니발과 맞설 가능성이 가장 높은 캄파니아 지방에는 파비우스와 마르켈루스가 이끄는 4개 군단이 배치되었다.

　한니발의 완전 제패가 진행되고 있는 루카니아와 브루치, 즉 장화의 발등과 발부리에 해당하는 오늘날의 칼라브리아 지방에는 전직 집정관 그라쿠스가 노예로 편성된 2개 군단과 함께 파견되었다.

　장화 뒤꿈치에 해당하는 풀리아 지방에는 이 지방 최대의 도시 타란토가 적에게 넘어가는 것을 막기 위해, 파비우스의 아들이 이끄는 2개 군단이 파견되었다.

　시칠리아에서는 칸나이의 패잔병을 중심으로 편성된 2개 군단이 시라쿠사를 공략하기 위해 기반을 다지는 작업을 진행하고 있었다.

에스파냐 전선에서는 코르넬리우스 형제가 이끄는 2개 군단이 한니발의 두 동생과 잘 싸우고 있었다.

이탈리아 서해의 지배권을 유지하는 데 없어서는 안될 사르데냐 섬에는 카르타고 본국의 탈환 노력이 실패한 뒤에도 2개 군단이 계속 주둔하고 있었다.

기원전 214년부터는 마케도니아 전선이 움직이기 시작했다. 그래서 레비누스가 1개 군단을 이끌고 이 전선을 계속 담당하게 되었다.

20개 군단으로 이루어진 로마군 병력은 로마 시민병과 동맹국 병사를 합쳐 16만 명에 이르렀다. '로마 연합'이 기능을 완전히 발휘하고 있다면 19만 명이 될 테지만, 이탈리아 남부의 동맹도시가 대부분 연합군에 참가하지 않았기 때문이다. 총동원 병력이 75만 명이었던 '로마 연합' 가운데, 한니발의 세력하에 들어간 지방의 동원력은 15만 명에 이른다. 이 15만 명을 사용할 수 없는 상태에서 군단 수를 늘렸기 때문에, 1개 군단의 병력도 줄어들 수밖에 없었다.

봄이 되자마자 한니발이 북상해 왔다. 이해도 그는 캄파니아 지방의 항구를 노리고 있었다. 게다가 이해는 이탈리아 남부를 제압하는 일도 일단 제쳐놓고, 거기에 투입했던 절반의 병력에도 북상을 명령했다. 무슨 수를 써서라도 항구를 손에 넣고 싶었던 것이다.

한니발과 합류하기 위해 북상하고 있던 카르타고 제2군 앞을 그라쿠스의 노예 군단이 막아섰다. 그라쿠스는 부하인 노예들에게 이 싸움에서 이기면 자유를 주겠다고 약속했다. 분발한 노예 군단은 놀라운 힘을 발휘했고, 한니발은 기다리고 있던 제2군의 태반을 잃었다.

이렇게 되면 한니발도 전략을 바꿀 수밖에 없었다. 휘하 병력만 이끌고 캄파니아 지방에 계속 눌러앉아 있어도, 지난해와 마찬가지로 파

비우스와 마르켈루스, 그라쿠스의 6개 군단과 대치하지 않으면 안된
다. 한니발은 이번에는 대치와 작은 충돌로 1년을 허비하지는 않았다.
그는 캄파니아 지방을 일단 방치한 채 타란토로 남하했다. 타란토도
천연의 좋은 항구였기 때문이다. 이제 자유민이 된 그라쿠스의 노예
군단이 한니발을 추격했다.

한니발이 남쪽으로 갔기 때문에 손이 비게 된 마르켈루스는 카푸아
북쪽에 있는 카실리나 성채를 공격했다. 평원 한복판의 카푸아에서 적
에게 포위될 것을 우려한 한니발은 카푸아 근처에 있으면서도 포위가
불가능한 요충지 카실리나에 군대 전체를 수용할 수 있는 규모의 성채
를 세웠던 것이다. 캄파니아 지방에서 겨울을 나는 이점을 살리면서
안전을 도모하려는 생각에서였다.

마르켈루스가 이끄는 2개 군단의 맹공을 받아 한니발이 성채를 방
어하기 위해 남겨둔 병사들은 여지없이 무너졌다. 카실리나는 함락되
었다. 한니발은 겨울이 올 때마다 이탈리아 남부로 돌아갈 수밖에 없
게 되었다.

한니발의 타란토 공략은 그를 추격한 그라쿠스와 풀리아 지방에서
눈을 빛내고 있던 파비우스의 아들이 각각 2개 군단을 이끌고 방해하
는 바람에 뜻대로 되지 않았다. 그라쿠스와 파비우스의 아들은 둘 다
한니발과의 정면 대결은 피하면서도, 게릴라 공격은 멈추지 않았기 때
문이다. 이해에도 한니발은 여전히 나폴리도 타란토도 공략하지 못한
채 겨울을 맞이했다.

마케도니아 전선에서는 군사와 외교의 양면 작전이 효과를 발휘하
기 시작했다. 이 전선을 담당한 레비누스는 1개 군단밖에 갖고 있지
않았지만, 브린디시를 기지로 하는 50척의 군선을 이용하여 효율적으

로 싸웠다. 그리스 서부에 있는 로마군 기지인 아폴로니아를 공격한 마케도니아 왕은 격퇴당하여 자기 나라로 도망쳤다.

그러나 레비누스의 진면목은 외교전에서 발휘되었다.

로마 원로원은 마케도니아의 참전을 알자마자, 당장 이집트에 특사를 보내 프톨레마이오스 왕조와 동맹을 맺었다. 또한 시리아의 셀레우코스 왕조한테서도 중립을 지키겠다는 약속을 받아냈다. 그리고 레비누스는 원로원의 지시에 따라, 마케도니아 왕국과 접경하고 있는 아이톨리아인을 부추겨 마케도니아에 대해 봉기를 일으키도록 공작했다.

마케도니아 남쪽에 있는 그리스 중부의 아이톨리아 지방은 오랫동안 마케도니아의 침략에 시달려 왔다. 로마는 이 지방 사람들이 마케도니아에 대해 갖고 있는 적대감을 이용했다. 로마군이 서쪽에서 진격하고 바다에서도 25척의 군선이 지원해준다는 조건으로, 아이톨리아인은 마케도니아를 침공했다. 그리고 레비누스는 역시 마케도니아의 세력 확장에 불안을 느끼고 있던 마케도니아 동쪽의 페르가몬 왕국을 궐기시키는 데에도 성공했다.

이리하여 로마는 1개 군단밖에 안되는 전력으로 마케도니아 봉쇄 작전에 착수했다. 강대한 마케도니아 왕국을 격파할 생각은 하지 않았다. 마케도니아 왕을 꼼짝할 수 없는 상태로 만들어놓으면, 그것으로 충분했던 것이다.

해가 바뀌어 기원전 213년에는 그라쿠스와 파비우스의 아들이 집정관에 선출되었다. 파비우스를 세 번이나 연속해서 집정관에 선출할 수는 없기 때문에, 그 대리로 파비우스의 아들을 선출한 것이다. 따라서 집정관 파비우스 2세가 이끄는 2개 군단에는 62세의 파비우스 1세도 부사령관으로 종군하게 되었다. 파비우스의 지구전법이 이해에도 시민의 지지를 받았다는 뜻이다.

이해에 로마가 투입한 총병력은 지난해보다 2개 군단이 늘어난 22개 군단이었다. 동방의 그리스에서 시작된 마케도니아 봉쇄 작전에 호응하듯, 남부 전선의 로마군이 적극전법으로 전환했기 때문이다. 로마의 장군 중에서는 과감한 인물로 알려진 마르켈루스가 이 시칠리아에 파견되었다. 이해 57세인 전직 집정관 마르켈루스에게는 시라쿠사를 공략하여 남부 방어선을 확고하게 굳히는 임무가 부여되었다.

한니발에 대해서는 두 집정관이 이끄는 4개 군단과 법무관 레피두스가 이끄는 2개 군단이 투입되었다. 그러나 로마는 전선을 분산시키기 위해 이 6개 군단을 모두 한군데에 투입하지는 않았다. 아직도 이탈리아 남부 전역에서 신출귀몰한 움직임을 보이고 있는 한니발을 상대하기 위해, 이탈리아 남부를 풀리아와 칼라브리아로 양분하여 두 집정관이 하나씩 담당하기로 했다. 그리고 레피두스의 2개 군단은 파비우스 부자가 담당하는 풀리아 전선을 지원하게 되었다.

34세가 된 한니발은 여전히 정면 대결에는 응하지 않는 6개 군단을 더 이상 상대할 마음이 나지 않았다. 그렇긴 하지만, 마케도니아군의 상륙에 대비해서라도 꼭 필요한 타란토를 정면에서 공격하고 있는 동안에 이 6개 군단이 배후를 공격하면 견딜 재간이 없다. 군사력을 이용하여 정면으로 성을 공략하는 데에는 시간이 걸리는 법이다. 그 시간과 전력이 아까운 한니발은 무력이 아니라 책략을 사용하여 타란토를 공략하기로 했다. 참주 교체기의 혼란을 틈탄 쿠데타로 오랫동안 로마의 믿음직한 우방이었던 시라쿠사를 단숨에 카르타고 쪽으로 돌려놓은 전례도 있었다.

타란토도 카푸아와 마찬가지로 로마에 굴복한 뒤 '로마 연합'의 일원이 된 동맹 도시국가(소키)였다. 그렇기 때문에 로마 연합군에 병력을 제공할 의무를 지고 있었다. 하지만 다른 동맹국들과 달리, 타란토만은 완전한 국내 자치가 인정되지 않았다. 로마는 이탈리아 남부 제일의 항구인 타란토를 브린디시와 어깨를 나란히 하는 군항으로 이용하려고 생각했기 때문이다. 아피아 가도도 타란토를 지나 브린디시에서 끝난다. 따라서 이 타란토에는 해마다 로마 총독이 파견되어 군사 부문을 통치하고 있었다.

타란토 시민들에게는 납득할 수 있는 처사가 아니었다. 브린디시는 로마가 투표권 없는 시민권 소유자를 보내 건설한 신도시다. 반대로 타란토는 스파르타인의 식민으로 건설되어, 로마와 거의 맞먹을 만큼 오랜 역사를 지닌 이탈리아 남부 제일의 도시국가였다. 신도시와 똑같이 취급되면, 비록 로마에 패배한 처지라고는 해도 석연할 리가 없다. 이런 상태를 참고 있던 타란토에 한니발이 몸값도 요구하지 않고 석방한 병사들이 돌아왔다. 타란토에서는 특히 젊은이들 사이에 한니발에게 우호적인 분위기가 싹트기 시작했다.

그들 가운데 몇 명이 이탈리아 남부에서 겨울을 나고 있는 한니발을 찾아갔다. 이야기를 들은 한니발은 행동 계획을 세워 그들에게 건네주고 타란토로 돌려보냈다. 그리고는 한니발이 중병에 걸렸다는 소문을 퍼뜨렸다. 하지만 한니발이 어디서 병상에 누워 있는지는 로마군에 알려지지 않도록 했다. 한니발은 정예부대만 거느리고 은밀히 타란토로 갔다.

작전은 완벽하게 실행되었다. 밤중에 안에서 열어준 성문으로 몰래 들어간 카르타고군이 미리 알아둔 시내 요소를 점거하는 데에는 몇 시간도 걸리지 않았다. 유혈충돌도 거의 없었다. 타란토 시민들의 집은 현관에 표시를 해두라고 한니발이 미리 명령해두었기 때문이다. 타란토 시민 대다수는 아침에 일어난 뒤에야 비로소 이변을 알아차렸을 정도다. 타란토 시는 하룻밤 사이에 한니발의 수중에 들어왔다. 다만, 로마인 총독과 500명의 병사가 지키는 요새는 카르타고군의 공격에도 굴복하지 않고 계속 버텼다.

이 요새는 항구 근처에 바다 쪽으로 불쑥 튀어나온 벼랑 위에 세워져 있어서, 이곳을 함락시키지 않는 한 항구는 쓸모가 없어진다. 하지만 한니발은 이 사태를 다른 방법으로 해결할 수 있다고 생각했다. 어떤 방법이냐고 묻는 타란토인에게 한니발은 이렇게 대답했다.

"대부분의 일은 그 자체로는 불가능한 일처럼 보인다. 하지만 관점만 바꾸면 가능한 일이 될 수 있다."

타란토 주변은 평원지대였기 때문에, 한니발은 항구에 정박중인 배들을 육지로 수송하고, 바로 근처에 있는 만을 항구로 개조했다. 그는 요새에 틀어박혀 있는 로마군의 군량 보급로를 차단하라고 타란토 시민들에게 명령했다. 하지만 타란토 요새에는 그후에도 브린디시나 레조에서 해상 보급이 끊이지 않았다. 한니발이 명령한 해상 봉쇄를 타란토 주민들이 게을리했기 때문이다.

대도시 타란토가 함락되면, 주변의 위성도시들도 그 뒤를 따르게 마련이다. 이탈리아 남부는 브린디시와 루체리아 및 베누시아를 비롯한 로마의 식민도시를 제외하고는 거의 전역이 한니발의 지배하에 들어가게 되었다.

타란토를 얻은 한니발은 전처럼 활발한 군사행동을 재개했다. 하지만 로마군도 집정관 그라쿠스의 지휘를 받으며 한 걸음도 물러서지 않았다. 로마군은 정면 대결에는 응하지 않고 주위를 굳게 지키면서, 틈이 보이면 재빨리 공격으로 전환하는 전법을 고수했다. 한니발이 없는 것처럼 보이면 로마군은 카르타고군을 공격했고, 그때마다 승리를 거

칸나이 회전 이후의 로마와 한니발의 대결 무대

두는 것은 로마군이었다.

하지만 지구전법은 효과가 늦게 나타난다는 결점이 있다. 게다가 기원전 213년의 전황은 많은 사람들 눈에는 '로마 연합'의 해체를 노리는 한니발의 전략이 가장 큰 효과를 거둔 해로 보였다.

실제로 카푸아와 타란토와 시라쿠사, 즉 이탈리아 남부의 3대 도시는 모두 한니발의 수중에 들어가 있었다. 한니발 군대의 병사들 틈에서 이탈리아 남부 그리스인의 모습도 보이게 되었다. 그런 한니발에 대해 로마는 별다른 전과를 올리지 못했다. 시라쿠사를 공략하도록 파견한 '이탈리아의 칼' 마르켈루스도 뜻밖에 고전하고 있었다.

그러나 자세히 보면, 상태는 비록 호전되지는 않았지만 나빠지지도 않았다.

한니발에 대한 카르타고 본국의 지원은 딱 한 번을 제외하고는 모두 실패로 끝났다. 로마 해군에 가로막힌 카르타고 선단은 거듭해서 발길을 돌렸고, 결국에는 이탈리아로 가려는 시도조차도 포기하게 되었다.

에스파냐에 있는 한니발의 두 동생은 코르넬리우스 형제에게 눌려서 이탈리아에 있는 형을 지원하러 달려갈 여유가 없었다.

한니발에게 빌붙어 로마군을 이기고 우쭐했던 갈리아인도 칸나이 전투 이후로는 루비콘 강 이북으로 밀려난 채 꼼짝도 하지 못했다.

마케도니아의 필리포스 5세도 이탈리아에 상륙하기는커녕, 삼면을 둘러싼 로마와 아이톨리아, 페르가몬의 공격을 받고서 움직일 수가 없었다.

한니발을 이탈리아 안에 고립시키려는 원로원의 전략은 두드러지지는 않았지만 서서히 효과를 거두고 있었다.

로마인들이 '한니발 전쟁'이라고 부르는 제2차 포에니 전쟁도 7년째에 접어들고 있었다. 이탈리아 남부의 참전을 기대할 수 없게 되었기 때문에, 평소보다 많이 병역에 종사한 시민들도 지쳐 있었다. 기원전 212년의 집정관을 선출하는 민회는 내각책임제에서 총리를 퇴진시키는 것과 비슷한 분위기가 지배하고 있었다.

그라쿠스가 집정관에 선출되지 않은 것은 지난해 집정관이었기 때문이지만, 선출되어도 좋은 파비우스 1세와 마르켈루스, 마케도니아 전선을 담당하고 있는 레비누스도 선출되지 않았다. 집정관에 선출된 것은 평민 출신인 풀비우스 플라쿠스와 귀족 출신인 클라우디우스 풀케르였다. 플라쿠스는 10년 동안의 공백기를 거친 뒤 세번째로 집정관에 취임했고, 풀케르는 새 얼굴이었다.

분위기는 총리 퇴진과 비슷했지만, 내각 불신임은 아니었다. 리비우스는 『로마사』에서 매년 선출된 집정관의 이름과 함께 그 집정관 밑에서 군단을 이끌거나 독립된 대대를 지휘한 법무관의 이름까지 적어놓았다. 거기에 따르면, 풀케르는 새 얼굴이 아니라 칸나이 패전 이후 거의 해마다 전투에 참가한 경험자였다. 그리고 기원전 212년에 로마는 제2차 포에니 전쟁이 시작된 이후 최대 병력인 25개 군단을 편성하기로 결정했다. 또한 시라쿠사 공략은 계속해서 마르켈루스에게 맡겼고, 동부 전선도 레비누스가 계속 지휘를 맡는 것을 인정했다. 한니발에게 바싹 달라붙는 군사행동을 계속한 그라쿠스도 그 임무를 계속 맡게 되었다.

기원전 212년, 이때 로마는 전략을 바꾼 것이 아니라 표면에 나서는 사람들의 얼굴만 바꾸었을 뿐이다. 하지만 이런 것조차도 효과를 거둘 때가 있는 법이다.

로마가 무리를 무릅쓰고 25개 군단을 투입한 데에는 나름대로 이유가 있었다. 이해에 로마는 카푸아 탈환을 노리고 있었던 것이다.

　도시국가의 경우 우선 도시가 건설되고, 이어서 그 도시의 필요에 따라 주변 영역이 넓어져가는 것이 보통이지만, 유력한 도시의 경우에는 주변에 식량 공급용 경작지만 있는 것이 아니라, 핵이 되는 대도시와 여러 가지 점에서 관계를 갖는 위성도시들도 생겨난다. 이런 위성도시들도 제각기 주변에 영지를 갖고 있기 때문에, 대도시 하나를 공략하는 것은 단순히 하나의 점(點)을 공략하는 데 머물지 않고 면(面)에 대한 공략으로 이어지게 마련이다. 따라서 카푸아나 타란토나 시라쿠사의 동향은 그 일대 주민들의 동향을 좌우하게 되었다. 로마는 한니발에게 이 3대 도시를 모두 넘겨준 채 팔짱만 끼고 있을 수는 없었다.

　기원전 212년, 로마는 카푸아 탈환전에 집정관 두 명과 법무관 한 명이 이끄는 6개 군단을 투입했다. 위험을 느낀 카푸아는 타란토에 있는 한니발에게 사절을 급파하여 구원을 요청했다.

　한니발이 그라쿠스가 이끄는 노예 군단의 방해를 피하면서 캄파니아 지방으로 들어왔을 때, 카푸아는 이미 로마의 6개 군단에 포위되어 있었다.

　로마인은 하룻밤 숙영지도 우직할 만큼 견고하게 지을 정도니까, 성을 공격하기 위한 포위망은 그야말로 철저하다. 깊은 참호를 파고, 목재를 빽빽이 늘어세운 울타리를 만들고, 그 위에 다시 흙자루를 쌓아올려 보강하기 때문에, 말 그대로 개미새끼 한 마리 빠져나갈 틈이 없는 완벽한 포위망이다. 기원전 212년에 카푸아를 둘러싼 것도 물샐 틈 없이 완벽한 이런 포위망이었다.

　그 대단한 한니발도 이 포위망은 돌파하지 못했다. 누미디아 출신 기병들을 결사대로 파견하여, 카푸아에서 농성중인 군대에 그의 도착을 알릴 수 있었을 뿐이다.

한니발은 카푸아를 포위하고 있는 로마의 세 장군에게 모두 싸움을 걸었지만, 평원에 포진하고 정면으로 대결하는 회전에는 세 장군 모두 응하지 않았다. 그렇다고 대치만 계속한 것은 아니었다. 한니발은 로마군이 카푸아 공략에 6개 군단을 모두 투입하고 있는 틈을 타서 나폴리와 포추올리, 쿠마 같은 항구도시를 공격했다. 하지만 '로마 연합'의 가맹국인 이 도시들은 한니발의 공격을 잘 견뎌냈고, 그러는 동안 카푸아를 포위하고 있던 로마군의 일부가 응원하러 달려왔다. 이것마저 실패로 끝나자, 한니발은 그 일대를 약탈하고 불태우는 것으로 울분을 풀 수밖에 없었다.

이런 전투에서 로마 쪽에 사상자가 나온 것은 물론이다. 하지만 한니발의 휘하 병력도 조금씩이나마 줄어들고 있었다. 게다가 타란토를 얻은 뒤에는 이탈리아 남부의 대부분을 지배하게 되었기 때문에, 그 지역의 방위에 병력을 할애해야 할 필요성도 그만큼 늘어났다. 이탈리아 남부의 도시들 가운데 혼자 힘으로 로마군을 막아낼 수 있는 도시는 하나도 없었기 때문이다.

그래도 지배하에 들어온 지역에서 병력을 징집하여 줄어든 병력을 보강할 수 있었기 때문에, 병력을 할애하는 것 자체는 그리 어렵지 않았지만, 그것을 지휘할 수 있는 장군이 없으면 병력은 전력이 되지 않는다. 이탈리아에 있는 카르타고군에는 한니발 외에는 우수한 지휘관이 없었다. 한니발이 자리를 비우면, 당장 그라쿠스의 노예 군단에게 먹이가 되는 것이 상례였다. 얼핏 보기에 무적처럼 보이는 한니발이지만, 실제로는 캄파니아 지방에 눌러앉아 카푸아를 지원하기도 어렵고, 나폴리 같은 항구도시를 공략하기도 어려운 지경에 빠져 있었다.

로마와 카르타고가 둘 다 상대에게 결정타를 먹이지 못한 기원전

212년의 이탈리아 본토와는 반대로, 시칠리아 전선에서는 분명히 로마 쪽에 우세하게 전황이 전개되고 있었다.

적극적이고 과감한 전술 때문에 '이탈리아의 칼'이라는 별명을 얻은 마르켈루스를 로마 원로원이 시칠리아로 보낸 데에는 이유가 있었다. 마르켈루스의 임무는 카르타고 쪽으로 돌아선 시라쿠사를 공략하는 동시에, 이곳 전선에서 벌어지고 있는 카르타고 본국의 군사행동과 대결하는 것이었다.

한니발이 이탈리아 땅에서 고립무원의 상태로 싸웠다는 전설은 9할 정도는 진실이 아니다. 물론 카르타고 본국이 바다에서 로마에게 결사적인 싸움을 걸면서까지 제해권을 탈환하려 하지 않았던 것은 사실이다. 하지만 한니발에게 지원 선단을 파견하려는 시도는 자주 이루어졌다. 그것이 한두 번만 빼고 모조리 실패한 것은 로마 해군의 해상 작전이 성공했기 때문이다.

카르타고 본국의 시라쿠사에 대한 지원은 타란토에 지원 선단을 파견하는 것보다 훨씬 쉽다. 항로가 절반밖에 안되기 때문이다. 여러 척의 배로 구성된 선단을 파견할 경우, 로마 해군에 차단당할 확률은 항로의 거리에 비례했다. 게다가 시라쿠사를 지원하면 언젠가는 카르타고가 시칠리아 전체를 영유하게 될 가능성이 크기 때문에, 시라쿠사에 대한 지원은 '국내파'의 지지도 얻기 쉬웠다. 실제로 칸나이 전투 이듬해부터 카르타고 쪽으로 돌아선 시라쿠사에는 당장 카르타고의 지원부대가 파견되었다.

이 시칠리아 전선을 맡은 마르켈루스에게는 칸나이 패전 직후부터 줄곧 시칠리아에 주둔하고 있는 '칸나이 군단', 즉 칸나이 패잔병으로 편성된 2개 군단과 이탈리아 본토에서 건너온 2개 군단이 주어졌다. 병력은 3만 정도.

기원전 213년 봄에 로마군은 시라쿠사를 노리고 남하했지만, 투항 권고를 거부한 시라쿠사를 공격하기 시작한 뒤로는 완전히 기력을 잃어버렸다. 시라쿠사가 온힘을 다해 필사 항전에 나섰기 때문은 아니다. 물론 시라쿠사 시가지가 천연의 요충에 자리잡고 있는 탓도 있었지만, 원인은 그것만이 아니었다. 시라쿠사에는 아르키메데스가 있던 것이다. 로마인은 이때 한 사람의 두뇌가 4개 군단과 맞먹을 수도 있다는 것을 체험하게 되었다.

총사령관 마르켈루스는 시라쿠사를 공략할 때, 육지와 바다 양쪽에서 공격하는 본격적인 전술에 의존했다. 육지 쪽은 2만 명의 병력으로 완전히 포위되었다. 바다 쪽도 팔레르모에서 도착한 100척의 5단층 갤리선으로 해상 봉쇄가 완성되었다. 이런 상태에서는 카르타고의 지원 선단도 발길을 돌릴 수밖에 없었다.

포위가 끝나고, 바다와 육지 양쪽에서의 총공격이 개시되었지만, 시라쿠사는 병력으로 맞서지 않고 제각기 용도가 다른 기계를 투입하여 방어하기 시작했다. 육지 쪽에서 공격하는 로마 병사들은 성벽 위로 목을 내밀고 돌멩이를 쏘아대는 신병기에 골치를 앓았다. 이런 병기는 사정거리도 마음대로 늘렸다 줄였다 하는데다 이동도 자유자재인 듯, 로마 병사들이 위치를 바꾸어도 정확히 겨냥하여 돌멩이를 쏘아댔다. 그런데 사람은 성벽 위로 눈만 내놓고 로마군의 움직임을 알리기만 할 뿐이어서, 화살을 쏘아 성벽 아래로 떨어뜨릴 수도 없었다. 로마군은 시라쿠사 시가지를 둘러싼 성벽에 달라붙기는커녕 가까이 접근할 수도 없는 상태였다.

바다 쪽도 상황이 마찬가지였다. 물론 로마군도 힘으로 밀어붙이기만 한 것은 아니다. 나름대로 연구하는 것을 잊지 않았다.

바다 쪽 성벽은 육지보다 간단히 만들어져 있었다. 바다에 면한 벼랑 위에 별로 견고하지도 않은 허술한 성벽이 서 있을 뿐이었다. 로마군은 다음과 같은 방식으로 바다 쪽에서 공격하기 시작했다.

우선, 병사들을 실은 배를 두 척씩 짝짓는다. 두 척의 배는 서로의 뱃전을 밧줄로 연결한 상태에서 좌우 한쪽만 노를 저어 벼랑으로 접근한다. 벼랑 기슭에 도착하자마자, 고물에서 돛대 위를 지나 뱃머리에 이르는 밧줄 끝에 묶여 있는 사다리를 도르래로 내려서, 병사들이 그것을 타고 벼랑 위로 내려선 다음, 사다리를 성벽에 세우고 올라가 성벽에 매달리는 방식이었다. 이렇게 하면 수비병들은 설령 성벽 위에서 투석하거나 화살을 쏠 수는 있어도, 두 척의 군선에 타고 있는 로마 병사들이 쏘아대는 화살 때문에 성벽 위로 나올 수 없게 된다. 인해전술로 상대를 압도하는 로마인다운 방식이었다.

그런데 로마 선단이 벼랑에 접근하자마자 성벽 위로 얼굴을 드러낸 것은 사람이 아니라 기묘하게 생긴 기계뿐이었다. 그 기계는 성벽을 넘어 벼랑 위에까지 뻗어와, 이제 막 거기에 내려진 공격용 사다리를 쳐서 바다로 내던졌다. 하나가 아니라 여러 개인 이 기계는 바다 쪽 성벽 여기저기에서 얼굴을 내밀고는, 공격용 사다리와 그것을 타고 벼랑 위로 내려서려던 로마 병사들을 모조리 바닷속으로 쳐내는 것이었다.

바다 쪽에서도 사정거리와 이동이 자유자재인 투석기가 활용되었다. 커다란 돌멩이에 맞아 균형을 잃고 벼랑에 충돌하여 부서지는 배도 적지 않았다. 그래도 아르키메데스가 고안한 신무기의 공세를 피해 성벽에 달라붙은 병사들도 있었다. 하지만 그런 병사들도 어디에 놓여 있는지 알 수 없는 거울에 반사된 햇빛을 받고 눈이 부셔서, 성벽 아래로 곤두박질치며 떨어질 뿐이었다.

공격을 계속하면 할수록 인적 피해와 물적 희생이 커지는 것은 육지와 바다가 마찬가지였다. 얼굴이 보이지 않는 적의 활약에 로마 병사들은 완전히 기가 꺾이고 말았다. 선상에서 아군의 고전을 바라보고 있던 마르켈루스는 호쾌한 성격의 소유자이기도 했기 때문에, 주위 장교들에게 농담을 했다.

"아르키메데스는 마치 물잔을 내던지듯 배를 내던지고 있군. 삼부카는 꼭 잔치에서 쫓겨난 악사 같아."

공격용 사다리는 모양이 삼부카라는 악기와 비슷했기 때문에 삼부카라고 불렸다. 또한 연주 솜씨가 서투른 악사는 잔치에서 쫓겨나는 것으로 보답을 받았다.

아르키메데스의 이름은 로마군 사이에도 이미 유명해져 있었다. 마르켈루스는 "늙은이 하나한테 휘둘리다니, 이게 무슨 꼴인가!" 하고 한탄한 적도 있었다. 로마군과는 상황이 다르지만, 2천 200년 뒤의 고등학생들까지도 수학이라는 골치아픈 학문으로 괴롭히게 되는 아르키메데스는 그해에 75세 안팎이었을 것이다.

교착상태에 빠진 전선을 억지로 밀어붙이는 것은 어리석은 짓이라고 판단한 마르켈루스는, 때마침 해상 봉쇄로 시라쿠사에 지원부대를 보낼 수 없게 된 카르타고가 시칠리아 중부의 아그리젠토 근처에 지원군을 상륙시켰다는 소식을 받았다. 마르켈루스는 시라쿠사 포위를 부관에게 맡기고, 자신은 지상군의 절반을 이끌고 아그리젠토로 달려갔다.

카르타고는 2만 5천 명의 보병과 3천 명의 기병, 그리고 코끼리 12마리를 상륙시켰다. 하지만 전투는 로마군의 승리로 끝났다. 그러자 지원군 제2진으로 카르타고에서 파견된 병력을 실은 선단은 상륙을 포기하고 돌아가버렸다. 마르켈루스는 시라쿠사 성벽 아래로 다시 돌아왔지만, 기원전 213년의 시라쿠사 공략은 아르키메데스 한 사람 때문에 끝내 성공하지 못했다.

이듬해인 기원전 212년, 이탈리아 본토에서는 카푸아 탈환전이 본격적으로 시작되었다. 마르켈루스도 시라쿠사 공략전에 빨리 결말을 지어야 할 필요를 느끼고 있었다. 하지만 아르키메데스의 신병기에 기운을 얻은 시라쿠사 시민들은 조금도 기죽은 기색을 보이지 않았다. 대도시 시라쿠사에는 식량도 충분히 비축되어 있었다. 로마 쪽에는 그 식량이 다 떨어지기를 기다릴 시간 여유가 없었다. 지난해에 이어 올해에도 카르타고가 대규모 지원에 나설 것은 충분히 예상할 수 있는 일이었기 때문이다.

마르켈루스는 포로들 가운데 시라쿠사 출신을 찾아 데려오게 한 다음, 심문을 시작했다. 포로들의 대답 가운데, 아르테미스 여신의 축제가 며칠 뒤로 다가왔다는 것이 마르켈루스의 관심을 끌었다. 사냥의 여신 아르테미스를 기리는 축제일은 그리스 민족인 시라쿠사인에게는 중요한 날이라는 것을 마르켈루스도 알고 있었다. 포로들의 말에 따르면, 아르테미스 축제일에는 술에 취해서 곤드라지는 것이 시라쿠사인의 습관이라고 한다. 포도주는 로마인도 좋아하지만, 그리스인들처럼 취해서 곤드라질 만큼 마시지는 않았다. 주간에는 아르키메데스의 병기가 방어의 주인공이지만, 야간에는 시라쿠사 시민들이 수비를 맡고 있었다. 아르테미스 여신의 축제일 밤이라면, 보초들도 포도주의 유혹을 이겨낼 수 없을 거라고 마르켈루스는 예상했다.

1천 명의 정예가 선발되었다. 수많은 공격용 사다리도 성벽 근처의 숲속에 숨겨졌다. 그밖에 1만 명의 병사가 육지 쪽의 성문 근처에 은신했다. 모두 밤이 오기를 기다렸다.

한밤중이 지났을 때, 소리도 없이 성벽으로 다가간 1천 명의 병사들이 몰래 성벽에 사다리를 세우고 기어오르기 시작했다.

성벽 위에 있던 감시병들은 비명 한 번 지르지 못하고 살해되었다. 성벽을 타고 밑으로 내려간 로마 병사들이 취해서 곤드라진 성문 감시병들을 죽이고, 성문을 안쪽에서 차례로 열었다. 1만 명의 로마 병사들이 어둠을 뚫고 시라쿠사 시내로 잠입하기 시작했다. 날이 밝았을 때, 시가지의 절반은 로마군의 수중에 들어가 있었다.

하지만 도시국가 시라쿠사의 중심부는 바닷속에 우뚝 솟은 섬에 집중되어 있었다. 상당히 넓은 면적을 가진 이 섬과 본토 사이는 도개교(평소에는 매달아두고 필요할 때만 내려서 걸치는 다리)로 이어져 있을 뿐이었다. 신전이나 반원형 극장이 있는 본토 쪽 시라쿠사를 점령한 것만으로는 시라쿠사를 점령했다고 말할 수 없었다. 그래도 육지 쪽의 성벽을 돌파한 것은 아르키메데스의 병기가 활약할 수 있는 무대를 빼앗았다. 게다가 해상 봉쇄는 완벽하다. 섬으로 도망쳐 들어간 사람들 때문에 도심은 만원이었다. 이 도심에서 식량이 떨어지는 것은 이제 시간 문제였다.

이탈리아 본토에서 카푸아 포위전을 벌이고 있는 로마군도 카푸아의 구원 요청을 받고 달려온 한니발을 격퇴하고, 겨울철 휴전기에 들어가는 데 성공했다. 그런데 이런 전황에서 밝은 기분과 자신감을 되찾고 있던 로마인들의 마음을 어둡게 하는 소식이 들어왔다.

이탈리아 남부를 수비하고 있던 한 카르타고군 장군이 그 지역의 전투를 맡고 있는 전직 집정관 그라쿠스에게 사절을 보내 항복의 뜻을 전하고, 항복 절차를 논의하기 위한 자리에 나와달라고 요청했다. 그라쿠스는 이 말을 믿고 소규모 부대만 거느린 채 지정된 곳으로 갔다. 사방에서 습격해온 카르타고 병사들에게 그라쿠스와 부하 기병 전원이 목숨을 잃고 말았다. 그라쿠스의 노예 군단 병사들은 진영에 내던 져진 총사령관의 목을 보고서야 이 사실을 알았다.

티베리우스 셈프로니우스 그라쿠스는 칸나이 패전 이후 로마가 가장 어려웠던 시기에 노예가 대다수인 군단을 이끌고 과감하게 싸우는 어려운 일을 해낸 장군이다. 비록 지원했다고는 하지만 로마에 대한 애국심 따위는 전혀 없는 노예들을 그는 채찍으로 다스리려 하지 않았다. '노예 군단'으로 통칭된 그의 군단에서는 노예와 자유민이 전혀 차별 대우를 받지 않았다. 노예와 자유민은 같은 무기와 장비를 갖추고, 한 솥밥을 먹고, 같은 막사에서 자고, 전리품도 평등하게 분배받았다.

노예 군단이라고 불리긴 했지만, 이 무렵에는 그들도 더 이상 노예가 아니었다. 베네벤토 전투에서 카르타고에 승리한 뒤, 그라쿠스는 약속대로 그들 모두에게 자유를 주었기 때문이다. 그런데도 그들 가운데 전쟁이 계속되는 동안은 군단에 남아 있겠다는 서약을 어긴 사람은 하나도 없었다. 그들은 로마에 대한 충성심은 없었지만, 40대 중반의 나이인 그라쿠스에게는 충성을 바쳤던 것이다.

4년 동안 고락을 함께 한 총사령관의 죽음, 그것도 속임수에 의한 무참하고 갑작스러운 죽음은 이 사내들을 절망으로 몰아넣었다. 그것은 기둥을 잃은 사람만이 이해할 수 있는 절망이었다. 4년 동안 철석 같은 결속을 자랑해온 노예 군단은 총사령관을 잃은 순간 산산이 무너져버렸다.

로마 시민병이나 동맹국 병사 같은 '로마 연합'의 정규병들은 전투에서 패해도 반드시 진영으로 돌아왔다. 덕분에 로마군은 사상자 수를 상당히 정확하게 파악할 수 있었다. 이런 로마에서 2개 군단이나 되는 병사가 사라져버린 것은 역사상 처음 있는 일이었다. 그라쿠스의 죽음과 노예 군단의 소멸은 이 군단에 속해 있던 장교와 소수의 정규병을 통해 로마에 알려졌다.

로마는 칸나이 패전 이후 줄곧 로마의 최전선에 섰던 네 명의 장군 가운데 하나를 잃었다. 네 명 중에서는 그라쿠스가 가장 젊었다.

이듬해인 기원전 211년, 봄소식과 함께 로마에 도착한 것은 시라쿠사 함락에 성공했다는 소식이었다. 시라쿠사는 남국이기 때문에, 마르켈루스는 겨울철을 헛되이 보내지 않았다. 적의 식량이 바닥나기를 기다리지도 않았다. 시라쿠사의 도심인 섬을 공격할 태세는 겨울 동안 이미 완료되어 있었다.

로마 육해군의 총공세 앞에서 시라쿠사는 단 며칠도 버티지 못했다. 주권을 가진 정부도 없어져버린 시라쿠사에는 종전 교섭에 나설 사람도 없었다. 이런 경우에는 저항하는 사람이 아무도 없을 때가 곧 전투가 종결되는 순간이다. 그리고 투항 권고를 거부하고 싸워서 패배한 나라와 백성은 승자의 소유로 귀속되는 것이 고대 전쟁의 관례이기도 하다. 마르켈루스는 부하 병사들에게 사흘 동안의 약탈을 허락했다.

마르켈루스는 평민 출신인데도 그리스어에 능통하고, 그리스 문화에 대한 경애심이 강했다. 그는 시라쿠사에 있는 미술품과 공예품을 로마의 소유물로 모아서, 이런 경우에 흔히 파괴되기 쉬운 예술품을 지키는 것을 잊지 않았다. 마르쿠스 클라우디우스 마르켈루스는 장군에게는 최고의 영예인 수도 로마에서의 개선식을 수많은 미술품으로 장식한 최초의 로마 장군이다. 로마의 일반민들은 그것을 통해 비로소 그리스 조형문화의 우수성을 직접 확인하게 되었다.

시라쿠사에서 가져온 이 전리품은 그때까지 로마인이 알고 있던 이탈리아 남부의 미술품과는 비교도 되지 않을 만큼 훌륭했다. 시라쿠사의 500년 역사는 다른 도시국가들의 500년과 달랐다. 전성기의 아테

네와 스파르타도, 그리고 카르타고도 경의를 표하지 않으면 안될 500
년이었다. 시칠리아의 동쪽 절반과 이탈리아 남부 일대는 '마그나 그
라이키아', 즉 '대(大) 그리스'라고 불렸는데, 그 '대 그리스'의 중심
은 항상 시라쿠사였다. 플라톤이 방문한 것으로도 알려져 있다. 기원
전 211년, 이 시라쿠사는 독립을 잃고 로마의 속주가 되었다.

마르켈루스는 시라쿠사 시민들의 재산을 약탈하는 것은 허용했지
만, 신체에 대한 약탈, 즉 노예화는 허용하지 않았다. 모든 시민은 자
유민으로 남았다. 대신 소유지는 몰수되어 로마의 국유지가 되었다.
시라쿠사 시민들은 그후 로마에서 토지를 빌려 경작하고, 시칠리아의
다른 속주와 마찬가지로 수확의 10분의 1을 로마에 조세로 바치게 되
었다. 10분의 1의 직접세는 시라쿠사 참주한테 바치고 있던 것과 같았
다. 늘어난 부담은 토지 임차료뿐이었다.

한 해가 넘도록 로마군을 괴롭힌 아르키메데스는 시라쿠사 함락의
혼란 속에서도 수학 문제를 푸는 데 열중해 있다가, 그를 알아보지 못
한 로마 병사에게 살해되었다. 이 사실을 알고 마르켈루스는 몹시 애
석해했다고 한다.

로마는 지난해에 이어 기원전 211년에도 모든 전선에 25개 군단을
투입하는 총력전을 펼쳤고, 카푸아에서도 지난해와 마찬가지로 세 명
의 사령관이 이끄는 6개 군단이 확고부동한 포위망을 구축하고 있었다.

이제 한니발은 이탈리아 남부에서 겨울을 날 수밖에 없었지만, 시라
쿠사가 다시 로마 쪽으로 넘어가버린 지금 카푸아의 중요성은 전보다
더욱 커졌다. 한니발은 무슨 수를 써서라도 로마군의 철벽 같은 포위
망에서 카푸아를 구해내지 않으면 안되었다.

이 문제를 단기간에 해결할 수 있는 유일한 방법은 적을 싸움에 끌
어내는 것이라고 한니발은 생각했다. 그래서 그는 대부분의 휘하 병사

들에게는 나중에 뒤따라오라고 명령하고, 필요한 최소한의 군량과 최소한의 병력만 이끌고 카푸아를 향해 급히 북상했다. 그는 카푸아 근처에 느닷없이 나타나 로마군의 포위망을 급습했다.

그런데 이 불의의 기습도 효과가 없었다. 카푸아에 대한 로마군의 포위망은 카푸아만이 아니라 바깥쪽에서의 공격에도 대처할 수 있도록 이중으로 구축되어 있었다. 포위망을 공격함으로써 로마군을 싸움에 끌어낸다는 전략을 실행할 수 없게 된 한니발은 아군의 도착을 기다리지 않고 대담한 승부로 나왔다.

이끄는 병력이 적기 때문에 적에게 들키지 않고 카푸아 포위망의 배후를 우회하는 데 성공한 한니발은 이제 로마군과 만날 위험이 없는 라티나 가도를 따라 수도 로마로 달려갔다. 부하들이 로마 성벽에서 4.5킬로미터 떨어진 지점에 숙영지를 만드는 동안, 그 자신은 기병대만 이끌고 라티나 가도를 따라 더욱 북상하여 로마 성벽이 보이는 곳까지 나아갔다. 성벽 근처에 이르자, 그는 로마를 둘러싼 성벽을 따라 '산책'을 감행했다. 콜리나 성문까지 갔으니까, 로마의 전체 성벽의 3분의 1을 둘러본 셈이다.

기원전 390년에 갈리아인이 침입한 이후 179년 동안 로마의 수도에까지 적이 접근한 적은 한번도 없었다. 한니발의 이 대담한 시위에는 로마인들도 심장이 멎어버릴 만큼 놀랐다. 성벽 위로 몰려나온 로마인들이 숨을 죽이고 지켜보는 가운데, 백마를 탄 36세의 장군은 화살의 사정거리를 벗어난 거리에서 산책을 멈추지 않았다.

하지만 로마를 둘러싼 성벽은 견고하여 1개 군단 정도의 공격으로는 꿈쩍도 하지 않는다. 그리고 이때 수도 로마에는 우연하게도 풀리아 지방에 파견하기 위해 막 편성을 끝낸 2개 군단이 사령관인 집정관 갈바와 함께 있었다. 2개 군단의 수도방위군을 합하면 4개 군단의 병력이 견고한 성벽 안에 주둔하고 있었던 셈이다. 급히 소집된 원로원에서, 이제 64세가 된 파비우스 1세는 주장하기를, 카푸아를 포위하고 있는 로마군은 물론이고 다른 어디에서도 1개 군단조차 빼낼 필요가 없다고 말했다. 이 지구전법의 창안자는 한니발과의 대결은 절대 피하라고 집정관 갈바한테 충고했다.

이 충고를 받아들인 갈바는 병력을 성벽 밖으로 내보내기는 했지만, 포진을 끝낸 로마군의 의도도 한니발과 마찬가지로 시위일 뿐이었다. 그후 며칠 동안 한니발 군대와 충돌이 일어났지만, 그것은 어디까지나 소규모 접전에 불과했다.

수도 로마의 방위군을 전투에 끌어내어 쳐부수고, 거기에 경악한 카푸아 포위군이 수도를 방어하기 위해 달려오면 그 군대도 쳐부순다는 것이 한니발의 속셈이었지만, 이 생각은 전혀 실현되지 못하고 말았다.

그러나 이 사건은 로마인의 마음속에 오랫동안 남아 있었다. 로마인들은 아이를 야단칠 때 "문간에 한니발이 와 있다"고 말하게 되었다.

기원전 211년의 이 '로마행'은 그토록 강렬하게 로마를 무찌르고 싶어했고 그것을 위해서는 어떠한 희생도 감수해온 한니발이 로마를 본 처음이자 마지막 기회가 되었다.

로마에는 손가락 하나 대지 못한 채 로마를 떠난 한니발은 남쪽으로 돌아가는 도중에도 카푸아를 포위하고 있는 로마군한테는 접근하려고 하지 않았다. 그는 그 길로 곧장 이탈리아 남부로 회군해버렸다. 도중까지 와 있던 그의 본대도 총사령관을 따라 장화 발부리에 해당하는 칼라브리아 지방으로 되돌아갔다.

한니발의 구원을 기대할 수 없게 된 카푸아는 그후 얼마 동안 장렬한 공방전을 벌인 끝에 함락되었다. 이 전투중에 로마군 사령관의 한 명인 전직 집정관 풀케르가 전사했다.

함락된 카푸아는 국내 자치권도 잃어버리고, 동맹국에서 속주로 격하되었다. 시민들은 노예가 되지는 않았지만, 카푸아가 로마를 배신한 것은 피로스 왕에게 로마가 고전하고 있을 때에 이어 이번이 두번째가 된다. 로마인은 100년 동안 두 번이나 배신한 카푸아를 용서할 수가 없었다. 로마는 카푸아에 대해서는 시라쿠사보다 한층 더 엄격한 조치를 취했다. 카푸아의 지도층 인사 70명을 사형에 처한 것이다.

이리하여 로마는 칸나이 패전 이후 한니발 쪽으로 돌아선 이탈리아 남부의 3대 도시 가운데 시라쿠사에 이어 카푸아도 탈환했다. 이제 남은 도시는 타란토뿐이었다.

시라쿠사 탈환이 시칠리아 확보로 이어졌듯이, 카푸아 함락은 캄파니아 지방에 대한 로마의 걱정을 깨끗이 없애주었다. 이제 로마는 한니발의 거점이 된 지 오래인 이탈리아 남부로 전선을 전진시킬 수 있게 되었다. 비로소 로마는 한니발에 대해 본격적인 공세를 취할 수 있게 된 것이다.

기원전 211년은 온통 좋은 소식으로 가득 찬 느낌을 주었지만, 여름이 끝날 무렵 예상치도 못했던 나쁜 소식이 날아들었다. 제2차 포에니 전쟁이 일어난 이후 계속 확대하지 않을 수 없었던 로마 전선에서 유일하게 좋은 소식만 계속 보내온 에스파냐 전선이 궤멸한 거나 마찬가지가 되었다는 것이다.

기원전 218년에 한니발에게 론 강 도강을 허용한 집정관 코르넬리우스는 마르세유까지 데려간 병력을 동행했던 동생 그나이우스에게 주어 예정대로 에스파냐로 보내고, 자신은 이탈리아로 돌아와 한니발이 알프스를 넘어오기를 기다렸다. 하지만 한니발과 로마의 제1회전이 된 티치노 기마전에서 패배하고 중상까지 입었다. 로마는 상처가 나은 코르넬리우스를 다시 에스파냐로 보냈다.

에스파냐에서 동생과 합류한 코르넬리우스의 임무는 한니발의 배후지인 에스파냐를 공격하여, 에스파냐가 이탈리아에 있는 한니발에게 지원부대를 보내지 못하게 하는 것이었다. 로마는 한니발이 자기 집 담장을 넘어 마당까지 쳐들어오자, 이 침입자를 쉽게 격퇴하기가 어려운 이상 침입자에 대한 외부의 보급을 차단함으로써 담장 안에서 침입자를 고립시키려고 했다.

기원전 218년부터 기원전 211년까지 8년 동안, 에스파냐 전선을 담당한 코르넬리우스 형제—처음에는 동생 그나이우스가 혼자서, 그리고 얼마 후에는 형 푸블리우스도 함께—는 로마가 트레비아, 트라시메노, 칸나이 등 한니발을 상대로 한 전투에서 참패를 거듭하고 있는 동안에도 주어진 임무를 착실히 수행해 왔다. 그 8년 동안, 한니발은 아홉 살 때부터 자랐고 그가 속한 바르카 가문의 사유 식민지라는 느낌이 강했던 이 에스파냐로부터 아무 지원도 받지 못했다.

코르넬리우스 형제는 제2차 포에니 전쟁이 일어나기 전에 로마와 카르타고 세력의 국경이기도 했던 에브로 강 연안의 타라고나에 본거지를 두고, 전투 개시기인 봄이 되면 연례행사처럼 에브로 강을 건너 남쪽으로 쳐들어갔다. 이들 형제는 로마가 그들에게 맡긴 2개 군단을 양분하여 각각 1개 군단씩 이끌고, 대규모 전투보다는 소규모 전투에서 승리를 거듭함으로써 에스파냐의 카르타고 세력을 침식하는 데 성공했다. 기원전 212년 가을에 자연 휴전기가 닥쳐왔을 무렵, 코르넬리우스 형제는 카르타고 세력하에 있던 에스파냐의 3분의 1을 평정한 상태였다. 사령관부터 병사에 이르기까지, 귀국도 하지 않고 계속 싸워서 얻은 성과였다.

카르타고 본국은 에스파냐의 이런 상황을 몹시 걱정했다. 한니발이 있는 이탈리아로 돌아갈 예정이었던 한니발의 막내동생 마고를 지원부대와 함께 에스파냐로 보냈을 정도다. 또한 이탈리아에 있는 한니발에 대한 지원은 제해권을 장악하고 있는 로마 해군의 방해 때문에 뜻대로 되지 않았지만, 지브롤터 해협만 건너면 갈 수 있는 에스파냐에 대한 지원은 위험도 적었다. 그리고 광산이 풍부한 에스파냐를 확보하기 위한 지원은 경제적으로 생각해도 타당한 '계속 투자'였다. 이것은 카르타고 본국의 국내파까지도 납득하고 있었다. 카르타고 본국의 지원은 마땅히 한니발에게 보내져야 할 것까지도 모두 에스파냐에 투입되었다.

카르타고는 용병제도를 전통으로 하는 나라다. 따라서 카르타고의 지원은 에스파냐의 용병 가격을 급등시켰다.

이 시기 로마에는 에스파냐의 로마군을 증강할 여유가 없었다. 코르넬리우스 형제는 2개 군단으로 계속 싸울 수밖에 없었고, 연전연승을 거두었다고는 해도 전투의 연속은 병력 감소로 이어지게 마련이다.

로마군에는 용병을 고용하는 관습이 없었다. 코르넬리우스 형제는 지극히 로마적인 방식으로 병력을 보강했다. 원주민을 돈으로 고용하지 않고, 정복한 땅의 원주민과 참전을 조건으로 한 동맹관계를 맺었던 것이다.

하지만 에스파냐의 원주민은 '로마 연합'에 가맹한 지 오래된 이탈리아 중부의 에트루리아인이나 이탈리아 남부의 그리스인과는 달랐다. 눈앞에 금화를 내보이면, 로마와의 동맹 따위는 헌신짝처럼 내던지곤 했다. 얼핏 보기에는 눈부신 전과를 계속 올린 것처럼 보인 에스파냐 전선도 기원전 212년이 끝날 무렵에는 현지 병력의 배신으로 골치를 앓는 상태였다.

이듬해인 기원전 211년, 금화의 힘으로 증강된 카르타고군은 병력을 셋으로 나눌 수 있게 되었다. 제1군은 한니발의 동생 하스드루발이 이끌고, 제2군은 한니발의 막내동생 마고가 이끌고, 제3군은 카르타고 본국에서 파견된 시스코네가 이끌었다.

2개 군단으로 3개 군단과 대결하게 된 로마군에서는 멈추지 않는 출혈처럼 현지 병력의 탈주가 계속되었다. 로마군의 이같은 병력 감소가 카르타고군의 병력 증대로 이어진 것은 물론이다.

이것은 코르넬리우스 형제가 방치할 수 없는 사태였다. 하지만 두 사람은 병력을 둘로 나누어 싸우는 전략을 바꾸지 않았다.

기원전 211년 초여름, 푸블리우스 코르넬리우스가 이끌고 있던 군단에서 한꺼번에 7천 500명이나 되는 에스파냐 병사들이 탈주했다. 이 소식을 보고받은 푸블리우스는 밤중인데도 당장 그들을 추격하기로 결심했다. 탈주병이 카르타고군과 합류하기 전에 처리하고 싶었던 것이다.

동이 틀 무렵, 로마군 앞을 가로막은 것은 탈주병을 맞으러 와 있던 누미디아 기병대였다. 이 부대의 지휘관은 카르타고에 고용된 누미디아의 왕자 마시니사였다. 누미디아 기병대는 용감하게 싸웠고, 로마군이 여기에 응전하고 있는 동안 마고가 이끄는 카르타고군까지 싸움에 가담했다. 때마침 가까이에 있던 하스드루발도 싸움터에 도착했다. 수적으로 완전히 열세인 로마군은 퇴로까지 차단당한 채 궤멸하고 말았다. 사령관 푸블리우스 코르넬리우스 스키피오도 장렬하게 전사했다.

로마군을 쳐부순 카르타고 제2군은 조금 떨어진 곳을 행군하고 있던 그나이우스의 1개 군단을 습격했다. 이 로마군도 세 배나 많은 적의 공격을 받고 아군과 운명을 같이했다. 기원전 222년에 집정관을 지낸 바 있는 그나이우스 코르넬리우스 스키피오도 전사했다.

패잔병을 규합해야 할 장교가 모두 전사한 상태에서, 백인대장 한 명이 패잔병을 이끌고 에브로 강 북쪽으로 도망쳤다. 이리하여 에스파냐에서 로마군의 병력은 단번에 3분의 1로 줄어들고 말았다. 또한 패잔병들이 에브로 강 북쪽의 타라고나로 도망쳐서야 겨우 안도의 한숨을 내쉰 것으로도 알 수 있듯이, 코르넬리우스 형제가 8년 동안 이룩한 성과는 모두 도로아미타불이 되어버렸다.

이 소식은 이탈리아의 한니발한테도 전해진 모양이다. 시라쿠사를 잃고 카푸아마저 잃어버린 한니발에게는 낭보였던 게 분명하다.

한니발에게 희망을 가져다주는 소식은 로마에는 나쁜 소식이다. 로마는 한니발에 대한 보급로 하나가 열려버린 이 사태를 그대로 방치해둘 수 없었다. 카푸아 함락으로 조금은 여유가 생긴 원로원은 예비 사령관 가운데 클라우디우스 네로에게 1만 명의 병력을 주어 에스파냐로 급파했다.

클라우디우스 네로는 로마에서 손꼽히는 명문 귀족 클라우디우스 가문에 속해 있다. 앞에서도 말했듯이, 클라우디우스 가문의 남자들은 뛰어난 재능에도 불구하고 강한 성격 때문에 민중한테는 인기가 없었지만, 전쟁터에서는 속전속결형인 장군을 많이 배출했다. 게다가 네로는 과감한 전법을 장기로 삼는 마르켈루스 밑에서 전투 경험을 쌓은 인물이었다.

네로는 궤멸한 거나 다름없는 에스파냐에 들어가자마자, 한니발의 동생인 하스드루발을 추격하여 싸움을 걸었다. 하지만 상대는 승리를 위해서라면 속임수도 마다하지 않는 위인이었다. 네로에게 쫓긴 하스드루발은 강화를 제의했다. 네로는 이 말을 믿고 얌전히 기다렸지만, 날이 밝고 보니 강화를 교섭하겠다던 상대는 휘하 병력과 함께 사라져 버렸다. 이 사건으로 로마 원로원은 에스파냐의 카르타고군을 상대하는 총사령관으로서 네로의 능력을 의심하게 되었다. 클라우디우스 네로는 그해 겨울조차도 에스파냐에서 보내지 못하고 로마로 소환되었다. 하지만 그로부터 4년 뒤에 네로는 그를 속인 상대에게 완벽한 설욕전을 펼치게 된다.

에스파냐 전선은 절대로 포기할 수 없었기 때문에, 로마는 이 전선을 담당할 총사령관으로 누군가를 보내지 않으면 안되었다. 하지만 이제 겨우 한니발에 대해 본격적인 공세를 취할 수 있게 된 로마에는 다른 전선에 투입해도 좋은 장군이 남아 있지 않았다. 에스파냐는 멀리 떨어져 있어서 총사령관을 쉽게 바꿀 수도 없기 때문에, 파견되는 사람은 에스파냐에 오랫동안 눌러앉게 된다. 게다가 그 사람은 패배를 맛보고 사기가 떨어져 있는 병사들을 이끌고 전황을 호전시킬 수 있을 만큼 유능한 장군이어야 한다. 이 에스파냐 전선에 누구를 보낼 것인가. 원로원도 총사령관 인선에 고심하고 있었다.

스키피오의 등장

나이도 차지 않은 한 젊은이가 원로원 안으로 들어왔다. 64세의 파비우스나 59세인 마르켈루스의 눈에는 풋내기처럼 보였지만, 24세의 이 젊은이는 푸블리우스 코르넬리우스 스키피오라고 자기 이름을 댔다. 그리고는 에스파냐에서 전사한 선친의 뒤를 이어 자기를 그 전선의 총사령관으로 삼아 에스파냐로 파견해달라고 부탁했다.

원로원 의원들은 대부분 젊은이의 말을 진지하게 받아들이지 않았다. 젊은이의 관직 경험은 1년 전에 안찰관을 지낸 것뿐이고, 실전 경험도 17세 때 아버지 밑에서 처음 출전한 티치노 전투와 2년 뒤인 19세 때 아이밀리우스 파울루스 밑에서 치른 칸나이 전투뿐이었다. 30세가 넘어야 자격이 있는 원로원 의원도 아니었다. 원로원 의원도 아닌 자에게 전략 단위인 2개 군단의 총지휘를 맡긴다는 것은 공화정 로마에는 전례가 없는 일이었다.

게다가 최근에 있었던 이 젊은이의 행동은 파비우스 같은 철저한 공화정주의자의 눈살을 찌푸리게 하기에 충분했다.

2년 전 겨울에 있었던 일이다. 로마에서는 겨울이 선거철인데, 자격 연령이 30세 이상으로 되어 있는 안찰관에 젊은이의 형인 루키우스가 출마했다. 하지만 평범한 재능밖에 갖지 못한 루키우스가 안찰관에 당선할 수 있을지는 의심스러웠다. 그래서 형제의 어머니는 날마다 신전을 참배하며, 신들에게 아들의 당선을 빌고 있었다. 어느 날 젊은이가 어머니에게 물었다.

"어머니, 만약 우리가 둘 다 안찰관에 당선되면 어떻겠습니까?"

어머니는 푸블리우스가 자격 연령에 미달인 것을 알고 있었지만, 그래도 웃으면서 대답했다.

"그렇게만 된다면 기뻐서 울겠지."

선거일이 되자, 젊은이는 아무 장식도 없는 새하얀 토가를 걸치고 어머니 몰래 아침 일찍 집을 빠져나왔다. 로마에서는 장식이 없는 새하얀 토가를 걸치고 투표장소인 마르스 광장의 연단 위에 서면, 입후보하겠다는 의사표시가 된다. 선거연설 같은 것은 없었다.

연단 위에 형 루키우스와 나란히 섰을 뿐인데도, 젊은이는 당장 유권자인 시민들이 지르는 환성의 소용돌이에 휩싸였다. 백인대(켄투리아)가 뜻을 통일하고, 그 결과를 합계하여 당선자를 결정하는 투표도

할 필요가 없었다. 그는 만장일치로 안찰관에 뽑혔다. 연단에 나란히 섬으로써 자기를 뽑으려면 형도 함께 뽑아야 한다는 뜻을 보여준 덕분에 당선이 의심스러웠던 루키우스까지 당선되었다. 청년 스키피오는 유난히 빛나는 공적을 쌓은 것도 아닌데, 전부터 시민의 절대적인 인기를 모으고 있었다.

선거위원장이기도 한 호민관이 자격 연령에 미달이라는 이유로 스키피오의 당선에 이의를 제기했다. 그러자 22세의 젊은이는 이렇게 대답했다.

"모든 시민이 내가 안찰관에 적합하다고 생각했으니까, 나는 충분히 안찰관을 맡을 수 있는 나이가 되었다고 말할 수 있습니다."

이런 행동은 연공서열을 중시하는 공화정주의자의 눈살을 찌푸리게 했지만, 시민들의 지지는 압도적이었다. 이리하여 자격 연령에 7세나 모자란 안찰관이 탄생하게 되었다.

공화정 로마의 최하위 관직인 안찰관이라면 눈을 감아줄 수도 있다. 2개 군단의 2만 5천명 내지 3만 명의 병력을 지휘하는 대임은 집정관이나 법무관한테만 허용되어 있었다. 두 관직 모두 자격 연령이 40세였다. 관직에 취임하는 이듬해에는 스키피오도 25세가 되겠지만, 이번에는 7세가 아니라 15세나 모자랐다.

로마는 이듬해인 기원전 210년에는 모든 전선에 21개 군단을 투입하기로 결정했다. 그것을 지휘하려면 11명의 사령관이 필요했다. 10명까지는 결정되었지만(그들은 모두 40세 이상이었다), 에스파냐 전선의 사령관만 아직 결정되지 않은 상태였다. 그 직책을 맡기기에 적합한 40세 이상의 장군은 한 사람도 남아 있지 않았다.

원로원은 본인이 원하고 있으니까 한번 맡겨보자는 결론에 도달했다. 더구나 아버지와 숙부의 원수를 갚고 싶다는 소원을 차마 뿌리칠 수도 없었다. 젊은이의 선친과 숙부는 원로원 의원들의 동료이기도 했다. 젊은이의 뜻을 받아들인 데에는 조국을 위해 먼 에스파냐에서 전사한 그들의 명복을 비는 의미도 있었다.

그렇다고 해서 원로원이 이 25세의 젊은이에게 에스파냐 전선을 일임한 것은 아니었다. 법무관 경험도 없는 그를 전직 법무관으로 임명하고 2개 군단을 이끄는 데 필요한 절대 지휘권을 주긴 했지만, 이 대권을 받은 것은 그만이 아니었다. 원로원은 그와 동등한 자격을 부여한 감찰관을 에스파냐로 가는 젊은이한테 딸려 보내기로 했다. 감찰관은 실전 경험도 많고 나이도 부족하지 않은 실레누스였다. 젊은 총사령관이 잘못을 저지르기라도 하면, 당장에 실레누스가 그를 대신하여 총지휘를 맡도록 되어 있었다.

원로원의 결정은 시민들에게 큰 호평을 받았다. 한니발을 상대로 악전고투를 벌이고 있는 로마인에게 스키피오의 젊음과 패기와 대담한 행동력은 구원이기도 했다.

이리하여 제2차 포에니 전쟁의 무대에 또 한 사람의 천재적인 장군이 등장하게 되었다. 알렉산드로스 대왕의 수제자가 한니발이라면, 그 한니발의 수제자는 바로 이 스키피오가 아닐까 하고 나는 생각한다. 알렉산드로스는 제자의 재능을 시험할 기회를 갖지 못한 채 세상을 떠났지만, 그리고 그것이 그의 행운이기도 했지만, 한니발의 경우는 그렇게 되지 않았다.

제5장
제2차 포에니 전쟁 후기
기원전 210년~기원전 206년

로마인들이 '한니발 전쟁'이라고 불렀던 제2차 포에니 전쟁 동안, 로마가 어느 방면의 전선에 중점을 두었는지는 그해의 두 집정관이 어디에 파견되었는가를 보면 알 수 있다. '한니발 전쟁'이 일어난 지 9년째, 그리고 칸나이 전투에서 참패를 당한 지 6년째인 기원전 210년, 이해의 집정관으로 선출된 두 사람 가운데 마르켈루스가 파견된 곳은 이탈리아 남부의 풀리아 지방이고, 레비누스가 파견된 곳은 시칠리아였다.

최전방으로 보내진 마르켈루스의 임무는 한니발과의 정면 대결은 피하되 소규모 전투에는 적극적으로 대응하여 한니발의 병력 감소를 꾀하는 동시에, 풀리아 지방의 요충인 타란토 탈환을 준비하는 것이었다. 마르켈루스는 시라쿠사 탈환에 성공함으로써, 그 적극적인 전술 덕분에 '이탈리아의 칼'이라는 칭송을 받은 인물이다. 이 임무를 맡기에 가장 적임자라는 점에서는 원로원 의원들 사이에 이론이 없었다.

4년 동안이나 마케도니아 전선에 전념해온 레비누스는 외교와 군사 양면에서 마케도니아 봉쇄작전에 성공했다. 집정관으로 선출된 그는 이 서부 전선을 지난해 집정관인 갈바에게 양도하고 시칠리아로 보내졌다. 시칠리아 전선에서는 로마가 시라쿠사를 탈환한 뒤 문제가 해소된 것처럼 보이지만, 실제로는 그렇지 않았다.

에스파냐에서는 작년에 코르넬리우스 형제의 2개 군단이 잇따라 패하여 사령관 두 사람은 전사하고, 3분의 1로 줄어든 로마군 병력은 에브로 강 북쪽으로 도망쳤다. 따라서 지금까지는 에스파냐로만 보내진 카르타고 본국의 지원이 앞으로는 시칠리아로 보내질 가능성이 많았다. 이런 시칠리아에 파견된 레비누스의 임무는 갓 탈환한 시라쿠사의 통치기구를 정비하고, 시라쿠사를 제외한 시칠리아 섬의 다른 지역과 함께 예상되는 카르타고의 공세에 대비하는 것이었다. 시칠리아를 완전히 로마 편으로 해두지 않으면, 좁은 해협을 사이에 두고 시칠리아와 마주보는 이탈리아 남부에 눌러앉아 있는 한니발을 고립시킬 수가 없기 때문이었다. 적의 보급로를 차단할 것. 강력한 적에 대해서는 절대로 이 점을 잊어서는 안되었다.

기원전 210년을 고비로, 제2차 포에니 전쟁의 주도권은 지금까지 8년 동안 그것을 장악해온 한니발에게서 이제 분명히 로마 쪽으로 옮아가고 있었다. 로마인은 앞으로도 계속해서 주도권을 장악하게 될 터인데, 이렇게 되도록 본의 아니게 도와준 것은 기회를 활용할 줄 몰랐던 카르타고 본국의 지도자들이었다. 로마가 집정관까지 보낼 정도로 격정한 시칠리아에 대해, 카르타고 본국은 적극적인 행동을 전혀 취하지 않았다.

기원전 210년에 로마는 공세로 전환했지만, 이때 전선에 투입된 병력은 통틀어 21개 군단으로, 지난해의 25개 군단에 비해 4개 군단이나 줄어들었다. 공세로 전환한 것치고는 좀 이상하다고 생각하겠지만, 카푸아와 시라쿠사의 탈환에 성공함으로써 그쪽 전선에 병력을 투입할 필요가 없어졌기 때문이다. 특히 로마는 카푸아 탈환을 위해 6개 군단이나 투입하고 있었지만, 카푸아를 탈환한 뒤에는 1개 군단만 카푸아에 주둔시키면 되는 것이 큰 이점이었다. 사령관과 장교들한테는 쉴 틈도 주지 않았던 로마지만, 시민병들은 여유가 생기는 대로 귀가시켰다. 그렇게라도 하지 않으면 시민군을 이끌고 장기전을 치를 수는 없었기 때문이다.

그렇기는 해도, 로마 시민병한테는 잦은 병역을 강요할 수 있었지만, '로마 연합' 동맹국에서 참전한 병사들한테까지 그것을 요구할 수는 없었다. 스키피오는 에스파냐 전선에 파견해달라고 부탁하여 원로

266

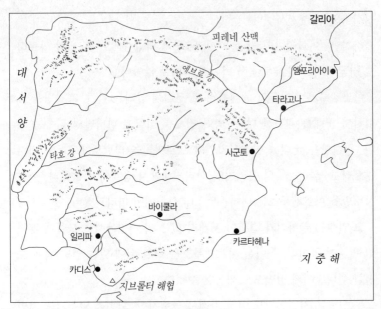

제2차 포에니 전쟁 당시의 에스파냐

원의 허락을 받았지만, 그가 로마의 외항 오스티아를 떠날 수 있었던 것은 그해 여름도 다 끝나갈 무렵이었다. 1만 명의 보병과 1천 명의 기병을 모으는 데 많은 시간이 걸렸기 때문이다. 한니발에게 드디어 공세를 취할 수 있게 되었는데, 동맹도시들을 배려하면서 군단을 편성해야 하는 원로원의 고민은 여전히 사라지지 않았다.

시칠리아 전선은 여전히 평온했고, 에스파냐 전선에서는 이제야 비로소 전운이 감돌기 시작한 기원전 210년, 가장 화려하게 싸움이 벌어진 전선은 한니발과 마르켈루스가 대결한 이탈리아 남부 전선이었다.

타란토를 시야에 두고 맞붙은 이 전선에는 마르켈루스가 이끄는 2개 군단과 전직 집정관 켄투마르스가 이끄는 2개 군단이 투입되어 있었다.

맨 먼저 한니발과 대결한 것은 켄투마르스였지만, 그는 한니발의 적수가 아니었다. 로마군은 여지없이 패배하여 병력의 5분의 4를 잃고,

전직 집정관은 전사했다.

하지만 '이탈리아의 칼'은 이미 60세가 되었는데도, 37세의 카르타고 장군에게 그리 호락호락 먹이가 되지는 않았다.

마르켈루스는 아군의 패배를 수도 로마에 알리는 한편, 패잔병을 규합하여 군대를 재편한 다음, 병력 전체를 이끌고 한니발의 뒤를 쫓았다. 한니발은 군대를 이동시키면서도 로마군을 타란토에 접근시키지 않으려고, 삼니움족의 본거지인 산악지대에서 움직이지 않았다. 그런 한니발을 마르켈루스는 네미스트로네 근처에서 따라잡았다.

그 일대는 골짜기가 겹겹이 포개져 있는 이 지방에서는 드물게 평원이 펼쳐진 곳이다. 쫓아온 마르켈루스는 평원 끝에 있는 언덕 위에 포진한 한니발에게 정면으로 싸움을 걸었다.

두 사람은 지금까지도 여러 차례 충돌했지만, 회전을 벌이기는 이번이 처음이었다. 한니발도 로마군을 상대로 본격적인 전투를 치르는 것은 칸나이 이후 처음이었다.

마르켈루스는 칸나이 패전의 전철을 밟지 않기 위해 전체 병력을 한꺼번에 투입하지 않고 반씩 나누어, 전투 도중에 교체시키는 전술을 택했다. 한니발 쪽에서는 로마 해군의 방해를 피해 카르타고 본국에서 도착한 코끼리떼를 투입했다.

그런데 이 코끼리떼가 말썽을 부렸다. 한니발 군대는 뜻대로 움직여주지 않는 코끼리 때문에 전술의 묘를 발휘하지 못해 고전했고, 아침부터 저녁까지 계속된 전투는 어느 쪽이 이겼는지도 알 수 없는 상태로 끝났다.

이튿날 아침, 로마군은 숙영지에서 나와 평원에 진을 쳤지만, 카르타고군은 숙영지에서 나오려 하지 않았다. 마르켈루스는 어제 전사한 병사들을 화장하라고 부하들에게 명령했다.

달도 없이 캄캄한 그날 밤, 한니발 군대는 몰래 숙영지를 떠났다. 막사 앞에 놓여 있던 횃불이 모두 타오르고 있었기 때문에, 로마군은 적진이 빈 껍데기가 된 것을 알아차리지 못했다. 아무래도 낌새가 이상하다고 느꼈을 때는 벌써 동이 트기 시작하고 있었다.

마르켈루스의 추적이 다시 시작되었다. 이번에는 아피아 가도가 통과하는 로마의 주요 식민지 베누시아 근처에서 한니발을 따라잡았다. 하지만 그 일대에는 평원이 없었다. 두 장군이 전투를 벌이고 싶어도 그럴 수가 없었다. 그래도 양군 사이에는 전투가 벌어져, 결국 로마의 우세로 끝났다. 그날 밤, 한니발은 또다시 진영을 걷어치우고 떠났다. 그리고 마르켈루스는 또다시 추적에 나섰다.

이런 상태로 여름이 지나고 가을도 지났다. 수도 로마에서는 해마다 겨울에 민회가 열려, 이듬해의 요직을 맡을 사람을 선출한다. 민회는 집정관 한 사람이 소집하도록 되어 있다. 대개는 수도와 가까운 곳에 주둔해 있는 집정관이 민회를 소집하기 위해 귀국한다. 하지만 그해 겨울에는 수도에서의 거리로 따지면 마르켈루스보다 먼 시칠리아에 있었던 레비누스가 귀국했다. 마르켈루스가 귀국할 틈이 없다는 연락을 보내왔기 때문이다.

민회는 이듬해인 기원전 209년의 집정관으로 늙은 파비우스와 풀비우스 플라쿠스를 선출하고, 마르켈루스에 대해서는 전직 집정관 자격으로 전선을 계속 담당하도록 결의했다. 하지만 이듬해 전선에 파견할 군단을 편성하는 단계에 이르러, 지금까지 로마가 한번도 직면해보지 않은 문제가 발생했다. 150개를 헤아리는 '로마 연합'의 동맹도시나 동맹 식민지 가운데 12개가 더 이상 병력을 제공할 수 없다고 통보를 해온 것이다.

제2차 포에니 전쟁이 시작된 지 벌써 9년이 지났다. 그런데도 한니발은 여전히 이탈리아에 눌러앉아 있었다. 또한 기원전 210년에는 눈에 띄는 전과도 올리지 못했다. 동맹국들의 부담도 한계에 이르러 있었을 것이다.

하지만 원로원은 여기서 손을 뺄 수는 없다고 결론짓고 지난해와 마찬가지로 21개 군단 편성을 감행했다. 이것이 가능했던 것은 병역을 거부한 동맹국이 1할도 채 안되었기 때문이다.

로마가 한니발에 대해 본격적인 공세를 펼 수 있게 되었다 해도, 모든 일이 순풍에 돛단 듯이 진행되지는 않았다. 에스파냐에서는 지금까지의 로마 장군과는 전혀 다른 유형의 장군이 활약하기 시작했다.

나는 전에 어떤 작품에서 이탈리아어로 '세레노'한 분위기, 굳이 번역하자면 담백하고 소탈한 분위기를 자아내는 것이 지도자로 성공하는 남자의 가장 중요한 조건이라고 말한 적이 있는데, 푸블리우스 코르넬리우스 스키피오야말로 젊었을 때부터 이런 분위기를 지니고 있었다.

그가 연단에 올라선 것만으로도 사람들의 흉중에는 그를 지지하고 싶은 마음이 솟아난다. 그리고 대머리가 되기 전의 스키피오는 미남이기도 했다. 또한 그는 코르넬리우스 가문이라는 로마 제일의 명문 귀족 출신이다. 이 가문은 집정관을 비롯한 주요 관리를 배출한 횟수에서는 발레리우스 가문과 클라우디우스 가문, 아이밀리우스 가문, 파비우스 가문을 압도적으로 누르고 제1위를 차지하고 있었다.

좋은 교육을 받고 자라난 유능하고 잘생긴 이 젊은이는 자기가 시민들의 사랑을 받고 있다는 것을 잘 알고 있었다. 사람들은 그의 타고난 붙임성 때문에 불쾌감이나 반감을 느끼지 않고 그의 이런 확고한 자신감을 받아들였다.

그의 매력은 많은 사람을 상대할 때에만 발휘된 것은 아니다. 상대가 한 사람일 때도 발휘되었다. 오스티아에서 배를 타고 에스파냐 동해안에 있는 엠포리아이까지 가는 동안, 그는 원로원이 감찰관으로 딸려 보낸 실레누스를 회유해버렸다.

유니우스 실레누스는 스키피오와 동등한 권위와 권력을 부여받고 에스파냐로 보내졌다. 원로원이 젊은 스키피오를 신용하지 않았기 때문이지만, 이래서는 스키피오가 운신하기 어렵다. 뛰어난 두 장군은 평범한 장군 한 명보다 못하다고 나폴레옹은 말했지만, 동등한 권위를 가진 두 장군이 협력하여 전선을 이끌어갈 수 있는 것은 스키피오의 아버지와 숙부 같은 경우뿐이다.

25세의 스키피오는 자기보다 훨씬 나이가 많은 실레누스에게 에브로 강 이북의 타라고나에 남아서 본진을 지키는 역할을 맡아달라고 부탁했다. 요컨대 에브로 강 이남에 있는 카르타고군과의 싸움은 자기한테 일임해달라고 부탁한 것이다. 실레누스는 기꺼이 승낙했다.

이 약속을 끝까지 지킨 것이 실레누스의 현명한 점이었다. 물론 젊은 스키피오의 행동도 감찰관이 구태여 나설 필요가 없을 만큼 훌륭했지만.

스키피오가 엠포리아이에서 배를 내려 육로로 타라고나의 로마군 진영에 도착했을 때, 그를 맞이한 것은 8년 동안의 고생이 물거품으로 돌아간 것에 맥이 풀려버린 병사들, 전사한 그의 아버지와 숙부가 남긴 병사들이었다.

25세의 젊은이는 그들의 패배감을 일소하는 일부터 시작했다. 스키피오는 그들을 모아놓고, 어제까지의 일은 이미 지나간 과거이고 모든 것은 오늘부터 새로이 시작된다고 선언했다. 비록 나이는 젊지만 자기는 바다의 신 포세이돈의 후원을 받고 있다고도 말했다. 자기의 친아버지는 에스파냐에서 전사한 코르넬리우스가 아니라 바다의 신 포세이돈이라고 암시하기까지 했다. 이집트의 신관한테서 네 아버지는 마케도니아의 왕이 아니라 불사신 가운데 하나라는 말을 듣고 놀라면서도 그 말을 믿은 알렉산드로스 대왕이 연상되지만, 천재적인 장군은 부하들의 마음을 사로잡기 위해서는 자기 어머니를 신들과 간통시키는 것쯤 아무렇지도 않게 생각하는 족속이기도 한 모양이다. 신앙심이 강한 로마 병사들은 그렇다면 이길 수 있겠다고 생각하기 시작했다.

스키피오는 우방 도시인 마르세유를 포함한 모든 지방에서 정보를 수집하기 시작했다. 에스파냐는 그에게 미지의 땅이다. 지형, 기후, 원주민 부족의 거주 상태, 카르타고군이 어디에 얼마나 있는지 등 알아야 할 정보는 끝이 없었다. 스키피오는 정보를 모아서 분석하고 그것을 토대로 전략을 세우면서 기원전 210년부터 기원전 209년에 걸친 겨울철 휴전기를 보냈다.

수집한 정보에 따르면, 적은 아직도 3개 군으로 나뉘어 행동하고 있었다. 한니발의 동생 하스드루발이 이끄는 제1군과 한니발의 막내동생 마고가 이끄는 제2군, 시스코네가 이끄는 제3군이다. 1개 군의 병력은 각각 2만 5천 명 정도. 3개 군을 합하면 7만 명이 훨씬 넘는다. 게다가 카르타고군에는 코끼리도 있었다.

스키피오 휘하의 로마군은 그 자신이 이탈리아에서 데려온 1만 1천명에다 작년에 클라우디우스 네로가 에스파냐로 급파되었을 때 데려온 1만 명, 그리고 패잔병 7천 명을 합하여 2만 8천 명밖에 안된다. 카르타고의 3개 군 가운데 하나하고만 싸운다면 호각이지만, 적의 병력이 합류하면 당해낼 수 없다.

카르타고의 3개 군은 서로 상당한 거리를 둔 숙영지에서 겨울을 나고 있었다. 제1군은 에스파냐의 카르타고 세력이 거점으로 삼고 있는 카르타헤나에서 열흘 거리인 에스파냐 중앙부의 내륙지방에 있었다. 제2군은 에스파냐 남부의 지브롤터 해협 근처에 있었고, 제3군은 오늘날에는 포르투갈 영토인 타호 강 어귀에서 겨울을 나고 있었다. 각군 사이의 거리도 모두 열흘 거리다. 이것이 한니발의 진정한 배후지인 에스파냐에 주둔하고 있는 카르타고 세력의 상태였다. 이런 상태에서 에브로 강 북쪽으로 쫓겨난 로마 세력을 이끌고 전황을 호전시켜야 하는 임무가 스키피오에게 부과되어 있었다.

기원전 209년, 집정관 파비우스와 풀비우스의 임기가 시작되는 3월 15일이 되기 전인 이른봄, 에스파냐에서는 스키피오가 누구보다도 먼저 행동을 개시했다.

스키피오는 로마군의 거점인 타라고나와 그 주변의 수비는 실레누스에게 맡기고, 지상군과 함께 에브로 강을 건넜다. 그와 동시에, 스키피오의 친구이자 부사령관인 라일리우스도 병사들을 태운 30척의 군선을 이끌고 남하하기 시작했다. 그러나 이 시점에서 전략 목표를 알고 있었던 것은 스키피오와 라일리우스와 실레누스뿐이었다. 적을 속이려면 우선 아군부터 속이지 않으면 안된다.

타라고나에서 카르타헤나까지는 보통 20일 거리지만, 스키피오는 강행군으로 이 거리를 소화하여 출발한 지 7일 후에는 벌써 카르타헤나의 성벽 앞에 도착해 있었다. 병사들은 그제서야 총사령관의 의도를 알게 되었다.

카르타고군도 스키피오가 에스파냐에 도착한 것쯤은 알고 있었다. 하지만 이렇게 빨리, 게다가 적의 본거지를 맨 먼저 공격해올 줄은 미처 예상치 못했다.

카르타헤나에서 열흘 거리에는 카르타고 제1군이 있다. 26세 생일을 앞둔 스키피오의 전략이 성공하느냐 실패하느냐는 그가 얼마나 신속하게 행동할 수 있느냐에 달려 있었다.

고대에는 '신(新)카르타고'로 불렸던 카르타헤나는 한니발의 아버지 하밀카르의 뒤를 이은 사위 하스드루발이 장인의 유지를 충실히 받들어, 카르타고 식민지인 에스파냐의 수도로서 기원전 228년에 건설한 도시다. 둘레가 4킬로미터쯤 되는 곳을 활용하여 세워진 항구도시로서, 동쪽과 남쪽은 바다로 열려 있고 서쪽은 석호에 면해 있고 북쪽만 육지와 이어져 있었다. 카르타고인이 에스파냐에서 개발한 광산이나 농경지의 산물은 모두 이 카르타헤나에 모여, 바다를 통해 카르타고 본국으로 보내지고 있었다. 카르타헤나는 한니발 일가가 겨울을 보내는 월동지이기도 했다. 성벽을 둘러친 곳의 한 모퉁이에는 호화로운 성채가 언덕 위에 우뚝 서서 주위를 압도하고 있다. 한니발은 19세 때부터 이탈리아로 쳐들어갈 때까지 10년 동안 이 성에서 살았다. 한니발 일가에게는 카르타고 본국보다 여기가 더 정든 집이었다. 이런 카르타헤나의 방어는 4천 명의 수비대가 맡고 있었다. 수비대 병력이 4천 명에 불과했던 것은 삼면이 바다로 둘러싸인 요새인데다, 코르넬리우스 형제가 우세하게 싸우고 있을 때조차도 카르타헤나 공격은 시도해보지도 않았기 때문이다.

하루의 행군을 끝낸 로마 병사들이 무엇보다도 먼저 교본대로 우직하게 숙영지를 짓는 것은 널리 알려진 사실이었다. 카르타헤나 수비대도 느닷없이 적군이 출현한 데에는 놀랐지만, 어느덧 땅거미가 내리고 있었다. 수비대는 로마군이 우선 숙영지 건설에 착수할 거라고 생각하여 지켜보고 있었지만, 그들의 기대는 깨끗이 빗나갔다.

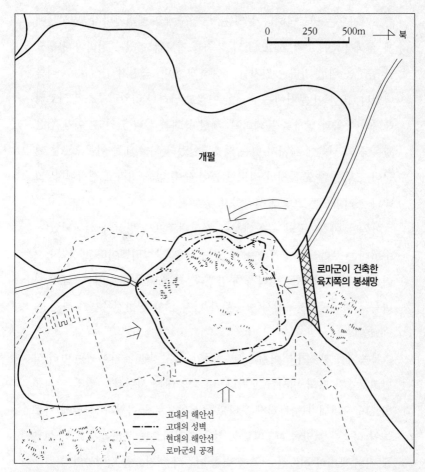

0 250 500m 북

개펄

로마군이 건축한
육지쪽의 봉쇄망

고대의 해안선
고대의 성벽
현대의 해안선
로마군의 공격

카르타헤나(신카르타고)

스키피오는 카르타헤나가 있는 곶 입구에 도착하자마자, 병사들에게 휴식시간도 주지 않고, 곶의 북쪽을 가로막고 있는 성벽과 평행으로 공격을 위한 기다란 진지를 구축하게 했다. 숙영지 건설은 그 다음이었다. 또한 이 무렵에는 군선을 이끌고 남하한 라일리우스가 카르타헤나의 동쪽과 남쪽을 봉쇄하여, 해상 봉쇄가 끝나 있었다. 이제 남은 것은 곶의 서쪽에 펼쳐져 있는 석호뿐이었다. 수비대는 이곳으로는 아군이 도망칠 수도 없지만 적도 쳐들어올 수 없을 거라고 생각했다. 그러나 스키피오는 그렇게 생각하지 않았다.

이튿날 아침, 곶의 북쪽에서는 정석대로의 공방전이 시작되었다. 수비대는 로마군이 공격해올 수 있는 것은 이 방면뿐이라고 생각했고 이 북쪽 방어에 모든 병력을 투입했다. 그런 이유도 있어서, 북쪽 성벽을 사이에 둔 전투에서는 승부가 나지 않아 공방전은 오후까지 계속되었다.

북쪽에서 전투가 벌어지고 있는 동안, 총사령관 스키피오는 미리 선발해둔 2천 명의 병사를 모았다. 이 특공대는 사령관의 직접 지휘를 받으며 수비대가 눈치채지 못하도록 서쪽으로 돌아갔다. 눈앞에 가로놓인 석호를 보았을 때, 비로소 젊은 스키피오는 부하들에게 이 석호를 건너 방비가 허술한 서쪽 성벽을 넘는다는 전술을 털어놓았다.

스키피오는 바다의 신 포세이돈이 어젯밤 꿈에 나타나 석호 안의 길을 안내해주겠다고 약속했으니까, 모든 것은 신에게 맡기자고 부하들에게 말했다. 실제로는 면밀한 조사를 토대로 하여 세운 전술이었다.

26세의 젊은이는 수집한 정보를 통해, 카르타헤나 서쪽의 석호에 차 있는 바닷물은 그 위치 때문에 조수 간만과는 별로 관계가 없지만, 바람과는 관계가 있다는 것을 알았다. 바람의 방향에 따라 석호를 채우고 있는 바닷물의 깊이가 달라지는 것이다. 적당한 바람이 불면 걸어서도 석호를 건널 수 있었다. 오후가 되면 석호의 수심은 발목을 적실 정도로 얕아졌다.

기습작전은 완전히 성공했다. 생각지도 못한 방향에서 공격을 받고 수비대는 여지없이 무너졌다. 북쪽 성벽도 당장 돌파당했다. 그곳을 통해 물밀듯이 쳐들어오는 로마군을 보고, 수비대 병사들은 언덕 위에서 농성하여 싸우는 것도 잊고 투항해버렸다.

단 하루의 전투로 스키피오는 적의 거점이자 카르타고 본국과의 중요한 연락지점인 도시를 함락해버린 것이다. 카르타고군이 달려올 틈도 주지 않은 전격작전의 성과였다. 이 한 번의 성공으로, 스키피오는 2년 전에 아버지와 숙부의 패배로 잃어버린 에스파냐의 로마 세력을 회복하게 되었다.

하지만 정복하기도 어렵지만 그것을 계속 유지하기는 더욱 어렵다. 에스파냐의 카르타고군은 3개 군 모두 건재했다. 26세의 로마 장군에게는 어떠한 실수도 용납되지 않았다.

에스파냐에 도착한 이후 수집한 정보를 통해, 스키피오는 에스파냐의 카르타고인과 원주민의 관계가 힘으로 누르거나 금품으로 협력을 얻는 관계라는 것을 알았다. 한니발은 그렇지 않았지만, 그것은 그가 카르타고인인 동시에 카르타고인이 아니기 때문이다. 하지만 한니발의 두 동생을 포함한 다른 카르타고인들은 단지 카르타고인일 뿐이었다.

스키피오는 에스파냐의 카르타고인이 취한 방식과는 반대로, 온정주의 노선을 택하기로 결정했다. 이 방식은 그의 성격에도 맞았다.

고대의 관례에 따르면, 함락된 카르타헤나는 사람도 재산도 모두 승자의 소유가 될 터였다. 스키피오는 주민들의 재산을 공출하도록 명령했다. 공출된 물품은 로마 병사들에게 분배했다. 하지만 이 도시는 에스파냐에 있는 카르타고 세력의 무기고이자 금고이기도 했다. 600탈렌트의 금화를 비롯한 카르타고의 재산은 모두 로마 국가의 소유가 되었다. 이것은 앞으로의 전쟁 비용으로 쓰일 터였다.

스키피오는 항복한 수비대와 주민들을 모두 모아놓고, 그들을 남자와 기능공과 아녀자로 나누었다. 여자와 아이들은 즉시 집으로 돌려보냈다. 몸값도 요구하지 않고 노예로 삼지도 않은 이 조치에 사람들은 모두 감격했다.

남자들 가운데서는 나이가 젊고 체격도 건장한 사람들만 골라, 로마군의 노잡이로 배정했다. 다만, 에스파냐에서 카르타고 세력이 일소되면 그들에게도 귀가를 허락하겠다고 약속했다. 노약자한테는 즉시 귀가가 허락되었다.

기능공은 2천 명쯤 되었다고 한다. 스키피오는 그들에게 로마군의 공병으로 일할 것을 명령했다. 에스파냐에서 전쟁이 끝나면 그들도 당연히 해방될 터였다. 로마에 포로로 압송된 것은 이 도시에 살고 있던 카르타고의 유력자들뿐이었다.

이곳 카르타헤나에는 카르타고군에 고용되어 있는 에스파냐 원주민의 충성을 보장하기 위해 붙잡아온 300명 정도의 인질도 살고 있었다. 인질은 부족장의 어린 아들이나 딸인 경우가 많았다. 스키피오는 그 아이들의 머리를 일일이 쓰다듬면서, 반드시 부모 곁으로 돌려보내 줄 테니까 로마와 동맹을 맺으라는 편지를 부모에게 보내라고 말했다. 인질들 중에는 부족장의 어머니도 적지 않았다. 스키피오는 전리품 중에서 금은 장식품을 골라 그녀들에게 선물했다.

이 도시의 여자들 가운데 유난히 아름다운 아가씨가 하나 있었다. 스키피오의 관대한 조치에 고마움을 느낀 장로들이 이미 약혼자가 있는 그 처녀를 스키피오에게 바치고 싶다고 제의했다. 26세의 승리자는 웃으면서 대답했다.

"개인적으로는 이렇게 기쁜 선물이 없지만, 전쟁을 하고 있는 사령관으로서는 이렇게 곤란한 선물도 없소이다."

이렇게 말한 뒤, 그는 아가씨를 약혼자에게 돌려보냈다. 모두들 또다시 감격했다. 60세 노인이 그렇게 말했다면 별문제지만, 팔팔한 20대 젊은이의 말이었기 때문에 효과도 더욱 컸다. 카르타헤나에서는 로마 병사들이 비무장으로 혼자 돌아다녀도 안전했다.

부사령관 라일리우스가 승전보를 가지고 해로를 통해 로마로 돌아간 뒤에도 스키피오는 이곳에 계속 머물렀다. 그는 병사들이 승리감에 취해 제멋대로 행동하는 것은 허락하지 않았다. 카르타고군이 언제 쳐들어올지 몰랐기 때문이다.

그해가 끝날 때까지 카르타고군은 행동에 나서지 않았다. 패배하는 경우, 카르타고 사령관에게는 사형이 기다리고 있다. 이것이 그들을 자주 소극적으로 만들었다. 또한 거점을 단 하루 만에 빼앗긴 것은 역시 충격이었을 것이다. 스키피오는 카르타고군의 동정에 주의를 기울이면서, 공략을 끝낸 이 도시에서 독자적인 방식으로 육군과 해군을 훈련했다.

해군은 로마 군선 30척에 카르타헤나에서 노획한 배를 합하여 53척으로 증강되었다. 이탈리아인과 에스파냐인이 반반씩 섞인 노잡이들의 훈련은 카르타헤나 앞바다에서 실시되었다. 에스파냐인들은 무척 협력적이었다.

육지에서는 스키피오가 세운 일정에 따라 육군 병사들의 훈련이 진행되고 있었다.

첫날은 완전무장으로 6킬로미터를 달린다. 열흘치 식량을 가지고 행군하는 것이 로마군의 관례였으니까, 거기에 무기를 더하면 10킬로

그램이 넘는 중량을 짊어지고 달리는 셈이다.

둘째 날은 무기를 소제하고 정비한다. 더러워진 무기를 깨끗이 씻어 말리고, 그 기회에 몸도 깨끗이 한다.

셋째 날은 휴식일이다. 병사들의 행동은 제한되지 않았다.

넷째 날은 끝에 가죽 주머니를 씌운 칼이나 창을 이용하여 백병전을 훈련하고, 투창을 연습한다.

다섯째 날부터는 훈련 일정이 처음부터 다시 시작된다. 이리하여 병사들에게는 승리에 도취할 틈도 주어지지 않았다.

또한 스키피오는 무기 개량에도 열심이었다. 기능공을 다시 30명씩 나누어, 이른바 일관작업으로 무기와 장비를 제조했다. 마치 카르타헤나 도시 전체가 병기창이 된 것 같았다.

지금까지 로마 중무장 보병의 주요 무기는 한쪽에만 날이 있는 긴 칼이었지만, 이 시기에 스키피오는 에스파냐 원주민이 사용하는 양날 단검을 도입했다. 이것은 훗날까지 '에스파냐 칼'이라고 불리며, 로마 중무장 보병의 공식 무기가 되었다.

이 '에스파냐 칼'에서도 볼 수 있듯이, 스키피오가 무기와 장비를 개량한 것은 좀더 가볍고 혼전이 벌어졌을 때 공격성이 뛰어난 무기를 만들기 위한 목적에서 이루어졌다. 수적인 면에서 압도적으로 우세한 적과의 전투를 앞둔 스키피오는 행군에서나 전투에서 병사 개개인의 속공성에 의존할 수밖에 없었다.

여름도 다 끝나갈 무렵, 스키피오는 카르타헤나에 수비대만 남기고, 고향으로 돌아가는 인질들과 함께 에브로 강을 건너 타라고나로 돌아갔다. 이듬해에는 틀림없이 일어날 카르타고군과의 대결에 대비하기 위해서였다.

아카이아 동맹군의 기사단장을 지낸 경험으로 군사에 밝은 역사가 폴리비오스는 이런 스키피오를 이렇게 평가하고 있다.

"그의 모든 행위는 완벽한 논리적 귀결을 가지고 있었다."

카르타헤나를 함락시켰다는 소식은 로마 전역을 흥분의 도가니로 몰아넣었지만, 한니발은 그것을 금방 알지 못했다. 이 무렵 한니발은 로마의 3개 군을 상대해야 하는 처지에 놓여 있었기 때문이다.

로마 제1군은 그해의 집정관으로 선출된 카푸아 탈환의 영웅 플라쿠스가 지휘했다. 그가 파견된 전선은 칼라브리아 지방. 장화 발등에서 발부리에 이르는 일대로, 한니발의 지배하에 들어 있는 이 지방을 대담하게 설치고 다니면서 1개 군밖에 없는 한니발의 행동을 견제하는 것이 임무였다.

제2군은 역시 그해의 집정관으로 선출된 파비우스가 이끌었다. 66세가 된 이 지구전법의 창안자에게 부여된 임무는 틈을 보아 타란토를 공략하는 것이었다. 칸나이 패전 이후 한니발 쪽으로 돌아선 이탈리아 남부의 3대 도시국가 가운데 카푸아와 시라쿠사 탈환에 성공한 로마는 이 해에는 타란토 수복을 노리고 있었다. 타란토를 한니발한테서 떼어내면, 풀리아 지방 전역에서 그를 몰아내는 결과로 이어질 터였다.

제3군은 전직 집정관 마르켈루스가 이끌었는데, 그의 임무는 지난해와 마찬가지로 한니발을 쫓아다니며 파비우스의 2개 군단에 타란토를 공략할 시간을 주는 것이었다. 유격대이기도 한 이 2개 군단은 총사령관인 마르켈루스도 바뀌지 않았지만, 병사들도 지난해에 이어 계속 군무에 종사하고 있었다. 장병 전체가 한 덩어리가 되어 일사불란하게 행동할 필요가 있었기 때문이다.

한니발은 기원전 209년인 이해에도 봄과 함께 겨울 숙영지인 칼라브리아 지방을 떠나 북상하기 시작했다. 로마군이 타란토를 노리고 있다는 것은 그도 알고 있었다. 한니발 군대가 칼라브리아를 떠났다는 소식을 받자마자, 플라쿠스가 이끄는 2개 군단이 그 지방으로 쳐들어 갔다. 이탈리아의 카르타고군에서 두려운 상대는 한니발뿐이라는 것을 알고 진격한 것이다. 한니발도 거점인 칼라브리아가 걱정되었지만, 그보다는 타란토가 더욱 마음에 걸렸기 때문에 되돌아설 수가 없었다. 타란토를 지원하러 가는 한니발 앞을 마르켈루스의 2개 군단이 가로 막았다.

한니발과 마르켈루스 사이에 지난해처럼 쫓고 쫓기는 경주가 재개 되었다. 마르켈루스의 천막 위에는 전투 개시를 알리는 붉은 '투니카' (가운 같은 겉옷)가 계속 펄럭였다. 61세가 된 '이탈리아의 칼'은 38 세인 카르타고 장군을 집요하게 쫓아다니며 집요하게 싸움을 걸었다.

두 사람 사이에 벌어진 전투 결과를 종합하면, 3 대 2의 비율로 한 니발이 우세했다. 하지만 한니발도 마르켈루스한테 결정타를 먹이지 는 못하고 있었다. 전투에서 로마가 수천 명의 사상자를 냈어도, 이튿 날 아침에 일어나 보면 마르켈루스의 천막 위에서는 여전히 붉은 투 니카가 바람에 나부끼곤 했다. 그것을 본 한니발은 하늘을 우러러 개 탄했다.

"오오, 신이시여. 저 사람한테는 무엇을 어떻게 해야 좋을지 모르겠 나이다. 저 사람한테는 승리도 패배도 관계가 없습니다. 이기면 이긴 대로 추격을 늦추지 않고, 지면 진 대로 마치 패배 따위는 당하지 않은 것처럼 쫓아옵니다.

로마군의 유일한 무장인 저 사람과는 영원히 칼을 맞대지 않으면 안 됩니까. 이기면 기세가 오르고, 지면 수치라고 생각하는 저 사람한테 는, 승리도 패배도 전의를 자극한다는 점에서는 마찬가지입니까!"

그러던 어느 날 아침, 한니발은 또다시 마르켈루스에게 따라잡혀 도전을 받아들이지 않을 수 없게 되었다. 한니발은 부하들 앞에서 훈시하면서 지금까지의 승리를 열거하여 병사들의 사기를 높여준 다음, 이렇게 덧붙였다.

"적은 여전히 우리를 바싹 따라오고 있다. 우리는 떠오르는 아침 해를 보는 것과 같이 거의 매일처럼 적을 보고 있다. 저 귀찮은 애물단지의 추격을 막는 방법은 하나뿐이다. 쫓아오려 해도 올 수 없을 만큼 심한 타격을 주는 것이다."

대장과 전적으로 동감이었는지, 그날 병사들의 활약은 눈부셨다. 게다가 전체 병력을 둘로 나누어 도중에 교체하는 마르켈루스의 전법이 그날은 제대로 기능을 발휘하지 못했다. 두 시간 동안 격투를 벌이고 나서 병력을 교체하느라 잠시 혼란에 빠진 로마군에 대해 한니발 군대가 맹공을 퍼부었다. 로마 병사들은 당황했다. 적 앞에서 도망치는 일이 드문 로마 병사들이 그날은 일제히 도망치기 시작했다. 로마군의 전사자는 로마 시민병 1천 400명에 동맹국 병사 1천 300명. 합해서 2천 700명이었다. 장교 두 명과 백인대장 네 명이 전사하고, 적에게 빼앗긴 군기는 여섯 개에 이르렀다.

숙영지로 도망쳐 돌아온 병사들 앞에서 마르켈루스는 말했다.

"신들에게는 오늘의 패배 뒤에는 승리를 베풀어달라고 기도하자. 하지만 오늘의 패배는 겁에 질려 달아난 너희들한테 책임이 있다. 만약 적이 추격을 중지하지 않았다면, 너희들은 이 숙영지도 버리고 도망쳤을 것이다.

오늘의 상황은 대체 어찌된 일인가. 당황해서 허둥대는 그 꼴은 또 무엇인가. 오늘의 적은 너희가 작년 여름에 추격에 추격을 거듭한 상대와 같은 병사들이다. 너희는 그들을 밤낮없이 추격했고, 따라잡아 전투를 벌이면 이긴 것은 너희 쪽이었다. 그런데 오늘은 보다시피 이

꼴이다. 부끄러움을 알라고 하는 것이 지나친 요구인가. 작년에도 너희를 지휘한 나는 그때와 같은 병사들에게 말하고 있다고는 도저히 생각할 수 없다. 몸뚱이도 그때와 같고 손에 든 무기도 작년과 같은데, 정신만 딴사람이 되었는가.

지금까지 10년 동안 한니발은 우리 로마 병사들의 시체로 산을 쌓는 빛나는 영광을 누렸다. 하지만 그동안에도 로마 병사들은 한니발 앞에서 결코 도망치지는 않았다. 그런데 오늘은 한니발에게 처음으로 로마군이 그 앞에서 도망쳤다는 영광까지 주고 말았다."

고개를 숙이고 듣고 있는 병사들 사이에서 누군가가 외쳤다.

"전직 집정관님, 변명할 말이 없다는 것은 알고 있지만, 내일을 봐주십시오."

그러자 마르켈루스는 말했다.

"그러면 너희에게 다시 한번 기회를 주겠다. 내일 아침, 너희를 전쟁터로 내보내겠다. 승자가 되느냐 패자가 되느냐는 너희들 자신에게 달려 있다."

그리고는 병사들에게 이렇게 선언했다. 적에게 군기를 빼앗긴 부대는 밀 대신 보리를 배급받는다. 보리는 말의 사료였다. 또한 군기를 잃은 부대를 지휘했던 백인대장은 내일은 칼을 매다는 허리띠를 차지 못한다. 이것은 전투가 계속되는 동안은 칼을 계속 빼들고 있어야 한다는 뜻이다. 벌은 이것뿐이었다.

끝으로 마르켈루스는 내일 아침에는 식사를 충분히 하라고 말한 다음, 오늘 패배했다는 소식이 수도에 도착하기 전에 내일의 승전보가 먼저 수도에 도착하기를 바란다는 말로 질책의 연설을 끝냈다.

이튿날 전투에서는 로마군이 처음부터 맹공을 퍼부었다. 온종일 격전이 계속된 뒤, 일몰과 함께 끝난 전투 결과는 한니발 군대가 8천 명의 전사자를 낸 반면에 로마군의 손실은 3천 명에 머물렀다. 다만, 로마군에는 부상자가 많아서, 그날 밤 몰래 숙영지를 떠난 한니발의 뒤를 금방 뒤쫓지는 못할 정도였다.

마르켈루스의 집요함과 병사들의 희생도 허사는 아니었다. 마르켈루스가 이런 식으로 한니발의 행동을 방해하고 있는 동안, 파비우스의 2개 군단이 타란토 공략에 성공한 것이다. 겨우 마르켈루스를 따돌린 한니발이 타란토에 도착했을 때, 타란토는 이미 함락된 뒤였다.

이리하여 로마는 한니발 쪽으로 돌아선 이탈리아 남부의 3대 도시국가를 모두 탈환할 수 있었다. 타란토 함락으로 풀리아 지방에서 발판을 잃게 된 한니발은 장화 끝으로 쫓겨가게 되었다.

지원도 못한 채 타란토를 빼앗겨버린 한니발은 이제 유일하게 남아있는 칼라브리아 지방으로 떠났다. 거기서 그를 기다리고 있는 것은 카르타헤나가 함락되었다는 소식이었다. 게다가 에스파냐에 있는 카르타고 세력의 거점이자 한니발이 청년 시절을 보낸 카르타헤나를 불과 하루 만에 함락시킨 것은 그보다 12세나 연하인 로마 장군이라고 한다. 지금까지 한니발이 상대한 로마 사령관은 모두 그보다 연상이었다. 이 소식을 한니발이 어떤 기분으로 받아들였는가를 전해주는 사료는 없다.

기원전 209년에 이루어진 타란토 수복과 카르타헤나 공략이라는 양대 전과는 단순한 군사적 성과로 끝나지 않았다. '로마 연합' 가맹국들이 앞으로는 병력을 제공할 수 없다고 잇따라 통보해오는 도미노 현상을 저지하는 데에도 도움이 되었다. '로마 연합'의 해체를 노린 한니발의 전략은 이제 실패로 끝난 셈이다. 이리하여 로마는 기원전 208년에도 모든 전선에 지난해와 같은 21개 군단을 투입할 수 있었다.

이해의 집정관에는 '이탈리아의 칼' 마르켈루스와 크리스피누스가 선출되었다. 이 두 사람과 법무관 클라미네스가 6개 군단을 이끌고 한니발과 대결한다. 이해야말로 한니발을 '장화 발등'에서 추방하여 '장화 발부리'로 몰아넣는 것이 세 장군의 목적이었다.

그러나 39세의 위대한 전술가는 막다른 곳으로 쫓겨들어가기를 기다리고 있지만은 않았다. 그해에 봄이 오기를 기다리지도 않고 먼저 행동에 나선 것은 한니발 쪽이었다. 한니발은 여기서 로마에 결정적인 타격을 가하여, 수세에 몰려 있는 현재 상태를 만회할 필요가 있었다.

쫓아가서 싸우고 다시 쫓아가서 싸우는 전투가 마르켈루스와 한니발 사이에 재개되었다. 하지만 이해의 한니발은 그것을 끝없이 계속할 수가 없었다.

꼬박 2년 동안 마르켈루스의 추격전을 상대한 결과는 한니발 군대에도 끊임없는 출혈을 강요하고 있었다. 본국의 지원도 없는 상태에서 그의 병력은 눈에 띄게 줄어들었다. 한니발은 정면으로 맞붙어 싸우지 않고 다른 방법으로 전과를 올리기로 마음먹었다.

한편 마르켈루스도 추격전을 계속하는 데 망설임을 느끼고 있었다. 외곬인데다 가장 무인다운 이 무인은 어느새 62세가 되어 있었다. 사람은 나이를 먹는 것과 정비례하여 신중해지는 것으로 여겨지지만, 반드시 그렇지는 않다. 파비우스의 신중함은 그의 타고난 본래의 성격이었다. 반대로 마르켈루스의 기질은 신중하기보다는 과감했다. 기원전 208년의 마르켈루스는 초조감도 느끼고 있었다.

지난해 말에 열린 민회에서 마르켈루스는 시민들의 항의를 받았다. 2년 동안이나 한니발을 추격하고 있으면서도 결말을 내지 못한 데 따른 책임과 비난을 뒤집어쓴 것이다. 원로원은 그를 지지했지만, 62세가 된 이 고집스러운 무인에게 시민들의 비난은 견디기 어려운 것이었다. 며칠 동안 수도로 돌아간 것은 한니발과의 싸움을 조속히 결말짓기가 얼마나 어려운가를 민회에서 설명하기 위해서였다.

시민들은 납득했다. 납득했을 뿐만 아니라, 마르켈루스를 집정관으로 선출하여 이듬해인 기원전 208년에 한니발과 대결하는 일도 그에게 일임했다. 한니발과는 이유가 달랐지만, 마르켈루스한테도 서둘러 승리를 얻고 싶은 마음이 간절했다.

하지만 두 장군의 소망과는 반대로, 기원전 208년 전반의 이탈리아 전선은 여전히 한니발과 마르켈루스의 추격전으로 일관되었다. 그러나 그것 때문에 오히려 승리를 속히 거두고 싶은 두 장군의 마음은 더욱 강해졌다.

집정관 마르켈루스는 한니발의 거점인 칼라브리아 지방을 공격하고 있는 동료 집정관 크리스피누스에게 북상을 요구했다. 두 군대가 합류하여 한니발과 결전을 벌이자는 것이다. 크리스피누스는 2개 군단을 이끌고 달려왔다. 서로 합류한 두 집정관은 한니발에게 정면으로 싸움을 걸었다.

그런데 대규모 회전에는 그토록 자신만만하던 한니발이 그때는 웬일인지 응하지 않았다. 로마는 진영을 전진시켜 계속 도전했지만, 한니발은 응하지 않았다.

양군의 진영 중간에 숲으로 둘러싸인 높직한 언덕이 있었다. 이 언덕은 아직 임자가 결정되지 않았다. 한니발은 이 언덕을 이용하기로 했다. 누미디아 기병 300명이 야음을 틈타 언덕에 다가가서, 언덕을 둘러싸고 있는 숲속에 잠복했다.

로마 쪽도 이 언덕에 주목했다. 두 집정관은 그 언덕이 점거할 가치가 있는지 어떤지를 조사하기 위해 정찰대를 파견하기로 결정했다. 그런데 전투는 필연적이라고 믿고 있던 두 집정관은 이번 기회에 주변 지형도 동시에 조사하기로 마음먹고, 220명의 기병으로 편성된 정찰대에 자신들도 동행하기로 했다. 대규모 회전을 앞둔 조사이기 때문에 동맹국 지휘관 두 명도 동행했다.

마르켈루스는 진영을 떠나기 전에 부사령관 클라우디우스 네로를 불러, 언덕이 점거할 가치가 있다고 판단되면 전령을 보낼 테니까 당장 출동할 수 있도록 만반의 준비를 끝내두라고 명령했다. 그러나 수뇌부가 거의 총동원된 조사를 220명의 기병만 데리고 결행한 것은 너무나 경솔한 짓이었다.

언덕 위에 올라가 전략적 가치를 검토하고 있는 그들을 누미디아 기병 300명이 포위했다. 로마 기병 220명 가운데 절반은 에트루리아 기병이었는데, 그들이 맨 먼저 무너졌다. 전투는 오래 계속되지 않았다.

마르켈루스는 적병이 내지른 창에 가슴을 찔려 말에서 떨어져 죽었다. 집정관을 경호하고 있던 12명의 호위병도 모두 전사했다. 동맹국 지휘관 두 명도 전사했다. 남은 집정관 크리스피누스는 중상을 입고, 역시 부상한 마르켈루스의 아들과 함께 간신히 도망치는 데 성공했다. 그들을 따라온 로마 병사는 20명뿐이었다.

한니발은 적이 함정에 빠질 것을 예상하고 있었지만, 그 적이 집정관일 줄은 미처 예상하지 못했다. 게다가 다름 아닌 마르켈루스라고 한다. 이 보고를 듣고도 믿을 수 없었던 한니발은 마르켈루스의 시신을 가져오게 했다.

39세의 카르타고 장군은 62세의 로마 장군의 시신 앞에 오랫동안 서 있었다. 시신의 손가락에서 빼낸 금반지에는 눈앞에 누워 있는 사내의 옆얼굴이 새겨져 있고, 마르쿠스 클라우디우스 마르켈루스라는 이름이 새겨져 있었다. 도망쳐도 격퇴해도 끈질기게 도전해 왔던 '이탈리아의 칼'이 분명했다.

키가 크고, 지방질은 물론 군살조차도 붙어 있지 않은 마르켈루스의 시신은 검소한 갑옷에 싸여, 집정관이 입는 붉은 망토 위에 누워 있었다. 잠시 후에 한니발은 부하들에게 명령했다. 이 적장을 로마 양식에 따른 화장으로 정중히 장사지낸 다음, 유골은 작은 황금상자에 담아서 마르켈루스의 아들에게 보내라고.

그런데 유골을 보내는 도중에 황금상자에 눈이 먼 병사들 사이에 다툼이 일어나 상자가 땅바닥에 내동댕이쳐졌고, 뚜껑이 열린 상자에서 유골이 쏟아져 때마침 불어온 바람에 날아가버렸다. 이를 보고받은 한니발은 무덤을 갖지 못하는 것도 마르켈루스의 운명이라고 했을 뿐이었다.

베누시아, 오늘날의 베노사에는 마르켈루스의 무덤이라는 게 어엿이 존재한다. 그런데 무덤이 고색창연한 것까지는 좋지만, 묘비에 새겨져 있는 글자는 라틴어가 아니라 고대에는 존재하지도 않았던 이탈리아어인 것이 애교스럽다. 유적이란 대개 이런 부류의 것이긴 하지만.

지겨운 애물단지를 처리하는 데에는 성공했지만, 그해에 한니발은 더 이상 전과를 올리지 못했다. 크리스피누스가 중상을 입은 몸으로도 집정관의 직무를 잊지 않았기 때문이다.

그가 맨 먼저 한 일은 마치 아버지를 잃은 것처럼 심한 충격을 받고 기세가 꺾인 마르켈루스의 부하들을 다시 일으켜 세우는 것이었다. 그는 이 일을 마르켈루스의 부사령관인 네로에게 일임했다.

또한 마르켈루스의 반지가 한니발의 수중에 들어간 데 따른 대책도 소홀히 할 수는 없었다. 로마인의 반지는 곧 인감이었다.

집정관 크리스피누스의 이름으로 도시에서 시골 마을에 이르기까지 로마의 모든 동맹국에 연락이 취해졌다. 마르켈루스의 죽음을 알리고, 마르켈루스의 이름으로 하달된 명령은 적의 함정이라는 것을 알리기 위해서였다. 이 신속한 조치 덕분에 풀리아 지방의 모든 도시와 마을은 한니발의 책략에 넘어가지 않을 수 있었다. 한니발은 재빨리 마르켈루스의 '인감'을 찍은 서류를 보내, 이 도시들에 대한 무혈 점령을 시도하고 있었기 때문이다.

로마군은 마르켈루스를 잃었지만, 한니발의 의도가 타란토 탈취에 있다는 것은 알고 있었다. 집정관 크리스피누스는 한니발을 뒤쫓기보다는, 휘하의 2개 군단과 사령관을 잃은 마르켈루스의 2개 군단을 모두 타란토 방어에 투입하기로 결정했다. 이 판단은 옳았다. 타란토 앞에 나타난 한니발은 공격을 포기하고, 군대와 함께 칼라브리아로 떠났기 때문이다. 그러나 중상을 입은 크리스피누스는 타란토에서 타계하고 말았다.

결국 이해의 집정관은 둘 다 한니발과의 싸움에서 전사한 셈이다. 예년보다 일찍 이듬해 집정관을 선출하지 않으면 안될 정도였다.

그러나 이해에 에스파냐 전선에서는 전황이 다른 양상으로 전개되고 있었다. 이 전선에서는 지난해에 카르타헤나를 잃고 그것을 설욕하고자 하는 카르타고군과 승세를 탄 로마군이 둘 다 결전의 의지로 충만해 있었다.

바이쿨라─제5회전

기원전 208년 봄과 함께 스키피오가 먼저 행동을 개시했다. 육지와 바다로 나뉘어 타라고나를 떠난 로마군은 에브로 강을 건너 남하한 다음 카르타헤나로 들어갔다. 여기서 스키피오는 군선의 노잡이로 징용한 카르타헤나 주민들을 귀가시켰다. 군사 목적으로 징용한 기능공들한테도 귀가를 허락했다. 약속한 시기보다 이르게 취해진 이 조치는 카르타헤나 수비에 많은 병력을 할애할 수 없었기 때문이었다. 그는 로마에 대해 더 강한 친근감을 갖게 된 카르타헤나 주민들에게 이 도시의 방어를 맡겼다. 신뢰는 찔끔찔끔 주지 않고 한꺼번에 주는 편이 더 큰 효과를 낳기 쉽다.

이해에도 스키피오는 휘하 병력만으로는 군대를 양분할 수 없었지만, 전략은 양면 작전으로 진행하기로 했다. 어쨌든 적은 7만 5천 명이고, 3개 군으로 나뉘어 있었다.

로마에서 돌아와 다시 그의 오른팔이 된 부사령관 라일리우스는 해군을 맡았다. 스키피오는 그에게 군선을 이끌고 이베리아 반도 남쪽으로 돌아가 카디스 근처에 있는 한니발의 막내동생 마고의 군대를 묶어두는 임무를 부여했다. 스키피오 자신은 육군을 이끌고 내륙으로 갔다. 그가 노리는 적은 한니발의 동생 하스드루발이었다.

하스드루발이 카르타헤나에서 열흘 거리에 있는 바이쿨라에서 움직이지 않은 것은 동생 마고의 군대와 합류한 뒤에 스키피오와 대결하려고 생각했기 때문이다. 그는 바이쿨라 시가지를 등지고 앞에 강이 있는, 회전을 벌이기에 안성맞춤인 곳에 눌러앉아 있었다. 진영은 바이쿨라에서 그리 멀지 않은 언덕 위에 세워져 있었다. 적이 어디에서 오든, 절대로 유리한 고지를 차지하고 있었다. 그는 여기서 동생 마고의 군대가 도착하기를 기다리고 있었다. 하지만 도착한 것은 마고가 아니라 올해도 속공을 펴기로 마음먹은 스키피오였다.

도착한 스키피오도 강 건너편에 우뚝 솟은 견고한 적진을 보고, 아군한테는 불리한 지형이라는 것을 간파했다. 적이 원군과 합류하기 전에 승부를 낼 필요가 있었다. 하스드루발의 군대만으로도 그가 이끄는 병력과는 호각이었기 때문이다. 게다가 카르타고군은 코끼리떼와 우수한 기병 전력도 갖고 있었다. 이 두 가지는 로마군에는 항상 아쉬운 카르타고군의 이점이었다.

불리한 지형에서 불리한 전력으로 싸워야 하는 스키피오는, 의식적이든 무의식적이든 알렉산드로스 대왕과 한니발의 전술을 답습했다. 라일리우스도 마고의 군대를 꼼짝 못하게 묶어두는 일을 부하에게 맡기고 달려왔다. 스키피오가 생각한 전술을 구사하는 데에는 눈만 마주쳐도 마음이 통하는 동료가 필요했던 것이다.

마고의 군대가 도착할 거라고 믿어 의심치 않았던 하스드루발은 그 군대가 도착한 뒤에 전투를 벌이고 싶었기 때문에 행동을 취하는 게 늦었다. 그래서 주도권은 스키피오가 장악했다.

27세의 사령관 스키피오는 경무장 보병 전원과 온정주의로 획득한 에스파냐 원주민 참가병들에게 우선 강을 건너게 했다. 그리고는 겨우 평원에 포진을 끝낸 적의 전위부대를 공격하게 했다. 이것은 본대의 출전을 재촉하는 미끼였다. 하스드루발은 이 미끼에 덤벼들었다. 하지만 스키피오는 평원으로 몰려나온 적의 본대가 진형을 갖출 여유를 주지 않았다.

강 이쪽에서 대기하고 있던 중무장 보병과 기병 전원이 노도처럼 강을 건너기 시작했다. 우익을 지휘하고 있는 것은 스키피오. 좌익은 라일리우스가 지휘했다. 이 양군이 이제 막 진형을 갖추고 있는 적의 본대의 측면으로 돌아갔다.

진형을 다 갖추지 않은 군대는 훈령이 전달되지 않는 상태에 있다. 혼란에 빠진 카르타고 병사들은 완전히 당황했다. 앞쪽과 오른쪽과 왼쪽의 세 방향에서 거의 동시에 공격을 받았기 때문이다. 게다가 배후

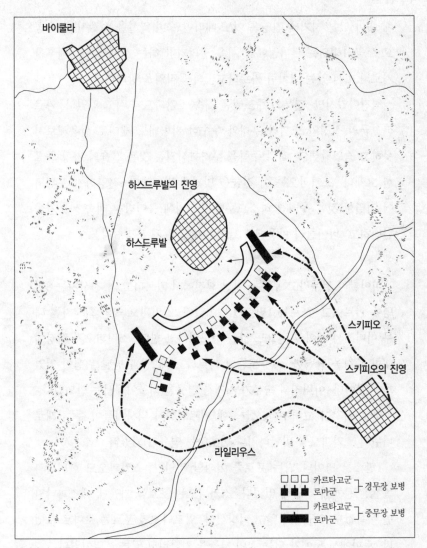

바이쿨라

하스드루발의 진영

하스드루발

스키피오

스키피오의 진영

라일리우스

| | | | 카르타고군 | ⎫ 경무장 보병 |
| 로마군 | ⎭ |

| | 카르타고군 | ⎫ 중무장 보병 |
| 로마군 | ⎭ |

바이쿨라 회전

에 솟아 있는 자기네 진영은 여느 때라면 수비 역할을 하겠지만, 속공으로 공격해오는 로마군에게 계속 밀리기만 하는 상태에서는 배후를 가로막고 서 있는 벽처럼 카르타고군의 움직임을 방해했다.

격전이었지만, 전투의 주도권은 계속 스키피오가 쥐고 있었다. 카르타고군의 상징인 코끼리 부대와 우수한 기병대도 제대로 활용해보지 못하고 격퇴당했다. 적의 주력을 무력화시키는 것은 전술의 가장 중요한 요체다. 스키피오는 이 전술을 멋지게 전개했다. 진영까지 포위되어 전멸할 것을 우려한 하스드루발은 진영에 틀어박혀 계속 싸우기를 단념하고, 바이쿨라 마을에도 들어가지 않은 채 도망쳤다.

바이쿨라 전투라고 부르는 이날 회전에서 카르타고 쪽 전사자는 8천 명에 이르렀고, 포로는 1만 2천 명이었다. 스키피오 쪽의 희생자는 너무 미미해서 헤아릴 필요도 없을 정도였다고 한다. 스키피오가 적장에 대한 추격을 단념한 것은 도중에 카르타고 제2군과 만날 위험이 있었기 때문이다. 아버지와 숙부가 저지른 잘못을 되풀이해서는 안되었다.

바로 이것이 고대부터 오늘날에 이르기까지 역사가들이 두 갈래로 나뉘어 스키피오를 비난하거나 변호하는 연유가 되었다.

1만 2천 명이나 되는 포로를 어찌할 것인가. 스키피오도 한니발과 똑같은 문제에 직면해 있었다. 스키피오는 포로들 가운데 에스파냐인만은 몸값도 요구하지 않고 석방했다. 카르타고인 포로는 로마로 보냈다. 로마에서 노예가 되는 것이 그들을 기다리고 있는 운명이었다.

포로 가운데 한 소년이 있었다. 고향은 북아프리카의 누미디아라고 한다. 부모를 여의고 젊은 삼촌을 찾아 에스파냐에 온 소년은 삼촌의 이름이 마시니사라고 말했다.

누미디아의 왕자 마시니사는 카르타고군에 고용되어 있는 누미디아 기병대 대장이기도 하다. 그는 3년 전에 매복작전으로 스키피오의 아버지를 전사시킨 장본인이었다. 스키피오는 소년에게 삼촌 곁으로 돌아가고 싶으냐고 물었다. 소년은 눈물을 글썽이며 그렇다고 대답했다.

스키피오는 그 소년에게 로마식 '투니카'와 금장식이 달린 허리띠와 말 한 필을 내주라고 부하에게 명령했다. 그리고는 기병들에게 그 소년이 원하는 곳까지 데려다주라고 말했다.

27세의 젊은이는 로마 장군들이 아무도 시도하지 않았던 일을 시도하기 위한 포석을 두었던 것이다. 마시니사가 어떻게 나올지는 아직 알 수 없었다.

바이쿨라 전투에서의 패배는 에스파냐의 카르타고군한테는 지난해보다 더 큰 충격을 주었다. 스키피오가 걱정했듯이, 달아난 하스드루발에게 달려간 마고와 시스코네는 하스드루발과 함께 앞으로의 전략을 논의했다. 이탈리아에서 수세에 몰려 있는 한니발의 상태도 더 이상 방치할 수 없었다. 세 사람이 도달한 결론은 다음과 같은 것이었다.

하스두르발이 우선 3만 명의 정예병력만 이끌고 이탈리아로 간다. 남은 마고와 시스코네는 병력을 합쳐, 앞으로는 공동 투쟁 체제로 스키피오를 공격한다.

일단 결정된 뒤에는 카르타고 쪽도 행동이 빨랐다. 코끼리까지 포함한 3만 명의 하스드루발 군대는 예상되는 스키피오의 추격과 타라고나에 있는 로마군을 피해, 내륙지방을 멀리 우회한 지점에서 피레네 산맥을 넘었다. 그 다음에는 한니발이 지나간 길을 따라, 갈리아 지방을 가로지르고 알프스를 넘어서 이탈리아로 들어갈 작정이었다. 물론 이 작전은 재빨리 이탈리아에 있는 한니발에게 전해졌다.

하스드루발이 피레네 산맥을 넘도록 허용한 책임은 스키피오한테 있다는 것이 몸젠을 비롯한 역사가들이 스키피오를 비난하는 이유다. 스키피오의 아버지와 숙부는 에스파냐에서 한니발에게 지원부대가 파견되는 것을 목숨까지 걸고 막으려고 애썼는데, 그것을 허용해버린 책임이 막중하다는 것이다.

한편, 현대의 연구자들 가운데 스키피오를 변호하는 쪽의 대표는 전략 전술의 전문가로 유명한 배질 리들하트다. 이 영국인은 스키피오가 하스드루발을 고집스럽게 추격했다면 마고와 시스코네의 협공을 받았을 게 분명하기 때문에, 그 시점에서 추격을 단념한 것은 불가피한 판단이었다고 주장한다.

어쨌든 한니발의 동생은 이탈리아로 갔다. 그리고 이를 안 스키피오는 원로원에 전령을 급파했다. 원로원에서는 이탈리아에 들어올 하스드루발을 맞아 싸우기 위해, 한니발을 추격하느라 줄어든 병력을 다시 23개 군단으로 늘리기로 결의했다. 보급로를 차단함으로써 한니발을 고립시킨다는 지구전론자인 파비우스는 '하스드루발이 이탈리아로 간다'는 소식을 받고 불같이 화를 냈다고 한다. 이 파비우스는 죽을 때까지 스키피오를 신뢰하지 않았다.

그렇기는 하지만, 이 시기의 로마군은 한니발이 이탈리아로 쳐들어온 기원전 218년과는 형편이 달랐다. 그때는 4개 군단을 편성하는 것이 상례였기 때문에 갑작스러운 침공을 받고 당황했지만, 지금은 23개 군단도 편성할 수 있는 체제가 되어 있었다. 그리고 한니발 형제의 합류를 저지하는 것이 급선무가 된 기원전 207년의 집정관으로는 이미 클라우디우스 네로가 선출되어 있었다. 마르켈루스 휘하에서 제일가는 용장으로 알려진 클라우디우스 네로는 마르켈루스의 적극전법을 물려받은 인물이었다.

기원전 207년 봄, 지금까지는 매년 두 집정관이 모두 한니발과 맞붙은 최전선에 파견되었지만, 이해에는 집정관 네로가 법무관 풀비우스와 함께 그 전선을 담당하고, 집정관 리비우스는 리미니에 파견하기로 결정되었다.

집정관 군단을 리미니에 파견하는 것은 물론 하스드루발의 남하를 저지하기 위해서였다. 그러나 그에게는 2개 군단밖에 주어지지 않았다. 하스드루발이 어느 길을 통해 한니발과 합류할지 몰랐기 때문이다. 원로원은 이탈리아로 남하하는 또 다른 길목인 토스카나 지방에도 2개 군단을 대기시킬 수밖에 없었다.

메타우로─제6회전

역사에는 우연으로 말미암아 상황이 완전히 바뀌어버리는 경우가 종종 있다. 이해의 이탈리아 전선에서 일어난 우연은 하스드루발이 예상했던 것보다 훨씬 순조롭게 갈리아를 횡단하고 알프스를 넘은 것이었다.

현재의 프랑스 일대에 사는 갈리아인들은 이탈리아에 가는 것이 한니발 형제의 목적임을 이제 충분히 알고 있었다. 그들의 거주지역을 정복하는 데에는 관심이 없는 카르타고군의 통과를 이번에는 어느 부족도 방해하지 않았다. 게다가 하스드루발이 이끄는 카르타고군에는 갈리아인 용병도 많이 참가하고 있었다. 한니발의 명성은 이제 알프스 산악민족 사이에도 널리 퍼져 있었다. 하스드루발은 11년 전에 형이 해결하지 않으면 안되었던 어려운 문제에는 거의 직면할 필요가 없었다. 어려운 문제는 단 하나, 코끼리떼를 동반한 3만 명의 병력이 겨울의 알프스를 넘는 것뿐이었다.

이런 이유로, 하스드루발은 예상보다 훨씬 빨리 이탈리아에 들어올수 있었다. 그러나 바로 이것이 한니발에게는 오산이었다. 자신의 체험 때문에 동생이 이탈리아에 도착하는 시기를 훨씬 뒤로 예상한 한니발은 로마군과의 대결을 동생과 합류한 뒤에 결행하기로 작정하고, 안전한 칼라브리아 지방에서 나오는 시기를 아슬아슬한 순간까지 늦추었던 것이다.

그가 칼라브리아를 늦게 떠난 이유는 그밖에도 더 있었다. 풀리아지방에 포진하고 있는 2개 군단을 합하면, 이탈리아 남부에 파견되어있는 로마군은 모두 6개 군단이다. 그 가운데 집정관 네로의 2개 군단은 한니발이 가는 곳마다 따라다니며 앞길을 가로막겠지만, 나머지 군단이 그가 없는 칼라브리아로 쳐들어올 가능성은 충분했다. 한니발에게는 뒷일을 맡길 만한 부하가 하나도 없었다. 그렇기 때문에 그는 동생이 이탈리아에 도착하기를 더욱 간절히 기다렸지만, 자기가 없는 동안 칼라브리아를 로마에 빼앗기면 돌아올 곳이 없어진다. 한니발은 근거지에서 나오는 시기를 최대한 늦추고, 나온 뒤에도 칼라브리아에서너무 멀리 떨어지지 않도록 조심하지 않으면 안되었다. 실제로 집정관네로는 한니발이 나온 것을 알자마자 2개 군단을 급파하여 칼라브리아를 침공했다. 한니발의 걱정은 옳았다.

그렇다면 안전한 근거지에 계속 머물면서 동생의 군대가 도착하기를 기다리면 되지 않느냐고 생각하겠지만, 그렇게 하면 형제의 합류를저지하려는 로마군의 전략에 협력하는 꼴이 된다. 한니발은 칼라브리아에서 나오는 시기를 최대한 늦춘다 해도, 북쪽에서 내려올 동생과하루라도 빨리 합류하기 위해 남쪽 끝에 있는 칼라브리아에서 나올 필요가 있었다.

칼라브리아를 떠난 한니발은 느린 속도로 북상하기 시작했다. 그 뒤를 네로가 이끄는 로마군이 마치 마르켈루스가 되살아나기라도 한 것처럼 바싹 추격해 왔다.

형제라 해도 반드시 동등한 재능을 타고난다고는 할 수 없다. 이렇다 할 어려움도 없이 이탈리아에 들어온 하스드루발은 쉽게 고용한 갈리아 병사들을 포함하여 5만으로 증강된 군대를 이끌고 남하하기 시작했지만, 행군하기 쉬운 평원을 택했다. 적의 허를 찌르지 않았던 것이다.

포 강 유역의 평야를 지나 리미니로 가는 도중에, 하스드루발은 처음으로 형에게 편지를 보냈다. 여섯 명의 기사가 가지고 떠난 그 편지에는 그가 택할 길목과 합류 예정지점이 적혀 있었다.

그런데 이들은 한니발이 있는 곳을 찾고 있다가 로마 병사들과 마주치고 말았다. 그들을 붙잡은 백인대장은 압수한 편지가 페니키아어로 씌어 있는데다 여섯 명이나 되는 기사의 소지품을 보고, 중요한 편지라고 직감했다. 그는 당장 편지를 집정관 네로에게 가져갔다.

이때 네로는, 아드리아 해 연안과 가까운 풀리아 지방에 견고한 진영을 짓고 동생을 맞을 채비를 갖추고 있던 한니발의 바로 근처에 진영을 짓고 있는 중이었다. 급히 번역시킨 편지를 읽은 네로는 공화정 로마의 사령관에게는 허용되지 않는 일을 하기로 결심한다.

로마에서는 전선에서의 행동은 사령관에게 일임되어 있지만, 집정관을 비롯한 각 사령관의 담당 구역은 그들을 선출할 때 미리 결정되는 것이 관례였다. 원로원의 승낙도 없이 제멋대로 군대를 이동하는 것은 허용되지 않는다. 그런 짓을 하면 전선 이탈과 똑같이 취급된다.

집정관 네로의 담당 구역은 한니발에 대한 전선이다. 형제의 합류를 저지한다 해도, 한니발 군대에 찰싹 달라붙어 합류를 저지하는 것이 그의 임무다. 하지만 네로는 그가 속해 있는 클라우디우스 가문의 전통에 따라, 성미가 강하고 속전속결형인 장군이기도 했다. 그는 또한 하스드루발에게 개인적인 원한도 갖고 있었다.

스키피오의 아버지와 숙부가 잇따라 전사한 기원전 211년, 그 구멍을 메우기 위해 에스파냐에 급파된 사람이 네로였다. 하스드루발은 그 네로에게 강화를 맺자고 제의해놓고, 그 말을 믿은 네로가 방심한 틈에 도망쳐버린 적이 있었다. 이 사건으로 원로원은 네로를 소환하고, 그 대신 젊은 스키피오를 에스파냐에 보냈던 것이다. 클라우디우스 네로가 지금이야말로 설욕할 기회라고 생각했다 해도 무리는 아니다.

그러나 네로가 전선을 이탈한 것을 개인적인 원한 때문이라고만 한다면 너무 딱하다. 네로는 하스드루발이 한니발에게 보낸 편지를 보고, 하스드루발의 병력이 갈리아 병사를 합하여 5만 명으로 늘어난 것을 알았다. 그런데 하스드루발을 맞아 싸우기 위해 파견된 집정관 리비우스의 병력은 3만에 불과했다. 네로가 동료를 지원할 이유는 충분했다. 지원 방식은 클라우디우스 네로가 직접 병력을 이끌고 달려가는 것이다.

6천 명의 보병과 1천 명의 기병이 선발되었다. 나이가 젊고 체격도 건장한 병사를 선발하는 것이다. 집정관은 그들에게 가급적 차림을 가볍게 하라고 명령했다. 식량을 휴대하는 것도 허용되지 않았다. 행군하는 길에 있는 동맹도시에는 길가에 식사를 준비해두라는 지령이 보내졌다. 남은 군대는 법무관 풀비우스에게 맡기고, 그가 없는 것을 한니발이 눈치채지 못하도록 적극적으로 소규모 전투에 나서라고 명령했다. 그는 7천 명의 병력을 이끌고, 남아 있는 병사들조차 눈치채지 못하도록 한밤중이 지나서야 몰래 진영을 빠져나갔다.

네로는 잠자는 시간도 아껴서 강행군을 했다. 800킬로미터나 되는 거리를 돌파해야 했다. 하루 사이에 100킬로미터가 넘는 거리를 행군한 셈이다. 보통 로마군의 행군거리는 하루에 20킬로미터다. 이때 네로가 세운 행군속도 기록이 갱신되려면 150년 뒤의 카이사르를 기다려야 한다.

리미니에서 아드리아 해를 따라 30킬로미터쯤 남하한 곳에 로마에서 시작되는 플라미니아 가도의 출구가 있다. 아펜니노 산맥을 넘어온 이 가도도 이 근처까지 오면 완만하게 변한다. 아드리아 해로 흘러드는 메타우로 강이 가도 바로 남쪽을 흐르고, 가도가 유역에 펼쳐진 평야를 지나기 때문이다. 이 지점에서 일단 바다 쪽으로 나간 플라미니아 가도는 그대로 해안선을 따라 북상하여 종점인 리미니에 이른다.

이 리미니에 파견된 집정관 리비우스는 메타우로 강의 남쪽 연안에 포진해 있었다. 거기라면 하스드루발이 아드리아 해를 따라 남하하려 해도 저지할 수 있고, 플라미니아 가도를 선택한다 해도 시야에 둘 수 있기 때문이다. 집정관 네로와 7천 명의 병사가 이 로마 진영에 도착했을 때, 예상보다 일찍 이탈리아에 들어온 하스드루발은 이미 메타우로 강 북쪽 연안에 숙영지를 짓고 있었다.

우리는 하스드루발이 형에게 보낸 편지 내용을 모르니까, 하스드루발의 의도에 대해서는 편지 내용을 알고 있던 네로의 행동에서 유추할 수밖에 없지만, 역시 그는 아드리아 해를 따라 남하하려 했던 모양이다. 하지만 네로가 이끄는 7천 명의 병력이 도착하여 하룻밤 사이에 증강된 로마군을 보고, 그는 예정된 진로를 바꾸었다. 플라미니아 가도를 통해 이탈리아 중부로 들어간 다음 이탈리아 남부로 빠지는 길을 택한 것이다. 우회로이긴 하지만, 이탈리아 남부로 빠질 수는 있다.

그러나 플라미니아 가도는 해안 지방에서는 평탄하지만, 산지로 접어들면 코끼리까지 거느린 대군은 싸움이 벌어졌을 때 불리해진다는 것을 하스드루발은 몰랐던 모양이다. 그는 형과는 달리, 정보 수집을 중시하지 않았던 것 같다.

5만 병력의 적군이 플라미니아 가도로 향하는 것을 보고, 로마군은 당장 뒤를 쫓았다. 로마군은 메타우로 강 어귀에 펼쳐져 있는 평원이 끝난 지점에서 적을 따라잡았다. 하스드루발도 어쩔 수 없이 뒤로 돌아서서 싸움에 응하기로 했다. 로마군이 하룻밤 사이에 증강되었다고는 하지만, 5만 명을 거느린 그가 전력에서는 단연 우세했다.

싸움은 메타우로 강을 남쪽에 두고, 강줄기를 따라 뻗어 있는 플라미니아 가도를 가운데에 두고, 가도 가까이까지 바싹 다가와 있는 벼랑과 강물 사이에 낀 좁은 지역에서 벌어졌다. 수적으로 우세한 쪽에는 유리해지기보다 불리해지기 쉬운 지형이다.

그래도 양군 모두 전투에 어울리는 진형을 폈다. 강 상류를 향해 포진한 로마군의 우익에서는 집정관 네로가 강행군을 함께 한 병사들을 지휘한다. 중앙은 리미니 주둔군 대장인 호르티우스가 맡고, 좌익은 집정관 리비우스가 지휘한다. 병력은 모두 4만.

한편 카르타고군은 코끼리 부대를 전면에 내세우는 진형을 폈다. 병력은 모두 5만 5천에 이르렀다.

싸움의 실마리는 로마 병사들이 일제히 내지르는 함성으로 열렸다. 그런데 벼랑에 부딪쳐 두 배나 큰 메아리로 돌아온 이 함성에 놀란 코끼리들이 적진으로 뛰어들지 않고, 아군인 카르타고군 속으로 난입하기 시작했다. 이것을 본 하스드루발은 코끼리 부대의 전선 이탈을 명령한다. 코끼리를 부리는 병사들은 코끼리의 귀 뒤를 침으로 찔러 죽였다.

코끼리를 이용할 수 없게 되었지만, 걸리적거리는 코끼리가 없어져 몸이 홀가분해진 카르타고군은 총공격에 나섰다. 로마군은 이들을 맞

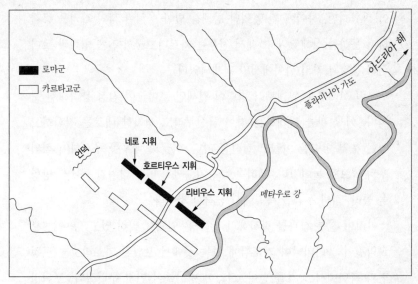

메타우로 회전(제1단계)

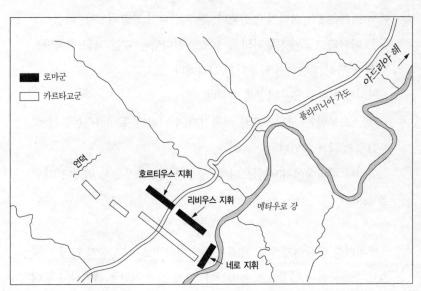

메타우로 회전(제2단계)

아 싸웠지만, 사이에 낀 언덕의 방해를 받아 우익이 적의 좌익을 공격하지 못하는 상태였다. 그래서 전투는 카르타고군의 전체 병력과 로마군의 중앙과 좌익 사이에서만 전개되었다.

이런 상태로는 원래부터 병력이 열세인 로마군이 점점 불리해질 뿐이다. 이 상황을 타개하는 것이 급선무라고 생각한 네로는 지휘하고 있던 우익 병력을 이끌고 전선을 떠나, 아군의 배후를 우회하여 적의 우익 옆으로 돌아갔다. 메타우로 강기슭까지 바싹 다가간 곳에서 방향을 돌려, 적의 우익을 측면에서 공격한 것이다.

이것이 전투 결과를 결정했다. 왼쪽은 언덕에 막혀 있고, 뒤에는 오르막길인 플라미니아 가도밖에 없는 곳에서 포위된 카르타고군은 정면과 측면에서 공격을 받아, 갈리아 병사들이 먼저 무너졌다. 포위망이 좁혀짐에 따라 단말마의 비명도 늘어났다. 하스드루발이 에스파냐에서 데려온 3만 병력이 전멸했다. 전투 결과가 분명해지자, 하스드루발은 카르타고군 총사령관의 정장으로 갈아입은 다음 적군 한복판으로 말을 달려 장렬하게 싸우다가 전사했다.

역사가 리비우스는 이렇게 말했다.

"하스드루발은 하밀카르의 아들이자 한니발의 동생이라는 신분에 부끄럽지 않게 죽었다."

이해에 한니발이 40세였으니까, 동생인 하스드루발은 아직 30대였을 것이다.

뒤처리를 동료에게 맡긴 네로는 7천 명의 병사들과 함께 다시 밤낮으로 강행군하여 남쪽으로 돌아갔다. 그가 몰래 진영을 빠져나가 메타우로 강변에서 하스드루발을 상대로 전투를 치르고, 다시 강행군하여 진영으로 돌아올 때까지 걸린 날수는 14일이었다고 한다. 그동안 한니발은 이것을 까맣게 모르고 있었다. 동생한테서 연락이 없는데도 걱정하지 않았다. 이제 슬슬 알프스에서 내려올 무렵이라고 생각했기 때문이다.

한니발이 모든 상황을 알게 된 것은 진영을 둘러싼 울타리 건너편에서 던져진 꾸러미를 보았을 때였다. 꾸러미를 펼치자, 안에서 하스드루발의 목이 나타났다. 이것이 한니발에게는 11년 만에 이루어진 동생과의 재회였다.

그날 밤 사이에 한니발은 진영을 떠나 칼라브리아 지방으로 돌아갔다. 아직 초여름이니까, 전쟁을 할 시간은 충분히 남아 있었다. 하지만 40세가 된 희대의 전술가는 '장화 발부리'에 틀어박힌 채, 그해에도 그 이듬해에도 거기서 나오려 하지 않았다.

메타우로 전투의 승리에 열광한 로마에서는 시민들의 환호 속에서 개선식이 거행되었지만, 개선장군으로 네 필의 백마가 끄는 전차를 몬 것은 집정관 리비우스였다. 전투가 그의 담당 구역에서 벌어졌기 때문이다. 집정관 네로는 멋대로 전선을 이탈한 죄를 문책당하지는 않았지만, 개선장군의 영예는 허용받지 못했다. 그는 우익 지휘관으로서 말을 타고, 네 마리 말이 끄는 리비우스의 전차 뒤를 따라갔다. 하지만 로마 시민들은 누가 진정한 개선장군인가를 알고 있었다. 가이우스 클라우디우스 네로에게는 그것으로 충분했다.

일리파-제7회전

이듬해인 기원전 206년, 에스파냐의 카르타고군은 총력을 기울여 반격에 나서기로 결의했다.

기원전 209년에는 그들의 거점인 카르타헤나를 스키피오에게 빼앗겼다.

기원전 208년에는 바이쿨라 전투에서 하스드루발이 스키피오에게 패했다.

기원전 207년에는 이탈리아로 쳐들어간 하스드루발이 네로에게 패하고 전사했다.

에스파냐에서 바르카 가문의 세력을 지키는 의무는 마고가 짊어지게 되었다. 이 의무를 강하게 의식한 마고는 카르타고 세력을 결집하여 총반격에 나서기 위해, 총지휘를 시스코네에게 양보하는 타협까지도 서슴지 않았다.

합쳐서 7만 명에 이르는 보병은 총사령관이 된 시스코네가 지휘하게 되었다. 마고 자신은 4천 명에 불과한 기병 군단의 절반을 지휘했다. 나머지 절반은 누미디아 기병이라서, 누미디아인인 마시니사에게 지휘를 맡기고 있었다.

합계하면 7만 4천 명의 병사에 코끼리 32마리로 이루어진 대군이다. 이 병력을 에스파냐에서도 남쪽에 있는 오늘날의 세비야 근처의 일리파에 집결시켜 적을 기다리게 되었다. 적의 두 배가 넘는 병력을 가진 쪽으로서는 전투에 호소하는 편이 유리하다. 일리파는 코끼리와 기병과 많은 병사를 충분히 활용할 수 있는 넓이를 가진 평원이었다.

한편 스키피오는 이런 카르타고의 동태를 완전히 파악하고 있었지만, 그해에는 겨울 숙영지인 타라고나를 천천히 출발했다. 마치 적에게 되도록 많은 병사를 모을 수 있는 시간 여유를 주고 있는 것 같았다.

카르타헤나 시내에서 잠시 휴식을 취한 스키피오는 적이 기다리고 있는 일리파를 향해 나아갔다. 일단 내륙으로 들어가서, 일리파 평원을 지나 바다로 흘러드는 강의 상류로 나간 다음, 그 강줄기를 따라 남하하는 길을 택했다. 내륙지방에서 상황을 살피고 있는 에스파냐 원주민 부족에 대한 시위도 겸하고 있었기 때문이다. 이 무렵 4만 5천 명의 보병과 3천 명의 기병으로 편성된 로마군에는 로마가 이길 낌새를 챈 에스파냐 원주민 참전자도 늘어나 있었다. 스키피오도 한니발과 마찬가지로 주력부대를 활용하기 위한 비주력부대를 필요로 하고 있었다.

그렇다 해도, 7만 4천 대 4만 8천이다. 29세가 된 스키피오는 용감히 싸우는 것 이외에 다른 방책도 생각할 필요가 있었다.

적에게 접근했지만, 스키피오는 거기에 금방 진영을 만들지는 않았다. 먼 길을 우회하여 남쪽으로 돌아갔을 때, 비로소 행군을 멈추고 견고한 진영을 구축했다. 적의 남쪽으로 돌아간 것은 남쪽에 진영을 구축하기에 적합한 언덕이 있었기 때문이지만, 적이 일리파 남쪽에 있는 항구도시 카디스로 도망치지 못하도록 그 퇴로를 미리 차단하기 위해서이기도 했다.

일리파 평원의 북쪽과 남쪽에는 높직한 언덕이 서로 마주보듯 서 있다. 이것이 로마군과 카르타고군의 진영이 되었다. 두 언덕 사이에 펼쳐진 평야가 싸움터가 되었다.

기다렸다는 듯이 카르타고군이 먼저 평원을 가득 메우고는 싸움을 걸어왔다. 스키피오도 언덕에서 내려가 진을 치도록 부하들에게 명령했다.

포진은 끝났지만, 카르타고 쪽은 싸움의 실마리를 열려고 하지 않았다. 스키피오도 전투 개시의 명령을 내리지 않았다. 양군이 대치하고 있는 동안 해가 기울었다. 양군은 마치 전투가 끝난 뒤처럼 기진맥진한 상태로 각자의 진영으로 돌아갔다.

이튿날도 그런 식으로 하루가 지났다. 그리고 다음날도, 그 다음날

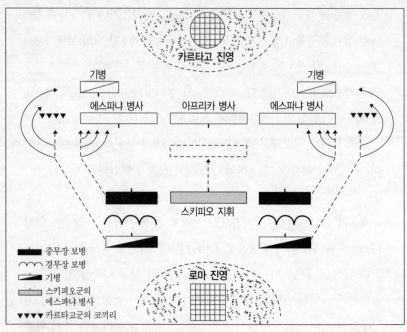

기병

에스파냐 병사　아프리카 병사　에스파냐 병사

기병

카르타고 진영

스키피오 지휘

■ 중무장 보병
〜〜〜 경무장 보병
▱ 기병
▱ 스키피오군의
　　에스파냐 병사
▼▼▼▼ 카르타고군의 코끼리

로마 진영

일리파 회전 당일의 포진(스키피오의 전술)

도 서로 노려보며 대치하는 것으로 끝났다. 카르타고군 쪽에서는 총사령관 시스코네가 결단을 내리지 못했기 때문이지만, 스키피오 쪽은 계산된 행동이었다.

　전쟁터에 포진만 한 채 하루가 지나고, 일몰과 함께 진영으로 돌아오는 날이 계속되는 동안, 카르타고군 쪽에서는 전쟁터에 나오는 시각이 점점 늦어지게 되었다. 결국에는 해가 완전히 떠오를 때까지 카르타고 병사는 한 사람도 전쟁터에 모습을 보이지 않게 되었다.

　그날 밤 스키피오는 처음으로 부하들에게 명령을 내렸다. 내일 아침에는 동이 트기 전에 아침식사를 충분히 하고, 무장을 갖추고, 언제라도 출전할 수 있도록 준비를 끝내두라고 명령한 것이다.

　이튿날 새벽, 아침 안개처럼 전쟁터를 메우고 있는 로마군을 보고 카르타고군은 소스라치게 놀랐다. 지휘관들의 재촉을 받은 병사들은 아침도 먹지 못하고 진영에서 뛰쳐나갔다. 황급히 포진을 끝낸 카르타고군의 진용은 코끼리 부대를 전면에 배치할 시간 여유가 없어서 좌익과 우익에 배치한 것 외에는 어제까지의 진용과 마찬가지였다. 로마군의 진용은 완전히 달라져 있었다.

중앙에는 비주력부대인 에스파냐 병사들이 조금 뒤로 물러난 곳에 배치되었다. 주력부대인 로마 중무장 보병이 그날은 좌우로 양분되어, 에스파냐 보병대의 양옆을 지키는 형태가 되었다.

이런 진형을 갖춘 채 전진하기 시작한 양군이 800미터 거리까지 접근했을 때, 양쪽에서 동시에 돌격명령이 떨어졌다.

카르타고군은 일제히 정면에 있는 로마군을 향해 돌진했다. 하지만 로마군에서 정면을 향해 돌격한 것은 중앙에 있던 에스파냐 보병뿐이었다. 좌우로 나뉘어 포진해 있던 중무장 보병은 비스듬한 진형을 만들면서 적의 양쪽 보병을 비스듬히 옆에서 공격했다. 스키피오는 아군의 최강 전력이 적군의 가장 취약한 전력을 공격하게 한 것이다. 비스듬히 옆에서 공격하는 전법은, 적의 입장에서는 수비에도 불리하고 공격에도 불리한 전법이었다.

이 전선에서 승패가 먼저 판가름나기 시작했다. 이 무렵에는 코끼리들도 경무장 보병이 쏘아대는 화살을 뒤집어쓰고 미친 듯이 날뛰기 시작했다. 더구나 코끼리떼는 적을 향해 돌진하는 게 아니라 아군 기병 사이로 뛰어들었기 때문에, 전력이 되기는커녕 오히려 아군에게 피해를 주는 존재가 되어버렸다.

코끼리떼의 난입으로 혼란에 빠진 카르타고군 기병을 로마군 기병이 공격하기 시작했다. 용맹을 떨치는 누미디아 기병대도 불리한 조건이 몇 가지나 겹치면 제대로 실력을 발휘할 수 없다. 또한 이곳 일리파에서는 양군의 기병이 수적으로 호각을 이루고 있었다. 게다가 카르타고 군 기병은 좌익과 우익이 모두 보병 뒤에 배치되어 있었다. 그곳으로 로마군이 밀고 들어와 전투가 벌어진 것이다. 보병과 달리, 기병은 적을 향해 돌격해야만 비로소 병마가 한몸이 된 전투력을 발휘할 수 있다. 일리파에서 전투력을 충분히 발휘한 것은 로마군 기병 쪽이었다.

해가 중천에 떠올랐을 무렵에는 후방에서 총지휘를 맡고 있는 스키피오도 알 수 있을 만큼 카르타고 병사들의 피로가 눈에 띄었다. 우선 바깥쪽에 있는 적병을 공격하고, 다음에는 그 안쪽에 있는 적병을 공격하고, 그 다음에는 더 안쪽에 있는 적병을 공격한 로마군의 단계적 공격이 효과를 거두어, 아직도 건재한 적의 전력은 카르타고군의 주력 부대인 아프리카 용병들뿐이었다. 하지만 그들이 아무리 고군분투하려 해도, 앞쪽과 오른쪽과 왼쪽이 모두 적에게 포위된 상태였다. 주력 부대를 무력화시키는 전략이 성공한 결과였다. 승패가 분명히 판가름 난 상황에서 계속 싸울 용병은 아무도 없다. 모두 유일한 퇴로인 후방으로 달아나기 시작했다.

로마군은 완전히 무너진 카르타고군을 추격하기 시작했지만, 잠시 후에는 추격을 포기하지 않을 수 없게 되었다. 일리파 평원 전체에 천둥과 번개를 동반한 소나기가 억수처럼 쏟아지기 시작했기 때문이다. 그래도 소나기의 도움을 얻어 산으로 달아난 카르타고 병사는 고작 6천 명에 불과했다. 에스파냐 원주민 가운데 도망칠 수 있었던 병사의 수는 알 수 없다. 어쨌든 7만 4천 명의 병력 가운데 남은 것은 6천 명뿐이었다.

총사령관 시스코네도, 한니발의 동생 마고도 퇴로를 차단당한 카디스로 도망치지 못하고, 먼 서쪽의 대서양 연안까지 도망쳐서 겨우 목숨을 건졌다. 누미디아 기병대를 이끌고 있던 마시니사만이 적진을 돌파하여 카디스까지 도망치는 데 성공했다. 적의 세 장군을 놓쳐버린 것을 제외하면, 일리파 전투의 성과는 칸나이 전투에 버금가는 것이었다. 다만, 전사자 수는 칸나이 쪽이 더 많다. 칸나이에서는 적에게 등을 보이지 않는 것이야말로 로마 전사라고 생각하여, 끝까지 도망치지 않고 싸운 로마 시민병이 많았기 때문이다.

승전보를 전하기 위해 형 루키우스를 수도 로마로 보낸 스키피오는 승리한 뒤에도 일리파를 떠나지 않았다. 시스코네나 마고를 추격하려고 생각했기 때문은 아니다. 스키피오의 생각은 다른 데 있었다. 29세의 승리자는 카디스로 도망친 마시니사에게 심부름꾼을 보내 회담을 제의했다.

스키피오는 알프스를 넘어 이탈리아로 쳐들어갔을 때의 한니발과 같은 나이가 되어 있었다. 물론 그 때문은 아니겠지만, 스키피오도 적국 카르타고의 본거지인 아프리카로 전쟁터를 옮기는 문제를 생각하고 있었다.

스키피오가 가장 중요하게 생각한 것은 기병 전력의 증강이었다. 아군의 전력을 증강하는 것이 곧 적의 전력을 감소시키는 결과로 이어진다면 그보다 더 좋은 일은 없을 터였다.

이렇게 생각한 스키피오가 손을 내민 어제까지의 적은 마시니사만이 아니다. 마시니사와는 대립관계에 있는 누미디아의 왕 시팍스에 대해서도 병행하여 외교작전을 벌이기 시작했다. 시팍스는 스키피오와 직접 회담하기를 원했다. 스키피오는 이 요구를 받아들여, 에스파냐에서 배를 타고 오늘날의 알제리에 해당하는 그의 영토까지 극비리에 잠행하는 모험까지 감행했다. 스키피오는 아무래도 기병이 필요했다. 그것도 지중해 세계 최강인 누미디아 기병이 꼭 필요했다.

스키피오한테서 각각 동맹을 제의받은 누미디아인은 둘 다 지금까지 카르타고와 맺고 있던 돈독한 관계 때문에 당장 스키피오한테 확답을 주지는 않았다. 하지만 카드는 던져졌다. 스키피오가 던진 이 카드를 받아들이느냐 마느냐는 그들에게 달려 있었다.

기원전 206년 겨울, 스키피오는 제패한 에스파냐를 방위하기 위해 2개 군단을 남겨놓고, 오랫동안 이 땅에서 싸운 고참병들과 함께 배를 타고 로마로 떠났다. 4년 만의 귀국이었다.

제6장

제2차 포에니 전쟁 말기

기원전 205년~기원전 201년

로마는 소수가 지도하는 과두정 체제를 채택한 공화국이다. 정책을 세워도, 그것이 당장 실천에 옮겨지는 군주제 국가가 아니다. 또한 사전 교섭만 잘하면 가장 짧은 시간 안에 정책을 실행할 수 있는 관료제가 완비된 국가도 아니었다. 공화정 로마에는 지도층이 결집된 느낌을 주는 원로원이 있었다. 이 원로원을 설득해야만 비로소 입안한 정책을 실시할 수 있다. 원로원에서 승부를 결정짓는 것은 오직 변론뿐이었다. 그래서 내 생각인데, 라틴어의 특징인 간결함과 명료함은 로마인들이 변론을 무기로 삼을 수밖에 없었던 데 따른 결과가 아닐까 한다. 싸움터에서는 측면 공격을 활용한 스키피오도 로마의 엘리트들한테는 변론에 의한 정공법을 선택했다. 어쨌든 그가 생각하고 있었던 것은 한니발 전쟁의 노선 변경이라는 중대한 문제였다.

로마로 돌아온 그는 우선 원로원에서 전황을 보고할 기회를 달라고 요구했다. 자격 연령인 30세를 몇 달 남겨놓은 스키피오는 아직 원로원 의원도 아니었기 때문이다. 원로원에서 전황 보고를 끝낸 스키피오는 이런 경우에는 늘 거행되는 개선식도 요구하지 않았다.

에스파냐 전선에서 거둔 전과가 개선장군이 되기에 부족했기 때문은 아니다. 부족하기는커녕 지나치게 충분할 정도였다. 공화정 로마에서 전략 단위인 2개 군단을 지휘하는 것은 40세가 넘어야 자격이 있는 집정관이나 전직 집정관, 법무관이나 전직 법무관한테만 허용되었다. 에스파냐에 파견될 당시 25세에 불과했던 스키피오는 특례로 지휘권을 부여받았지만, 에스파냐를 제패한 지금도 29세의 젊은이였다. 이 나이에 개선식까지 원한다면, 또 한 번의 특례를 원로원에 강요하게 된다. 그것은 연공서열을 존중하기 때문에 기능이 제대로 발휘되는 체제인 과두정과 그 상징적 존재인 원로원을 지나치게 자극하는 일이었다.

스키피오는 로마 장군한테는 최고의 영예인 개선식을 단념했다. 그렇게 해놓고 이듬해인 기원전 205년에도 집정관에 출마하는 것을 인정해달라고 원로원에 요구했다.

집정관의 자격 연령은 40세이므로, 이듬해에 30세가 되는 스키피오는 10세나 모자란다. 로마 원로원은 스피키오가 자격 연령이 30세 이상인 원로원 의원이 되는 데에는 이의가 없었지만, 집정관에 출마하는 데에는 난색을 보였다.

그러나 원로원 밖의 광장에서는 양상이 달랐다. 비록 개선식은 거행하지 않았지만, 스키피오가 거둔 눈부신 전과는 이탈리아 전역에 알려져 있었다. 모든 식민도시와 동맹국에 거주하고 있는 로마 시민권 소유자들이 로마에서 열리는 민회에 참석하여 그에게 표를 던지려고 예년보다 훨씬 많이 수도로 모여들었다. 로마의 선거방식은 1인 1표가 아니라 100명이 한 조가 되어 한 표를 행사하도록 되어 있는데, 민회도 열리기 전에 벌써 스키피오한테 투표하겠다고 공언하는 '켄투리아'가 속출하는 형편이었다.

민의가 이럴진대, 원로원도 거기에 따르지 않을 수 없었다. 스키피오는 집정관에 출마하는 것이 인정되었고, 민회는 압도적 다수로 그를 선출했다.

하지만 신임 집정관 스키피오의 임지를 결정하는 단계에 이르러, 원로원은 그가 희망하는 곳에 난색을 보인 정도가 아니라 단호히 반대하고 나섰다.

공화정 로마의 최고 관직이자 로마군 최고 사령관인 집정관은 민회에서 선출되지만, 두 집정관의 임지는 추첨으로 결정하도록 되어 있었다. 그러나 이것은 원칙일 뿐이고, 실제로는 두 집정관을 포함하여 전략 단위인 2개 군단을 지휘하는 각 사령관의 담당 전선은 원로원에서 결정되었다.

이런 일은 전략적인 이유로 결정되어야 한다고 여겨졌기 때문이다. 일반 시민이 모이는 민회에 이런 종류의 문제를 결정하는 데 필요한 전문지식이나 경험까지 요구할 수는 없다. 그것을 할 수 있는 것은 관직과 군대 요직을 경험한 자들의 모임인 원로원밖에 없었다.

이런 원로원에 대해 스키피오는 자신의 임지를 북아프리카로 결정해 달라고 요구했다. 그러자 다름 아닌 파비우스가 이에 반대하고 나섰다.

칸나이에서 참패당한 로마를 지구전 전술로 이끌어온 파비우스는 그 해에 70세가 되어 있었다. 당초에 '굼뜬 사내'라는 뜻으로 붙여진 그의 별명 '쿵크타토르'는 이제 '지구전주의자'로 의미가 바뀌었고, '이탈리아의 방패'라는 별명까지 얻은 파비우스는 원로원에서도 최고의 권위를 누리며 존경을 한몸에 받고 있었다. 로마 원로원에는 다른 의원들보다 우선하여 발언권을 갖는 '제1인자'(프린키페스)라는 제도가 있는데, 파비우스는 그동안 줄곧 '제1인자'였다. 파비우스의 발언으로 원로원에서의 변론 싸움이 시작되었다.

"내가 반대하는 건 젊은 장군의 전과를 질투하기 때문이라는 소문이 광장에는 파다한 모양이오만, 나만한 지위에 있는 사람이 무엇이 아쉬워서 내 아들보다 어린 스키피오를 질투하겠소. 나는 순전히 국익을 생각해서 반대하는 거요.

집정관이 된 이상, 스키피오의 임무는 아프리카로 가는 게 아니라, 이탈리아에 계속 눌러앉아 있는 한니발을 공격하는 거요. 북아프리카를 공격하면 한니발도 이탈리아를 떠날 거라지만, 반드시 떠난다는 보장은 없잖소."

이어서 파비우스는 비록 한니발이 '장화 발부리'로 쫓겨들어갔다 해도, 그의 위험성이 줄어든 것은 아니라고 예를 들어 설명했다. 계속 실패했다고는 하지만, 한니발을 지원하려는 카르타고 본국의 시도도 끊이지 않았다. 이듬해에는 한니발의 막내동생 마고가 이끄는 지원 선단이 로마의 제해권이 미치지 않는 제노바에 상륙하게 되니까, 늙은 파비우스의 걱정도 괜한 노파심만은 아니었던 것이다. 파비우스는 계속해서 말했다.

"젊은이, 자네는 그때 태어나지 않아서 모를지도 모르지만, 우리한 테는 제1차 전쟁 당시의 집정관인 레굴루스가 아프리카 원정에 실패한 쓰라린 경험이 있네. 그때와 마찬가지로 동맹국이 하나도 없는 아프리카에서 레굴루스의 전철을 밟지 않는다고 말할 수 있나? 그리고 한니발이 이탈리아를 떠나 아프리카로 돌아간다면, 보급로가 끊긴 상태에서도 그토록 끈질기게 버티고 있는 한니발이 충분한 지원을 받을 수 있는 모국에서는 어떻게 될지 생각해보았나?

의원 여러분, 우리가 젊은 나이에도 불구하고 스키피오를 집정관으로 인정한 것은 로마와 이탈리아를 위해서요. 스키피오가 개인의 야심을 만족시키도록 도와주기 위해서는 아닌 것이오. 로마는 영웅을 필요로 하지 않는 나라요."

실제로 영웅이 될 수도 있었던 그라쿠스와 마르켈루스는 전사했다. 메타우로 전투의 승자인 네로는 전직 집정관에 임명되어 최전선에서 사령관으로 계속 싸우는 것을 허락받지 못하고, 권력은 있지만 민간인 신분인 재무관이 되어 전선을 떠난 지 벌써 1년이 된다. 스키피오에게는 집정관이 되는 것을 인정했으니까, 그래도 상당한 양보를 한 셈이다.

파비우스는 한니발을 바다로 몰아내는 것은 이제 시간 문제라고 말하고, 다음과 같은 말로 발언을 끝냈다.

"먼저 해야 할 일은 이탈리아에 다시 평화를 가져오는 것이오. 아프리카에 가서 싸우는 것은 그 다음 문제요."

이미 원로원에는 스키피오에게 반대하는 분위기가 강했지만, 파비우스의 발언으로 그 분위기는 거의 결정적이 되었다. 그런 분위기 속에서 스키피오가 발언권을 요청했다. 회의장 한가운데로 나아간 젊은 이는 목소리를 낮추고 정중한 언사를 사용하면서도, 논지만은 명쾌하게 말하기 시작했다.

"파비우스 막시무스, 그리고 원로원 의원 여러분, 저는 파비우스가 저를 반대하는 것이 질투 때문이라고는 절대로 생각하지 않습니다. 그리고 파비우스의 위대함을 능가할 생각도 전혀 없습니다.

하지만 나이는 젊어도 실전 경험은 젊지 않다고 자부하는 제 생각은, 지금까지 성공한 방침도 필요하면 바꿔야 한다는 것입니다. 저는 지금이야말로 방침을 바꾸어야 할 때라고 생각합니다."

지금이야말로 기회라는 스키피오의 말은 분명 설득력이 있었다. 에스파냐 제패로 서부 전선이 해결된데다, 그해에는 마케도니아 왕국과의 강화도 성립되었기 때문이다. 마케도니아는 결국 로마의 봉쇄작전을 돌파하지 못하고, 이탈리아에 상륙하여 한니발과 공동 투쟁을 벌이기는커녕 로마와 단독 강화를 맺는 쪽을 선택해버렸다.

이해에는 이탈리아 전선에도 공격당할 만한 약점이 있었다. 집정관을 둘 다 파견했는데도 칼라브리아 지방에 틀어박혀 있는 한니발에게 1년 내내 아무런 타격도 가하지 못했기 때문이다. 스키피오는 말을 이었다.

"정확히 5년 전에 바로 이 자리에서 제가 에스파냐로 파견해달라고 요청했을 때는 두말없이 허락해주고, 나이를 다섯 살이나 더 먹은 지금 아프리카로 보내달라는 요청에 반대하시는 건 무엇 때문입니까?

그때 제가 마주친 어려움은 지금보다 훨씬 컸습니다. 제 아버지와 숙부의 전사로 궤멸된 거나 마찬가지인 에스파냐 전선에 가서 그것을 만회했을 뿐만 아니라, 에스파냐를 평정하기까지 했습니다. 그 업적은 인정해주셔도 좋지 않습니까.

지금까지는 카르타고가 로마에 싸움을 걸어왔습니다. 앞으로는 로마가 카르타고에 싸움을 거는 것입니다. 한니발이 이탈리아에서 한 짓과 똑같은 일을 우리 로마인이 아프리카에서 하는 것입니다. 적의 본거지를 공격하는 것이 얼마나 효과적인지는 한니발이 실증해준 것이기도 합니다.

한니발이 소모되기를 기다린다지만, 한니발은 아직 마흔한 살입니다. 앞으로도 우리는 얼마나 오래 기다려야 합니까."

이어서 30세의 젊은이는 70세 된 노인에게 말했다.

"파비우스 막시무스께서 충고해주셨듯이, 저는 언젠가는 한니발과 대결할 것입니다. 하지만 한니발이 전쟁터로 나오기를 기다리지는 않겠습니다. 제가 한니발을 전쟁터로 끌어내어 싸우겠습니다. 제가 한니발을 로마와 대결할 수밖에 없는 상황으로 몰아넣겠습니다. 그 싸움에서 얻는 전리품은 칼라브리아 지방의 무너진 성채 따위가 아니라, 카르타고 그 자체가 될 것입니다."

원로원의 분위기는 이것으로 상당히 바뀌었다. 하지만 일변한 것은 아니다. 파비우스에 동조하는 의원과 스키피오에게 공감하는 의원의 수가 비슷해졌을 뿐이다.

원로원의 의견은 이렇게 둘로 갈라졌지만, 귀족계급과 평민계급으로 양분된 것은 아니었다. 파비우스 가문도, 스키피오가 속해 있는 코르넬리우스 가문도 로마에서 손꼽히는 명문 귀족이다. 원로원의 의견

대립은 출신 계급이 아니라 나이에 따른 것이었다. 고령자들은 파비우스를 지지했고, 젊은 의원들은 스키피오의 생각에 동의했다.

고령자라서 완고한 것은 아니다. 보통 사람이라면 육체의 쇠약이 정신의 동맥경화 현상으로 이어질지 모르지만, 훌륭한 업적을 쌓은 고령자에게 나타나는 완고함은 그것과는 다르다. 그들은 훌륭한 업적을 거둠으로써 성공자가 되었기 때문에 완고해진 것이다. 나이가 사람을 완고하게 만드는 것이 아니라, 성공이 사람을 완고하게 만든다. 성공자이기 때문에 완고한 사람은 변혁을 필요로 하는 상황이 되어도, 성공으로 얻은 자신감 때문에 다른 길을 선택하기가 어려워진다. 따라서 근본적인 개혁은 뛰어난 재능을 갖고 있으면서도 과거의 성공에는 가담하지 않았던 사람만이 달성할 수 있다. 흔히 젊은 세대가 근본적인 개혁을 성취하는 것은 그들이 과거의 성공에 가담하지 않았기 때문이다.

파비우스는 한니발에 대해 철저한 지구전법으로 일관하여 로마를 지탱해온 최고 공로자였다. 그 결과, 한니발은 '장화 발부리'로 쫓겨들어가는 신세가 되었다. 이런 파비우스가 스키피오의 생각에 반대한 것은 당연했다.

파비우스와 그 동조자들이 완고하다 해도 유연성을 잃지는 않았다. 충분한 현실 인식 능력을 갖고 있던 그들은 교착상태에 빠져 있는 칼라브리아 지방의 공방전에 어떤 식으로든 돌파구를 마련할 필요성은 느끼고 있었다. 그 결과, 원로원 연장자들의 체면을 손상시키지 않고, 그렇다고 젊은층의 변혁 의욕도 꺾지 않는 절충적인 타협이 성립되었다.

스키피오의 임지는 시칠리아로 정해졌다. 로마의 속주인 시칠리아라면, 방어전으로 규정되지 않은 경우에는 이탈리아 밖으로 나갈 수 없는 집정관의 임지로도 문제가 없었기 때문이다. 시칠리아로 가는 스키피오는 그 이듬해에는 국가를 위해 필요한 경우 아프리카에 갈 권리도 인정받았다.

스키피오는 그러나 수도에서 2개 군단을 편성할 집정관의 권리는 인정받지 못했다. 스키피오에게 주어진 것은 시칠리아 땅에서 지원병을 모집할 권리뿐이었다. 이것은 집정관에게 당연히 주어지는 정규병 지휘권은 부여되지 않는다는 뜻이기도 했다. 요컨대 스키피오가 아프리카로 원정한다 해도, 그것은 공인된 군사행동이 아니라는 뜻이다. 따라서 원정이 실패로 끝나도, 책임은 원로원이 아니라 스키피오 개인에게 돌아가게 되었다.

보통이라면 이런 조건은 받아들일 수 없을 것이다. 하지만 스키피오는 이를 기꺼이 받아들였다. 30세의 집정관은 기원전 205년 봄이 오기도 전에 기다리지 않고 시칠리아로 떠났다. 동료 집정관인 리키니우스의 임지는 한니발이 있는 칼라브리아 지방이다. 이해의 로마는 지난해에 투입한 전력보다 2개 군단이 적은 18개 군단을 전선에 투입하기로 결정했다. 가장 어려운 시기에 투입된 25개 군단에 비하면 격세지감마저 든다. 한니발을 '장화 발부리'로 몰아넣은 이 시기는 전략 변경을 고려하기에는 역시 좋은 기회였다.

기원전 205년 봄, 일찌감치 시칠리아에 들어간 젊은 집정관은 잠시도 시간을 낭비하지 않고 당장 군단 편성에 착수했다.

원로원에서는 7천 명의 지원병에게 소요되는 비용을 인정했다. 사람을 모으는 데에는 스키피오가 에스파냐에서 거둔 전적이 도움이 되었다. 또한 원로원의 '냉대'도 도움이 되었다. 로마 시민들과 동맹도시들의 시민들은 모두 젊은 장군의 능력을 인정하고 동정했다. 그리고 그의 능력에 희망을 건 자들이 지원해 왔다. 당장 6천 200명의 보병과 300명의 기병이 그의 휘하에 모였다. 개중에는 에스파냐에서 함께 싸운 귀환병들도 적지 않았다.

아프리카 원정에 필요한 물자를 제공하겠다고 제의해온 동맹국들도 많았다. 토스카나 지방만 예로 들면, 아레초는 밀과 투창 5만 개, 볼테라는 선박 제조에 필요한 목재, 타르퀴니아는 돛을 만드는 데 필요한 피륙을 모두 조달하겠다고 제의했고, 피옴비노는 철을 제공하겠다고 제의했다. 물자 제공은 경비를 절약해야 하는 스키피오에게는 고마운 것이었다. 이렇게 모은 6천 500명의 병사와 다량의 물자에 이어 30척의 군선도 스키피오를 뒤따라 시칠리아에 도착했다.

시칠리아에는 이미 칸나이 패잔병을 주축으로 한 2개 군단이 주둔해 있었다. 칸나이에서 패배한 벌이랄까, 그들은 그후 줄곧 귀가를 허락받지 못하고 계속 시칠리아에 머물러 있었다. 하지만 이제 그들은 패잔병이 아니었다. 칸나이 패전 직후에는 패잔병이었을지 모르나, 시라쿠사 공략을 담당한 마르켈루스 밑에서 싸운 덕분에 패배감은 일소되었을 뿐 아니라 가장 노련한 전사로 성장해 있었다. 그리고 시칠리아 섬에 '유배'된 지 10년이 지난 그해에 그들은 스키피오를 새로운 사령관으로 맞이하게 된 것이다.

스키피오도 기원전 216년에 칸나이에서 한니발에게 등을 보이고 간신히 도망쳤다는 점에서는 그들과 마찬가지였다. 게다가 스키피오가 맞이한 신부의 아버지는 칸나이 전투 당시의 집정관이자 그 싸움에서 장렬하게 전사한 아이밀리우스 파울루스였다. 아직도 '칸나이 군단'이라고 불리는 이 부대에 소속된 베테랑 전사들은 다른 장군을 맞이하는 것과는 다른 기분으로 젊은 스키피오를 맞이했을 게 분명하다.

그렇기는 해도, 이탈리아 본토에서 온 지원병과 '칸나이 군단' 병사들을 합해도 스키피오에게는 아직 병력이 모자랐다. 그 이상의 병사를 국가 비용으로 모으는 것은 허용되지 않았다. 스키피오는 시칠리아 전선 담당이라는 자신의 지위가 속주 시칠리아의 최고 통치자도 겸하고 있다는 점에 착안했다.

시칠리아는 제1차 포에니 전쟁이 끝난 뒤부터 메시나와 몇몇 도시를 빼고는 모두 로마의 속주가 되어 있었다. 시라쿠사도 6년 전 마르켈루스에게 함락당한 뒤로는 속주가 되었다. 속주는 자치가 인정되지 않고 수입의 10분의 1을 조세로 로마에 바치는 대신, 병력을 제공할 의무는 면제되어 있다. 토지는 몰수되어 로마의 국유지가 되어 있기 때문에, 그 땅을 경작하고 싶은 자는 토지 임차료를 내고 로마에서 땅을 빌리게 된다. 속주는 '로마 연합'의 동맹도시와는 다른 대우를 받고 있었다.

스키피오는 시칠리아 속주민들에게 몰수된 토지를 돌려주었다. 주민 모두에게 돌려주었는지, 아니면 일부 유력자한테만 돌려주었는지는 알 수 없다. 또한 어떻게 법망을 빠져나갔는지도 모르지만, 이례적이고 독단적인 조치인 것은 확실해도 위법은 아니었던 모양이다. 어쨌든 이 조치는 토지 임차료를 로마에 내지 않아도 된다는 물질적인 이익 이상의 것을 시칠리아인들에게 주는 데 성공했다. 스키피오에게 고마움을 느낀 그들은 경비를 스스로 부담하는 병역에 지원했다. 이에 따라 2만 5천 명의 병사와 1만 2천 명의 선원이 스키피오의 휘하에 모였다.

시칠리아인의 것은 시칠리아인에게 돌려준다는 그의 방식이 거둔 최대의 성과는 병력을 획득한 것이 아니라, 시칠리아 전체를 보급기지로 만든 것이었다. 동맹국도 없는 아프리카 원정을 성공시키려면, 가까운 거리에 보급기지를 확보하고 그 기지와 전선 사이의 보급로를 확보하는 것이 필수불가결한 일이었기 때문이다.

스키피오는 각지에서 모인 병사들의 훈련도 게을리하지 않았다. 그의 군대는 말하자면 혼성군이다. 이런 병사들을 부대별로 다시 조직하고 다시 훈련할 필요가 있었다. 에스파냐에서 시행했던 것과 같은 일정에 따라 훈련이 시작되었다. 고참병이든 지원병이든 신병이든, 병사들은 모두 총사령관 스키피오가 원하는 타입의 전사로, 즉 스키피오의 두뇌가 생각하는 전술을 수족처럼 실천에 옮겨줄 전사로 탈바꿈하라는 요구를 받았다.

날마다 병사들 틈에 섞여 지내면서도, 30세의 집정관은 북아프리카에 관한 정보 수집도 게을리하지 않았다. 카르타고와 가까운 시칠리아에는 아프리카를 잘 아는 주민이 적지 않았다. 스키피오는 밤에는 이들의 이야기를 들으면서 시간을 보냈다. 또한 직접적인 정보 수집은 친구인 동시에 부사령관이기도 한 라일리우스에게 일임했다. 함대를 이끌고 카르타고 이외의 북아프리카 연안을 돌아다니는 라일리우스에게는 정보를 수집하는 것말고도, 누미디아 기병의 귀추를 결정할 힘을 가진 시팍스나 마시니사와 연락하는 임무도 부여되어 있었다.

스키피오는 아프리카 원정 준비에 몰두해 있었지만, 기회를 놓치지 않는 그의 기질은 그동안에도 줄곧 발휘되었다.

칼라브리아 지방의 항구도시 로크리가 내통에 의해 로마 쪽으로 돌아올지 모른다는 정보를 얻은 스키피오는 당장 3천 명의 병력을 이끌고 로크리로 갔다. 한니발이 이런 사실을 알고 달려왔을 때에는 이미 때가 늦었다. 카르타고 본국이 한니발에게 보내는 지원 선단은 드물기는 했지만 이따금 로마 제해권의 그물을 빠져나가 로크리에 도착하곤 했다. 이 로크리가 10년 만에 로마의 지배하에 돌아간 것이다. '장화 발부리'로 쫓겨들어가 있던 한니발에 대한 포위망은 이것으로 더한층 좁혀지게 되었다.

그러나 스키피오가 로크리 전격작전에 성공한 것은 원로원의 연장자 의원들을 자극했다. 그들은 원로원에 허락도 청하지 않고 멋대로 담당 구역 밖으로 군대를 움직인 스키피오를 비난했다. 원로원은 스키피오를 심문하기 위한 조사단까지 파견했지만, 스키피오는 염두에도 두지 않았다. 원로원의 비난도 박력이 없었다. 한니발 전선을 담당하고 있는 집정관 리키니우스가 4개 군단이나 거느리고 있으면서도 전혀 전과를 거두지 못했기 때문이다. 막다른 곳으로 쫓겨들어갔다고는 하지만, 카르타고의 사자(獅子)는 로마의 평범한 장군한테는 역시 버거운 존재였다.

이듬해인 기원전 204년 봄, 전직 집정관 자격으로 군단의 지휘권을 인정받은 스키피오는 병력을 이끌고 시칠리아 서쪽 끝에 있는 마르살라를 떠났다. 40척의 군선이 호위하는 400척의 수송선에는 2만 6천 명의 병력과 그 병사들이 먹을 45일분의 식량과 물이 실려 있었다. 그 가운데 15일분은 요리가 끝난 식량이었다.

마르살라에서 튀니스까지는 오늘날의 배로는 여덟 시간 만에 도착할 수 있는 거리다. 2천 200년 전이라 해도, 순풍만 불어주면 하루 항해로 충분했다.

이 해역의 제해권은 제1차 포에니 전쟁 이후 줄곧 로마가 장악하고 있었다. 하지만 풍향은 제해권과는 아무 관계도 없다. 그래서 수도 카르타고의 서쪽에 있는 곳을 목표로 삼았지만, 날이 밝고 보니 서쪽이 아니라 동쪽에 불쑥 튀어나온 곳에 도착하고 말았다. 저 멀리 안쪽에 수도 카르타고가 자리잡고 있는 넓은 만을 동쪽에서 서쪽으로 횡단해야 하는 처지가 된 것이다. 하지만 이 일도 무사히 끝났다. 카르타고 함대가 출동하지 않았기 때문이다. 스키피오의 군대는 오랜만에 로마 대군을 보고 당황해하는 카르타고인들을 곁눈질하며 카르타고 제2의 도시인 우티카 근처에 상륙할 수 있었다.

병력을 무사히 상륙시키는 어려운 일은 해냈지만, 아프리카에 도착한 스키피오를 기다리고 있는 것은 나쁜 소식뿐이었다.

누미디아의 왕 시팍스가 스키피오의 동맹 제의를 받아들이기는커녕, 결정적으로 카르타고 쪽에 붙었다는 소식이 들어와 있었다. 카르타고는 시스코네─에스파냐에서 스키피오에게 패한 카르타고의 장군─의 딸을 왕비로 주어 시팍스 왕을 회유하는 데 성공한 것이다. 그 딸은 절세미인으로 원래 마시니사와 약혼한 사이였는데, 마시니사와 파혼시키고 시팍스에게 시집을 보낸 것이다.

또한 스키피오가 희망을 걸고 있던 또 한 사람의 누미디아인인 마시니사는 아버지가 죽은 직후에 시팍스에게 왕국을 침략당하여, 약혼녀를 빼앗겼을 뿐 아니라 왕국조차 없는 이름뿐인 왕으로 몰락해 있었다.

기병의 산지인 누미디아는 두 왕국으로 나뉘어 있었지만, 이제는 하나의 왕국밖에 없는 것과 마찬가지였다. 그리고 그 하나의 왕국은 카르타고 쪽에 붙어버렸다.

200명의 기병만 거느리고 스키피오 앞에 나타난 마시니사는 사막의 외로운 늑대를 연상시키는 날카로운 풍모를 허물어뜨리지도 않고 스키피오의 눈을 마주보며 말했다.

"그대는 2년 전에 나와 동맹을 맺고 싶어했지만, 지금 나에게는 그대에게 제공할 수 있는 것이 나 자신밖에 없소이다."

스키피오는 속으로는 낙담했겠지만, 그런 내색은 털끝만큼도 하지 않고 여느 때처럼 붙임성있는 미소를 지으며 대답했다.

"나는 그것으로 충분하오."

이 순간, 34세의 누미디아인과 31세의 로마인 사이에 사나이의 우정이 싹텄다.

스키피오는 마시니사를 200명의 기병밖에 갖지 않은 외국인으로 취급하지 않았다. 그후 스키피오의 전략 전술은 스키피오와 마시니사에다 지금까지 모든 전선을 스키피오와 함께 담당해온 라일리우스를 더한 30대 남자 세 사람의 공동 작전으로 실현되었다. 바로 이것이 평생 동안 친구라는 것을 모르고 지낸 한니발과 스키피오의 차이점이었다.

스키피오는 한니발이 이탈리아에서 한 것과 똑같은 일을 자기는 아프리카에서 하겠다고 공언하고 아프리카에 상륙했지만, 아프리카를 침공한 첫해는 한니발의 경우와는 반대로 전과가 빈약한 해였다. 카르타고 제2의 도시인 우티카 공략전도 실패하여 40일 만에 포위를 풀었다. 마시니사에게 지휘를 맡긴 기병대가 주변을 약탈하고 불지르며 활약했지만, 이것만으로는 전투라고 부를 수도 없었다.

전과가 빈약해진 가장 큰 이유는 카르타고 쪽이 로마군을 맞아 싸울 움직임을 거의 보이지 않았기 때문이다. 소수를 제외하고는 직접 전쟁터에 나가는 관습이 없는 카르타고인에게, 실전 경험은 제1차 포에니 전쟁 때 시칠리아에서 벌어진 전투뿐이었다. 제2차 포에니 전쟁 때도 한니발은 이탈리아에서 싸웠고, 그밖에는 에스파냐가 전쟁터가 되었을 뿐이어서 카르타고의 일반인은 전쟁을 모르고 살아왔다. 이 행운 때문에 오히려 카르타고인은 위기에 직면해도 실정을 제대로 파악하지 못하고, 따라서 타개책을 찾아내는 데 서투른 국민이 되어버렸다. 로마군이 상륙했다는 소식에 당황하면서도 군대를 편성하는 데만도 몇 달이나 걸린 것은 바로 여기에 원인이 있다. 그래도 각지에서 도착한 용병으로 편성된 카르타고군과 누미디아군의 공동 투쟁 체제는 그럭저럭 갖추어졌다. 3만 3천 명의 카르타고군은 시스코네가 지휘하고, 6만 명의 누미디아군은 시팍스가 지휘했다. 그러나 그때는 이미 기원전 204년의 가을도 다 끝날 무렵이었다. 이것은 전투가 이듬해로 넘어갔다는 뜻이기도 하다.

아프리카에서 스키피오가 별다른 전과도 얻지 못했다는 사실은, 이탈리아 북부에서 일어난 일에 로마 원로원의 관심이 집중된 덕분에 주목받지 않고 지나갔다.

로마가 장악한 제해권 때문에 한니발이 틀어박혀 있는 이탈리아 남부에 대한 지원이 불가능하다고 생각한 카르타고 본국은 기원전 205년 가을에 로마 해군의 감시가 미치지 않는 이탈리아 북부의 제노바에 지원군을 상륙시켰다. 한니발의 막내동생 마고가 이끄는 1만 4천 명의 병력과 코끼리떼와 군량을 보낸 것이다. 그리고 마고는 기원전 204년 봄에 이탈리아 남부로 내려가려고 했다. 물론 형과 합류하는 것이 목적이었다.

원로원은 한니발의 동생 하스드루발이 침입했을 때와 같은 임전 태세를 취했다. 집정관 한 명과 법무관 두 명이 이끄는 6개 군단을 북상시킨 것이다. 기원전 204년은 하스드루발이 침략한 기원전 207년과는 달랐다. 이탈리아의 카르타고 세력이 쇠퇴한 것을 목격한 갈리아인들이 마고 군대에 참여하기를 거부했기 때문이다. 마고를 맞아 싸운 로마의 세 장군은 평범한 재능밖에 갖지 못했지만, 전력 보강에 실패한 마고를 이길 수는 있었다. 중상을 입은 한니발의 막내동생은 제노바로 돌아가 나오지 않게 되었다.

또한 칼라브리아 지방에 틀어박혀 있는 한니발도 적극적인 움직임은 전혀 보이지 않았다. 로마군을 한 걸음도 접근시키지 않는 것은 여전했지만, 그 또한 거기서 한 발짝도 나오지 않았다.

이 교착상태를 깨뜨린 것은 역시 아프리카 전선이었다.

한니발의 이탈리아 침공과 함께 제2차 포에니 전쟁이 시작된 것은 기원전 218년이다. 그해에 스키피오는 17세였다. 이 전쟁의 주도권이 완전히 한니발의 손아귀에 있었던 시기는 기원전 218년부터 기원전 210년까지 8년 동안이다. 기원전 210년에 스키피오는 25세가 되었다. 즉 스키피오와 그의 부사령관인 라일리우스 세대는 한니발의 압도적인 영향을 받으며 자란 세대라고 할 수 있다.

이때까지만 해도 로마 장군은 정정당당한 싸움만 하는 사람들이었다. 정정당당하게 이기는 것이 그들의 자랑이기도 했다. 그런 로마인에게 한니발은 책략으로 이기는 것도 역시 승리라는 것을 가르쳐주었다. 정정당당한 싸움을 고집해도 싸움에 지면 아무 소용이 없다는 것을 가르쳐준 것이다. 그것을 가장 거리낌없이 흡수한 것이 스키피오 세대의 로마인이었다.

스키피오의 가문 이름을 따서 '코르넬리우스 진지'라고 명명한 진지에서 월동에 들어간 로마군과는 10킬로미터밖에 떨어지지 않은 지점에 카르타고-누미디아 연합군의 겨울 숙영지가 있었다.

겨울이 지나면 봄이 온다. 봄이 오면 전투가 시작될 것은 뻔하다. 스키피오의 병력은 2만 6천 명. 카르타고-누미디아 연합군은 9만 3천 명이었다. 31세가 된 로마의 신세대는 겨울철 휴전기를 활용하기로 결심했다.

스키피오는 누미디아의 왕 시팍스한테는 에스파냐를 제패했을 때 이미 로마와 동맹을 맺자고 제의했다. 시팍스의 요구에 따라 몰래 알제리까지 가서 회담까지 했다. 결국 그 시도는 허사로 끝나 시팍스는 이제 카르타고 편이 되었지만, 그가 10킬로미터 거리에 있는 것도 사실이었다.

스키피오는 시팍스한테 다시 연락을 취했다. 카르타고와 명예로운 강화를 맺고 싶은데, 그 중개 역할을 당신이 맡아줄 수 없느냐고 넌지시 암시한 것이다.

여기에 시팍스가 넘어갔다. 시팍스는 아내 때문에 카르타고 쪽에 붙긴 했지만, 마시니사를 쫓아내고 누미디아 전체의 왕이 된 이제는 카르타고 편으로 참전해도 더 이상 얻을 게 없었다. 또한 둘 다 강대국인 카르타고와 로마의 중개 역할을 맡는다는 것이 왕국과 절세미녀를 가진 그의 허영심을 자극했다.

스키피오의 사절을 만난 시팍스는 당장 2킬로미터 거리에서 월동하고 있는 시스코네한테 스키피오의 의향을 전했다. 일리파 전투에서 스키피오에게 참패한 시스코네는 정부의 명령으로 출전하긴 했지만, 스키피오를 상대로 싸울 마음은 내키지 않았다. 시스코네의 동의를 얻은 시팍스는 본격적으로 중개에 나섰다.

시팍스가 제시한 강화 내용은 스키피오가 아프리카에서 철수하고, 한니발은 이탈리아에서 철수하고, 앞으로 로마와 카르타고는 서로의 주권을 존중하는 관계를 다시 수립한다는 것이었다.

얼핏 보기에는 온당하기 그지없지만, 먼저 쳐들어온 카르타고는 동의한다 해도 로마 쪽은 도저히 승복할 것 같지 않은 내용이다. 로마는 15년에 걸친 전쟁으로 국토의 절반이 유린당하고, 10만 명이 넘는 병사를 잃고, 열 명이나 되는 집정관급 사령관을 잃었다. 도저히 승복할 수 없는 내용이었지만, 스키피오는 즉석에서 거부하는 대신, 강화 교섭을 위한 사절을 파견하고 싶다는 회답을 시팍스에게 보냈다.

누미디아군의 숙영지와 '코르넬리우스 진지' 사이를 스키피오의 사절이 오가기 시작했다. 스키피오가 강화 체결에 관심이 많다고 믿은 시팍스는 사절을 정중하게 대했다. 스키피오는 이름난 귀족 출신 장교를 사절로 보냈지만, 그 사절을 수행하는 하인이나 마부는 진짜 하인이나 마부가 아니었다. 노예 차림을 걸치고는 있었지만, 모두 전투 경험이 풍부한 장교나 백인대장들이었다.

교섭은 오래 끌었다. 아니, 스키피오가 일부러 지연시켰다. 강화를 교섭하는 동안은 자연 휴전기가 아니더라도 휴전이 되기 때문에, 그 사이에 적이 공격해올 염려는 없었다. 또한 교섭이 지연되어 사절의 왕복 횟수가 늘어날수록, 하인이나 마부로 분장한 역전의 용사들은 적진 상황을 더욱 정확하게 시찰할 수 있었다. 사절이라면 왕의 막사로 직행해야 하지만, 하인이나 마부는 기다리는 동안에도 진영 안을 마음대로 돌아다닐 수 있기 때문이다.

겨울이 지나고 봄이 찾아올 무렵, 적의 모든 것을 알아낸 스키피오는 시팍스 왕에게 마지막 사절을 보냈다. 사절이 가져간 편지에는, 자기는 강화 조건에 동의하고 싶지만 작전회의에 참석한 장교들 대다수가 동의하지 않기 때문에 강화 교섭을 끝낼 수밖에 없다고 적혀 있었다. 로마군은 지난해에 이어 우티카 공격을 재개하는 것처럼 포위 진형을 폈다. 하지만 카르타고 제2의 도시인 우티카를 공격하는 데 전체 병력의 3분의 1밖에 투입하지 않았는데도, 시스코네와 시팍스는 주의를 기울이지 않았다.

야습 작전은 지형을 잘 아는 마시니사를 포함하여 스키피오와 라일리우스가 짰다. 다른 장교들에게 작전 계획을 알린 것은 야습을 결행하는 당일 오후가 되어서였다.

우티카를 공격하는 척 위장한 3분의 1의 병력은 진영을 수비하기 위해 남겨졌다. 나머지는 양분하여, 제1군은 스키피오가 직접 이끌고 카르타고군 진영을 야습하고, 제2군은 라일리우스와 마시니사가 이끌고 누미디아 진영을 습격하기로 결정했다.

야간 기습은 제2군의 공격으로 시작하기로 했다. 누미디아 진영이 돌이나 흙이 아니라 목재와 갈대로 만들어져 있어서, 그만큼 불에 타기가 쉽기 때문이었다. 이 방면에서 불길이 치솟는 것을 보고, 어둠 속에서 대기하고 있던 제1군이 카르타고 진영을 공격할 계획이었다. 두 진영은 2킬로미터쯤 떨어져 있었지만, 평원이라서 전망이 훤히 트여 있었다.

　로마 군단에서는 일몰부터 일출까지를 4등분하고, 야간 보초도 4교대다. 보초의 근무시간은 계절에 따라 다르지만, 보통 세 시간이다. 그래서 밤에는 몇 시라고 말하지 않고, 제1 보초기, 제2 보초기, 제3 보초기, 제4 보초기라고 말한다. 야습을 결행하는 날, 총사령관 스키피오는 야습에 참가하는 모든 지휘관에게 제1 보초기의 교체기, 즉 밤 아홉 시에 병사들을 진영 밖에 집결시키라는 명령을 내렸다.

　아홉 시 정각에 야습군은 진영을 떠났다. 중간까지는 전체가 함께 행군했다. 그리고 도중에 병력이 둘로 나뉘었다. 라일리우스와 마시니사가 이끄는 제2군이 누미디아 진영 앞에 도착하는 것은 제3 보초기가 끝나는 시각, 즉 새벽 세 시로 계산되어 있었다. 계산된 시각에 적진 앞에 도착한 제2군은 당장 적진을 포위했다.

　사방팔방에서 느닷없이 쏟아지는 불화살을 맞고, 목재와 갈대로 만들어진 막사는 당장 타올랐다. 대군을 수용하기 위해 막사의 간격이 거의 없을 만큼 빽빽이 밀집해서 지어졌기 때문에 바람처럼 빠르게 불길이 번졌다. 불길은 불길을 불렀다. 화재가 났다고 생각한 누미디아 병사들은 무기도 갖지 않고 막사에서 뛰쳐나와, 진영의 울타리를 넘어 밖으로 달아났다. 그러자 밖에서 기다리고 있던 로마 병사들이 그들을 공격했다. 누미디아 병사들은 이번에는 진영 안으로 뛰어들어갔지만,

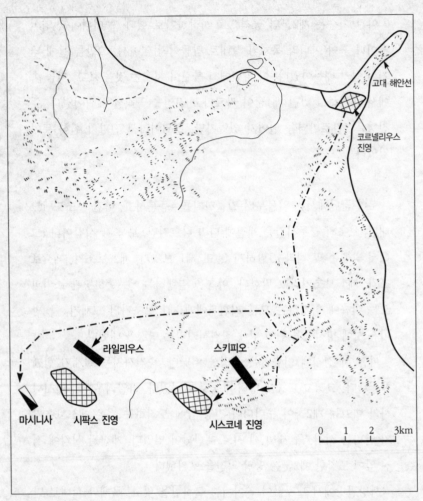

고대 해안선

코르넬리우스
진영

라일리우스

스키피오

마시니사   시팍스 진영

시스코네 진영

0   1   2   3km

스키피오의 기습

그들을 맞이한 것은 불길이었다. 불과 적병의 협공을 받은 누미디아 병사들의 혼란은 절정에 달했고, 로마 병사들의 창에 찔려 죽은 사람보다 아군 병사한테 깔려 죽은 사람이 더 많았다. 시팍스 왕의 진영에는 6만 명의 병력이 있었다.

스키피오가 이끄는 제1군과 함께 카르타고 진영의 병사들도 누미디아 진영에서 불길이 치솟는 것을 보았다. 그들도 처음에는 단순한 화재라고 생각했다. 울타리 위로 기어올라가 구경하는 자들까지 있었다. 하지만 이 진영에도 불화살이 비처럼 쏟아질 때까지는 그리 오랜 시간이 걸리지 않았다.

그후에는 누미디아 진영에서 일어난 것과 똑같은 일이 카르타고 진영에서도 되풀이되었다. 이 야습으로 카르타고군과 누미디아군을 합하여 3만 명이 목숨을 잃었다. 그래도 사령관인 시스코네와 시팍스는 휘하 병력의 보호를 받으며 탈출에 성공했다. 시스코네는 수도 카르타고로 도망쳤고, 시팍스도 자국 영토인 누미디아로 도망쳐 돌아갔다. 불길과 압사와 로마 병사의 창을 피할 수 있었던 병사들은 개미새끼들이 흩어지듯 사방팔방으로 뿔뿔이 달아났다. 한밤중이라서 스키피오도 추격을 단념했다. 그래도 야습은 대성공이었다. 로마군에는 사망자가 한 명도 없었다.

이른봄의 이 기습으로 여지없이 당한 카르타고도 봄이 무르익을 무렵에는 다시 기운을 내고 있었다. 뿔뿔이 도망쳤던 패잔병들도 돌아왔다. 또한 수도의 항구에는 새로 고용한 에스파냐 용병 4천 명이 도착했다. 카르타고군의 전력은 이제 3만 명에 이르게 되었다. 그리고 누미디아의 왕 시팍스에게 참전을 다시 요청했다. 아내의 애원을 뿌리치지 못한 시팍스는 군대를 이끌고 카르타고 쪽으로 참전할 것을 승낙했지만, 그를 따르는 병력은 크게 줄어들어 있었다.

초여름에 누미디아 왕국과 가까운 내륙 평원에서 카르타고군과 누미디아군이 합류했다. 이처럼 누미디아 영토와 가까운 지점에서 합류하게 된 것은 스키피오의 야습으로 많은 병사를 잃은 시팍스가 비록 참전을 승낙하기는 했지만 여전히 출전을 꺼리고 있었기 때문이다. 카르타고군의 지휘를 다시 맡은 시스코네는 많은 병력으로 누미디아에 압력을 가하여 출전을 강요할 수밖에 없었다.

이런 소식을 보고받은 스키피오는 적이 공격해올 때까지 기다리지 않았다. 그는 전체 병력을 이끌고 카르타고-누미디아 연합군의 합류 지점으로 갔다. 로마군의 병력은 연합군의 절반도 안되었지만, 스키피오는 정면 대결로 승부를 낼 작정이었다.

양군의 포진만 보면 누구나 정석대로의 진형이라고 생각했을 것이다. 그러나 일단 전투가 시작된 뒤에는 정석대로 싸움을 진행한 것은 시스코네와 시팍스뿐이었다.

정석대로라면 경무장 보병끼리의 격돌로 싸움의 실마리가 열려야 하지만, 여기서는 로마 기병의 맹공으로 싸움이 시작되었다. 시팍스가 이끄는 우수한 누미디아 기병의 전투력도 로마 기병한테 선수를 빼앗기는 바람에 기세를 잃었다. 누미디아 기병이 저도 모르게 후퇴하자, 로마 기병은 계속 추격했다. 그래서 카르타고-누미디아 연합군의 중앙을 차지하고 있는 보병 군단의 양옆이 완전히 비어버렸다.

스키피오는 바로 그 순간을 기다리고 있었다. 그의 명령이 떨어지자, 시칠리아에 있을 때부터 충분한 훈련을 쌓은 보병들이 대열도 흐트러뜨리지 않고 그의 명령대로 공격을 개시했다.

적군 중앙부대의 공격을 경무장 보병과 중무장 보병 전위부대인 '하스탈리'가 막아내고 있는 동안, 중무장 보병 중앙부대인 '프린키페스'는 적군 보병의 우익으로 돌아가고, 중무장 보병 후위부대인 '트리알

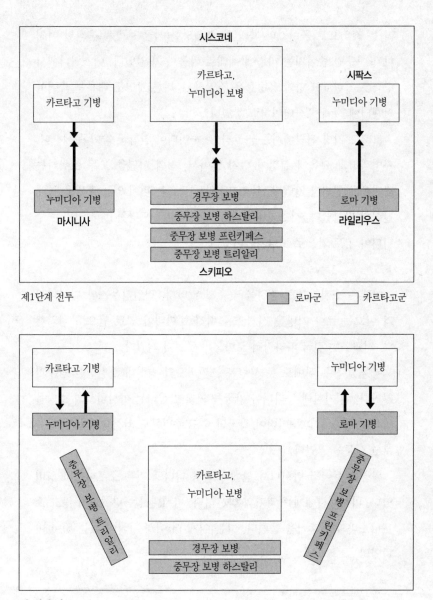

시스코네

카르타고 기병

카르타고,
누미디아 보병

시팍스

누미디아 기병

누미디아 기병

마시니사

경무장 보병

중무장 보병 하스탈리

중무장 보병 프린키페스

중무장 보병 트리알리

스키피오

로마 기병

라일리우스

제1단계 전투

로마군 □ 카르타고군

카르타고 기병

누미디아 기병

카르타고,
누미디아 보병

경무장 보병

중무장 보병 하스탈리

누미디아 기병

로마 기병

중무장 보병 트리알리

중무장 보병 프린키페스

제2단계 전투

리'는 좌익으로 돌아갔다. 삼면을 포위당한 적군 보병은 움직일 여지마저 자꾸만 좁아지는 바람에 제대로 싸울 수가 없었다. 에스파냐에서 방금 도착한 4천 명의 용병들은 전멸하고, 다른 보병도 대부분 죽어서 전쟁터에 시체가 산더미처럼 쌓였다.

그래도 기병 전력에서는 카르타고-누미디아 연합군 쪽이 우세했다. 기병끼리의 싸움에 결말이 나지 않아서, 적의 사면을 모두 포위하는 작전은 실현되지 않았다. 시스코네와 시팍스는 비어 있는 후방을 통해 간신히 달아났다. 시스코네는 수도 카르타고로 도망쳤고, 시팍스는 누미디아 영토 안으로 도망쳐들어갔다.

이날은 스키피오도 추격을 늦추지 않았다. 라일리우스와 마시니사가 이끄는 로마 기병은 시팍스를 따라 누미디아 영토 안으로 침입했다. 시팍스는 결국 따라잡혀 로마군의 포로가 되었다.

왕을 붙잡은 뒤에도 두 사람은 스키피오의 명령대로 전진을 멈추지 않았다. 이 기회에 누미디아 왕국을 되찾고 싶다는 마시니사의 소망을 참작한 행동이다. 누미디아 왕국의 수도 주민들도 쇠사슬에 묶인 왕을 보고 성문을 열었다.

왕궁에 들어간 마시니사 앞에 모습을 나타낸 것은 소포니스바 왕비였다. 마시니사에게는 과거의 약혼녀다. 마시니사는 망설이지 않고 소포니스바와 결혼식을 올렸다. 그는 이제 더 이상 왕국이 없는 왕이 아니었다.

마시니사가 진영으로 돌아오자, 그를 맞은 스키피오는 왕국 탈환에 대해서는 축하했지만 적의 아내와 결혼한 것에 대해서는 동의하지 않았다. 32세의 로마 장군은 세 살 위인 누미디아 친구에게 말했다.

"시팍스는 나와의 약속을 어기고 카르타고 쪽에 붙었으니, 로마로 압송하지 않으면 아니되오. 왕이 로마의 소유가 되었다는 것은 그 왕의 소유물도 모두 로마의 것이 되었다는 뜻이오. 소포니스바만 예외로 하는 것은 허용되지 않소. 따라서 소포니스바도 로마로 호송하지 않으면 아니되오. 하지만 나는 도저히 내 마음의 벗인 그대의 아내를 그런 식으로 대우할 수는 없소."

말없이 스키피오 앞에서 물러난 마시니사는 누미디아에 두고 온 아내에게 편지 한 통과 그가 늘 몸에 지니고 다니던 독약을 인편에 보냈다. 편지에는 이렇게 적혀 있었다.

"아내를 지키는 것이 남편의 첫번째 의무지만, 나는 그것조차도 할 수 없게 되었소. 그리고 그 의무를 다하지 못한 이제, 나는 두번째 의무를 수행할 수밖에 없구려. 그것은 아내가 불행한 처지에 빠지지 않도록 애쓰는 것이오. 그러기 위해서는 편지와 함께 보낸 것에 의지할 수밖에 없소."

소포니스바는 편지를 다 읽은 다음 독배를 마셨다. 그녀가 남긴 말은 남편의 결혼 선물을 기꺼운 마음으로 받겠다는 한 마디뿐이었다.

실의에 빠진 친구의 기운을 북돋우기 위해, 스키피오는 병사들을 모두 집합시켜놓고 마시니사가 누미디아 왕국의 왕이 된 것과 누미디아 왕국이 앞으로도 로마의 동맹국이 된 것을 공표했다. 그는 지금까지는 자기만 사용하고 있던 집정관 전용 붉은 천막을 그에게 주었다.

이런 전말을 보고받은 로마 원로원과 민회는 스키피오의 조치를 승인하고, 아프리카 땅에 최초의 로마 동맹국이 탄생한 것을 축하했다. 로마로 압송된 시팍스는 이탈리아의 작은 도시에서 감시를 받으며 은둔생활을 하다가 늙어 죽었다.

자국 영토 안에서 벌어진 첫 전투에서 패배를 맛본 카르타고는 그런 일에는 익숙하지 않았던 탓도 있어서 완전한 공황상태에 빠져버렸다. 정부 안에서도 의견이 갈라져, 통일된 방침도 세우지 못한 채 우왕좌왕했다.

일부에서는 함대를 출동시켜 로마 군선을 공격하는 적극전법을 써야 한다고 주장했다.

또 다른 일부에서는 수도를 둘러싼 성벽을 수리하여 농성전에 대비하자고 주장했다.

스키피오에게 강화를 제의하자고 말하는 사람도 있었다.

또한 한니발을 도로 불러들여 로마군과 싸우게 하자는 목소리도 제법 컸다.

이렇게 분분한 의견들 가운데 무엇을 선택할 것인가를 결정하지 못한 카르타고 정부는 결국 네 가지 방책을 동시에 추진하게 되었다. 계절은 가을로 접어들고 있었다.

본국 귀환을 명령하는 정부의 공식 문서를 가진 사절이 한니발이 있는 이탈리아 남부의 크로토네와 마고가 있는 이탈리아 북부의 제노바에 급파되었다.

동시에 스키피오한테도 사절이 파견되어 강화를 맺고 싶다는 뜻을 전했다. 스키피오는 하루 동안 생각한 뒤, 사절에게 몇 가지 조건을 제시하고, 카르타고 정부가 이것을 강화의 기반으로 삼는 데 동의한다면 교섭에 나설 용의가 있다고 대답했다. 스키피오가 제시한 조건은 다음과 같다.

1. 로마는 카르타고의 자주 독립과 자치권을 인정한다.

2. 이탈리아와 알프스 이남의 갈리아 지방에 있는 카르타고군은 모두 철수할 것(이것이 한니발 형제의 철수를 의미하고 있는 것은 물론

이다).

3. 에스파냐에 있는 카르타고의 기득권을 완전히 포기할 것.

4. 마시니사의 왕국을 승인하고 그 주권을 존중할 것.

5. 20척을 제외한 모든 군선을 로마 쪽에 양도할 것.

6. 강화를 교섭하는 동안, 카르타고는 아프리카에 있는 로마군의 군량을 조달할 것.

7. 배상금으로 5천 탈렌트를 로마에 지불할 것.

이런 조항으로 추측건대, 이 시점에서 스키피오는 진심으로 카르타고와 동맹을 맺을 생각이었던 것 같다. 아프리카 원정의 첫째 목적은 한니발을 이탈리아에서 끌어내는 것이었다. 전투, 특히 평원에서 맞서는 회전 방식의 정면 대결은 사전에 아무리 철저한 준비를 갖추고 치밀하게 전술을 짜도 필경은 도박이다. 한니발을 상대로 도박을 할 사람은 없다. 그후의 언행이 실증하듯이, 스키피오는 무력 투쟁만 고집하는 사람이 아니라 균형잡힌 성격의 소유자였고, 따라서 광신적인 성향은 전혀 없는 인물이었다.

원수를 갚는다는 감정만큼 그와 인연이 없는 감정도 없을 것이다. 아버지의 죽음을 초래한 장본인인 마시니사도 이제는 그의 동지가 되어 있었다. 화폐의 구매력을 계산하는 방식으로 어림잡아 환산하면, 그가 배상금으로 요구한 5천 탈렌트는 500억 원 정도가 아니었을까 싶지만, 그것도 30년이나 50년 분할 상환이 통례다. 본국의 농장 경영만으로도 1년에 1만 2천 탈렌트의 수익을 올렸다는 카르타고가 지불하기 어려운 액수는 아니었을 게 분명하다. 문제가 된 조항은 단 하나, 카르타고가 20척의 군선밖에 소유할 수 없다는 조항이었을 것이다. 이것은 사실상 카르타고 해군을 해체하라는 요구였다.

정부 안에서 어떤 토론이 벌어졌는지는 모르지만, 화전 양면작전을 택한 카르타고 정부는 이 조항을 모두 받아들였다. 이리하여 로마와 카르타고는 강화를 전제로 한 휴전에 들어갔다.

귀환 명령을 받은 마고는 병사들을 모두 배에 태우고, 제노바를 떠나 카르타고로 향했다. 하지만 지난해에 입은 중상이 낫지 않은 마고는 남하하는 선단이 사르데냐 섬 앞바다에 이르렀을 무렵 선상에서 죽음을 맞았다. 사령관을 잃은 병사들은 그래도 무사히 카르타고에 입항했다.

동생과 마찬가지로 귀환 명령을 받은 한니발이 무슨 생각으로 그 명령에 따랐는지를 알려주는 기록이나 역사책은 존재하지 않는다. 그해에 그는 44세가 되어 있었다. 이탈리아로 쳐들어온 지 16년이 지나가고 있었다.

한니발은 사적인 에피소드를 거의 남기지 않았기 때문에, 후세의 우리에게는 한니발만큼 표정을 포착하기 어려운 인물도 없다. 특히 16년 동안이나 그를 사령관으로 모시며 따랐던 부하 병사들에게 그가 어떤 인물로 비쳤는가를 알아내는 데 도움이 되는 문헌자료는 전무하다고 해도 좋을 정도다. 그런데 그런 기록이 딱 한 군데 있다. 그것은 한니발을 수행했던 실레노스의 기록을 참고했다는 리비우스의 저술에 포함되어 있다. 한니발이라는 인물을 바로 눈앞에 보는 것처럼 생생하게 묘사한 그 대목을 번역하면 다음과 같다.

추위도 더위도 그는 묵묵히 견뎌냈다. 병사들이 먹는 것과 다름없는 식사조차도, 식사시간이 되었으니까 먹는 게 아니라 배고픔을 느끼면 먹었다. 잠도 마찬가지였다. 그가 혼자서 처리해야 하는 문제는 잠시도 끊이지 않았기 때문에, 휴식을 취하는 것보다 그런 문제를 처리하는 것이 항상 우선했다. 그런 한니발에게는 밤낮의 구별도 없었데. 잠도 휴식도, 포근한 침대와 조용함을 의미하지는 않았다.

병사용 망토만 두른 채 나무그늘에 그냥 드러누워 잠을 자는 한니발의 모습은 병사들에게는 익숙한 광경이 되어 있었다. 그 옆을 지날 때면 병사들은 소리가 나지 않도록 조심했다.

한니발은 에스파냐에 있을 때 원주민 부족장의 딸과 결혼하여 아들도 하나 두었다지만, 이탈리아를 침공한 뒤로는 여자를 가까이한 기미가 전혀 없다. 한니발은 오랫동안 승리자였다. 그가 원하든 원치 않든, 여자가 부족한 입장은 아니었을 것이다.

로마가 착상하고 실행한 보급로 차단 작전이 성공하여, 16년 동안 한니발이 보급을 받을 수 있었던 것은 단 두 번뿐인 것으로 알려져 있다. 그동안 그는 3만 명의 병력을 어떻게 유지했을까.

풍요로운 밀 산지인 풀리아 지방을 수중에 넣고 있을 때라면 또 모르지만, '장화 발부리'로 쫓겨간 뒤로는 어떻게 병사들을 먹여 살렸을까. 이런 의문에 해답을 줄 수 있는 역사가와 연구자는 오늘에 이르기까지 한 사람도 없다. 산악지대인 칼라브리아 지방은 오늘날에도 이탈리아에서 가장 가난한 지방이다. 이 지방이 풍요로웠던 것은 크로토네와 로크리 같은 그리스 식민도시가 무역항으로 번창했기 때문이다. 이런 항구도시도 한니발의 지배하에 들어간 뒤로는 제해권을 장악한 로마 해군의 방해로 통상에 나설 수 없게 되었다. 이들 도시와 교외 농촌에 대한 약탈에 의존했다 해도 3만 명이나 되는 병력의 입을 계속 만족시키기는 어렵다.

그런데도 4천 명의 병사가 로마군의 공격을 받고 투항한 적이 딱 한 번 있을 뿐, 한니발을 배신하고 떠난 병사는 한 사람도, 말 그대로 단한 사람도 없었다.

한니발이 이끌고 있던 군대는 아프리카인과 에스파냐인과 갈리아인 등 서로 말조차 통하지 않는 병사들이 뒤섞인 혼성군이었다. 게다가 로마군의 포위망이 좁혀짐에 따라 물자가 부족해졌을 무렵에는 병사들에게 급료를 주는 것조차 여의치 않게 되었다. 시민병으로서 시민의 의무로 병역에 종사하는 로마군과는 달리, 한니발의 병사들은 용병이었다. 용병이라면 급료도 주지 못하는 사령관 따위는 버리는 것이 당연했다.

붙임성있고 개방적이어서 적까지도 그를 만나면 반해버렸다는 스키피오와는 반대로, 한니발한테서는 마음을 툭 터놓고 상대를 대하는 느낌은 조금도 엿보이지 않는다. 그가 병사들 틈에 들어가는 일은 전혀 없었다.

그런데도 병사들은 막다른 곳에 쫓겨들어간 뒤에도 고고한 태도를 고집하는 한니발을 계속 따랐다. 그것은 무엇 때문일까.

그 이유는 마키아벨리가 말했듯이 그의 엄격한 태도에 대한 경외심 때문이기도 하겠지만, 그와 동시에 천재적인 재능을 갖고 있으면서도 어려움을 극복하지 못하는 남자에 대한 호감 때문이기도 했을 것이다. 한니발에게 허락된 잠깐의 휴식을 방해하지 않으려고 발소리조차 내지 않도록 조심한 것도 그런 마음의 표현이 아니었을까.

뛰어난 지도자란 단지 뛰어난 재능만으로 사람들을 이끌어가는 인간이 아니다. 그의 지도를 받는 사람들로 하여금, 우리가 없으면 안된다고 생각하게 하는 데 성공한 사람이기도 하다. 지속적인 인간관계는 반드시 상호관계다. 일방적 관계에서는 지속적인 관계를 바랄 수 없다.

한니발이 귀환 명령을 받은 크로토네 항구에서 남쪽으로 뻗은 곳 위에 헤라 신전이 서 있다. 그 일대의 그리스계 주민들이 섬기는 헤라 여신에게 바쳐진 이 신전은 웅장하고 화려했다. 오늘날에는 원기둥이 하나 남아 있을 뿐이지만, 고대에는 그 아름다움으로 유명한 신전이었다. 바다로 불쑥 튀어나간 곳 끝에 푸른 하늘과 바다를 배경으로 서 있는 백악의 신전은 그것을 세운 그리스인의 미의식을 과시하는 예술품이기도 했다.

44세의 카르타고 장군은 귀국을 앞두고 이 신전의 제단 벽에 글씨를 새긴 동판을 박아넣으라고 명령했다.

동판에는 한니발이 에스파냐를 떠난 이후에 거둔 전과가 모두 기록되었다. 후세에 살고 있는 우리가 한니발이 에스파냐를 떠났을 때 거느린 병력에서부터 론 강을 건넜을 때의 병력, 알프스를 넘는 데 성공하여 이탈리아에 들어갔을 당시의 병력에 이르기까지 상당히 자세하게 알 수 있는 것은 그로부터 50년 뒤에 이 땅을 찾아와 동판에 새겨진 글을 읽은 역사가 폴리비오스의 기록 덕분이다. 로마인에게는 한니발에 대한 원한이 골수에 사무쳤을 게 분명하다. 그런데 그 한니발이 남긴 것을 50년 뒤까지 파괴하지 않은 로마인도 흥미롭지만, 나를 자극한 것은 동판에 새겨져 있었다는 글씨의 종류였다.

폴리비오스의 말에 따르면, 동판은 한가운데에서 둘로 나뉘어, 한쪽에는 카르타고 언어인 페니키아어, 다른 한쪽에는 그리스어로 같은 내용의 글이 나란히 새겨져 있었다고 한다. 그래서 그리스인인 폴리비오스는 쉽게 그 글을 읽을 수 있었다. 그런데 왜 페니키아어와 그리스어를 나란히 새겼을까. 그것도 라틴어가 아닌 그리스어를.

나폴레옹의 이집트 원정에 따라간 학자가 발견한 '로제타 돌'에는 같은 내용의 글이 고대 이집트의 상형문자와 민중문자 및 그리스어로 나란히 새겨져 있었기 때문에, 고대 이집트의 상형문자를 해독하는 데 열쇠가 된 것으로 유명하다. 이 '로제타 돌'은 기원전 196년에 제작된 것으로 알려져 있다. 한니발이 동판에 페니키아어와 그리스어를 나란히 새겨 자신의 업적을 세상에 남기려 한 것은 기원전 203년의 일이다. 둘 사이에는 7년의 간격밖에 없다.

'로제타 돌'에 글자를 새긴 사람은 후세의 상형문자 해독에 도움을 주려고 그리스어를 병기한 것은 아니다. 당시의 그리스어는 오늘날의 영어에 해당했던 게 아닌가 하는 생각이 든다.

로마인은 제2차 포에니 전쟁이 끝난 뒤에는 그리스인을 제패하게 되지만, 문화적으로는 오히려 그리스인에게 제패당했기 때문에 자제들에게 그리스어를 제1 외국어로 습득케 한 것은 아니었다. 기원전 1세기에 후세 유럽 언어의 모델이 된 완벽한 라틴어가 완성된 뒤에도 2개 언어를 사용하는 로마인의 경향은 조금도 수그러들지 않았다. 당시 그들은 세계의 지배자였다. 그런데도 그리스어권에 사는 피정복 민족에게 라틴어 습득을 강요하지 않았다. 오히려 그들이 패배자의 언어인 그리스어를 습득하는 데 열심이었다.

한니발 시대로 이야기를 되돌리면, 그 시대에 살았던 로마의 원로원 의원인 픽토르는 로마인들이 '한니발 전쟁'이라고 부른 제2차 포에니 전쟁사를 쓴 사람이다. 동시대인이니까 현장 증인이라 해도 좋다. 그의 저술은 로마인이 쓴 최초의 역사 서술이라지만, 그는 자신의 저술을 모국어인 라틴어로 쓰지 않고 그리스어로 썼다. 일본인 연구자가 영어로 논문을 발표하는 것과 마찬가지다.

한니발도 로마 타도의 꿈을 이루지 못한 채 이탈리아를 떠나지 않을 수 없게 되었을 때, 페니키아어와는 격이 다른 국제어인 그리스어를 병기하여, 29세부터 44세에 이를 때까지의 업적을 후세에 남기고 싶었던 게 아닐까. 그렇게 생각하면, 지금은 사라져버린 그 비문을 통해

44세의 한니발의 심중을 헤아릴 수도 있을 것 같은 기분이 든다.

카르타고로 귀환하면서 한니발은 1만 5천 명의 병력만 데려가기로 했다. 에스파냐를 떠났을 때부터 그와 행동을 함께한 2만 6천 명의 병사들도 16년 동안 이탈리아쪽에서 전투를 치르면서 차츰 줄어들어 8천 명만 남았을 뿐이라고 한다. 그 8천 명을 우선 데려간다. 나머지 7천 명은 한니발 밑에서 전투 경험을 쌓은 이탈리아 남부의 병사들이다. 모두 한니발의 신뢰를 받을 만한 정예뿐이었다.

다른 병사들도 로마군의 보복을 두려워하고 있었기 때문에 같이 데려가달라고 사정했지만, 한니발은 들어주지 않았다. 그런데도 배에 매달려 떨어지지 않는 병사들이 많아서, 그들에게는 한니발의 명령으로 배 위에서 화살을 쏘았다.

곶 끝에 우뚝 서 있는 백악의 헤라 신전은 크로토네 항구를 떠나 카르타고로 가는 배 위에서도 저 멀리 수평선으로 사라질 때까지 오랫동안 또렷이 알아볼 수 있었을 것이다. 45세를 앞둔 한니발이 그 신전을 어떤 심정으로 바라보았는지를 기록한 사료는 없다. 어쩌면 눈길을 돌려버렸는지도 모른다.

이탈리아 북부와 남부 양쪽에서 거의 동시에 한니발 형제가 이탈리아를 떠났다는 소식이 수도 로마에 전해졌다. 로마는 미칠 듯한 기쁨의 소용돌이에 휩싸였다. 모든 신전은 신들에게 감사 기도를 올리는 사람들로 넘쳐흐르고, 파비우스 막시무스의 집에는 축하인사를 하러 찾아오는 원로원 의원들의 발길이 끊이지 않았다.

로마가 맞이한 최악의 시기를 지구전법으로 이겨낸 이 노장은 그러나 한니발의 철수를 안 지 한 달 뒤에 생명의 불꽃이 다 타버린 것처럼 죽었다. 향년 72세였다.

자마 — 제8회전

스키피오가 제시한 조건에 따른 로마와 카르타고의 강화는 로마에
서는 원로원과 민회가 모두 승인하여, 카르타고 장로회의만 의결하면
성립될 단계에 이르러 있었다. 강화를 교섭하는 동안은 휴전하는 관례
에 따라, 그동안에는 스키피오도 군사행동을 자제했다.

그런데 이 휴전 기간에 사고가 일어났다. 사르데냐에서 스키피오에
게 보낸 보급선단이 태풍을 만나, 수도 카르타고에서 40킬로미터 떨
어진 해안으로 피난했다. 카르타고인은 이 선단을 나포하여 수도 항구
로 예인했다. 이것을 안 스키피오는 당장 반환을 요구했다. 이 요구를
들어줄 것인가 말 것인가를 둘러싸고 카르타고 장로회의의 의견이 갈
라져 있을 때, 한니발이 카르타고에 도착했다는 소식이 들어왔다.

한니발은 로마 해군의 방해를 피하기 위해 카르타고보다 훨씬 남쪽
에 있는 하드루메툼(오늘날 튀니지의 수사)에 상륙했다. 마고의 병력
도 같은 무렵에 수도 카르타고의 항구로 돌아왔다.

이것이 카르타고인들의 태도를 강경한 쪽으로 돌려놓았다. 장로회
의는 스키피오의 항의와 요구를 무시하기로 결정했다. 물론 강화 따위
는 아무도 입밖에 내지 않게 되었다. 이렇게 되면 스키피오도 전쟁 재
개를 각오할 수밖에 없었다.

하드루메툼에서 겨울을 나고 있는 한니발에게 수도 카르타고에 도
착한 1만 명의 마고 군대가 고스란히 보내져 왔다. 겨울이 끝나고 이
듬해인 기원전 202년 봄에는 보병 4만 6천 명에 기병 4천 명, 80마리

의 코끼리를 포함한 대군이 한니발 휘하에 결집했다. 파비우스가 걱정했듯이, 모국으로 귀환한 한니발은 충분한 지원을 받을 수 있었다.

한니발은 그러나 여기에 만족하지 않았다. 기병 전력이 부족했다. 수도 부족하지만, 그보다는 질이 더 부족했다. 전통적으로 카르타고의 기병 전력을 공급해준 누미디아는 이제 대부분 마시니사의 지배하에 들어가 있었다. 로마와 동맹을 맺은 마시니사에게 의지할 수는 없었다.

한니발은 마시니사에게 쫓겨 도망다니고 있는 시팍스의 아들에게 휘하 기병 전원을 데리고 참전해달라고 요청했다. 시팍스의 아들은 2천 명의 기병을 이끌고 참전하기로 약속했다. 그러나 그들은 아직 도착하지 않았다.

한니발이 귀환하고 강화 교섭이 결렬되자, 스키피오도 한니발과의 결전을 각오했다. 스키피오는 마시니사에게 참전을 요구하는 전령을 급파했다. 로마군의 도움으로 아버지의 것이었던 누미디아 왕국을 되찾고, 시팍스의 영토까지 침략하고 있던 마시니사는 물론 쾌히 승낙했다. 그는 보병 6천과 기병 4천을 거느리고 참전하겠다는 뜻을 전해왔다. 이 1만 명을 합해도 스키피오가 가진 전력은 4만에 불과했다. 하지만 시팍스의 아들처럼 마시니사도 아직 도착하지 않았다.

요컨대 기원전 202년으로 해가 바뀌고 전쟁철인 봄을 맞이했지만, 한니발도 스키피오도 지원군이 도착하기를 기다리고 있다는 점에서는 같은 처지에 있었다. 두 사람의 행군 경로가 불합리해진 원인은 바로 이것이었다.

스키피오의 본진인 '코르넬리우스 진지'와 한니발이 겨울을 보낸 하드루메툼은 대체로 삼각형의 두 꼭지점에 해당한다. 서로 적을 찾아 행군했다면, 이 두 꼭지점을 잇는 삼각형의 한 변에서 마주쳐도 좋았을 것이다. 그러나 스키피오와 한니발은 둘 다 삼각형의 남은 꼭지점

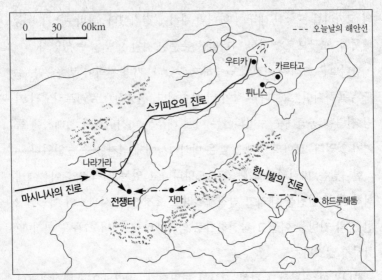

카르타고 주변도

을 향해 행군하는 길을 택했다. 양쪽 다 강을 따라 상류로 올라간다는 지형상의 이점은 있었지만, 이유는 그것만이 아니었다. 둘 다 누미디아 영토에 최대한 접근하고 싶었던 것이다. 지원군과의 합류를 좀더 용이하게 하기 위해서였다.

행군속도는 많은 병사에다 코끼리까지 거느린 한니발 쪽이 느렸다. 스키피오 쪽의 속도가 빨랐던 것은 그가 이끄는 병력이 한니발 군대의 절반밖에 안된 탓도 있지만, 스키피오 자신이 행군을 서둘렀기 때문이다. 스키피오는 한니발이 자기를 앞질러가서, 누미디아에서 오고 있는 마시니사를 차단하게 될까 우려했다.

그래도 양군 모두 목적지를 향해 곧장 나아가는 느낌을 주는 것은 아니었다. 스키피오도 한니발도 피차 싸울 기회를 엿보면서 행군했기 때문이다.

스키피오를 어서 빨리 격파해달라는 카르타고 정부의 거듭된 요청에 한니발은 이렇게 대답했다.

"다른 건 모두 정부에 맡기겠지만, 무기로 결정하는 일에 관해서는 나한테 맡겨주시오. 언제 어디서 어떻게 무기를 사용할 것인지는 내가 결정하겠소."

언제 어디서 어떻게 희대의 전술가와 대결할 것인지는 스키피오도 궁리하고 있었을 것이다. 두 사람은 궁리하면서 누미디아 국경으로 다가가고 있었다.

고대의 명장 다섯 명을 들라면 한니발과 스키피오 두 사람은 거기에 반드시 들어간다. 오늘날에 이르기까지 역사 전체에서 뛰어난 명장 열 명을 들라 해도 이 두 사람은 분명히 들어갈 것이다. 역사는 수많은 명장을 배출했지만, 비슷한 재능을 가진 사람끼리 정면 대결하는 일은 극히 드물다. 그 드문 예가 자마 전투에서 실현되려 하고 있었다.

자마에 도착한 한니발은 적이 서쪽으로 100킬로미터쯤 떨어진 나라가라에 있다는 것을 알았다. 한니발은 적정을 정찰하러 세 명의 척후병을 내보냈다. 그런데 이 세 사람이 로마군에게 잡히고 말았다. 로마 진영으로 끌려간 세 사람은 자기 앞에 기다리고 있는 것은 죽음이나 고문뿐이라고 각오했다.

한니발의 척후병을 잡았다는 보고를 받고, 스키피오는 그 세 사람을 데려오라고 명령했다. 끌려온 세 명에게 스키피오는 한니발이 부여한 임무가 뭐냐고 물었다. 죽음을 각오한 세 사람은 적정 시찰이라고 당당하게 대답했다. 스키피오는 장교 한 사람을 불러서 세 사람이 원하는 것을 모두 보여주라고 일렀다.

세 사람은 장교의 안내를 받아 로마군 진영을 둘러보았지만, 그들이 들어갈 수 없는 출입금지구역은 전혀 없었다. 이튿날, 그들은 로마군 진영의 환호를 받으며 도착한 마시니사의 누미디아군도 보았다. 보았을 뿐만 아니라 누미디아 병력의 수까지 알 수 있었다.

사흘째 되는 날, 스키피오는 다시 세 사람을 데려오게 한 다음, 시찰은 만족할 만한 것이었느냐고 물었다. 세 사람은 이제 죽는구나 생각했지만, 마음대로 충분히 보았다고 대답했다. 스키피오는 그러면 너희 진영으로 돌아가 한니발에게 모든 것을 보고하라면서, 기병대의 호위를 붙여 세 사람을 도중까지 바래다주었다.

자마로 돌아온 세 사람은 한니발에게 모든 것을 보고했다. 로마군에 관한 보고 외에 스키피오의 언행도 보고했다. 한니발은 그 보고를 말없이 듣고 있었지만, 보고가 끝나자 스키피오에게 회담을 제의하는 사절을 보내라고 명령했다.

회담을 수락하겠다고 스키피오는 대답했다. 하지만 언제 어디서 회담할 것인지는 이쪽에서 결정할 테니까, 결정된 뒤에 다시 알려주겠노라고 덧붙였다.

양군 모두 행군을 재개했다. 이번에는 서로 적을 향하여 진군하는 것이다. 양군 사이의 거리가 6킬로미터로 좁혀졌을 때, 스키피오가 한니발에게 사절을 보내 회담 일시와 장소를 지정했다. 양군은 그 자리에서 행군을 멈추었다. 그리고 피차 진영을 건설하기 시작했다. 스키피오의 진영이 물 보급에 편리한 곳이었던 반면, 한니발의 진영은 강과 멀리 떨어져 있어서 불리했다.

이튿날, 한니발과 스키피오는 한 무리의 기병만 거느리고 진영을 떠났다. 스키피오가 지정한 장소는 양군 진영의 중간에 있는 낮은 언덕이었다. 언덕 중턱까지 올라왔을 때, 기병들은 걸음을 멈추었다. 그 다음부터는 두 장군이 통역만 데리고 갔다.

스키피오

한니발

  비슷한 재능을 가진 장군끼리의 대결도 드문데, 하물며 그 두 사람이 대회전 전날 회담한 것은 역사상 유례를 찾아볼 수 없는 사건이다. 한니발과 동행한 두 명의 기록 담당자가 쓴 것과 그 당시 로마 원로원 의원이었던 픽토르의 『전쟁기』를 참고했다는 폴리비오스와 리비우스의 저술에 따르면, 이 역사상 보기 드문 회담은 다음과 같이 시작되어 끝났다.

  회담을 제의한 한니발이 먼저 입을 열었다.
  "아마 가장 행복한 선택은 로마인이 이탈리아 밖으로는 촉수를 뻗지 않고, 카르타고인이 아프리카 밖으로는 나가지 않는 것이었을 거요. 카르타고와 로마 사이의 다툼거리는 시칠리아이고 사르데냐이고 에스파냐였으니까.
  하지만 이것도 이젠 다 지난 일이고, 문제는 현재요. 현재, 우리는 둘 다 조국의 존망을 걸고 싸우게끔 되었소. 따라서 이 위험한 도박을 회피하고 싶으면 양국간의 다툼을 그만둘 수밖에 없소. 나는 기꺼이 그렇게 할 용의가 있소. 운이라는 것은 우리 인간을 마치 어린애 다루듯 농락할 수 있다는 것을 나는 경험을 통해 배웠기 때문이오.

스키피오 장군, 젊은 그대는 납득하기 어려울지도 모르오. 그대는 에스파냐에서도 아프리카에서도 오늘 이때까지 패배를 모르고 지냈기 때문에 더더욱 납득하기 어려울지도 모르겠소. 하지만 그건 굳이 과거 역사에서 선례를 찾을 필요도 없소. 오늘날에도 그 좋은 예를 찾을 수 있으니까.

칸나이 전투 이후 나는 이탈리아의 주인이었소. 수도 로마에 육박한 일까지 있소. 당시에는 이 한니발이 로마인의 생명과 로마 국가의 운명을 결정하는 심판자였소. 그런데 지금은 아프리카로 돌아와서, 로마인인 그대와 함께 카르타고의 운명에 관해 회담까지 해야 하는 처지가 되었소.

이런 나를 교만한 인간이라고는 생각지 말아주시오. 현재 상황에서는 예측할 수 없는 미래가 있고, 좋은 것은 더 큰 쪽을 선택하고 나쁜 것은 더 작은 쪽을 선택하는 것이 예측할 수 없는 미래에 대한 유일한 대책이라고 말하고 싶을 뿐이오.

신중한 사람이라면, 어느 누가 다가오는 위험에 굳이 맞서겠소. 그대가 나와 대결하여 승리자가 된다 해도, 그대의 명성이 높아지는 것도 아니고, 로마의 명예가 높아지는 것도 아니오. 반대로 그대가 패배하기라도 하면, 지금까지 그대가 거둔 눈부신 업적은 물거품이 될 뿐만 아니라, 그대 자신의 파멸도 면할 수 없게 될 것이오.

그래서 나는 제안하고 싶소. 로마인은 시칠리아와 사르데냐, 에스파냐 등 지금까지 로마와 카르타고 사이의 다툼거리가 된 모든 지방의 정식 소유자가 되는 거요. 카르타고인은 이런 지방을 탈환하기 위해서는 두 번 다시 전쟁에 호소하지 않겠다고 선언하겠소. 이런 조건이라면 카르타고는 장래까지 계속되는 안전을 보장받게 되고, 그대와 모든 로마인도 커다란 명예를 얻게 될 거라고 나는 확신하오."

한니발의 이야기가 끝났다. 이제는 그보다 12세나 연하인 스키피오가 입을 열 차례였다.

"이 전쟁을 먼저 시작한 것은 로마가 아니라 카르타고 쪽이라는 것은 누구보다도 장군께서 잘 알고 있는 사실이오. 신들이 로마인을 도와서 승리로 이끌었다면, 그것은 신들조차도 누가 잘못했는지를 알고 방어를 위해 일어선 자를 편들어주고 싶다고 생각했기 때문일 게 분명하오.

나도 운명이 변덕스럽다는 것쯤 잘 알고 있소. 그리고 인간의 힘으로 할 수 있는 일에는 한계가 있다는 것도 충분히 알고 있다고 생각하오.

만약 로마군이 아프리카를 침공하기 전에 장군께서 자발적으로 이탈리아에서 철수했다면, 그리고 내가 제안한 강화 교섭이 결렬되기 전이었다면, 장군의 제안은 장군께서 만족할 만한 결과로 이어졌을 거요.

그러나 장군께서 이탈리아에서 철수한 것은 장군의 뜻에 따른 행동이 아니었소. 아프리카를 침공한 우리 로마군의 전과에 영향을 받아 철수한 거요. 장군께서 제시한 강화 조건도 우리가 보기에는 오히려 당연한 거요. 게다가 로마에서는 민회까지 승인한 강화를 결렬시킨 것은 카르타고 쪽이라는 사실도 잊지 말아주시오.

그런데 나더러 도대체 뭘 어쩌라는 거요. 장군께서 내 처지라면 어떻게 하겠소. 장군과 카르타고 정부가 아무리 승복할 수 없다 해도, 내가 제시한 강화 조건을 바꿀 수는 없소.

한니발 장군, 장군께는 내일의 전투를 준비하라고 권할 수밖에 없소. 왜냐하면 카르타고인, 그 중에서도 특히 한니발 그대는 무엇보다도 평화롭게 사는 데 능숙하지 못한 모양이니까."

두 장군은 왼쪽과 오른쪽으로 헤어져 언덕을 내려왔다. 역사상 유명한 '자마 전투'는 이튿날 아침에 결행하게 되었다.

이것은 카르타고와 로마, 5만 명의 병력과 4만 명의 병력이 맞붙는 대회전인 동시에, 전략 전술의 스승과 그의 제자가 벌인 첫 대결이기도 했다.

전술의 최고 걸작이면서도 로마인의 집요함 때문에 결국 전쟁의 행방을 결정하지 못한 칸나이 전투와는 달리, 자마 전투는 전쟁의 행방을 결정하는 동시에 지중해 세계 전체의 장래를 결정하는 싸움이 되었다.

기원전 202년, 가을 햇살이 부드럽게 내리쬐는 자마와 나라가라의 중간에 펼쳐진 평원 전체에 양군의 포진이 끝났다.

한니발이 총지휘를 맡고 있는 카르타고군의 전력은 보병 4만 6천 명에 기병이 4천, 합해서 5만 명이다. 거기에 코끼리 80마리가 가세했다. 누미디아 기병 2천을 이끌고 참전하겠다고 약속한 시팍스의 아들은 결국 도착하지 않았다.

한편, 스키피오가 총지휘를 맡고, 라일리우스가 좌익, 마시니사가 우익을 맡고 있는 로마군의 전력은 마시니사 휘하의 누미디아 병사를 합하여 보병 3만 4천 명에 기병 6천 명, 합해서 4만 명이다.

총전력으로는 카르타고 쪽이 우세하지만, 기병 전력만 보면 4천 대 6천으로 로마 쪽이 우세하다. 보병과 기병의 비율은 카르타고군이 11 대 1인 반면, 로마군은 6 대 1이다. 로마군의 이런 구성은 로마군의 통례를 깬 것이었고, 따라서 로마적이라기보다는 오히려 한니발적이라고 할 수 있었다. 반대로 카르타고군은 이곳 자마에서는 오히려 로마군의 통상적인 구성에 따라 보병 비율이 압도적이었고, 따라서 비한니발적으로 구성되어 있었다.

45세의 위대한 전술가가 이 사실을 깨닫지 못했을 리는 없다. 전체 전력을 유기적으로 활용하려면 기동성이 풍부한 기병 전력이 필수적인데, 그 전력이 부족한 것이 자마에 포진한 카르타고군의 실정이었다. 요컨대 자마에서 한니발은 지금까지 그가 장기로 삼았던 전술을 구사하기 어려운 상태에 있었다는 얘기가 된다.

한니발은 평범한 장군이라면 생각지도 못할 진형을 펼치고, 그것으로 승리를 거두려고 생각했다. 현대 역사가들도 고대의 장군들 가운데 최고의 전술가라는 이름에 부끄럽지 않은 포진이라고 칭찬을 아끼지 않는다.

한니발은 선두에 80마리의 코끼리를 배치했다.

두번째 대열에는 보병 1만 2천으로 이루어진 용병 혼성군을 배치했다.

세번째 대열에는 소수의 카르타고 시민병과 아프리카와 마케도니아 용병인 1만 9천 명의 보병을 배치했다. 이 보병대 양쪽 옆에는 기병을 2천 명씩 배치했다.

후방으로 200미터나 떨어진 전선에는 한니발 자신이 이탈리아에서 데려온 1만 5천 명의 정예병력을 배치했다.

이렇게 포진한 한니발의 생각은 다음과 같은 것이었음이 분명하다.

우선 80마리의 코끼리를 돌격시켜 적진 중앙의 보병대를 혼란에 빠뜨린다. 그런 다음 코끼리떼의 공격을 받고 혼비백산한 적에 대해 재빨리 둘째와 셋째 대열의 용병대를 투입한다. 이 단계에서 양군의 투입 전력은 카르타고군이 3만 1천 명인 반면에 로마군은 3만 4천 명이다. 싸움은 비록 로마군 쪽이 우세하게 전개되더라도, 얼마 동안은 카르타고군이 견딜 수 있을 것이다. 로마의 주력인 중무장 보병대가 지치기를 기다린 다음, 후위에 대기하고 있던 원기왕성하고 전투 경험도 풍부한

1만 5천 명의 정예병력을 투입하여 '승리를 굳힌다'. 기병대가 열세라 해도, 보병대의 양옆에서 떠나지 않고 버텨주기만 하면 충분하다.

이렇게 생각지 않았다면, 아군의 주력을 200미터나 후방에 배치한 이유를 해명할 수 없다. 한니발은 지금까지 줄곧 '승리를 굳히는 수단'으로 사용한 기병 전력을 자마에서는 그 목적에 사용할 수 없었기 때문에, 오래 전부터 부하로 거느려 왔던 고참병들에게 그 임무를 맡겼던 것이다. 둘째 대열과 셋째 대열에 배치한 용병은 로마군을 지치게 하기 위한 미끼였고, 모두 죽어도 상관없다고 한니발은 생각했을 것이다.

지금까지 대결했던 로마 장군들이 상대였다면, 이 전술은 성공을 거두었을 것이다. 하지만 스키피오는 로마인이면서도 로마인이 아니었다. 한니발은 로마인의 허를 찔렀지만, 스키피오는 그 카르타고인의 허를 찌르는 전술을 전개했다. 진정으로 뛰어난 제자라면, 스승의 방식을 모방하는 것만으로 끝내지 않는다. 주어진 조건을 반드시 독창적으로 활용하는 것도 잊지 않는 법이다.

스키피오도 누미디아 병사를 포함한 3만 4천 명의 보병 군단을 중앙에 배치했다. 하지만 자마에서는 지금까지 시도해본 적이 없는 전술을 도입했다.

로마군의 중무장 보병은 전위에서 후위에 이르기까지 '하스탈리'와 '프린키페스'와 '트리알리'의 3열 종대로 포진하는 것이 정석이었다. 선두에는 중무장 보병으로 병역에 종사할 의무가 없는, 즉 자산이 적은 계층에 속한 시민이나 신병으로 이루어진 경무장 보병이 늘어서는 것도 정석이다. 그리고 3열 종대로 늘어선 중무장 보병은 60명 내지 120명으로 이루어진 소대별로 나뉘어 포진하는 것이 로마식이었다. 유격병이기도 한 경무장 보병에는 소대 체제가 없다. 그런데 자마에서 스키피오는 경무장 보병도 소대 단위로 편성했다. 이 경무장 보병소대를 중무장 보병소대 사이사이에 배치했다.

경무장 보병소대

중무장 보병소대

여느 때라면 로마군의 전열은 적 쪽에서 보아도 분명히 식별할 수 있는 간격을 두고 소대별로 나뉘어 있었지만, 이곳 자마에서는 소대별 간격이 없이 직선으로 길게 이어진 전열처럼 보였다. 경무장 보병소대가 사이에 끼어들었기 때문에 중무장 보병소대들 사이의 간격은 여느 때보다 넓어져 있었지만, 경무장 보병소대가 그 틈을 메우고 있기 때문에 멀리 떨어져 있는 적은 이런 사실을 알 수가 없다.

또한 6천 명의 기병은 이등분하여 우익과 좌익에 배치하고, 스키피오와 함께 이날의 전술을 계획한 라일리우스와 마시니사가 지휘했다. 보병대 지휘는 스키피오가 맡았다.

양군이 포진을 끝냈을 때, 사기를 높이기 위한 총사령관의 훈시가 시작되었다.

스키피오는 지금까지 에스파냐와 아프리카에서 거둔 전과를 병사들에게 상기시킨 다음, 우리한테는 운명의 여신이 미소를 보내고 있다고 말하고, 오늘의 전투는 강화를 요구해온 적과 싸우는 것이라고 설명했다. 스키피오는 특히 중무장 보병대의 주력을 맡은 칸나이 패잔병들에게는 그동안의 고생도 오늘로 끝나게 될 것이라고 말했다.

한니발은 용병에 대한 훈시는 부하 장군에게 맡기고, 그 자신은 이탈리아에서 데려온 오랜 부하들한테만 연설했다.

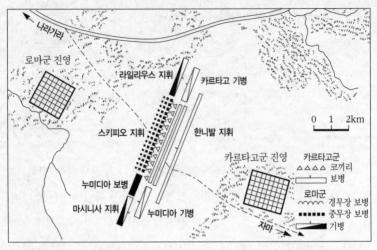

자마 회전(포진 직후)

　16년이라는 오랜 세월 동안 우리는 이탈리아 땅에서 어떤 로마군, 어떤 로마 장군과 싸움을 해도 진 적이 없었다. 오늘의 적군을 지휘하는 것은 티치노와 트레비아에서 우리한테 진 패장의 아들이고, 칸나이에서 전사한 집정관의 사위다. 오늘도 승리를 쟁취함으로써 한니발과 그의 전사들의 명성을 불후의 것으로 만들자. 한니발의 연설은 1만 5천 명의 정예 중에서도 16년 동안 그와 고락을 함께해온 고참병 8천 명의 가슴에 더욱 강하게 울려퍼졌을 것이다. 그들은 이번에도 한니발에게 목숨을 거는 마음으로 분발했다.

　싸움은 로마군의 좌익과 우익에 배치된 기병의 돌격으로 시작되었다. 한니발은 당장 코끼리 부대의 출격을 명령했다. 돌진하는 80마리의 코끼리떼가 일으키는 흙먼지가 전쟁터를 뒤덮어, 양군 모두 얼마동안은 적의 모습을 분간하지 못할 정도였다.

　로마군 경무장 보병은 스키피오가 세운 작전에 충실히 따랐다. 흙먼지를 일으키며 돌진해오는 코끼리가 가까이 다가오자, 스키피오의 명령대로 경무장 보병소대는 중무장 보병소대 사이로 파고들어갔다. 이리하여 가로로 길게 이어진 느낌이었던 로마군의 전열에 소대별 간격이 생겨났다.

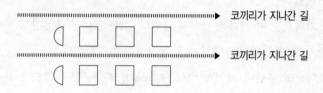

이 통로가 코끼리의 돌진력을 빗나가게 만들었다. 스키피오는 코끼리를 염두에 두고, 통상적인 소대별 간격도 자마에서는 더 넓게 잡아두었다. 그래서 대부분의 코끼리는 가볍게 몸을 피한 로마의 경무장 보병들 사이를 그대로 지나갔을 뿐이다. 코끼리의 돌격으로 적군 보병을 혼란에 빠뜨리려던 한니발의 작전은 여기서 우선 스키피오에게 허를 찔린 셈이다.

코끼리는 전차와는 달리, 일단 돌진하기 시작하면 도중에 멈추기가 어렵다. 통로 사이를 그냥 지나쳐버린 코끼리는 멈추지 않게 되고, 코끼리를 부리는 사람이 간신히 코끼리를 세우는 데 성공했을 때쯤에는 로마군 경무장 보병들이 나팔과 꽹과리로 소음을 내고 투창을 던지면서 공격해 오고 있었다. 그 결과, 카르타고군의 코끼리 부대는 미친 듯이 날뛰며 도망치거나 사로잡혀 전선에서 완전히 탈락해버렸다.

이와 때를 같이하여, 전쟁터 한복판에서는 양군의 보병 사이에 전투가 시작되고 있었다. 중무장 보병 2만 2천 명과 누미디아 병사 6천 명을 합하여 2만 8천 명에 이르는 로마군에 대해, 한니발은 첫째와 둘째 대열의 병사를 합친 3만 1천 명을 투입했다. 병력으로는 카르타고가 우세하지만, 전투력은 로마군이 우세하다.

뿐만 아니라 전투가 시작된 직후부터 과감한 공세로 나온 라일리우스와 마시니사의 로마군 기병이 그 무렵에는 이미 카르타고 기병을 일방적으로 압도하고 있었다. 이것은 카르타고군 중앙의 양옆이 완전히 비어버렸다는 뜻이다.

스키피오는 이 기회를 놓치지 않았다. 그는 로마군 중무장 보병에게 정면과 양옆의 세 방면에서 적을 공격하라고 명령했다.

로마군의 주력이 세 방면에서 공격하자, 혼성군인 카르타고 용병들은 완전히 당황해버렸다. 앞으로도 오른쪽으로도 왼쪽으로도 도망칠 수 없었다. 유일하게 남아 있는 후방으로 도망치려 해도, 거기에는 한니발의 고참병들이 칼을 빼들고 기다리고 있었다. 한니발이 아군이라 해도 도망치는 병사는 무조건 베어 죽이라고 명령했기 때문이다.

퇴로를 차단당한 그들은 필사적으로 싸웠다. 그래도 시체로 산을 만드는 것은 그들 쪽이었다. 스키피오가 도입한 '에스파냐 칼'이 좁은 장소에서 벌어진 혼전에서 위력을 발휘했던 것이다.

세 방향에서 공격해 오는 로마군의 포위망을 뚫고 간신히 도망치는 데 성공한 적병들을 스키피오는 굳이 추격하지 않았다. 대열을 흐트러뜨리고 패주하는 적은 더 이상 전력이 아니다. 그는 그런 적병한테는 눈길도 주지 않았다.

죽은 적병들이 흘리는 피로 풀밭이 미끄러워졌다. 적의 시체가 로마군의 전진을 방해할 정도였다.

한니발은 로마 병사들이 지친 지금이야말로 카르타고군의 주력을 투입할 기회라고 생각했다. 그는 지금까지 싸움에 투입하지 않고 대기시켜둔 정예병력 1만 5천에게 대형을 짜서 전진하라고 명령했다.

그런데 200미터의 거리를 착착 좁혀오는 카르타고군의 싱싱한 전력

앞에서, 33세의 로마 장군은 다른 장군이라면 생각지도 않았을 일을 감행했다. 다가오는 적을 앞에 두고, 군대 전체에 진형을 다시 짜라고 명령한 것이다.

로마의 중무장 보병들은 총사령관의 명령에 따라, 우선 부상자를 후방으로 운반하여 경무장 보병이나 누미디아 보병에게 맡기고, 적병의 시체를 옆으로 치웠다. 그런 다음, 지금까지 종대로 싸우고 있던 '하스탈리'와 '프린키페스'와 '트리알리'가 다음의 그림에서처럼 활 모양의 횡대로 진형을 바꾸었다. 이것은 처음으로 전투에 투입된 적의 고참병 부대에 대해, 그동안의 싸움으로 지치긴 했지만 수적으로 우세한 아군의 이점을 활용하기 위한 전술이었다. 그와 동시에, 적군 기병을 추격하고 있는 아군 기병이 싸움터로 돌아올 때까지 시간을 벌기 위한 수단도 겸하고 있었다.

경무장 보병과 누미디아 보병이 전선에 복귀하여, 이들을 포함한 스키피오의 모든 보병이 다시 세 방향에서의 포위망을 완성했을 때, 적군 기병을 격파한 라일리우스와 마시니사의 기병대가 싸움터로 돌아왔다.

14년 전에 칸나이 평원에서 일어난 것과 똑같은 상태가 자마 평원에서 재현되었다. 다만 상대가 바뀌었을 뿐이다.

45세의 고대 최고의 명장은 오랫동안 고락을 함께한 부하 병사들이 죽어가는 것을 지켜볼 수밖에 없었다. 1만 5천 명의 한니발 전사들은 이 자마에서 전멸했다.

카르타고 쪽 전사자는 이 1만 5천 명을 합하여 2만 명이 훨씬 넘었다. 게다가 2만 명이 포로로 잡혔다. 나머지는 열흘 거리에 있는 수도 카르타고를 향해 달아났다. 한니발 자신은 기병 몇 기만 거느린 채 하드루메툼으로 도망쳤다. 로마 쪽 전사자는 1천 500명. 스키피오의 완

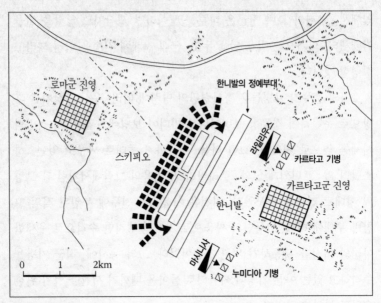

로마군 진영

한니발의 정예부대

스키피오

라일리우스

카르타고 기병

카르타고군 진영

한니발

마시니사

누미디아 기병

0 1 2km

자마 회전(제2단계)

벽한 승리였다.

　제1권에서 소개한 에피소드지만, 여기서 다시 다루고 싶다. 이 전투가 있고 몇 년 뒤에 한니발과 스키피오가 우연히 로도스 섬에서 만나 나누었다는 대화다. 12세 연상인 한니발에게 스키피오가 정중하게 물었다.

　"우리 시대에 가장 뛰어난 장수는 누구라고 생각하십니까?"

　한니발은 즉석에서 대답했다.

　"마케도니아의 왕 알렉산드로스요. 페르시아의 대군을 소규모 군대로 무찔렀을 뿐만 아니라, 인간이 생각할 수 있는 경계를 훨씬 넘어선 지방까지 정복한 업적은 실로 위대하다고밖에는 말할 수 없소."

　스키피오가 다시 물었다.

　"그럼 두번째로 뛰어난 장수는 누굽니까?"

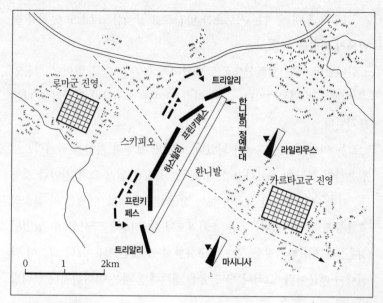

자마 회전(제3단계)

한니발은 이번에도 망설이지 않고 대답했다.

"에페이로스의 왕 피로스요. 그는 우선 병법의 대가요. 그리고 숙영지 건설의 중요성을 처음으로 인식한 사람이기도 하오."

스키피오는 다시 질문을 계속했다.

"그렇다면 세번째로 뛰어난 장수는 누구라고 생각하십니까?"

카르타고의 명장은 이 질문에도 주저없이 대답했다.

"그건 물론 나 자신이오."

자마 전투를 승리로 이끈 업적으로 '아프리카누스'라는 존칭까지 받은 스키피오 아프리카누스는 이 말에 저도 모르게 미소를 지으며 말했다.

"만약 장군께서 자마에서 나한테 이겼다면?"

한니발은 당연하다는 듯이 대답했다.

"그렇다면 내 순위는 피로스를 앞지르고 알렉산드로스도 앞질러 첫 번째가 되었을 거요."

한니발이 과연 알렉산드로스 대왕까지 능가할 만큼 뛰어난 장군인지 어떤지는 별문제지만, 그의 자기 평가는 잘못되지 않았다고 나는 생각한다.

그는 자마에서는 패장이 되었다. 하지만 보병과 기병을 유기적으로 활용하여 적진을 포위하고 섬멸시키는 전술은 원래 그가 창안한 것이고, 이 전술을 구사한 사람이 로마 장군이었다 해도, 어쨌든 이 전술의 효율성은 입증되었다. 물론 스키피오가 이 전술을 구사할 수 있었던 것은, 게다가 한니발을 상대로 구사할 수 있었던 것은 그의 재능이 탁월했기 때문이다. 그러나 그 전술을 생각해낸 것은 어디까지나 한니발이었다.

고대 로마에서도, 루키아노스 단 한 사람을 제외하고는 모든 로마인이 구국의 영웅인 스키피오보다 적인 한니발이 더 뛰어난 장군이라는데 의견이 일치해 있었다. 한니발의 불행은 우수한 제자가 적군 쪽에서 나와버렸다는 점이다.

그리고 한니발은 전략가로서는 큰 잘못을 저질렀다. '로마 연합'을 쉽게 해체할 수 있으리라고 생각한 점이다. 사회 계급이 고정되어 있는 카르타고 출신의 한니발은 이기면 아량을 베풀어 패자까지도 협력자로 만들어버리는 로마인의 방식을 이해하기 어려웠을 것이다.

그러나 자마에서 패배한 직후에 한니발 자신이 그것을 체험하게 된다. 로마와 카르타고의 강화를 교섭하는 수석대표가 스키피오와 한니발이었기 때문이다.

수중에 남아 있는 최고의 카드인 한니발을 자마 전투에 보내어 패배한 카르타고는 패전 소식을 듣고 완전히 당황해버렸다. 로마군이 금방이라도 카르타고 성벽을 향해 다가올 것만 같았다.

하드루메툼으로 도망쳤던 한니발이 도착했다. 당황해서 어쩔 줄 모르는 장로회의 구성원들 앞에서, 패장은 이제 선택의 여지가 없으니 로마와 강화를 맺을 수밖에 없다고 말했다.

자마에서 승리하고 '코르넬리우스 진지'로 돌아가고 있는 스키피오에게 강화 제의가 전해졌다. 스키피오는 그 제의를 받아들였다. 공화정 로마에서는 강화 승인권은 민회가 가지고 있지만, 강화 교섭권은 지휘권을 부여받은 사령관한테 있다. 그래서 카르타고와 강화를 교섭하는 로마 쪽 수석대표는 스키피오가 맡았다. 카르타고 쪽 수석대표는 한니발이었다. 전쟁터에서 맞섰던 두 사람이 이제 평화로 가는 길을 까는 자리에서도 맞서게 된 것이다.

두 사람이 논의한 로마와 카르타고의 강화조약은 다음과 같은 내용으로 이루어져 있었다.

1. 로마는 앞으로 카르타고를 독립된 동맹국으로 간주하고, 카르타고 국내의 자치권을 존중한다. 카르타고 영토 안에 로마 기지도 두지 않으며, 군대도 주둔시키지 않는다. 또한 제2차 포에니 전쟁이 발발하기 전에 카르타고의 영토였던 아프리카 일대에 대한 영유권을 완전히 인정한다.

2. 카르타고는 시칠리아, 사르데냐, 에스파냐에 있는 카르타고 해외 영토의 영유권을 완전히 포기한다.

3. 카르타고는 마시니사가 왕위에 앉아 있는 누미디아 왕국을 공식 승인한다.

4. 카르타고는 앞으로 로마와 동맹관계에 있는 나라나 도시에 대해

싸움을 걸지 않는다.

5. 로마군 병사로 카르타고에 포로가 된 자는 전원 석방한다. 카르타고군 병사로 로마에 포로가 된 자는 강화가 체결된 뒤에 석방한다.

6. 3단층 갤리선 10척을 제외한 모든 군선 및 군용으로 쓰이고 있는 모든 코끼리를 로마 쪽에 양도한다.

7. 앞으로 카르타고는 아프리카 안팎을 불문하고 어디서든 로마의 승인 없이는 전쟁을 하지 않는다.

8. 강화조약이 발효할 때까지 아프리카에 머무는 로마군의 경비는 카르타고가 부담한다.

9. 배상금으로 1만 탈렌트를 50년 분할로 로마에 지불한다.

10. 카르타고가 강화조약을 지킨다는 확증을 잡을 수 있을 때까지, 스키피오가 지명하는 카르타고인의 자제로서 14세부터 30세까지의 젊은이 100명을 로마에 인질로 보낸다.

자마 전투 이전에 스키피오가 제시한 강화 조건과 전투 이후의 조건을 비교해보면, 둘 사이에 별차이가 없는 것에 우선 놀라게 된다.

제1항과 제2항 및 제3항은 전투 이전에 제시한 제1항과 제3항 및 제4항과 똑같다. 제4항도 카르타고에 대해서만 요구한 것이 아니고, 지금까지 로마가 모든 패전국에 요구한 것이었다.

제5항 역시 어느 나라와 강화조약을 맺을 때에도 반드시 들어가는 조항이다.

제6항이 사실상 카르타고 해군의 해체를 의미하는 것은 분명하지만, 전투 이전에는 20척의 군선 보유를 허용해준 반면, 전투 이후에는 10척을 제외한 모든 군선을 로마에 인도하라고 요구했다.

문제는 제7항일 것이다. 이것이야말로 자마 패전의 진정한 결과였다. 로마는 카르타고에 대해, 설령 자위를 위해서일지라도 로마의 허락 없이는 전쟁을 할 수 없다고 못박았기 때문이다. 이것은 자주적인 교전권을 인정하지 않는다는 뜻이다. 이래서는 카르타고가 완전한 독립국이라고 할 수 없다.

제8항 역시 전투 이전에 제시된 제6항과 동일하다. 또한 강화조약에는 반드시 들어가는 조항이기도 하다.

제9항의 배상금 항목은 전투 이전에는 5천 탈렌트였지만, 전투 이후에는 1만 탈렌트로 두 배가 늘어났다. 그렇긴 하지만 50년 분할 지불이다. 1년에 지불해야 할 액수는 200탈렌트, 대충 환산하면 1년에 20억 원 정도다.

100명의 인질을 로마에 보내라고 요구한 제10항은 앞으로도 로마인이 자주 사용하는 수법인데, 따지고 보면 자기가 원할 때 귀국할 수 없다는 제약은 있어도 오늘날의 풀브라이트 장학생과 마찬가지다. 인질의 나이를 30세 이하로 제한한 것도 그 때문이다. 로마는 옛 적국의 지도층 자제, 즉 옛 적국의 지도층 예비군을 선발하여 로마에서 가르치고 로마의 동조자로 키우는 방식을 좋아했다. 인질이라 해도, 감옥에 가두어놓는 것은 아니다. 적당한 가정에 맡겨져 가족처럼 대우받고, 그 집 아이들과 함께 그 집의 가정교사한테 배우는 것이 로마인이 생각하는 인질이었다.

특히 나의 흥미를 끄는 것은 여기에는 승자와 패자의 구분밖에 없다는 사실이다. 정의와 비정의의 구분은 존재하지 않는다. 따라서 전쟁이 범죄라고는 말하지 않는다. 만약 전쟁 범죄자에 대한 재판이라도 열렸다면, 한니발이 전범 제1호가 되었을 것이다.

강화 내용은 분명히 엄격한 것이었다. 하지만 카르타고는 '로마 연합'에 가맹하여 영토 일부를 로마의 국유지로 몰수당하고, 그 땅을 경작하려면 토지 임차료를 로마에 내야 하고, '로마 연합군'에 병력을 제공할 의무를 지는 로마의 동맹국은 되지 않았다. 시칠리아처럼 속주가 된 것도 아니었다. 교전권이 제한되고 해군도 사실상 해체되었지만, 다른 점에서는 완전한 자치국으로 남았다. 로마는 카르타고의 내정에 전혀 간섭하지 않는다. 그리고 그후에 로마가 마케도니아나 시리아와 맺은 강화조약을 보아도, 카르타고에 대한 요구만이 유독 가혹했다고는 말할 수 없다.

게다가 로마인들이 '한니발 전쟁'이라고 불렀듯이, 제2차 포에니 전쟁을 카르타고 쪽이 일으킨 것은 분명하다. 한니발이 교묘하게 로마의 선전포고를 유도했다 해도 전쟁을 시작한 것은 카르타고다. 로마가 치른 16년 동안의 노고, 10만 명이 넘는 전사자, 10명이 넘는 집정관급 사령관의 죽음을 생각하면, 패전국이 되긴 했지만 카르타고가 치른 희생은 놀랄 만큼 약소하다. 이것을 보아도, 로마인은 패자와 강화를 맺을 때 증오에 눈이 멀지는 않았다. 아무래도 강화 교섭에 직접 관여한 스키피오의 인품이 영향을 미친 게 아닌가 싶다. 하지만 이런 내용의 강화를 민회에서 군말없이 승인한 로마인의 성향도 무시할 수는 없을 것이다.

로마가 카르타고와 맺은 강화는 엄격했을지도 모른다. 하지만 그것은 보복이 아니었고, 하물며 정의가 비정의에 대해 내리는 징벌은 전혀 아니었다. 인류가 결코 초탈하지 못하는 전쟁이라는 악업을 승자와 패자가 아니라 정의와 비정의로 구분하기 시작한 것은 언제부터일까. 그렇게 구분했다고 해서 전쟁이 소멸한 것도 아닌데.

카르타고의 유력자들 중에는 이런 내용의 강화에도 승복하지 않는 자가 적지 않았다. 불만파의 선봉은 스키피오와 두 번 싸워서 두 번 다 지고, 게다가 자마 전투에는 참전하지도 않은 시스코네였다.

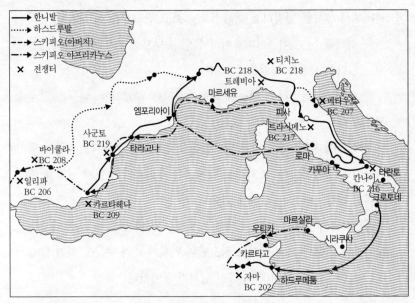

제2차 포에니 전쟁 때의 유명한 전쟁터와 네 장군의 진로

시스코네가 반대연설을 시작했을 때였다. 의석에서 벌떡 일어난 한니발이 시스코네에게 다가가 그의 멱살을 잡고 연단에서 끌어내렸다. 회의장에 있던 사람들은 모두 이 야만적인 행동에 아연실색하여 아무 말도 못했다. 한니발도 자기 행동이 지나친 것을 깨달았는지, 시스코네를 놓아준 다음 이렇게 말했다.

"나는 아홉 살 때 모국을 떠난 뒤 오늘날까지 36년 동안 전쟁터에서 인생을 보냈습니다. 전쟁터에서 어떻게 행동하는지는 알고 있습니다. 하지만 도시 생활은 모르고 살았습니다."

한니발이 아무 말도 남기지 않았기 때문에, 왜 그가 이토록 로마와의 강화를 원했는지는 상상할 수밖에 없다.

나는 오랫동안 고락을 함께한 부하 병사들을 잃어버린 절망 때문이 아니었을까 생각한다. 그는 병사가 없는 장군이 되어버렸다. 또한 전쟁터에서 매사를 냉정하게 객관적으로 보고 판단하는 데 익숙한 한니발은 정예를 잃고 어중이떠중이가 모인 용병으로 스키피오와 대결할 수는 없다는 사실도 알았을 것이다.

한니발은 야만스러운 행동을 되풀이하지는 않았지만, 설득은 멈추지 않았다.

"당신들이 할 수 있는 일은 탁상공론을 농하는 게 아니라, 강화를 받아들이는 것뿐입니다. 스키피오의 제안은 우리나라의 현재 실정을 생각하면 타당하다고 할 수밖에 없습니다."

카르타고의 유력자들도 고개를 끄덕일 수밖에 없었다. 카르타고는 강화를 승인했다. 로마에서도 원로원과 민회가 추가 주문도 하지 않고 단번에 승인했다. 16년 만에 다시 평화가 찾아왔다.

강화 성립을 지켜본 뒤, 스키피오는 휘하의 로마군을 모두 이끌고 카르타고를 떠났다. 우선 해로를 통해 시칠리아로 가서, 메시나 해협을 건너 이탈리아 본토로 들어간 뒤에는 로마까지 육로를 따라 행군했다.

연도에 사는 주민들은 모두 몰려나와 꽃을 던지고 환성을 지르며, 백마를 타고 지나가는 젊은 개선장군을 환영했다. 이 환영은 수도에 도착할 때까지 끊이지 않았다. 로마인도 이탈리아인도 승리보다는 평화가 돌아온 것을 축하했다.

푸블리우스 코르넬리우스 스키피오는 그후 아프리카를 제압한 자라는 의미에서 '아프리카누스'라는 존칭으로 불리게 된다. 33세의 스키피오 아프리카누스에게는 한니발을 이긴 기원전 202년부터 로마에 개선한 기원전 201년까지의 1년이 생애 최고의 해가 아니었을까 싶다. 이리하여 제2차 포에니 전쟁은 마침내 끝났다.

제7장

제2차 포에니 전쟁 이후

기원전 200년~기원전 183년

현대의 연구자들 가운데 고대는 노예제 사회이고, 노예제도는 착취 체제이며, 따라서 악(惡)이라고 믿어 의심치 않는 사람을 빼고는, 기원전 200년까지의 로마인을 나쁘게 평가하는 사람은 거의 없다.

내가 제1권에서 다룬 500년은 로마인이 테베레 강변의 일곱 언덕에서 출발하여 루비콘 강 이남의 이탈리아 반도를 평정할 때까지인데, 그동안 로마는 현대 이탈리아의 절반밖에 안되는 영토를 통일했을 뿐이고, 이 정도로는 침략이라고 말할 수 없다. 또한 그 당시 로마의 대외 관계인 '로마 연합'도 마찬가지다. 토인비의 찬사를 기다릴 것도 없이, 로마와 식민도시들 사이의 관계는 지배와 피지배의 관계라기보다는 공존공영의 관계였고, 그렇기 때문에 제1차 및 제2차 포에니 전쟁을 승리로 이끌 수 있었던 것이다. 영국인 학자들 중에는 제2차 세계대전 이후 영국과 옛 식민지들 사이에 생긴 영연방과 '로마 연합'을 동일시하는 사람도 있을 정도다.

제1차 포에니 전쟁도 침략전쟁이라고 단정하기는 어렵다. 이것은 이탈리아 반도와 시칠리아 섬의 지세만 보아도 알 수 있다. 한편 제2차 포에니 전쟁은 완전한 방위전쟁이다. 자국을 침략한 자에 대해 방어에 나서는 것은 어느 민족한테나 인정되는 자위권이다.

그런데 앞으로 다루게 될 기원전 200년 이후의 로마인에 대해서는 비난이 고개를 쳐든다. 비난의 이유는 기원전 200년 이후 로마는 제국주의적 노선을 채택했다는 것이다. 제국주의는 귀에 익은 말이지만, 사전에는 정치적, 경제적, 군사적 목적에서 세력 팽창을 꾀하는 침략주의라고 정의되어 있다.

그러나 제국주의로 번역되는 '임페리얼리즘'이라는 낱말이 사용되기 시작한 것은 19세기부터다. 다시 말해서 이것은 산업혁명 이후에 생겨난 표현이고, 고대에는 아무도 그런 말을 쓰지 않았다. 로마인에게

'침략' 당한 민족 가운데 하나인 그리스인조차도 쓰지 않은 낱말이다.

그렇기는 하지만, 임페리얼리즘이 절대주권을 의미하는 라틴어 낱말 임페리움을 염두에 두고 만들어진 낱말인 것도 확실하다. 그러면 로마인의 '제국주의'는 무엇이었을까. 또한 그것은 어떻게 시작되었을까. 당시 로마인의 임페리얼리즘은 악(惡)이라고 단정해도 되는 것이었는가.

자마 전투의 영웅 스키피오의 개선식이 남긴 여운도 사라지지 않은 로마에 아테네를 선두로 한 그리스 도시국가들의 대표가 찾아왔다. 제2차 포에니 전쟁의 승리를 축하한다는 것이 방문의 공식 목적이었지만, 원로원에서 그들이 밝힌 것은 축하인사만이 아니었다. 그들은 마케도니아 왕국의 행동을 침략이라고 비난하고, 로마의 힘으로 그것을 막아달라고 호소했다.

로마 원로원에는 '제1인자'(프린키페스)라고 불리는 지위가 있다. 의장은 아니지만, 원로원 의원 300명 가운데 제1위에 있는 자로 간주되어, 맨 처음이나 맨 나중에 발언할 권리를 갖는다. 따라서 로마 국정을 사실상 움직이는 원로원 안에서도 가장 큰 영향력을 행사하는 사람이 '제1인자'였다. 파비우스는 기원전 203년에 죽을 때까지 이 지위에 있었다. 한니발에 대해 지구전법을 주창했고 나이도 70세 안팎인 파비우스라면 '제1인자' 자리에 앉는 것도 자연스럽게 보였겠지만, 제2차 포에니 전쟁이 끝난 뒤 '제1인자'로 추대된 인물은 34세밖에 안된 스키피오였다. 원로원은 이 구국의 영웅에게 아프리카누스라는 존칭을 바치는 동시에 원로원의 '제1인자'로 삼는 것으로 보답했지만, 이렇게 젊은 '제1인자'는 역시 이례적이었다. 게다가 앞으로 거의 15년 동안, 로마 원로원의 대외정책은 이 스키피오 아프리카누스의 주도로 추진되었다.

전쟁터에서 가장 뛰어난 장군의 영향을 받게 되었다고 해서 로마의 대외정책이 패권주의로 일변한 것은 아니다. 스키피오는 그가 로마로 오는 길에 사람들이 기다리고 있다가 꽃다발을 던져준 것은 승리를 축하하는 동시에 평화의 회복을 축하하는 마음의 표현임을 잘 알고 있었다. 그리스 도시국가의 대표들이 군사 개입을 요청했을 때, 처음엔 원로원조차도 곤혹스러운 태도를 보였다.

스키피오가 이끌게 된 원로원은 이 문제를 우선 대화로 해결하려고 했다.

제2차 포에니 전쟁이 계속된 16년 동안 호의적인 중립을 지켜준 이집트에 감사하기 위해, 집정관급 원로원 의원 4명으로 구성된 사절단이 프톨레마이오스 왕조에 파견되어 있었는데, 원로원은 그 가운데 한 사람을 마케도니아 왕국의 수도 펠라에 급파했다. 필리포스 왕과 직접 담판하여 마케도니아의 군사행동을 중지시키려 한 것이다. 하지만 이 노력은 실패로 끝났다. 남하를 개시한 마케도니아군은 벌써 아테네에 육박해 있었다. 사태가 이에 이르자, 로마는 태도를 결정하지 않으면 안될 처지가 되었다.

마케도니아 이외의 그리스 도시들은 로마가 한니발 전쟁에서 고전하고 있던 시기의 동맹국들이다. 기원전 216년의 칸나이 전투에서 로마가 패하자 마케도니아의 왕 필리포스가 이 기회를 이용하여 로마와 싸우기로 마음먹고 한니발과 동맹을 맺었을 때, 로마의 호소를 받아들여 마케도니아군 봉쇄작전을 제일선에서 맡아준 나라들인 것이다. 동맹국이 공격을 받을 때는 지원하러 달려가는 것이 로마의 철칙이었다. 더구나 지금 마케도니아의 공격으로 곤경에 처한 그리스 국가들은 로마가 어려운 시기에 도와준 나라들이다. 로마는 이중의 책무를 수행해야만 했다.

원로원은 마케도니아에 대해 '따끔한 맛을 보여줄' 필요성도 느끼고 있었다. 결과적으로는 실현되지 않았지만, 마케도니아와 한니발의 공동 전선이 실현되었다면 로마는 과연 어떻게 되었을까. 또한 필리포스는 그후 로마와 단독 강화를 맺고도, 자마 전투 때는 카르타고의 요청을 받아들여 용병대를 보내주었다. 주적(主敵)인 카르타고조차 독립국으로 존속을 허용했을 정도니까, 로마 원로원은 마케도니아 왕국을 멸망시킬 생각은 전혀 하지 않았지만, '따끔한 맛을 보여줄' 필요가 있다는 데에는 의견이 일치했다.

원로원의 이같은 결정에 민회가 반대하고 나섰다. 로마의 안전이 위협받고 있는 것도 아니므로, 동맹국을 지원하기 위해서라 해도 군대를 파견하는 데에는 반대한다는 것이었다. 찬성표를 던진 백인대가 하나도 없었다니까, 제2차 포에니 전쟁 직후의 로마인이 얼마나 진심으로 평화를 갈망하고 있었는지를 알 수 있다.

국정을 결정하는 원로원은 그대로 물러설 수가 없었다. 기원전 200년의 집정관으로 선출된 갈바가 연단에 올라가 시민들에게 호소했다. 그 요지만 소개하면 다음과 같다.

한니발이 사군토를 공격했을 때 당장 지원하러 달려갔다면, 제2차 포에니 전쟁의 싸움터는 이탈리아가 아니라 에스파냐가 되었을게 분명하다. 메시나의 지원 요청을 받고 당장 달려간 덕분에, 제1차 포에니 전쟁의 전쟁터가 시칠리아 섬이 된 것과 마찬가지다. 로마는 동맹도시 사군토의 지원 요청을 한니발과의 대화로 해결하려 했기 때문에 때를 놓쳐 이탈리아를 전쟁터로 만들어버렸다. 그 결과 우리가 맛본 길고도 괴로운 16년은 죽을 때까지 아무도 잊지 못할 것이다.

마케도니아의 왕 필리포스가 지금 아테네에 대해 하고 있는 짓은 19년 전에 한니발이 사군토에 대해 한 짓과 똑같지 않은가. 사군토 공략에 성공한 한니발이 이탈리아에 쳐들어올 때까지는 다섯 달이 걸렸지만, 마케도니아의 왕에게 아테네 공략을 허락한다면, 그가 코린트에서 바다를 건너 이탈리아에 들어올 때까지는 고작 닷새밖에 걸리지 않는다. 문제 해결은 신속하게 이루어져야 한다. 적이 안마당에 들어온 뒤에는 이미 늦다.

집정관 갈바의 연설이 끝난 뒤에 실시된 재투표에서, 민회는 마케도니아에 대한 선전포고를 다수의 찬성으로 가결했다. 단 그리스에 파견할 병력은 모두 지원병으로 해야 한다는 조건을 붙였다. 결국 군사 개입에 쌍수를 들어 찬성한 것은 아니었다.

로마의 개입을 알게 된 마케도니아의 왕은 아테네에 바싹 다가가 있던 군대를 철수시켰지만, 군사행동을 중지한 것은 아니었다. 침략 목표를 남쪽의 아테네에서 동쪽의 페르가몬 왕국과 로도스 섬으로 바꾸었을 뿐이다.

로마가 직면한 사태는 조금도 달라지지 않았다. 아테네는 마케도니아 봉쇄작전 당시 로마의 동맹국이었지만, 페르가몬 왕국과 로도스도 마케도니아 봉쇄작전에 참가한 동맹국이었기 때문이다.

결국 개입을 그만둘 이유를 찾지 못한 로마는 조금씩 그리스 사태에 관여하게 되었다. 어떤 의미에서는 이런 면에 순진한 로마인이 닳고 닳은 그리스인에게 이용당했다고 말할 수도 있다. 물론 이 경우에도 책략에 빠진 것은 책략을 쓴 책사 자신이었지만.

헬레니즘 세계의 왕국들

기원전 323년은 10년이라는 단기간에 유럽과 아시아에 걸친 넓은 지역을 제패한 알렉산드로스 대왕이 33세의 젊은 나이로 세상을 떠난 해다. 그의 대제국은 그후 휘하 장군들에게 분할되었다.

그리하여 마케도니아의 안티고노스 왕조, 시리아의 셀레우코스 왕조, 이집트의 프톨레마이오스 왕조가 탄생했다. 그밖에 중간 규모의 왕조로는 페르가몬이 있고, 그리스에는 언제나 그렇듯이 많은 도시국가들이 할거해 있었다.

후세의 우리가 헬레니즘 시대라고 부르는 이 시기에, 문화적으로는 이집트의 알렉산드리아를 중심으로 훌륭한 문화가 꽃을 피웠다. 하지만 이들 헬레니즘 국가들은 정치적으로는 동맹과 투쟁을 되풀이하면서, 기원전 323년부터 로마가 진출한 기원전 200년까지 100년 남짓한 기간을 보냈다. 기념 화폐에 새겨진 왕들의 옆얼굴을 보면, 그들의 모습이 서로 너무나 닮은 것에 놀라게 된다. 클레오파트라라는 여자 이름도 이집트만이 아니라 시리아와 페르가몬에도 흔하다. 여러 왕조 사이에 결혼이 되풀이된 결과다.

헬레니즘 국가들의 지배자는 어디까지나 그리스인이고, 그들 사이에는 국경을 넘는 교류가 왕성했지만, 국경 안쪽에서는 지극히 오리엔트적이어서 국민들 사이의 계급차는 경직된 채 변하지 않았다. 알렉산드로스 대왕의 동족인 그리스인이 헬레니즘 세계의 주역을 맡고 있는 동안에, 여러 민족간의 교류라는 알렉산드로스 대왕의 웅대한 의도가 실현되지 않은 것은 얄궂은 일이다.

그리스인이 오리엔트인을 지배한 이집트와 시리아에서는 백성들이 지배받는 데에 워낙 익숙해서 문제가 적었지만, 지배받는 데 익숙지

않은 그리스인을 지배하게 된 마케도니아 왕국에서는 지배자와 피지배자 사이에 늘 긴장관계가 존재했다. 그리스인이야말로 100명이 모이면 100가지 의견이 나온다는 민족이 아니던가.

아테네가 쇠퇴하고 스파르타의 패권도 지속되지 않아서, 알렉산드로스 대왕의 아버지 시대에 마케도니아의 군사력에 굴복한 그리스인이지만, 기원전 3세기부터 기원전 2세기에 걸친 이 시대에는 그리스 남부의 도시들끼리 결성한 아카이아 동맹과 그리스 중부의 도시들로 결성된 아이톨리아 동맹이 지배자인 마케도니아 왕국에 대항하는 상태에 있었다. 하지만 스파르타와 아테네도 여기에 참가했다 말았다 했기 때문에, 그리스 전체가 하나로 뭉쳐서 마케도니아를 상대로 봉기한 적은 없다. 설령 하나로 뭉쳤다 해도, 그들의 힘만으로는 역시 역부족이었을 것이다. 그렇다고 마케도니아 왕국의 지배하에 안주하기에는 그리스인의 자주독립 정신이 승복하지 않았다.

이런 그리스인들이 신흥세력인 로마에 주목했다. 그들은 로마가 마케도니아를 쫓아내주면, 자기들은 자유와 독립을 회복할 수 있다고 생각했다. 그러나 로마인에게는 마케도니아에 뜨거운 맛을 보여줄 의도는 있었지만, 마케도니아를 멸망시킬 의도는 없었다. 이 차이가 기원전 200년부터 시작된 그리스 전쟁을 복잡하게 만들었다.

당시 로마인이 그리스 문화에 열중해 있었던 것도 그리스에 대한 군사 개입을 복잡하게 만든 원인이었다. 원로원에 세력을 갖게 된 스키피오와 제1차 그리스 전쟁을 직접 담당하게 된 플라미니누스는 로마인들 사이에서도 이름난 그리스 애호가였다. 그들은 마케도니아의 공세에 노출되어 있는 것이 아테네라는 이유만으로, 하다못해 의용군으로라도 참전하고 싶은 심정이었다. 마케도니아의 압제에서 그리스 도시들을 해방시켜야 한다. 30세가 갓 넘은 최고사령관 플라미니누스는 진심으로 그렇게 믿고 있었던 것 같다.

마케도니아와 로마의 첫번째 군사적 충돌은 기원전 197년에 테살리아 지방의 티노체팔레에서 벌어졌다. 이때 로마 쪽 병력은 2만 명에 불과했고, 그나마도 그 절반은 그리스 도시들 출신의 병사들로 구성되어 있었다. 이와 맞서는 마케도니아군은 2만 6천 명. 군사 개입을 결정한 뒤 3년이나 지나서 결전을 벌인 것도 그렇고, 참전한 로마군 병사의 수가 적은 것을 보아도, 로마가 그리스에 대한 군사 개입을 망설이고 있었던 것을 알 수 있다.

하지만 혼성군이라 해도, 로마군은 총사령관 플라미니누스를 비롯하여 이제 스키피오식 전술을 완전히 터득한 장군들의 지휘를 받고 있었다. 병력의 각 부문을 유기적으로 활용하여 적의 주력을 무력화시키는 전법은 이때도 성공을 거두었다. 마케도니아군 중무장 보병은 헬레니즘 세계에서는 무적이라는 명성을 자랑하고 있었지만, 로마군의 전술 앞에서는 패퇴할 수밖에 없었다. 지중해 서부에서 로마인들이 피를 흘리며 한니발에게 배우고 있는 동안, 지중해 동부에서는 정면 충돌의 유효성을 의심조차 하고 있지 않았다.

회전 결과는 지중해 동부 지역 사람들을 깜짝 놀라게 했다. 마케도니아군의 전사자는 8천 명. 포로는 5천 명. 반면에 로마 쪽 전사자는 700명에 불과했다.

마케도니아 영토 안으로 달아난 필리포스 5세는 전사자 매장과 강화 교섭을 위한 휴전을 제의했다. 총사령관 플라미니누스는 이 제의를 받아들였다. 하지만 로마군에 참가하고 있던 아이톨리아 동맹도시들이 여기에 불만을 품었다. 이대로 여세를 몰아 마케도니아 영토로 쳐들어가면 마케도니아 왕국을 궤멸시킬 수 있다고 그들은 주장했다. 그리고 로마인은 전쟁이 시작되기 전에는 그리스인의 의견을 들었지만, 전투가 끝난 뒤에는 독단으로 일을 결정한다고 항의했다. 그러자 플라미니누스는 이렇게 대답했다.

"로마인의 전통은 패자까지도 관용하는 데 있소. 자마에서 패배한 한니발을 다룬 방식이 그것을 여실히 보여주고 있소.

패자를 절멸시키는 것은 로마인의 방식이 아니오. 무장한 적에 대해서는 무장한 마음으로 대할 수밖에 없지만, 무장을 푼 자에게는 이쪽도 무장을 푼 마음으로 대하는 것이 지금까지 우리 로마인의 방식이었소. 따라서 이번에도 그 방식을 따르는 것이 로마인한테서 병권을 위임받은 나의 임무요.

만약에 마케도니아 왕국이 소멸한다면, 지금까지 그리스 북쪽 경계를 위협해온 켈트족이나 트라키아인에 대해서는 누가 그리스를 방어하겠소. 그리스인은 시야를 넓혀야 할 것 같소. 마케도니아 왕국과 공존하는 길을 찾고, 그럼으로써 마케도니아가 앞으로도 침략해 오지 않도록 해야 하지 않겠소?"

그해 겨울, 마케도니아와의 강화가 성립되었다. 내용은 다음과 같다.

1. 그리스인의 도시들은 완전한 자치를 회복한다. 마케도니아의 왕은 앞으로 이 자치권을 존중한다.

2. 마케도니아 왕국의 영토가 아닌데 마케도니아가 지배하고 있던 지방은 모두 로마군에 인도한다. 이들 지방에 주둔해 있던 마케도니아군은 내년 봄까지 완전히 철수한다.

3. 마케도니아는 5척을 제외한 군선 전부를 로마에 인도한다.

4. 마케도니아군 병력은 앞으로 5천 명으로 제한한다.

5. 로마의 허락 없이는 마케도니아 영토 밖에서 전쟁을 할 수 없다.

6. 마케도니아는 배상금으로 1천 탈렌트를 지불한다. 500탈렌트는 당장, 나머지는 10년 분할로 지불한다.

7. 로마의 동맹국인 페르가몬과 로도스에 싸움을 걸어서는 안된다.

8. 왕의 둘째아들 디미트리오스를 로마에 인질로 보낸다.

9. 아테네에 대해서는 렘노스 섬과 기타 섬들의 영유를 인정한다.

평화는 회복되었다. 대부분의 그리스인이 원했듯이, 마케도니아 왕국의 침략행위를 저지하는 형태로 회복되었다. 하지만 그리스인들은 반신반의했다. 로마는 알렉산드로스 대왕의 영광에 빛나는 마케도니아를 패배시켰다. 승리자다. 그런 로마가 그리스를 어떻게 할 작정일까. 자치를 인정한다지만, 그게 정말일까. 지중해 동부에서는 승자가 곧 법이었다.

이듬해인 기원전 196년, 코린트에서 열리는 정기 체육제에 로마의 승장 플라미니누스가 참석한다는 소식이 그리스 전역에 퍼졌다.

코린트 체육제는 단순히 신체적 기량을 겨루는 제전은 아니다. 일종의 정상회담으로, 그리스 도시들의 유력자가 한 자리에 모여 여러 문제를 논의하는 자리이기도 했다. 거기에 플라미니누스가 참석한다는 것이다. 그리스를 담당하는 로마군 최고사령관이 단지 운동경기만 구경하기 위해 코린트를 찾아올 리가 없었다.

여기서부터는 기원전 196년에 7세였던 폴리비오스가 나중에 쓴 『역사』를 추적하는 형태로 나아가고 싶다. 폴리비오스의 생가는 아카이아 동맹도시인 아르카디아의 유력 가문이었기 때문에, 그 자신은 그해의 코린트 체육제에 나가지 않았어도 참석한 사람들한테서 이야기를 들을 수 있는 위치에 있었다.

코린트 경기장은 그날 수많은 관중으로 넘쳐흐를 것 같았다. 그리스 전역에서 유력자들이 모두 모여 있었다. 그들은 예년과 달리 눈앞에서 벌어지는 경기에는 조금도 관심을 보이지 않고, 관중석 여기저기에 모여 이야기에 열중해 있었다.

로마인은 그리스인에게 자치를 인정한다고 말했지만, 군대는 주둔시킬 것이다. 유명 도시에는 주둔시키지 않더라도, 전략 요충지는 내놓지 않을 것이다. 연공(年貢)은 어떻게 될까. 그리스의 독립은? 그리스인의 자유는?

그들의 토론은 그러나 쳇바퀴 돌듯 공전되기만 할 뿐 결말이 나지 않았다.

이윽고 경기가 다 끝났을 때, 플라미니누스가 앉아 있는 정면 관중석에서 나팔수를 거느린 전령이 앞으로 나섰다. 나팔소리가 경기장 구석구석까지 울려퍼진 뒤, 전령은 관중들에게 정숙할 것을 요구했다. 쥐죽은 듯 조용해진 경기장에 전령의 목소리가 침투해 들어갔다.

"로마 원로원 및 총사령관 티투스 퀸크티우스 플라미니누스는 다음과 같이 선고한다. 오늘부터 그리스인은 완벽한 자유를 회복한다. 그리스 도시들은 로마에 대해 연공이나 조세를 지불할 의무가 없고, 각자의 법에 따른 완전한 자치를 누리며, 그리스 전역에서 군대를 철수시키는 로마에 기지를 제공할 의무도 지지 않는다."

전령의 목소리는 당장 일어난 환호의 소용돌이 속에 묻혀버렸다. 경기장 구석에 있어서 전령의 목소리를 알아듣지 못한 사람, 알아듣긴 했어도 귀를 의심한 사람들이 선고를 다시 한 번 되풀이해달라고 소리쳤다. 전령은 이번에는 경기장 한가운데까지 나가서 플라미니누스의 선고를 되풀이했다.

그리스인에게는 거의 믿을 수 없는 일이었다. 타민족인 로마인이 위기에 처해 있는 그리스의 독립과 자유를 구하기 위해 자신의 비용으로 자신의 피까지 흘려가며 싸우고, 게다가 이긴 뒤에 군대를 철수시킨다는 사실을 도무지 믿을 수가 없었던 것이다.

여느 때라면 경기가 끝난 뒤에는 사람들이 경기의 승자에게 달려가 축하인사를 하는 것이 익숙한 광경이었지만, 그날은 승자 곁으로 달려가는 사람이 하나도 없었다. 예상치도 않았던 내용의 선고는 평소에는 근엄한 노인들을 소년으로 만들어버렸다. 모두 너무나 기뻐서 정신이 나가버린 것 같았다.

사람들이 플라미니누스에게 몰려드는 바람에, 로마군 병사들이 사령관 주위를 지키지 않았다면 압사했을지도 모를 정도였다. 모두 그리스어를 유창하게 구사하는 34세의 로마 장군을 가까이에서 보고 싶어했고, 몸을 만져보고 싶어했기 때문이다. 북새통에 혼이 난 플라미니누스는 겨우 경기장을 벗어났다.

로마인은 약속을 지켰다. 그로부터 2년 뒤, 마지막 로마 병사가 그리스를 떠났다. 그때 플라미니누스가 그리스에 부탁한 유일한 일도 실현되었다.

20년 전의 칸나이 전투 때 8천 명의 로마 병사가 한니발의 포로가 되었는데, 로마가 몸값 지불을 거부했기 때문에 그리스에 노예로 팔려갔다. 플라미니누스의 부탁은 바로 이 병사들을 찾아달라는 것이었다. 그리스 전역을 뒤져 찾아낸 것은 모두 1천 200명이었다. 20년 전에 8천 명이었던 숫자가 노예생활을 거치는 동안 1천 200명으로 줄어 있었던 것이다. 노예이기 때문에 로마로 데려가려면 주인한테 몸값을 지불해야 한다. 그 비용은 그리스 도시들이 부담했다. 로마와 플라미니누스에 대한 그리스인의 감사 표시였다. 플라미니누스는 20년 만에 조국 땅을 밟는 칸나이 노병들과 함께 개선했다.

로마는 이것으로 그리스 문제도 해결되었다고 생각했다. 마케도니아한테 따끔한 맛도 충분히 보여주었다. 그리스 도시들도 더 이상 마케도니아의 위협에 떨지 않게 되었다.

하지만 개입은 정치적이든 경제적이든 군사적이든, 상대와 관계를 갖는다는 뜻이다. 그리고 그 관계는 지속을 불가피하게 만드는 성질을 가지고 있다.

현대의 연구자들에 따르면, 로마 원로원이 스키피오 아프리카누스의 영향하에 있던 시기의 대외정책은 카르타고나 마케도니아와 체결한 강화 내용이 보여주듯이 온건한 제국주의라고 불러도 좋은 것이었다고 한다. 그 이유를 분석하면 다음과 같다.

1. 패권은 로마가 갖는다.

2. 따라서 다른 강대국의 군사력은 자위력 수준으로 떨어뜨린다.

3. 하지만 로마에 의한 군사적 점령은 아니고, 따라서 군사기지도 주둔군도 두지 않는다.

4. 각국의 국내 자치는 완전히 인정한다.

5. 인정할 뿐만 아니라, 각국의 경제적 번영이 평화롭게 지속되기를 희망한다.

이 무렵 지중해 세계의 강대국은 패권국이 된 로마를 제외하면 카르타고와 마케도니아, 그리고 시리아와 이집트였다. 스키피오가 생각한 '온건한 제국주의'는 로마의 패권하에 독립국인 이들 나라의 공존공영이었다. 여기에서 처음으로 '팍스 로마나'(로마의 지배에 의한 평화) 사상이 얼굴을 드러낸다. 하지만 그것은 어디까지나 온건한 형태의 '팍스 로마나'였다.

그런데 어떤 일에서나 온건한 방식은 상대도 거기에 동의하지 않으면 성립할 수 없다는 결점을 갖는다. 로마의 패권을 인정하고 거기에 따르도록 요구받은 강대국들은 그것을 어떻게 받아들였을까? 카르타고는? 마케도니아는? 그리고 아직 로마와 대결하지 않은 시리아와 이집트는?

제2차 포에니 전쟁의 패배자인 카르타고에서는, 전쟁이 끝난 뒤 한니발이 국내경제 회복의 선두에 서 있었다.

재원이 부족하면 세금을 늘려 구멍을 메우는 것이 카르타고의 관례였지만, 한니발은 경비 절약과 사용법 재검토를 통한 경제 재건책을 실시했다. 이것은 상당한 효과를 거두었지만, 한니발에게 반감을 품는 정적도 생겨났다. 한니발은 최고사령관밖에는 지내본 경험이 없고, 강한 자신감을 갖고 있었다. 그런 사람이 으레 그렇듯이, 한니발의 방식은 옳았지만 독단적이기도 했다. 원래 국론 통일에 능숙하지 못한 카르타고인인 만큼, 한니발의 엄격한 방식에는 6년도 채 견디지 못했다.

반대파는 그를 로마에 고소한다. 고소 이유는 한니발이 시리아와 내통하고 있다는 것이었다.

로마는 아프리카 현황 조사단이라는 이름의 시찰단을 카르타고에 파견하기로 결정했다. 한니발은 시찰단의 목적이란 것을 믿지 않았다. 51세가 된 한니발은 저 혼자 빈 손으로 조국을 탈출한다. 한밤중에 말을 달려 해안까지 간 그는 미리 준비해둔 배에 올라탔다. 그가 찾아간 사람은 시리아의 왕 안티오코스였다. 소문은 어쩌면 사실이었는지도 모른다. 어쨌든 한니발이 떠난 뒤의 카르타고에는 로마의 패권을 인정하는 데 불만을 품는 사람은 없었다.

로마의 군사력에 굴복한 또 다른 강대국 마케도니아는 어떠했을까? 마케도니아의 왕 필리포스 5세라는 인물은 참으로 흥미로운 성격의 소유자다.

기원전 237년에 태어났으니까, 스키피오보다는 두 살 위이고, 로마의 장군 플라미니누스에게 패배를 맛보고 로마의 패권을 인정하는 강화를 맺은 기원전 197년에는 40세였다. 게다가 이 나이에 벌써 20년 이상이나 왕위에 앉아 있었다. 헬레니즘 국가들과의 복잡한 관계에서는 노련한 베테랑이라 해도 좋았다. 또한 날카로운 통찰력의 소유자이기도 하다. 하지만 그의 날카로운 통찰력과 풍부한 경험이 겉이라고 한다면, 그 내면에는 알렉산드로스 대왕의 후계자라는 긍지가 어둡게 타오르는 불꽃처럼 숨어 있었다.

플라미니누스의 로마군에게 완패당하고, 승자가 제시한 조건대로 강화를 맺을 수밖에 없었을 때, 필리포스는 다음과 같이 말하고 있었다.

"자립한 시민의 수가 많을수록 그 나라는 강하고, 농경지 손질도 구석구석까지 잘되어 있어서 풍요로워진다. 그리스의 현재 상황은 이것과는 동떨어져 있다.

반대로 자유로운 사회 방식을 추진하고 있는 로마를 보라. 그 나라에서는 노예조차도 사회의 구성원이다. 기회만 있으면 노예한테도 시민권을 준다. 시민으로 인정할 뿐만 아니라 공직에 앉히기까지 한다. 훌륭한 로마 시민이라고 생각하여 대하다 보면, 선대에는 노예였다는 사실이 밝혀지는 경우도 허다하다.

그 결과, 우리는 땅에서 솟아나는가 하고 여겨질 만큼 언제나 새로운 로마인을 상대하지 않으면 안된다. 이런 방식으로 그렇게 강대해진 로마인에게 과연 누가 이길 수 있단 말인가?"

기원전 216년의 칸나이 전투 직후, 한니발에게 함께 손잡고 로마와 싸우자고 제안한 것은 필리포스에게는 불행한 실수였다고 말할 수 있다. 하지만 그후 20년이 지나 헬레니즘 군주들의 우두머리가 된 필리포스는 로마와 대결하자마자 패배하여, 로마의 패권하에 들어가는 치욕을 감수할 수밖에 없었다. 영명한 그는 그 이유를 충분히 알고 있었을 것이다. 강화를 교섭하는 자리에서도 로마측 수석대표로 앞자리에 앉아 있는 플라미니누스의 말에 일리가 있다는 것, 그리고 그것을 받아들일 수밖에 없다는 것도 충분히 알고 있었을 것이다. 하지만 그는 통역도 없이 그리스어를 구사하는 로마 장군에게 호감을 품으면서도, 마케도니아에 비하면 신흥국가에 불과한 로마에 굴복할 수밖에 없는 자신의 처지도 잊지 못했고, 그래서 마음속 깊은 곳에서 치미는 분노를 떨쳐버릴 수가 없었다.

필리포스의 굴절된 기분은 로마에 볼모로 잡혀가 있던 왕자 디미트리오스가 귀국했을 때 불타올랐다. 이 둘째아들은 완전히 로마 동조자가 되어 돌아온 것이다. 반대로 마케도니아에 남아 있던 맏아들 페르세오스는 마치 아버지의 흉중을 꿰뚫어보기라도 한 것처럼 로마에 대한 반감을 감추지 않았다. 그래도 현실에 대한 통찰력을 갖고 있던 필리포스가 생존해 있는 동안은 평온하게 지나갔다.

로마의 패권하에서 지속된 이 평온을 깨뜨린 것은 로마에 굴복한 카르타고나 마케도니아가 아니라, 얄궂게도 로마의 개입으로 독립과 자유를 회복한 그리스인이었다.

그리스 중부에 살면서 마케도니아 왕국과 북쪽 국경을 접하고 있는 아이톨리아인은 기원전 197년에 마케도니아와 강화를 맺을 당시부터 불만이 높았다. 그들은 로마가 마케도니아를 고스란히 놓아둔 것을 참을 수가 없었다. 그것은 로마군에 참가하여 함께 싸운 자기들에 대한 로마의 배신이라고 생각하기까지 했다. 하지만 그들의 힘만으로는 마케도니아를 당해낼 수 없다. 이런 경우에 외국의 개입을 요청하는 것이 그리스인의 나쁜 버릇이었다.

아이톨리아인은 시리아의 왕 안티오코스에게 개입을 요청했다. 안티오코스도 마케도니아 세력이 쇠퇴한 지금이야말로 오랜 경쟁자인 마케도니아를 공격하고, 그리스에 자국의 세력을 진출시키는 데 절호의 기회라고 생각했다. 동료의 힘이 약해지자마자 당장 그 기회를 이용하는 것은 헬레니즘 국가들이 늘 써먹는 방식이다. 게다가 이 무렵 시리아에는 한니발이 있었다.

한니발이 안티오코스에게 진언한 전략은 다음과 같은 것이었다.

우선 주요 전쟁터는 어디까지나 이탈리아여야 한다.

그러기 위해 안티오코스 왕은 100척의 군선과 1만 명의 보병과 1천명의 기병을 한니발에게 제공하고, 한니발은 이들을 이끌고 카르타고로 돌아가 카르타고 정부를 설득하여 이탈리아로 쳐들어간다.

한편, 안티오코스는 나머지 군대를 이끌고 그리스에 쳐들어가 그리스를 제압한 다음, 그 여세를 몰아 이탈리아에 상륙한다. 그리고 한니발은 남쪽에서, 안티오코스는 동쪽에서 로마로 쳐들어간다.

웅장한 전략이지만, 듣기만 해도 실현성이 희박하다. 정말로 한니발이 이렇게 진언했는지는 확실치 않다. 어쨌든 안티오코스의 그리스 침공 준비는 착착 추진되고 있었다.

당초에 로마는 이것을 외교전으로 해결하려고 했다. 기원전 193년, 스키피오 아프리카누스를 단장으로 하는 원로원 의원 3명이 시리아에 사절단으로 파견되었다. 그들은 소아시아 서해안에 있는 에페소스에서 안티오코스 왕과 만났다.

회담은 구체적인 성과도 없이 끝났다. 하지만 일촉즉발의 분위기도 아니었다. 로마는 다시 그리스에 군사적으로 개입할 마음이 내키지 않았고, 50세가 된 안티오코스 왕은 얼마 전에 젊은 아가씨를 왕비로 맞아들였기 때문에 전쟁터에 서둘러 나갈 마음이 없었던 탓이다.

이 기회에 한니발과 스키피오의 대면이 이루어졌다고 한다. 이 대면에서 스키피오가 한니발에게 누구를 최고의 장수로 생각하느냐고 물었다고 한다. 이 에피소드가 사실이라면, 한니발은 그해에 54세, 스키피오는 42세였을 것이다. 자마 전투가 끝난 지 9년이 지났다.

54세의 한니발은 난생 처음인 벼슬살이와 혼자만의 뜻으로는 아무 일도 할 수 없는 부자유스러움에 절망해 있었다. 스키피오는 그보다 12세나 젊었지만, 병의 무게를 한니발보다 더욱 절실히 느끼는 상태에 있었다. 젊은 시절부터 이따금 큰병을 앓은 스키피오는 한니발처럼 강철 같은 건강의 소유자는 아니었다. 두 영웅이 주인공이었던 시대는 조금씩이나마 그 막을 내리고 있었다.

그로부터 2년 뒤인 기원전 191년, 시리아의 왕 안티오코스가 드디어 움직이기 시작했다. 시리아의 셀레우코스 왕조는 헬레니즘 국가들 중에서도 최대의 영토를 가진 군주다. 그런 왕이 이끄는 6만 대군이 헬레스폰토스 해협을 아시아 쪽에서 유럽 쪽으로 건너기 시작한 것이다.

한편 로마도 이제 시리아와의 전쟁은 불가피하다고 보고, 불가피한 경우 군단 파견을 승인해달라고 민회에 요구했다. 군사 개입의 명분은 두 가지였다. 하나는 아이톨리아인의 동맹 협약 위반이었고, 또 하나는 그리스에 있는 로마의 동맹도시들에 대한 시리아의 침략행위를 저지한다는 것이었다. 또한 원로원에서는 각국에 사절을 보내 로마에 군량을 팔아줄 것을 요청했다. 해외에서 싸우는 이상, 군량 확보는 가장 중요한 과제였기 때문이다.

이집트는 이 요청을 받아들여 전쟁터가 될 그리스로 직접 밀을 수송하겠다고 약속했다. 카르타고도 많은 밀과 보리를 로마에 수출하겠다고 약속했다. 게다가 6천 400톤이나 되는 밀과 보리를 수출이 아니라 선물로 보내왔다. 하지만 로마 원로원은 '대가를 지불할 수 있는 만큼만 사용하는 것이 로마인의 습관'이라면서 이 선물을 사양했다. 그리고 카르타고가 선물로 보낸 밀과 보리도 돈을 주고 사들였다.

누미디아의 왕 마시니사도 군량을 무상으로 제공하겠다고 제의했지만, 원로원은 여기에 대해서도 카르타고의 경우와 똑같은 방식을 택했다. 하지만 누미디아의 왕이 보내온 500명의 기병과 20마리의 코끼리는 동맹국 참전자로 로마군에 편입시켰다.

사람들은 마케도니아의 왕 필리포스가 로마의 요청에 어떤 반응을 보이는가에 주목했다. 하지만 많은 그리스인의 예상과는 반대로, 필리포스는 군량 수출을 약속했을 뿐만 아니라 경제 원조와 병력 제공까지 제의했다.

원로원은 필리포스의 제의에 대해, 경제 원조는 카르타고나 누미디아의 경우와 똑같은 대답으로 사양했지만, 병력과 군량은 그리스 전선에 나가는 집정관에게 보내준다면 고맙게 받겠다고 말했다.

흥미로운 것은 카르타고가 50년 분할로 되어 있는 제2차 포에니 전쟁 배상금 가운데 아직 남아 있는 40년치를 이번 기회에 전액 지불할 용의가 있다고 제의했는데도 원로원이 사절한 것이다. 배상금 분할 지불이 경제적인 이유보다는 정치적인 이유로 이루어졌다는 것을 실증하는 에피소드다. 배상금 분할 지불이 계속되는 동안은 강화조약의 지속도 기대할 수 있기 때문일 것이다.

로마는 이렇게 주도면밀한 준비를 하고 있었다. 그런데 이런 노력을 헛수고로 만들기라도 하려는 듯, 그리스로 건너가 아이톨리아인과 합류한 시리아군은 병력에서 훨씬 열세인 로마군한테 어이없이 패퇴하고 말았다. 테르모필라이에서 충돌한 양군은 맞부딪쳤을 때 이미 로마군이 이긴 거나 마찬가지였다. 스키피오에 뒤이은 젊은 로마 장군들의 기동력있는 전술 앞에서, 수만 많으면 이길 수 있다고 믿는 헬레니즘 국가들의 군대는 궤멸할 수밖에 없었다. 로마인이 한니발 때문에 고전하고 있는 동안 이들은 편안하게 잠만 자고 있었던 것이다. 안티오코스는 기병 500명의 호위를 받으며 배를 타고 소아시아까지 도망쳤다.

그러나 전쟁이 이대로 끝날 거라고 생각한 사람은 아무도 없었다. 안티오코스는 영토 밖에서 졌을 뿐이다. 아시아에서, 즉 시리아 영토 안에서 전투를 벌여 결말을 낼 필요가 있었다.

로마군은 처음으로 아시아에 건너가게 되었다. 상대는 비록 한 번 패하긴 했지만 헬레니즘 국가들 가운데 가장 땅이 넓고 가장 강력한 시리아다. 로마는 수중에 있는 최고의 카드를 사용하기로 했다. 이듬해인 기원전 190년의 시리아 전선에는 스키피오 아프리카누스를 투입하기로 결정되었다.

아시아 땅에서 설욕을 벼르고 있는 안티오코스는 최대의 영토를 가진 셀레우코스 왕조의 군주답게 8만 대군을 집결시키고 있다는 소식도 들어와 있었다. 만약 이 군대를 한니발이 직접 지휘한다면, 아무리 발버둥쳐도 3만 명의 병력을 보내는 게 고작인 로마에는 낙관할 수 없는 사태가 된다. 이럴 때는 최고의 카드를 내놓을 수밖에 없다.

스키피오 아프리카누스는 4년 전인 기원전 194년에 두번째로 집정관을 지냈다. 제2차 포에니 전쟁이 끝난 뒤, 로마는 이제 긴급사태는 끝났다고 판단하고, 한 번 집정관을 지낸 사람은 10년이 지나지 않으면 집정관에 재선될 수 없다는 과거의 체제로 돌아가 있었다. 로마는 과두정이라고 불리는 소수 지도 체제를 채택한 국가다. 이런 제도는 한 개인에게 권력이 집중되는 것을 막고, 지도층을 형성하는 '소수'를 충분히 활용해야만 충분히 기능을 발휘할 수 있는 특징을 갖는다. 한니발에게 고전하던 시절에는 많은 것에 눈을 감을 수밖에 없었지만, 그것도 이제는 다행히 과거의 일이 되었다.

4년 전에 집정관을 지낸 스키피오를 다시 집정관에 앉힐 수는 없었다. 그래서 로마 원로원은 제2차 포에니 전쟁 때 파비우스에게 적용한 방식을 부활시켰다. 그때 원로원은 파비우스를 매년 연속해서 집정관에 앉힐 수 없었기 때문에, 그 대신 파비우스의 아들을 집정관으로 선출하고, 참모로 동행한 파비우스에게 실질적인 병권을 맡기는 방식을 채택했었다.

스키피오의 경우에는 형 루키우스가 집정관이 되고, 스키피오 자신은 참모로 따라간다. 다만 재능이 없는 루키우스가 집정관에 당선되기는 어려웠기 때문에, 위대한 동생 스키피오가 동행한다는 사실을 공표하고 집정관에 출마했다. 민회는 루키우스를 집정관으로 선출했다. 그해의 또 다른 집정관으로는 스키피오의 오른팔로 에스파냐에서부터 자마에 이르기까지 줄곧 스키피오와 함께 싸운 라일리우스가 선출되었다. 이 시기까지는 원로원뿐 아니라 민회도 확실히 스키피오의 완전한 영향권 안에 있었다는 것을 엿볼 수 있다.

45세가 된 스키피오 아프리카누스는 공식적으로는 집정관을 보좌하는 참모로서 로마를 출발했다. 아피아 가도를 남하하여 출항지인 브린디시로 향했다. 병력은 보병 1만 3천 명에 기병 500명뿐이지만, 그리스로 건너가면 지난해에 테르모필라이에서 안티오코스를 격파한 로마군과 합류하기로 되어 있었다. 여기에 스키피오가 출전하는 것을 안옛 부하들이 길가에서 기다렸다가 지원했기 때문에, 그 2천 명도 함께데려가게 되었다. 50척의 군선도 따라갔다.

후세의 우리는 할리우드에서 제작된 영화의 영향을 받아서, 로마군이라면 오직 로마인만으로 구성되어 있고, 싸우는 것도 그들뿐이었다고 생각하기 쉽다. 그런데 로마인만큼 타민족을 자국 군대에 참여시켜 그들과 함께 싸운 민족도 없다. 물론 로마인이 병권을 계속 장악한것은 사실이다. 또한 로마 시민병이 주력이었던 것도 사실이다. 하지만 이탈리아 안에서는 중부의 에트루리아인과 남부의 그리스인, 아프리카에서는 누미디아인, 마케도니아가 상대인 그리스에서는 마케도니아 이외의 그리스인이 참전하여, 로마군은 '다국적군'인 것이 보통이었다.

그 첫번째 이유는 병역 해당자인 로마 시민권 소유자, 즉 17세부터 60세까지의 로마 시민이 이 시기에도 30만 명이 채 안될 만큼 적었기 때문이다. 병역은 시민의 직접세이기도 했기 때문에, 세금이 부과되지 않는 무산자 계급에는 병역 의무도 부과되지 않는다. 그리고 현역으로 병역에 종사하는 사람은 17세부터 40세까지이고, 시민병이라 해도 해마다 계속해서 병역에 종사시킬 수는 없다. 로마는 이 정도밖에 안되는 병사들을 활용하지 않으면 안되었다.

두번째 이유는 공동의 적과 맞서는 과정에서, 동맹국 국민들의 마음에도 로마와의 공동 운명체 의식이 싹트기를 기대했기 때문이다.

거기에 더하여 로마는 동맹국들의 치안을 보장하고, 가도와 식민도시 건설에 따른 '사회간접자본'을 확충함으로써, 그 결과 동맹국들의 생활 수준이 향상된다. 이 모든 것이 로마에는 최상의 방어책이라는 것을 로마인은 알고 있었다.

이를 위해서는 조세를 징수할 수 있는 대신 병력 제공은 기대할 수 없는 속주보다, 조세와 연공은 받을 수 없지만 병사들의 참전을 기대할 수 있는 동맹관계를 로마인은 더 선호했다. 따라서 가능하면 동맹관계를 맺으려고 애썼다. 현대의 연구자들이 말하는 '온건한 제국주의'는 이 노선의 추진자인 스키피오의 성격에 맞는 동시에, 이 시대 로마의 필요성에도 들어맞았다고 말할 수 있다.

실제로 오리엔트까지 건너가서 오리엔트의 대국 시리아와 싸우려면, 그 근처에서 동맹자를 확보할 수 있다는 보장이 있어야 했다. 시리아와의 전쟁에 참전할 동맹자는 '로마 연합' 가맹국 외에 마케도니아와 페르가몬과 로도스 섬이다. 원정지에서의 군량 보급은 그리스에서는 마케도니아, 아시아로 건너간 뒤에는 페르가몬이 담당하게 되었다.

그리스로 건너간 뒤에도 스키피오는 군사력으로 밀어붙이는 짓은 하지 않았다. 시리아와 대결하기 전에는 병력 손실을 피하고 싶었기 때문이다. 그는 외교를 이용했다. 자마 전투의 승리자라는 명성은 이런 경우에도 효력을 발휘했다.

우선 이번 전쟁에 불을 붙인 아이톨리아인에 대한 대책이 필요했다. 그리스 민족의 한 부족인 아이톨리아인은 로마에 맞서기 위해 끌어들인 시리아 세력이 테르모필라이에서 패하여 아시아로 달아나버렸기 때문에, 지금은 그리스 안에서 고립된 상태에 있었다. 로마군이 아시아로 가려면, 해로를 택하지 않는 한 그 일대를 통과할 수밖에 없었다. 스키피오는 이들을 무력으로 격파하기보다는 자기편으로 끌어들이는 쪽을 택했다.

그렇기는 하지만 아이톨리아인의 죄상이 너무 확실하기 때문에, 다른 동맹국들과의 관계를 고려할 때 아이톨리아인과 당장 동맹을 맺는 것은 현명하지 못하다.

스키피오는 강화 교섭을 명분으로 우선 6개월 동안의 휴전협정을 맺었다. 사절단을 로마에 파견하여 강화를 교섭하는 일은 아이톨리아 쪽에 맡겼다. 스키피오에게는 이탈리아와의 사이에 안전한 보급로를 확보하는 것이 선결 문제였다.

마케도니아와의 관계를 확실하게 해두는 것도 소홀히 할 수 없는 문제였다.

마케도니아에는 휘하의 젊은 장군 그라쿠스를 사절로 보냈다. 그는 제2차 포에니 전쟁 때 노예 군단을 이끌고 분투한 그라쿠스의 아들이다. 그라쿠스와 필리포스 왕이 우선 마케도니아의 군량과 무기 제공에 관한 '사무적'인 문제에 합의한 뒤, 스키피오는 거기에 감사를 표하는 형식으로 마케도니아의 수도 펠라를 방문했다.

거의 동년배인 필리포스와 스키피오는 로마의 패권을 인정한 나라의 왕과 패권국의 고명한 장군이라는 처지를 떠나 친밀한 한때를 보냈다고 한다. 이 나이에도 스키피오는 젊은 시절의 특징인 너글너글한 붙임성을 잃지 않았던 것이다. 복잡한 성격의 소유자인 필리포스도 이런 스키피오한테는 마음을 열지 않을 수 없었다. 스키피오는 이제 아시아로 건너가기 전에 배후의 안전을 확보했다.

시리아와 로마의 전쟁은 우선 바닷길 확보를 둘러싼 해전으로 시작되었다. 두 세력 사이에 에게 해가 끼여 있는 이상, 이것은 당연한 일이었다.

그해 여름, 로도스의 해군과 합류한 로마 함대는 시리아 함대와 충돌했다. 시리아 함대를 지휘한 것은 다름 아닌 한니발이었다. 양군 모두 100척의 군선을 투입한 대규모 해전이었다.

그 유명한 한니발도 바다에서는 사정이 달랐던지, 시리아 함대가 패주했다. 그후 해전은 다시 한 번 벌어졌지만, 이번에도 로마의 승리로 끝났다. 두번째 해전에서는 한니발이 지휘를 맡지 않았다. 이 두 차례의 해전에 패함으로써 안티오코스는 지금까지 장악하고 있던 에게 해의 제해권을 잃어버렸다. 로마군 앞에는 아시아로 가는 길이 활짝 열린 셈이다.

헬레스폰토스 해협을 지나 소아시아로 건너간 로마군이 막 남하를 시작하려 했을 때, 강화를 요청하는 시리아 사절이 도착했다. 흑해 연안의 비티니아 왕이 참전을 거부하자, 안티오코스는 혼자서 로마와 대결할 용기를 잃어버렸다. 사실은 이것도 스키피오가 추진한 외교전의 성과였다. 그는 비티니아 왕에게 미리 편지를 보내 시리아 쪽에 붙지 말라고 설득했던 것이다.

시리아 사절은 강화 조건을 제시했다.

1. 시리아의 왕 안티오코스는 그리스에서 군대를 철수시켰듯이, 소아시아 지방의 그리스 도시들 가운데 로마와 동맹관계에 있는 도시들의 영유를 포기하고 군대를 철수한다.

2. 로마의 전쟁 비용 가운데 절반을 배상한다.

집정관 루키우스가 주재한 작전회의는 이것이 불충분하다고 판단하고, 로마 쪽의 요구 조건을 제시했다.

1. 시리아의 왕은 로마와 동맹관계가 있든 없든 관계없이, 에게 해 전역과 소아시아 서해안 지방의 모든 그리스계 도시들을 전면적으로 포기한다.

2. 이런 도시들과 시리아 영토의 중간에 중립지대를 마련하기 위해 시리아는 타우루스 산맥 서쪽의 소아시아 전역에서 군대를 철수시킨다.

3. 시리아의 왕은 싸움을 건 장본인으로서, 전쟁 비용 전액을 배상한다.

시리아 사절은 이 요구 조건을 받아들일 수 없다면서, 왕의 명령에 따라 스키피오와의 단독회담을 요구했다. 스키피오는 병상에 누워 있었기 때문에 집정관이 주재한 작전회의에는 참석하지 않았다.

스키피오를 접견한 시리아 사절은 왕의 말을 전했다. 그는 지난번 해전에서 시리아에 포로로 잡힌 스키피오의 아들을 무사히 돌려보내겠다고 말한 다음, 스키피오의 영향력으로 강화 조건을 완화해달라고 부탁했다. 부탁을 들어주는 대가로 많은 사례도 약속했다.

스키피오는 아들을 돌려보내주는 것은 고맙다고 말했다. 사례는 받지 않았다. 다만 아들을 무사히 돌려보내주는 답례로 왕에게 충고하겠다고 말하고, 전쟁터에서 결판을 내는 것보다는 로마 쪽이 제시한 조건으로 강화를 맺는 편이 유리할 거라고 말했다. 하지만 안티오코스는 이 충고에 귀를 기울이지 않았다.

로마군은 다시 남하를 시작했고, 시리아군은 북서쪽을 향해 움직이기 시작했다. 양군이 대결하는 전쟁터는 소아시아 서해안에 있는 에페소스에서 내륙으로 들어간 마그네시아 평원으로 결정되었다.

한니발과 스키피오는 마그네시아 전투에서 다시 한 번 얼굴을 맞대게 될지도 몰랐지만, 이 두 명장의 두번째 대결은 역사에서는 자주 일어나는 시시한 우연으로 실현되지 않았다.

스키피오는 병에 걸려 참전하지 않았고, 한니발은 안티오코스가 전선에서 멀리 떼어놓아버렸기 때문이다. 안티오코스에게는 한니발을 다룰 만한 기량이 없었기 때문이기도 하지만, 한니발도 남 밑에서 재능을 발휘하는 타입의 인물은 아니었다.

로마군이 오리엔트에서 처음 치른 전투는 그에 어울리게 웅장한 규모였다. 마케도니아 용병을 주력으로 삼은 시리아군은 시리아 전역에서 징집한 병사들을 합해 6만 명이나 되는 대군이다. 여기에 54마리의 코끼리가 가세했다.

한편 로마군은 로마의 중무장 보병을 주력으로 하면서도, 아카이아 동맹과 마케도니아에서 온 그리스 병사, 그리고 페르가몬과 로도스 및 누미디아 기병까지 합하여 총병력 3만 4천 명. 이쪽에도 누미디아에서 도착한 16마리의 코끼리가 가세했다.

승리는 병력이 절반밖에 안되는 로마군에게 돌아갔다. 양군 모두 이류 전술가가 총지휘를 맡았기 때문에 전술로는 볼 만한 게 아니었지만, 로마측 장교들의 기민한 전법이 로마군의 승리를 가져온 원인이었다. 2천 명 정도의 지휘를 맡고 있는 장교들한테까지 스키피오식 전술이 침투해 있었다니, 놀랄 수밖에 없다.

필리포스 왕과 전투를 치를 때도 그랬지만, 알렉산드로스 대왕 덕분에 유명해진 마케도니아 중무장 보병의 위력은 이 무렵에도 막강했다. 다만 이들은 정면으로 공격해오는 적에게만 위력을 발휘할 수 있도록 훈련되어 있었다. 그들은 한 덩어리가 되면 기다란 창을 세우기 때문에 마치 거대한 고슴도치처럼 된다. 정면 공격을 해서는 고슴도치의 가시에 찔릴 뿐이다. 하지만 오리엔트 최강이라고 일컫는 그들도 측면이나 배후에서 가해지는 공격에는 약했다. 스키피오식 전법을 익힌 로마의 지휘관들은 바로 그 약점을 찌른 것이다. 거대한 고슴도치는 가시를 써보지도 못하고 격파당했다.

패배한 시리아군 전사자는 보병과 기병을 합하여 3만 3천 명. 로마군의 손실은 324명에 불과했다.

시리아의 왕 안티오코스는 간신히 목숨만 건진 채 내륙지방인 사르데스까지 도망쳤다. 대왕이라는 존칭이 붙어 있던 셀레우코스 왕조의 안티오코스는 병사도 없는 왕으로 전락하고 말았다. 이제 더 이상 강화에 조건을 붙일 형편이 아니었다. 무조건 항복으로 강화를 요구해온 왕의 사절을 맞이한 것은 병에서 회복한 스키피오였다. 스키피오가 사절에게 말한 내용은 다음과 같았다.

"우리 로마인은 알고 있다. 우리는 신들의 주신 것을 실현하는 존재에 불과하다는 것을. 따라서 신들이 로마에 준 것이 행운이든 불행이든, 그것은 우리 힘으로 말미암은 결과가 아니라는 것을 알고 있다. 따라서 결과가 좋게 나와도 교만해지지 않고, 나쁘게 나와도 절망하지 않을 수 있다. 이런 로마인의 성향을 입증해줄 가장 좋은 증언자는 바로 당신네 진영에 있는 한니발이다.

로마군이 헬레스폰토스 해협을 지나 아시아로 건너온 직후, 즉 회전에 따른 위험 부담을 로마군과 시리아군이 똑같이 안고 있던 시기에 두 나라는 강화를 논의하기 위한 접촉을 가졌었다. 하지만 시리아의 왕이 우리 조건을 받아들이지 않았기 때문에 결국 전투가 벌어졌고, 알다시피 이런 결과가 되었다.

따라서 양국의 관계는 전과 다르다. 이제는 동등한 관계에서 패자와 승자의 관계로 완전히 바뀌었다. 그럼에도 우리 로마인은 시리아의 왕에게 전과 똑같은 내용의 강화를 제안하고 싶다. 로마는 앞으로 시리아를 동맹국으로 삼아 자치 독립을 완전히 인정하며, 로마군은 시리아에서 완전히 철수하겠다. 하지만 시리아군도 유럽 쪽에서는 완전히 철수해야 한다. 이것이 첫번째 조건이다.

둘째, 아시아 쪽에서도 소아시아의 타우루스 산맥을 경계선으로 하여, 그 북서부에 대해서는 시리아가 불가침을 약속할 것.

셋째, 배상금으로 1만 5천 탈렌트를 지불할 것(여기서 탈렌트는 에우보이아의 화폐단위이기 때문에, 아티카 지방에서 사용하는 탈렌트의 3분의 2 가치밖에 없다. 따라서 1만 5천 탈렌트는 카르타고에 요구한 1만 탈렌트의 배상금과 거의 같은 액수라고 보아도 좋다). 단, 1만 5천 탈렌트 가운데 500탈렌트는 즉시 지불하고, 2천 500탈렌트는 로마 원로원과 민회가 이 강화를 승인하여 조약이 발효한 단계에 지불한다. 나머지 1만 2천 탈렌트는 12년간 분할 지불한다.

넷째, 페르가몬에는 별도로 400탈렌트의 배상금을 지불한다.

다섯째, 양국의 강화를 담보하기 위해 우리가 선발한 20명의 시리아인 자제를 로마에 인질로 보낸다.

여섯째, 로마에 위험한 인물로서 현재 시리아 왕의 보호를 받고 있는 한니발과 아이톨리아인 지도자 3명의 신병을 로마에 인도한다."

이런 조건을 제시한 뒤, 스키피오는 시리아가 로마와 강화를 맺고 로마의 동맹국이 되는 이상, 앞으로 로마는 시리아의 왕과 왕국의 안전을 존중할 책무를 진다고 덧붙였다.

안티오코스는 이 조건을 모두 수락했다. 다만 한니발은 로마에 인도되기 전에 도망쳤다. 처음 얼마 동안은 크레타 섬에서 살았다. 스키피오는 그것을 알고 있었지만, 추격대를 보내지는 않았다.

그후 한니발은 지중해에 떠 있는 섬 크레타에서는 안전하지 못하다고 생각했는지, 곧 흑해 연안에 있는 비티니아로 망명했다. 이곳에 로마의 손길이 뻗어온 것은 그로부터 6년 뒤의 일이다.

기원전 264년부터 시작된 제1차 포에니 전쟁과 기원전 218년부터 기원전 202년까지 계속된 제2차 포에니 전쟁으로, 로마는 지중해 서부의 강대국 카르타고를 굴복시켰다. 그리고 지중해 동부의 강대국인 마케도니아와 시리아를 기원전 197년과 기원전 190년에 각각 굴복시키는 데 성공했다. 남은 이집트는 당시에는 세력이 약해져 있었던데다, 포에니 전쟁 때부터 이미 로마의 우방이 되어 있었다.

지중해 세계의 패권은 이제 로마의 것이었다. 수도 로마는 '로마 연합'의 맹주 로마의 수도를 뛰어넘어 '세계의 수도'로 탈바꿈했다. 지중해 세계의 수도가 된 로마에는, 무슨 문제가 일어나면 왕국이나 도시의 대표자가 진정하러 찾아오게 되었다. 패권자는 힘을 가지고 있기 때문에 옳고 그름을 판가름하는 판정자가 될 것을 요구받았다.

스키피오는 전술가로서는 한니발에게 한 걸음 양보했는지도 모른다. 그러나 정치가로서는 스키피오가 한니발을 능가했다고 나는 생각한다.

나는 제1권에서 '파트로네스'와 '클리엔테스'의 관계를 설명한 적이 있는데, 로마 사회에 뿌리 깊이 박힌 이 관계는 보호하는 자와 보호받는 자의 관계다. 다만 이 관계는 상호적 관계로서, 보호자도 경우에 따라서는 피보호자가 되기도 한다. 현실적인 로마인에게 어울리는 유연한 인간관계라고 할 수 있다.

기원전 201년부터 기원전 187년 무렵까지 원로원에서 스키피오의 영향력은 막강했는데, 이 시기에 스키피오가 생각하고 실천한 대외관계는 바로 이 '파트로네스'와 '클리엔테스'의 관계였던 것 같다.

'파트로네스'는 패권국이 된 로마다. '클리엔테스'는 로마의 패권을 인정하고, 그 휘하에서 독립과 자치를 누리는 동맹국이다. 로마의 책무는 '클리엔테스'를 보호하는 것이다.

로마인 사회에서 이 관계를 성립시키는 기본적인 요소가 '신의'였던 것과 마찬가지로, 로마와 동맹국의 관계를 이어주는 끈도 착취나 이용이 아니라 신의여야 했다. 그렇기 때문에 후세의 연구자들, 특히 통치방식에 민감한 영국 학자들은 이 시기 로마의 대외정책을 '온건한 제국주의'로 간주한다.

그러나 이 온건한 제국주의 노선에도 약점은 있다. '파트로네스'와 '클리엔테스'가 양쪽 다 같은 관점에 서지 않으면 성립되지 않는다는 것이 바로 그 약점이다. 즉 다음과 같은 경우에는 이 노선은 성립하지 않는다.

'파트로네스'가 주장한다. 정치적, 외교적, 군사적 자유는 제한하겠지만, 질서와 안전은 보장하겠다.

'클리엔테스'가 반박한다. 자유가 아니면 죽음을 달라.

스키피오 시대부터 2천 300년이나 지난 지금도 인류는 이 양자 가운데 누구의 생각이 옳은지, 아직껏 결론을 내지 못하고 있다.

그야 어쨌든, 로마의 '온건한 제국주의'는 '클리엔테스'들의 항변에 마주치기 전에 그 내부에서 변화를 일으키기 시작했다. 그것은 이 노선의 주창자인 스키피오 아프리카누스가 실각함으로써 열리게 된다.

스키피오 재판

남보다 뛰어난 공적을 이룩하고 유력한 지위에 오른 사람 가운데,

남의 질투를 받지 않은 사람은 없다. 하지만 질투를 품더라도, 당장 탄핵이나 중상이라는 형태로 그것을 표면화하는 경우는 거의 없다. 질투는 은밀히 숨어서 기회를 노린다. 상대에게 조금이라도 약점이 보였을 때가 바로 기회다. 추문은 절대로 강자를 습격하지 않기 때문이다.

아프리카누스라는 존칭으로 불렸고, 원로원의 '제1인자' 자리를 오랫동안 독점했으며, 일단 유사시에는 역시 스키피오가 최상의 카드라는 데 모든 사람의 의견이 일치해 있던 스키피오. 그의 약점은 건강 악화였다.

기원전 187년, 시리아를 굴복시키고 귀국한 스키피오는 호민관 두 사람의 고발을 받았다. 처음 얼마 동안은 스키피오 자신이 아니라 그의 형 루키우스가 고발의 대상이었다. 고발 이유가 시리아의 왕이 지불한 즉시 배상금 500탈렌트를 어디에 어떻게 썼는지, 그 사용처가 불분명하다는 혐의였기 때문이다. 시리아 전선을 담당한 로마군 최고사령관은 앞에서 말한 이유 때문에 루키우스였고, 스키피오는 공식적으로는 참모였기 때문에, 공식 책임자인 루키우스가 고발당한 것이다.

피고석에 불려나간 것은 형 루키우스이지만, 고발자의 진짜 목표는 그 자신이라는 것을 스키피오는 처음부터 알고 있었다.

고발자에게는 500탈렌트의 사용처를 추궁하는 것 따위는 아무래도 좋은 일이었다. 그들의 진짜 목적은 스키피오의 실각이었으니까. 하지만 원로원의 스키피오 지지파도 침묵할 수밖에 없었고, 대중의 관심을 끄는 데에는 가장 적합한 공금횡령을 고발 이유로 삼은 것은 정적을 실각시키려는 쪽으로서는 교묘하기 이를 데 없는 술수였다.

그렇기 때문에 더더욱 스키피오의 분노를 불러일으켰다. 남보다 훨씬 자존심이 강한 스키피오는 건강이 좋지 않아서 인내심도 줄어들어 있었다.

원로원에서 증인을 심문하는 날, 스키피오는 군단 출납부를 들고 등원하는 형과 동행했다. 그리고는 출납부를 뒤적이며 해명하려 하는 형을 가로막고, 원로원 의원들이 모두 지켜보는 앞에서 파피루스 종이를 묶어서 만든 두꺼운 출납부를 북북 찢어버렸다. 그리고는 원로원을 가득 메운 사람들에게 말했다.

"이 푸블리우스 코르넬리우스 스키피오를 고발하는 자의 기소 이유에 귀를 기울이는 것은 로마 시민에게 어울리는 행위라고 생각되지 않소. 스키피오가 존재하지 않았다면, 지금 스키피오를 고발하는 자들도 고발할 자유는커녕 육신조차 존재하지 않았을 것이오."

스키피오의 이런 언행을 역사가 리들하트는 정치적으로는 서투른 방식이었지만 인간적이었다고 평가한다.

스키피오는 공화정 로마의 시민으로서, 왕위에 앉히는 따위의 특별대우를 바란 것은 아니었다. 에스파냐를 제압했을 때 원주민들이 그에게 왕위를 바친 적이 있었지만, 그것도 단호히 거절했다. 그는 다만 조국에 대한 자신의 공헌에 어울리는 경의를 표해달라고 요구했을 뿐이다. 500탈렌트의 사용처를 추궁한다는 명분을 내세워 그를 실각시키려 드는 것은 그에게 경의를 표하는 태도가 아니었다.

그러나 자마 전투가 끝난 지 벌써 15년이 지났다. 목구멍만 넘어가면 뜨거움을 잊는다는 말도 있지만, 형편이 좋아지면 과거의 어려움을 잊어버리는 것은 로마인도 다를 게 없었다. 나이는 아직 48세지만, 병 때문에 완전히 쇠약해진 느낌을 떨쳐버리지 못하는 스키피오의 이 말을 사람들은 오만불손으로 받아들였다.

스키피오 반대파는 루키우스에게 배상금의 사용처를 추궁한다는 구실로 자신들의 속셈을 감추고 있었지만, 여론이 스키피오에게 불리한 쪽으로 돌아가자 이 은폐막조차 벗어던졌다. 고발은 이제 스키피오한테로 명백히 표적을 좁혔다. 증인 심문이 아니라 재판이 되었다.

이튿날, 스키피오에 대한 재판정이 된 원로원에서 피고 스키피오를 앞에 놓고 두 호민관의 논고가 시작되었다. 하지만 그 자리에 있던 사람들은 모두 두 호민관을 뒤에서 조종하고 있는 것이 전부터 스키피오 반대파의 리더격인 마르쿠스 카토—역사에서는 대(大) 카토—라는 사실을 잘 알고 있었다.

두 호민관은 번갈아 논고하는 가운데, 기원전 205년, 즉 스키피오가 시칠리아에서 겨울을 보낸 17년 전까지 거슬러 올라가서 스키피오를 탄핵하기 시작했다.

그때 스키피오는 집정관으로 시칠리아에 가서 아프리카 원정 준비에 몰두해 있었다. 어느 날 이탈리아 남부의 로크리라는 도시가 당시 칼라브리아 지방을 지배하고 있던 한니발에게 반기를 들 가능성이 있다는 정보가 들어왔다. 스키피오는 당장 3천 명의 병력을 이끌고 로크리로 가서 내부의 한니발 반대파 시민들과 공동 작전을 벌여, 한니발의 거점 가운데 하나인 항구도시 로크리를 탈환하는 데 성공했다.

그런데 이것은 임지가 시칠리아로 결정된 집정관 스키피오의 월권 행위라는 이유로, 그 당시부터 파비우스를 비롯하여 비난하는 사람이 적지 않았다. 그후 자마 전투에 이르기까지 스키피오가 거둔 눈부신 공적으로, 그에 대한 비난은 잊혀지고 말았다. 구국의 영웅으로 찬양받게 된 스키피오에게, 비록 월권행위이기는 했지만 전략적 수확임에는 틀림없는 이 로크리 탈환을 문제삼는 사람은 아무도 없었다. 그런데 고발자는 17년이 지난 뒤에 그것을 다시 문제삼은 것이다. 호민관은 말을 이었다.

"시리아에 포로로 붙잡힌 스키피오의 아들을 안티오코스 왕이 대가도 요구하지 않고 돌려보낸 데에도 무언가 내막이 없다고는 생각되지 않습니다. 정말로 대가는 없었을까요.

또한 안티오코스는 걸핏하면 다른 사람을 제쳐놓고 스키피오와 직접 교섭하려고 했습니다. 시리아 전선에서 스키피오의 위치는 참모에 불과했습니다. 그런데 그는 총사령관이었던 루키우스를 제치고, 마치 전쟁이냐 평화냐를 결정하는 것은 로마의 민회가 아니라 자기 혼자인 것처럼 행동했습니다. 이것이 독재자가 아니고 무엇입니까.

스키피오의 독선적 언동은 에스파냐에서도 갈리아에서도 시칠리아에서도 아프리카에서도 이미 눈에 띄었지만, 이번에는 그리스와 시리아에서도 그런 언동을 보여준 것입니다.

스키피오는 무엇 때문에 시리아 전선에 참가했을까요. 오리엔트의 모든 왕들과 모든 백성들에게 패권국가 로마의 주인은 자기 한 사람이며, 자기 혼자 로마를 떠받치고 있다는 것을 과시하고 싶었기 때문이 아닐까요. 이제 로마는 지중해 세계의 패권자가 되었지만, 로마가 실제로는 스키피오의 그림자에 불과하다는 것을 다른 나라 사람들한테도 과시하고 싶어서 참전한 게 아닐까요. 그가 한 마디만 하면 로마 원로원은 당장 그의 뜻에 따른 결의를 하고, 그가 눈만 한 번 깜박이면 로마 시민은 전쟁터로 달려나간다고 말하고 싶은 것처럼 말입니다."

두 호민관은 증거를 제출할 수 없는 사항에 관해서만 논할 뿐이어서, 논고라기보다는 오히려 탄핵 연설이었다. 재판 첫날은 이것으로 끝났다. 피고의 변론은 이튿날로 연기되었다.

논고가 진행되는 동안 스키피오가 전혀 참견하지 않고 묵묵히 듣고만 있었기 때문에 더욱 기세가 오른 호민관들은 이튿날 일찌감치 원로원에 도착하여 자리를 잡고 피고를 기다렸다. 이날 원로원은 스키피오의 변론을 들으려는 사람들로 입추의 여지가 없었다. 하지만 스키피오는 아무 변론도 하지 않았다.

뒤늦게 도착한 스키피오는 많은 친구와 '클리엔테스'들을 거느리고 있었다. 그는 원로원을 가득 메운 사람들이 좌우로 열어준 길을 통해 호민관 자리로 갔다. 그 앞에서 스키피오는 몸을 돌려 의사당을 한 바퀴 둘러보았다. 의사당 안은 숨소리조차 들리지 않을 만큼 조용해졌고, 그 정적 속에서 사람들은 그의 말을 기다렸다. 질병은 전쟁터에서 단련된 목소리까지 빼앗아가지는 못했다.

"호민관, 그리고 로마 시민 여러분, 오늘은 내가 아프리카의 자마에서 한니발과 카르타고군을 상대로 싸워 다행히 승리를 얻은 날로부터 정확히 15년째가 되는 날입니다. 이런 기념할 만한 날에는 다툼이나 반발은 일단 잊어버리고, 신들에게 감사를 바침으로써 모두 한마음이 되자고 제안하고 싶습니다.

나는 이제 카피톨리노 언덕으로 가겠습니다. 거기에 모셔져 있는 최고신 유피테르와 유노 여신과 미네르바 여신을 비롯한 여러 신들께서 우리 모두에게 조국 로마의 자유와 안녕을 위해 헌신할 기회를 베풀어주신 데 감사하고 싶습니다.

여러분도 원한다면 나와 함께 가지 않겠습니까. 그리고 나와 함께 신들께 감사해주십시오. 로마 시민인 여러분이야말로, 내가 열일곱 살 때부터 늙은 오늘에 이르기까지 능력을 충분히 발휘할 수 있도록 그 기회를 특례까지 만들어가면서 나에게 부여해준 사람들이기도 하니까 말입니다."

스키피오는 대답도 기다리지 않고 원로원을 떠났다. 그를 따라간 것은 친구와 클리엔테스들만은 아니었다. 로마 시민들도 잊어버렸던 과거를 생각해냈다. 원로원 의원들도 자리에서 일어났고, 방청객들도 원로원을 떠났고, 서기까지도 철필을 놓고 스키피오의 뒤를 따랐다. 그 자리에 남은 것은 호민관 두 명과 카토뿐이었다.

포로 로마노 광장에서 카피톨리노 언덕으로 가는 완만한 오르막길은 스키피오를 선두로 한 시민들의 행렬로 가득 메워졌다.

이날 스키피오는 젊은 시절과는 전혀 달리 대머리에 비쩍 마른 몸을 토가로 감싸고 있었지만, 스키피오에 대한 시민들의 한결같은 존경심은 제2차 포에니 전쟁을 끝내고 아프리카에서 개선한 30대의 젊은 승리자를 뒤덮은 갈채와 꽃다발보다 더욱 명예로운 것이었으리라. 역사가 리비우스는 그렇게 썼다. 그러고 나서 이렇게 덧붙였다.

"이날은 스키피오가 찬란하게 빛난 마지막 날이 되었다."

며칠 뒤에 스키피오는 로마를 떠났다. 나폴리로 가는 도중의 바닷가에 있는 리테르노에는 그의 별장이 있었다. 그는 전부터 가지고 있던 이 별장에 틀어박힌 채, 재판을 위해 소환해도 응하려 하지 않았다.

재판 당일, 소환에 응하지 않는 스키피오를 대신하여 출석한 루키우스가 건강상의 이유로 결석을 인정해달라고 요구했다. 그러나 호민관은 강경했다.

"원로원 및 시민 여러분, 이제 여러분은 스키피오가 거만하다는 증거를 보고 계십니다. 총사령관 겸 집정관이었을 당시에도 그는 여러분을 무시했습니다. 공직을 떠나 일개 시민이 된 지금도 그의 거만한 태도에는 변함이 없습니다. 소환에 불응함으로써 원로원과 시민을 무시하고도 부끄러운 줄 모르는 스키피오야말로 공화정 로마의 수치입니다."

호민관은 원로원 의원들에게 스키피오를 다시 소환할 것을 의결하고, 거기에 따르지 않을 경우에는 강제 연행할 것을 결의해달라고 요구했다.

이때, 젊은 의원 그라쿠스가 발언권을 요청하고 나섰다. 사람들은 모두 그가 스키피오를 비난할 거라고 생각했다. 그라쿠스는 로마가 칸나이 전투에서 패함으로써 한니발에게 고전하던 시기에 파비우스와 마르켈루스와 더불어 싸운 그라쿠스 장군의 아들이었다. 그가 아니고는 아무도 통솔할 수 없었던 노예 군단을 이끌고 분전하다가 끝내 전사한 전직 집정관의 아들이었다. 한니발과 맞서 싸운 것은 결코 스키피오 한 사람만이 아니라고 생각하는 사람들이 로마인들 중에도 많이 있었다. 이들은 제2차 포에니 전쟁이 로마의 승리로 끝난 것을 마치 스키피오 한 사람의 공적인 것처럼 생각하는 풍조를 늘 못마땅하게 여기고 있었다. 그라쿠스도 그런 사람들 가운데 하나로 여겨진 터였다.

그런데 그라쿠스의 입에서 나온 말은 사람들의 예상을 뒤엎는 것이었다. 그는 스키피오를 더 이상 추궁하지 말자고 원로원 의원들을 설득했다.

"신들의 보호를 받으며 조국을 위해 그만큼 위대한 공헌을 하고, 공화국 로마에서는 최고의 지위에까지 오른 인물이며, 사람들의 감사와 존경을 받은 인물이 이제 피고석에서 창피를 당하며 구경거리가 되려 하고 있습니다. 연단 아래 자리에 강제로 끌어다 앉혀놓고, 그에 대한 탄핵과 비난을 듣도록 강요하고, 철없는 아이들의 욕설까지 듣게 하려 하고 있습니다.

이런 구경거리는 스키피오의 명예를 더럽히기보다는 오히려 우리 로마 시민의 명예를 더럽히게 됩니다."

그라쿠스의 이 말은 원로원 의원들의 마음을 감동시켰다. 스키피오에 대한 탄핵은 중단하기로 결정되었다.

이때부터 기원전 183년까지 4년 동안, 스키피오는 리테르노의 별장에서 지냈다. 정적 스키피오를 축출하는 데 성공한 카토가 지배하게 된 로마에는 눈길도 주려고 하지 않았다.

모두가 침묵하고 있을 때 용감하게 나서서 자신을 변호해준 젊은 그라쿠스에게 스키피오는 딸 코르넬리아를 시집보냈다. 『로마인 이야기』 제3권에서는 이 두 사람 사이에 태어난 티베리우스와 가이우스 그라쿠스 형제가 최초의 주인공이 되어 등장할 것이다. 따라서 로마 사회의 근본적 개혁을 지향하게 되는 그라쿠스 형제는 명장 스키피오의 외손자가 된다.

기원전 183년, 스키피오 아프리카누스는 리테르노의 별장에서 세상을 떠났다. 향년 52세였다.

우연히도 같은해에 한니발도 세상을 떠났다. 그가 죽은 곳은 이탈리아에서 멀리 떨어진, 그리고 카르타고에서도 멀리 떨어진 흑해 연안의 비티니아였다. 공을 세우고 싶어 안달한 로마군의 한 부대장이 비티니아의 왕에게 한니발의 신병을 인도해달라고 요구했고, 이를 알게 된 한니발은 늘 몸에 지니고 다니던 독약을 마셨던 것이다. 희대의 전술가는 64세에 죽음을 맞이했다.

이 한니발의 가장 출중한 제자였고 최대의 경쟁자이기도 했던 스키피오는 아피아 가도 연변에 있는 스키피오 가문의 묘지에 매장되기를 거부했다. 대대로 내려오는 그 가족묘지가 로마 영토 안에 있었기 때문이다. 스키피오의 유언을 직역하면 다음과 같다.

"배은망덕한 조국이여, 그대는 내 뼈를 갖지 못할 것이다."

이리하여 스키피오도 한니발도 무대에서 사라졌다. 제2차 포에니 전쟁을 체험한 로마인들은 강철 같은 건강을 자랑하며 84세까지 장수한 카토를 제외하고는 아무도 남지 않게 되었다. 로마도 새로운 시대로 접어들고 있었다.

스키피오 실각의 실마리가 된 500탈렌트의 배상금은 마그네시아 전투가 끝난 뒤 루키우스가 군단 안에서 잔치를 벌이는 데 써버린 혐의는 남았지만, 스키피오한테는 억울한 누명이었다는 것이 입증되었다. 하지만 공금횡령 혐의가 벗겨지고 스키피오의 무죄가 증명된 것은 그가 죽은 지 2년 뒤였다.

그런데 스키피오 탄핵의 주모자였던 카토는 왜 그토록 집요하게 스키피오의 실각을 원했던 것일까.

마르쿠스 포르키우스 카토는 지방의 평민계급 출신으로 수도 로마의 정계에서 출세한 인물로, 당시 로마에서는 '신인'으로 불렸다. 농사를 짓고 있던 이 젊은이를 발탁하여 중앙 정계에 진출시킨 것은 그 지방의 귀족인 발레리우스 플라쿠스였다. 스키피오가 속해 있는 코르넬리우스 가문과 주도권 다툼을 하고 있던 발레리우스 가문이 학식도 풍부하고 변설이 특히 뛰어난 이 젊은이를 자기 파벌의 논객으로 활용하려고 생각했기 때문이다.

스키피오보다 한 살 아래인 카토는 발레리우스 가문의 후원 덕분에 순조롭게 출세하기 시작했다.

기원전 205년, 회계감사관에 선출된 카토는 시칠리아에서 아프리카 원정을 준비하고 있던 스키피오의 진영을 시찰하고, 스키피오 군단의 씀씀이가 방만하다는 이유로 스키피오를 고발했다. 하지만 그 직후에 스키피오가 아프리카로 건너가 자마 전투에서 승리를 거둠으로써 구국의 영웅의 되는 바람에 카토의 고발도 유야무야로 끝나버렸던 것이다. 그러나 처녀작이 나중에 쓰는 모든 작품의 기반을 이루는 것은 저술가한테만 적용되는 원리는 아니다. 정치가 카토가 휘두르는 무기는 당시의 유력자를 계속 탄핵하는 것이었다.

카토가 전쟁터에서 거둔 공적은 남에 비해 특별히 뒤떨어진 것은 아니지만, 스키피오와는 도저히 비교가 되지 않았다. 카토의 '전적'은 오로지 원로원에서, 즉 변론을 통해 거둔 것이었다.

그의 연설은 발군이었다. 그의 변론은 스키피오처럼 전쟁터에 나가는 병사나 외국 지도자를 상대로 한 것은 아니다. 원로원 의원이나 민회에 모이는 시민들이 상대다. 이들의 귀를 사로잡는 가장 좋은 방법은 두 가지였다.

첫째, 다른 사람——특히 당시의 유력자——을 신랄하게 공격하는 것,

둘째, 유머를 좋아하는 로마인의 기질에 맞춰 연설을 유머로 채색하는 것.

제2차 포에니 전쟁을 승리로 이끈 로마에서, 전쟁중에 실시된 사치금지법의 해제가 논의되었을 때의 일이다. 사치금지법이니까, 이 법률로 즐거움을 빼앗긴 것은 여자들이다. 그래서 이 법률의 해제에 반대했던 카토는 반대 연설을 다음과 같은 말로 시작했다.

"지중해 세계의 패권자가 된 로마인 위에 아내라는 패권자가 또 하나 있는 줄은 미처 몰랐습니다."

회의장은 웃음의 도가니가 되었다.

어떤 원로원 의원이 남들 앞에서 아내한테 너무 다정한 태도를 취하다가, 원로원 의원에게 어울리지 않는다는 이유로 고발당했을 때의 일이다. 이 고발에 찬성한 카토에게 다른 의원이 따지고들었다. 그럼 너는 아내한테 키스도 하지 않느냐고. 그러자 카토는 이렇게 대꾸했다.

"물론 하지요. 다만 천둥이 칠 때만 합니다. 그래서 나는 천둥소리를 무척 좋아한답니다."

회의장은 또다시 웃음의 도가니가 되었다. 그런데 결과는 어떻게 되었을까. 의원들은 카토의 재미있는 연설에는 기꺼이 귀를 기울였지만,

표를 던지는 것은 별문제였다. 사치금지법은 이제 전시는 끝났다는 이유로 해제되었고, 남들 앞에서 아내에게 지나치게 다정한 태도를 취한다는 이유로 비난받은 사람은 그후에도 계속 원로원 의원을 지냈다. 카토의 유쾌한 연설은 뜻밖에도 표로 연결되지는 않았던 것이다. 하지만 그런 카토가 유머도 섞지 않고 집요하게 호소한 두 가지 가운데 스키피오의 실각은 실현되었고, 카르타고의 멸망도 언젠가는 현실이 되었다.

카토는 그리스어를 완벽하게 이해하고 그리스 문화에 대한 교양도 남들보다 훨씬 깊었지만, 스키피오의 그리스 애호가 유명했듯이, 카토의 그리스 혐오도 유명했다.

그는 로마에 대한 그리스 문화의 유입이 로마인 본래의 실질강건함을 해친다는 이유로 증오했다. 그런데도 포로 로마노에 처음 세워진 그리스식 회당 건축은 그가 재무관을 지낼 때 세운 것이었다. 건축양식은 그리스식이 좋으면 도입한다. 하지만 그리스 문명의 정신이 유입되는 것은 용납할 수 없다. 그리스의 문물은 받아들이되 로마 고유의 정신은 지킨다는 것이 카토의 사고방식이었다. 그는 그리스 철학도 미술도 문학도 로마인에게는 불필요한 것이고, 대국이 된 로마로 이주해 온 그리스인이 그리스어 교사 이외의 다른 분야에 침투하는 것은 배제해야 한다고 주장했다.

그의 이런 주장도 시대의 흐름을 거스르는 것에 불과했다. 로마의 다음 세대에는, 그리스인이든 아프리카 태생의 노예든 상관하지 않고 지식이 풍부한 사람이라면 누구든지 주위에 끌어모은 '스키피오 그룹'이 더 강한 영향력을 갖고 있었다. 카토는 스키피오를 실각시키는 데에는 성공했지만, 시대의 흐름을 역류시키는 데에는 성공하지 못했다.

그럼에도 내가 카토를 스키피오 반대 진영의 유일한 확신범으로 여기는 까닭은 그가 스키피오로 구현되는 로마의 새로운 사조를 진심으로 걱정하고 있었기 때문이다.

첫째, 그는 스키피오로 대표되는 그리스 문화에 대한 열정이 로마의 장래에 해롭다고 믿었다.

둘째, 그는 스키피오 때문에 시작된 개인주의적 영웅주의의 풍조도 로마 공화정에 해를 끼친다고 믿었다.

소수 엘리트의 합의를 토대로 기능을 발휘하는 과두정 체제에서, 한 개인이 지나치게 두각을 나타내는 것은 왕정으로 이어질 위험이 있었다. 스키피오 자신한테는 그런 의도가 없었다 해도, 그의 존재 자체가 이런 위험성을 내포하고 있었다. 카토는 평범한 아웃사이더로 평생을 살아도 별수없는 신분이었다. 그런 자신에게 기회를 주었기 때문에 그는 더더욱 로마의 공화정 체제를 중시하고, 그 체제 유지에 집착했다. 역사에서는 아웃사이더가 오히려 구체제 유지에 정열을 불태우는 사례가 자주 있는데, 카토의 경우도 여기에 해당한다. 그는 원로원이라는 300명 남짓한 엘리트의 합의제에 바탕을 둔 로마 공화정의 유효성을 진심으로 믿었고, 그 체제를 지키기 위한 우상파괴야말로 자신에게 부여된 사명이라고 확신했던 것 같다.

카토가 스키피오에게 반대한 세번째 이유는, 변설이 뛰어난 그를 전면에 내세우는 전술을 채택한 발레리우스 가문이 제2차 포에니 전쟁 이후 스키피오의 영향을 받은 원로원의 대외정책에 반대했기 때문이다. 즉 스키피오가 추진하는 '온건한 제국주의' 노선에 반대했다는 뜻이다.

카르타고와 마케도니아 및 시리아와 맺은 강화조약에서 볼 수 있듯이, 온건한 제국주의 노선은 되풀이 말하면 다음과 같은 요소로 구성되어 있다.

첫째, 패전국은 로마의 패권을 인정하고 로마의 동맹국이 된다. 따라서 로마의 허락 없이는 외국과 전쟁을 할 수 없다.

둘째, 패전국의 군비는 자위력 수준으로 떨어뜨린다.

셋째, 패전국의 국내 자치는 완전히 인정하고, 따라서 패전국 국민은 로마에 조세를 바칠 의무를 지지 않는다.

여기에 따르면, 패전국이라 해도 어디까지나 독립국이고 로마의 속주가 된 것은 아니었다. 로마는 강화가 체결되자마자 이들 나라에서 군대를 철수시켰다.

스키피오도 로마에 패한 모든 나라에 대해 '온건한 제국주의' 노선을 채택한 것은 아니다. 스키피오의 위세가 대낮처럼 빛나던 시기에도, 카르타고와 마케도니아를 포함한 그리스 및 시리아와 맺은 강화에서만 이 방식이 채택되었다.

로마는 한니발에 빌붙어 봉기한 이탈리아 북부의 갈리아인과 카르타고 세력을 추방한 뒤의 에스파냐에 대해서는 '엄격한 제국주의'로 임했다. 갈리아인과 에스파냐인은 로마에 군사력으로 제압당한 뒤로는 독립된 동맹자로 취급받지 못했다. 이들 지방은 로마의 속주로 편입되어 로마에서 파견된 총독의 지배를 받았고, 해마다 수입의 1할에 해당하는 조세를 로마에 바칠 의무를 졌다. 이에 대해 로마는 도로망 부설을 비롯한 '사회간접자본'과 방어를 맡았다. 이른바 '로마화'다.

그런데 왜 패배자에 대한 로마인의 대응방식이 지역에 따라 차이가 생겼을까.

연구자들은 이렇게 말한다. 갈리아인이나 에스파냐 원주민은 야만족이었기 때문에 로마인도 거리낌없이 속주로 만들었지만, 카르타고나 마케도니아를 포함한 그리스나 시리아의 백성은 당시에는 로마인보다 문명이 앞서 있었고, 따라서 로마는 이들 문명인을 조심스럽게 대할 수밖에 없었던 것이라고.

어쩌면 이것도 이유 가운데 하나였을 것이다. 하지만 주민의 압도적 다수가 그리스인인 시칠리아의 속주화 과정을 돌이켜보아도, 그리고 앞으로 전개될 로마사의 추이를 보아도, 나는 그것말고 또 다른 이유가 있었다고 생각지 않을 수 없다.

그것은 이탈리아 북부의 갈리아인과 에스파냐 원주민은 여러 부족으로 나뉘어 있어서 통일된 상태가 아니었다는 것이다. 문명인이라는 차이는 있지만, 시칠리아에 거주하는 그리스인도 많은 도시로 나뉘어 서로 싸우고 있었다는 점에서는 갈리아인이나 에스파냐 원주민과 마찬가지였다. 즉 교섭 상대를 하나로 좁힐 수 없는 상태에 있었던 셈이다.

교섭 상대가 명확하지 않으면 외교 관계는 맺을 수 없다. 포 강 유역의 이탈리아 북부는 갈리아 민족의 국가로서 통일되어 있지 않았고, 에스파냐도 그곳을 식민지로 삼았던 카르타고인이 떠난 뒤에는 마찬가지였다. 이들 지방을 포기한다면 모를까, 산하에 받아들이려면 속주화할 수밖에 없었다. 다시 말해서 '엄격한 제국주의' 외에는 다른 방책이 없었던 셈이다. 이것이 스키피오의 영향하에 있었던 시기의 로마원로원이 지중해 서부와 동부에서 각각 다른 방식을 취하게 된 요인이 아니었을까.

'온건한 제국주의'는 군대를 주둔하지 않는 방식이기 때문에, 상대가 로마의 패권을 납득하고 인정하지 않는 한 실패로 끝날 위험이 상존한다. 카토가 스키피오의 방식에 반대한 진짜 이유는 실패로 끝날 경우 로마가 치러야 하는 희생이 너무 크기 때문이었을 것으로 여겨진다. 카토는 제1차 포에니 전쟁이 끝난 뒤 카르타고와 관대한 강화를 맺은 나머지, 그로부터 20년 뒤에 제2차 포에니 전쟁으로 불의의 기습을 당하게 된 것을 잊지 못했다. 한니발이 이탈리아로 쳐들어온 해에 카토는 16세 소년이었다.

카토와 동년배인 스키피오는 카르타고인에게 아버지와 숙부와 장인을 잃었으면서도 과거보다는 미래를 보는 성향이 강했지만, 반대로 카토는 항상 과거를 뒤돌아보고 현재의 자신을 바로잡는 타입이었던 것 같다.

이 두 사람의 대립은 모든 면에서 숙명적이었던 게 아닐까 여겨진다.

카토보다는 스키피오에게 호감을 갖는 나 같은 사람한테는 참으로 유감스러운 일이지만, 스키피오가 죽은 지 불과 4년 뒤에 카토의 걱정은 현실로 나타나고 말았다.

기원전 179년, 로마의 패권을 인정하고 로마의 '온건한 제국주의' 노선을 허용하고 있던 마케도니아의 왕 필리포스가 세상을 떠났다. 왕위를 물려받은 것은 기회 있을 때마다 로마에 대한 적대감을 표명한 맏아들 페르세오스였다.

로마는 동방에서 들려오는 마케도니아의 군비 증강 소식에 신경을 기울이기 시작했다. 또한 왕위에 오른 페르세오스가 로마에 반기를 들라고 그리스 도시들을 선동하기 시작한 것도 걱정거리였다. 전운은 다시 그리스 하늘을 뒤덮기 시작했다.

제8장

마케도니아 멸망

기원전 179년~기원전 167년

마케도니아의 왕 필리포스의 속마음은 어쩌면 로마에 패배한 기원전 197년부터 기원전 179년에 죽을 때까지 18년 동안 상충하는 두 가지 생각 사이에서 흔들리지 않았을까. 아니, 그것은 거의 확실하다.

그는 현실에 대한 통찰력이 뛰어났기 때문에, 마케도니아 왕국은 이제 신흥국가 로마의 패권하에서만 존속할 수 있다는 사실을 인식하고 있었다. 하지만 한편으로는 그런 현실을 받아들이는 데 저항을 느끼지 않을 수 없었다.

알렉산드로스 대왕이 죽은 뒤 제국을 분할한 장군들이 각자 왕조를 창시한 이후 120년 동안, 이들 헬레니즘 국가들한테 세계는 자기들이 살고 있는 지중해 동부뿐이었다. 지중해 서부는 그들에게는 세계라고 부를 만한 가치도 없었다. 강대국으로는 카르타고가 있었지만, 마케도니아도 시리아도 이집트도 서쪽보다는 동방과의 관계가 비교할 수 없을 만큼 강했다.

로마와 카르타고가 제1차 및 제2차 포에니 전쟁에서 사투를 벌이고 있을 때, 헬레니즘 국가들이 그 틈새를 이용하려고 마음만 먹었다면 얼마든지 그럴 수 있었을 것이다. 그런데도 전혀 개입할 움직임을 보이지 않았던 이유는 바로 그 때문이다. 물론 로마가 칸나이에서 참패하여 위기에 빠졌을 때 마케도니아는 한니발에게 공동 투쟁을 제의했지만, 그것은 마케도니아가 아드리아 해 동쪽 연안의 일리리아 지방을 둘러싸고 로마와 직접 접촉한 유일한 나라였기 때문이다.

제1차와 제2차를 합하여 40년 동안 계속된 포에니 전쟁은 신흥국가 로마를 쳐부술 절호의 기회였다. 그런데 그동안 대국 시리아와 이집트는 중립을 유지해달라는 로마의 요청을 아무런 조건도 붙이지 않고 순순히 받아들였다. 그들은 지중해 서부로는 눈길을 돌리지 않았다고 생각할 수밖에 없다. 알렉산드로스 대왕의 후계자들은 그들끼리만 서로 인척관계를 맺거나 전쟁을 거듭하면서 120년을 보냈다. 그러다가 문득 정신을 차리고 보니, 등뒤에 로마가 서 있었던 것이다.

그러나 120년 동안이나 익숙해진 이 상태는 그리스 도시들이나 헬레니즘 국가들이 로마에 대한 통일전선을 결성하는 것조차 불가능하게 만들었다.

기원전 197년, 마케도니아군이 로마군에 패배했다. 이때 로마 쪽으로 참전한 것은 마케도니아 이외의 그리스인과 헬레니즘 국가들 중에서는 중간 정도의 왕국인 페르가몬이었다. 시리아는 중립을 지켰다.

기원전 190년, 시리아군이 로마군에 패배했다. 이때 로마 쪽으로 참전한 것은 아이톨리아와 스파르타를 제외한 그리스인과 마케도니아 왕국이다. 페르가몬과 로도스도 로마 쪽에 붙어서 가까운 곳에 있는 적 시리아를 쳐부수는 데 가담했다. 로마와 동맹관계에 있는 이집트는 이제까지 걸핏하면 침략행위로 자신을 괴롭혀온 시리아의 패배를 고소한 기분으로 바라보았을 것이다. 동시대에 살았던 그리스 역사가 폴리비오스는 다음과 같이 말했다.

"그리스 민족은 절대로 그리스인끼리 싸움을 계속해서는 안되었다. 우리 그리스인은 일치단결하여, 지중해 서부에서 전개되고 있는 전쟁에 주의를 게을리하지 말았어야 했다.

로마와 카르타고 사이에 벌어지고 있었던 전쟁은 헬레니즘 세계의 그리스인이 익숙해진 국지전과는 비교할 수도 없는 대규모 총력전이었다. 게다가 로마는 카르타고와 끝까지 싸움으로써 효율적이고 정교하기 이를 데 없는 전쟁 기계와도 흡사한 군대를 가진 나라로 변모했다. 이 전쟁 기계는 조만간 지중해 동부에도 진출해올 거라고 생각해야 마땅했다.

우리 그리스인은 전쟁이냐 평화냐를 결정할 권리를 획득하려고 서로 싸웠다. 하지만 그 결과 그것을 결정할 권리는 그리스 민족의 손에서 빠져나가고 말았다. 그리스인 가운데 이 권리를 가진 사람은 아무도 없게 되었다."

전쟁이냐 평화냐를 결정할 수 있다는 것은 곧 자주 독립을 누리고 있다는 뜻이다. 폴리비오스와 동시대인이었던 마케도니아의 왕 필리포스도 아마 비슷한 현실 인식을 가지고 있었을 것이다.

그가 로마에 패하여 로마의 패권을 인정하고 동맹관계를 맺은 것은 40세 되던 해였다. 그런데도 그후 18년 동안이나 한번도 로마에 반기를 들지 않았다. 자결권이 완전히 박탈되는 사태를 피하고 싶어서 신중을 기했던 것이리라.

폴리비오스는 그리스인이라는 점은 필리포스와 같지만, 아카이아 동맹의 가맹도시인 아르카디아를 대표하는 유력자의 한 사람일 뿐이다. 반면에 필리포스는 헬레니즘 세계의 강대국인 마케도니아의 왕이다. 왕자로 태어난 사람으로서, 현실 인식에 입각하여 태도를 결정하는 것만으로는 끝나지 않는 자부심이 있었을 게 분명하다. 이것이 로마에 굴복한 40세 때부터 죽을 때까지 18년 동안 그의 마음속을 복잡하게 만든 원인은 아니었을까.

필리포스는 비록 둘째아들이긴 하지만 정실 소생인 디미트리오스의 재능과 성격을 사랑했다. 맏아들이지만 첩의 소생인 페르세오스한테 왕위를 물려주는 데 망설임을 느끼지 않을 수 없을 만큼 둘째아들을 사랑했다.

그 디미트리오스가 로마에 인질로 끌려갔다가 귀국했다. 로마인이 생각하는 인질은 오늘날의 풀브라이트 장학생이나 마찬가지였기 때문에, 로마의 유력자 집안에 맡겨져 교육을 받은 젊은 왕자는 완전히 로마 동조자가 되어 귀국했다. 이런 아들을 바라보는 아버지의 심정은 착잡했으리라. 첩의 소생이라서 왕위 계승에 불안을 느끼고 있던 맏아들이 필리포스의 마음에 생긴 이런 틈새를 교묘히 파고들었다.

디미트리오스가 로마와 밀약을 맺고 마케도니아를 로마에 팔아넘기려 하고 있다고 페르세오스는 아버지의 귀에 속삭였다. 왕은 약간의 의심을 품으면서도 이 말을 믿었다. 반역자로 몰린 젊은 왕자는 변명할 기회도 얻지 못하고 독살형에 처해졌다.

그 직후 디미트리오스에게 씌워진 혐의는 날조된 것이었음이 판명되었지만, 이미 때는 늦었다. 필리포스 5세는 가장 아끼는 아들을 죽인 데 따른 회한에 몸과 마음을 괴롭히면서 죽었다. 향년 58세였다.

왕위에 오른 페르세오스는 아버지 필리포스한테서 마케도니아 왕의 긍지는 물려받았지만, 현실에 대한 통찰력은 물려받지 못했다. 시리아의 왕 안티오코스의 딸을 왕비로 맞이하고 누이를 비티니아의 왕에게 시집보낸 그는 이런 면에서도 전형적인 헬레니즘 군주였다. 마케도니아 왕국은 페르세오스 치하에서 공공연히 군비를 증강하기 시작했다. 로마에는 북방 켈트족의 침입을 막기 위해서라고 변명했다. 로마도 계속 주의를 기울이면서 지켜보는 쪽을 택했다. 하지만 5년도 지나기 전에 마케도니아 왕국의 군사력은 북방의 야만족에 대한 대책이라고는 생각할 수 없을 만큼 막강해져 있었다.

재군비를 실현한 마케도니아는 우선 동쪽 국경을 접하고 있는 페르가몬 왕국에 창끝을 돌렸다. 페르가몬에서는 당장 로마에 구원을 요청하는 사절을 파견했다.

로마는 외교로 문제를 해결하려고 했다. 시찰단이라는 이름의 특사가 마치 파상공세처럼 페르세오스에게 보내졌다. 그러나 모호한 소리만 늘어놓는 페르세오스한테서는 확답을 얻을 수가 없었다. 그러는 동안, 페르가몬에서는 왕의 동생이 직접 로마를 방문하여 마케도니아의 침략행위를 저지하기 위한 로마의 군사 개입을 요청했다. 그동안 페르세오스는 그리스 도시들의 불평분자들을 부추기기 시작했다.

이제 전쟁에 돌입하는 것은 피할 수 없다고 판단한 로마는 마케도니아 전선을 결성하기 시작했다. 그리스에서 아시아에 걸쳐 있는 각국에 사절이 파견되었다. 그리스에서는 서부의 일리리아 지방, 중부의 아이톨리아 동맹의 도시들, 그리고 아테네를 비롯한 아카이아 동맹의 도시들이 로마에 대한 지원 의사를 표명했다. 페르가몬 왕국과 로도스 섬도, 그리고 마케도니아 왕비의 친정인 시리아의 셀레우코스 왕조까지도 로마 쪽으로 참전하겠다고 약속했다. 로마는 그리스에 대한 두번째 군사 개입에 지나칠 만큼 신중했다.

매제인 비티니아 왕까지 중립을 표명하자, 페르세오스는 완전히 고립되고 말았다. 하지만 마케도니아는 농업국인데다 풍부한 광산도 가지고 있었다. 용맹스럽다는 평판을 아직도 잃지 않은 마케도니아 중무장 보병을 주력으로 하여, 오리엔트 전역에서 끌어모은 용병을 추가한 마케도니아의 전력은 5만 명에 육박할 정도였다.

한편, 다국적군의 형태를 띠는 로마군의 전력은 전부 합해도 3만 명을 겨우 넘을 정도였다. 로마가 더 이상 병력을 보낼 여유가 없었기 때문이 아니라, 보낼 마음이 없는 탓이었다. 마케도니아 왕국은 로마를 직접 공격한 것은 아니었다. 또한 마케도니아에 대해 처음으로 군사행동을 결행한 기원전 197년에는 제2차 포에니 전쟁 때 한니발과 공동전선을 펴서 로마를 배후에서 공격하려 한 마케도니아에 '뜨거운 맛을 보여주려는' 목적이 있었지만, 기원전 171년의 이 두번째 군사 개입에는 그런 목적도 없었다.

로마의 이런 생각을 반영했는지, 기원전 171년에 그리스에 상륙한 로마군의 태도에는 상대가 어떻게 나오는가를 살핀다는 느낌이 늘 따라다녔다. 그 이듬해의 전황 전개도 대치와 소극적인 소규모 충돌로 일관했다. 해마다 다른 집정관을 전선에 보내는 로마의 방식을 전쟁 수행 의지가 희박한 것으로 판단한 페르세오스는 기세가 올랐다. 로마군은 이런 페르세오스와 싸워서 4천 명의 병사를 잃는 참패까지 당했다.

역사가 폴리비오스의 표현을 빌리면, 사태가 이에 이르자 그리스인들 사이에 다음과 같은 현상이 일어났다.

"챔피언한테 결코 이길 수 없다고 누구나 생각한 도전자가 그 예상을 뒤엎고 용감하게 싸우는 것을 본 관중은 태도를 바꾸어 도전자를 열렬히 응원하기 시작했고, 챔피언한테는 일제히 욕설을 퍼부어댔다."

그리스 도시들은 마케도니아를 호의적으로 보기 시작한 것이다. 폴리비오스가 기사단장을 지내고 있던 아카이아 동맹도 로마군에 가담하여 페르세오스와 싸우기로 약속했지만, 막상 전쟁이 일어나자 병력 제공을 망설였다. 그리스의 다른 도시 백성들도 지금까지 마케도니아에 대해 품고 있던 반감을 잊어버린 것처럼, 갑자기 로마군을 차가운 눈으로 바라보기 시작했다.

로마는 이대로 방치해둘 수는 없다는 것을 알았다. 그러나 기원전 170년에도, 그 이듬해인 기원전 169년에도 로마는 적절한 방법을 쓰지 않았다.

로마에서는 2개 군단 이상의 병력은 집정관이 지휘하도록 규정되어 있다. 평시에는 이 원칙이 엄격하게 지켜진다. 그 집정관은 1년에 한 번 열리는 민회에서 선출된다. 항상 적임자가 선출된다고 할 수는 없다. 그리고 이 시기에 로마의 일반 시민의 마음속에서는 어째서 그리스에까지 군대를 보내느냐는 의문이 아직 풀리지 않고 있었다.

그러나 원로원은 그리스가 방심할 수 없는 상태에 놓여 있다는 것을 알았다. 조속히 문제를 해결할 필요가 있다는 데 원로원 의원들의 의견은 일치했다. 원로원은 기원전 168년의 집정관에 아이밀리우스 파울루스를 출마시키기로 결정했다.

아이밀리우스 파울루스는 당시 62세였다. 그때까지도 그는 그리스와 시리아 및 에스파냐에서 실전 경험을 쌓고, 빛나는 전과를 올렸다. 그는 또한 칸나이 전투 당시의 집정관으로 그때 전사한 아이밀리우스 파울루스의 아들이었다. 누나가 스키피오 아프리카누스에게 출가했기 때문에 명장 스키피오의 처남이기도 했다.

아이밀리우스 가문도 코르넬리우스 가문과 어깨를 나란히 하는 로마의 명문 귀족이고, 그리스 문화를 애호하는 점에서도 스키피오에게 뒤지지 않았다. 두 아들을 위한 가정교사로는 그리스어 선생만이 아니라 조각 선생에 이르기까지 모두 그리스인만 고용했을 정도였다. 그런데 명문 귀족이긴 하지만 경제적으로는 별로 윤택하지 못해서 아들들의 장래를 위해 두 아들을 모두 다른 집에 양자로 보냈다. 하나는 파비우스 가문에 양자로 들어갔고, 또 하나는 명장 스키피오의 아들의 양자가 되었다.

스키피오 가문에 양자로 들어간 아들이 바로 제3차 포에니 전쟁 때 카르타고를 멸망으로 이끈 로마군 총사령관이었다. 그래서 이 아들만은 고명한 양가의 성을 둘 다 붙여서 스키피오 아이밀리아누스라고 부른다. '스키피오 그룹'이라고 불리는 살롱은 로마의 그리스 문화 애호가들의 중심이었고, 역사가 폴리비오스도 이 살롱의 단골이었는데, 명장 스키피오에 이어 이 살롱을 물려받은 것도 스키피오의 아들의 양자인 스키피오 아이밀리아누스였다.

기원전 168년에 집정관으로 선출되어 페르세오스와 싸우러 가는 로마군 총사령관이 된 아이밀리우스 파울루스는 자신이 집정관에 선출된 것을 알자마자 민회에 한 가지 주문을 했다.

"나를 선택한 것은 페르세오스와 맞서 싸울 장군이 필요했기 때문일 것입니다. 그렇다면 전략 전술만이 아니라 직속 장교들의 인선도 나한테 맡겨주십시오."

관례에는 어긋났지만, 민회는 이것을 인정했다. 이리하여 아이밀리우스 파울루스의 부관들은 그의 뜻대로 움직여줄 것이 확실한 자들로 선정되었다. 그들 중에는 파비우스 가문에 양자로 들어간 그의 맏아들, 스키피오 가문의 양자가 된 그의 막내아들, 그의 사위이자 카토의 아들, 그리고 명장 스키피오의 사위이기도 한 스키피오 나시카도 포함되어 있었다. 로마인의 '사관학교'는 실전이 벌어지는 전쟁터였다.

그리스 사태 수습을 맡은 62세의 장군은 우선 철저한 정보 수집으로 임무를 시작했다. 그리스 전역의 지형, 기후, 그리스 도시들의 동향과 민심의 추이 등 그리스에 관한 모든 정보를 로마를 떠나기 전에 그는 이미 파악하고 있었다.

마케도니아군을 이끄는 페르세오스가 아직 30대의 젊은 나이에 그리스인다운 준수한 용모를 가지고 있어서, 그를 알렉산드로스 대왕의 환생이라고 생각하는 그리스인이 많다는 사실도 알았다. 그리스의 민심은 3년 동안 로마군을 상대로 선전한 페르세오스에게 계속 기울어지고 있었다. 아이밀리우스 파울루스는 페르세오스와의 전투를 조속히, 그리고 멋지게 결판내지 않으면 안된다고 생각했다. 개입은 오래 끌면 끌수록 개입한 쪽에 불리해지는 법이다.

기원전 168년 6월, 보충 군단을 이끌고 브린디시 항을 떠난 아이밀리우스는 코르푸 섬을 지나 그리스 서해안에 상륙했다. 그리고 상륙한 뒤에는 곧장 그리스 중앙부를 가로질러 마케도니아 쪽으로 행군했다. 로마군이 이렇게 급히 행군한 것은 참으로 오랜만이었다. 적이 마케도니아의 산악지대로 도망쳐 들어가기 전에 따라잡을 필요가 있었기 때문이다. 로마 집정관이 그리스에 상륙했다는 소식이 페르세오스한테 미처 들어가기도 전에, 아이밀리우스와 그의 군대는 페르세오스의 숙영지인 피드나 평원에 모습을 나타냈다.

대치한 양군의 병력은 마케도니아군이 4만 4천 명, 로마군은 지난해까지 그리스에 파견해둔 병력을 합쳐도 3만 명밖에 안되었다. 이 병력 차이를 안 페르세오스는 망설이지 않고 로마군과 회전을 치르기로 결정했다.

회전 전날 밤에는 월식이 있었다. 젊은 시절에 점을 치는 관리를 지낸 적도 있는 아이밀리우스는 월식이라는 자연 현상을 잘 알고 있었다. 그래서 미리 아군 병사들에게 저녁 6시경부터 밤 9시경까지는 달이 이지러지겠지만 걱정하지 말라고 말해두었다. 반대로 마케도니아군은 월식에 놀랐고, 그것을 흉조로 여긴 병사들의 사기는 싸움을 벌이기도 전에 이미 떨어져 있었다.

이튿날 아침, 피드나 평원에서 벌어진 전투는 양군이 투입한 병력 규모를 생각하면 믿을 수 없는 일이지만, 개전한 뒤 한 시간 만에 승부가 나버렸다. 월식을 흉조로 받아들인 마케도니아군이 소극적으로 싸웠기 때문이라기보다는, 각 부대를 유기적으로 활용한 아이밀리우스의 전술과 그의 뜻을 이해하고 손발처럼 움직인 부관들의 지휘가 훌륭했기 때문이다. 로마군은 단순히 정면에서 부딪쳐 오는 마케도니아군을 포위하여 분쇄하고 궤멸시켜버렸다.

기원전 168년에 페르세오스를 상대로 아이밀리우스가 구사한 전법은 기원전 197년에 플라미니누스가 필리포스를 상대로 구사한 것과 똑같은 전법이었다. 다시 말해서 그것은 스키피오 아프리카누스의 전법인 동시에 한니발이 구사한 전법이었고, 근원을 더욱 거슬러 올라가면 필리포스와 페르세오스가 훌륭한 조상으로 우러러 받드는 알렉산드로스 대왕이 창시한 전법이었다.

이것도 역시 헬레니즘 국가들이 오랫동안 정체한 사실을 보여주는 실례의 하나라 해도 좋을 것이다. 패배는 적에게 지기보다는 자신에게 지는 것이다.

피드나 패전의 결과, 4만 4천 명의 병사를 투입한 마케도니아군의 전사자는 무려 2만 5천 명, 포로는 6천 명에 이르렀다. 한편 로마군의 전사자는 100명도 채 안되었다. 폴리비오스도 말했듯이, 한니발 전쟁 이후의 로마군은 효율적이고 정교한 전쟁 기계 그 자체였다.

패장 페르세오스는 자국의 수도인 펠라까지 도망쳤지만, 주민들은 그의 눈앞에서 성문을 닫고 열어주려 하지 않았다. 페르세오스는 할수없이 사모트라키 섬까지 달아났지만, 여기서도 배신당하여 추적해온 로마군에게 붙잡히고 말았다. 마케도니아의 마지막 왕은 로마로 압송되어 아이밀리우스 파울루스의 개선식을 장식한 뒤, 가족과 함께 이탈리아의 소도시 알바에서 여생을 보내게 되었다. 알바는 누미디아의 왕 시팍스가 귀양살이를 했던 곳이다. 로마는 헬레니즘 세계의 3대 왕국 가운데 하나인 마케도니아의 멸망을 결정했다. 로마의 '제국주의'는 조금씩 엄격해지고 있었다.

이 단계에서도 로마는 그리스를 직할 통치하는 속주로 만들려고 하지는 않았다. 마케도니아 편에 서서 싸운 70여 개의 도시는 본때를 보이기 위해 약탈당하고, 주민의 일부는 노예가 되었다. 폴리비오스를 비롯한 1천 명의 그리스 고관들이 위험인물로 간주되어 로마로 압송

되었고, 폴리비오스가 아이밀리우스의 집안에 맡겨졌듯이 로마 영토 안에 있는 유력자들의 집안에 맡겨져 인질 생활을 하게 되었다.

마케도니아는 멸망했지만, 멸망한 것은 왕조뿐이었다. 왕국의 영토는 네 쪽으로 분할되어 각각 자치를 인정받았고, 자위력을 갖는 것도 허용되었다. 지금까지 왕에게 바쳤던 조세의 절반은 로마에 내도록 결정되었지만, 나머지 절반은 연방이 된 4개 자치국의 국내 비용으로 남겨졌다. 광산에서 나오는 수입도 절반은 로마에 보내졌지만, 나머지 절반은 마케도니아인의 것으로 남겨졌다. 로마는 패권 통치에 불편해진 왕조는 멸망시켰지만 마케도니아인의 자치는 존중해준 셈이다.

보기에 따라서는 너그러운 로마의 마케도니아 처리 방법도 마케도니아인의 처지에서는 쓸모없는 물건을 선물받은 거나 마찬가지가 되었다.

마케도니아인은 다른 그리스인과는 달리, 도시국가 폴리스의 전통을 갖고 있지 않았다. 그들이 알고 있는 것은 왕의 통치뿐이고, 시민의 자치는 아니었다.

그렇기는 하지만, 로마는 개입을 빨리 끝내고 싶었다. 마케도니아 이외의 그리스 도시에도 자치권을 재확인해주고, 석 달도 지나기 전에 그리스에서 모든 병력을 철수시켰다. 군사기지도 아드리아 해의 제해권과 관련된 아폴로니아 외에는 어디에도 두지 않았다.

그리스는 그후 20년 동안 일단은 안정을 유지하면서, 로마의 패권을 인정하고 자유와 독립을 누리게 되었다.

로마는 그리스에 로마식 가도조차도 건설하지 않았다. 그리스에 이미 고속도로식 가도가 존재했기 때문이 아니라, 로마가 그리스에도 군단 이동에 편리한 가도가 필요하다고는 생각지 않았기 때문이다. 다시 말해서 당시의 로마는 또다시 그리스에 군사 개입을 할 필요가 생기리라고는 생각지 않았던 것이다.

　폴리비오스도 인정했듯이, 로마로 하여금 또다시 그리스에 대한 군사 개입을 고려하게 만든 것은 바로 그리스인 자신이었다.

제9장

카르타고 멸망

기원전 149년~기원전 146년

후세의 관점에서 역사를 보는 방식을 택하는 사람이 저지르기 쉬운 잘못은, 역사 현상은 그 발단부터 종결을 향해 질서정연하게, 다시 말하면 필연적인 추세로 진행되었다고 생각하기 쉽다는 점이다.

그러나 대부분의 역사 현상은 그처럼 깔끔하게 진행되지 않는다. 시행착오를 거듭하거나, 망설이며 멈춰서거나, 순전한 우연으로 방향이 바뀌거나 하다가, 후세 사람이 보기에는 필연으로 여겨지는 결말에 도달하는 법이다.

뜨거운 맛을 보여줄 작정으로 시작한 전쟁이 결국 왕국의 멸망을 초래한 예는 마케도니아 멸망을 다룬 부분에서 이야기했다. 그래도 마케도니아 왕국은 자기가 뿌린 씨를 자기가 거둔 것이니까 동정할 여지는 별로 없다. 하지만 카르타고인의 경우는 딱하다고 말할 수밖에 없다. 제2차 포에니 전쟁에서 로마에 패한 이후 50년 동안, 카르타고인은 로마의 패권하에서 평화롭게 살아왔기 때문이다.

이 카르타고의 멸망은 이중삼중으로 겹쳐 일어난 불행한 우연이 초래한 결과였다고 생각할 수밖에 없다.

로마인들이 '한니발 전쟁'이라고 부른 제2차 포에니 전쟁이 끝난 뒤, 카르타고는 로마의 속주가 되지 않고 독립한 자치국가로 존속했지만, 분명 이류 국가로 전락해 있었다.

군비도 약소국밖에는 상대할 수 없는 수준으로 떨어졌고, 로마의 승인 없이는 외국과의 교전권도 행사할 수 없도록 되어 있었다.

에스파냐와 시칠리아 및 사르데냐 같은 해외 영토를 모두 잃어버린 카르타고는 본국 아프리카의 농장 경영에 경제력의 기반을 둘 수밖에 없었다. 광산 경영은 이미 사라져버린 옛날의 꿈이었고, 따라서 공업 발전도 바라기 어려웠다. 이런 면에서는 이탈리아의 토스카나 지방이나 에스파냐, 그리고 이제는 마케도니아의 광산까지 손에 넣은 로마가 압도적으로 우세했다.

통상 국가로서도 카르타고의 옛 모습은 더 이상 찾아볼 수 없었다. 농산물이 주산물인 이상, 교역 물자도 한정되었다. 게다가 로마의 동맹국으로서 유리한 입장에 있는 이탈리아 남부와 시칠리아의 그리스인은 카르타고의 강력한 경쟁자였다.

그렇기는 하지만, 로마인이 라틴어로 번역시켰다는 농장 경영서를 저술할 정도였으니까, 카르타고의 농업은 높은 생산성을 자랑했다. 또한 오늘날의 모습에서는 상상하기 어렵지만, 고대에 북아프리카는 땅이 기름진 지방이었다. 농업에는 가장 좋은 토질의 넓은 경작지를 카르타고인은 효율적으로 운영했다. 생산성이 높은 것도 당연했을 것이다.

그래도 카르타고의 멸망으로 끝난 제3차 포에니 전쟁이 카르타고의 경제력을 로마가 질투했기 때문에 일어났다고는 생각하기 어렵다.

'한니발 전쟁'에서 패한 카르타고는 분명히 경제적으로는 재건되었다. 하지만 경제력만 따로 떼어 비교하면, 패전 후 50년이 지난 시점에서 카르타고가 로마를 압도할 정도의 경제대국이 되어 있었다고는 말할 수 없다.

카토가 카르타고산 무화과를 로마로 가지고 돌아가 원로원 의원들에게 보이고, 이렇게 풍요로운 과일을 생산할 능력을 가진 적이 바닷길로 사흘 거리에 있다고 말하면서 카르타고 궤멸을 주장했다는 에피소드는 유명하지만, 그는 원래 교묘한 선동자다. 사람들이 가장 납득하기 쉬운 것을 보여줌으로써 사람들의 시각에 호소했을 뿐이다.

경제력뿐이라면 로마를 걱정시킬 정도는 아니었다 해도, 경제적으로 재건된 카르타고는 과거에 '한니발 전쟁'을 일으킨 '전과'를 갖고 있었다. 경제력을 가진 나라라면 용병을 모으는 것은 간단하다. 그리고 이 카르타고에 제2의 '한니발'이 태어나지 않는다고 누가 장담할 수 있겠는가.

과거에 대한 강박증에서 자유로워지지 못하는 성질의 사람과 과거를 뛰어넘을 수 있는 사람의 차이는 스키피오 아프리카누스와 카토를 비교한 부분에서 언급했다. 스키피오는 죽었지만, 카토는 80세가 되었는데도 아직 정정했다.

카토의 카르타고 반대운동은 집요하기 이를 데 없었다. 그는 연설에서 다른 문제를 논한 뒤에도 끝에는 반드시 이런 구절을 덧붙이는 것을 잊지 않았다.

"어쨌든 나는 카르타고를 궤멸시켜야 한다고 생각합니다."

로마의 국정을 담당하는 원로원 의원들이 모두 카토에게 찬성한 것은 아니다. 바로 그렇기 때문에 카토는 위와 같은 말을 집요하게 되풀이할 필요가 있었던 것이지만, 스키피오 아프리카누스가 실각하고 세상을 떠난 뒤에도 원로원에는 스키피오가 생전에 추진한 '온건한 제국주의' 노선에 공감하는 사람이 적지 않았다. 그 대표자가 스키피오의 사위인 스키피오 나시카였다. 전쟁터에서나 정계에서도 일급 인물인 이 사람은 늙은 카토에 대항하여 모든 발언을 다음과 같은 말로 끝맺었다.

"어쨌든 나는 카르타고를 존속시켜야 한다고 생각합니다."

로마에서의 이같은 미묘한 균형을 깨뜨린 충격은 사실은 카르타고 쪽에서 자초한 것이었다.

제2차 포에니 전쟁 이후 로마의 '클리엔테스', 즉 피보호자가 된 카르타고는 역시 로마의 '클리엔테스'인 누미디아 왕국의 세력 확장에 고민하고 있었다.

카르타고와 누미디아는 로마의 패권을 인정한 동맹국이라는 입장은 같았지만, 로마인이 두 나라를 동일시하지 않았던 것은 당연하다. 누미디아는 당시에도 건재한 마시니사 왕이 스키피오 아프리카누스와 협력하여 자마에서 한니발에게 승리한 실적을 가지고 있었기 때문이다.

또한 누미디아는 로마군에 병력을 제공하여 그리스 전선에서나 시리아 전선에서도 로마군 속에 누미디아 병사들의 모습이 끼여 있었지만, 카르타고의 공헌은 오로지 군량 조달에만 한정되어 있었다. 이 군량조차도 로마는 원조로 받은 게 아니라 대금을 지불하고 구입했다. 언젠가 카르타고 사절이 로마 원로원에서 이렇게 말한 적이 있었다.

"우리 카르타고인은 로마인과 함께 세 명의 왕과 싸웠습니다. 마케도니아의 왕 필리포스와 시리아의 왕 안티오코스, 그리고 마케도니아의 왕 페르세오스가 그들입니다."

이 말이 떨어지자 원로원은 비웃음으로 당장 폭발할 것 같았다. 한 구석에서 야유가 날아왔다.

"피도 흘리지 않고, 무슨 소리를 하는 거야!"

로마의 패권 밑에서 살아가는 똑같은 '클리엔테스'인데도, 누미디아와 카르타고의 지위는 전혀 달랐다.

지중해 세계의 역사와 지리에 관한 저서를 쓴 스트라보에 따르면, 당시의 누미디아 왕국은 '마시니사 왕의 훌륭한 지도로 유목민에서 농경민으로 탈바꿈했다'고 할 만큼 강대국으로 변모해 있었다. 이런 누미디아에 대한 카르타고인의 걱정은 단순한 강박증이 아니라 엄연한 현실 문제였다.

누미디아의 세력 확장에 시달린 카르타고는 용병을 모집하기로 결정했다. 당장 6만 명의 용병이 모였다.

이 사실은 당장 로마에 알려졌다. 로마는 카토를 수석대표로 하는 조사단을 파견했다. 카르타고는 로마 시찰단에게 누미디아의 침략주의를 호소했다. 하지만 상대가 카토인 이상, 카르타고의 주장은 처음부터 통하지 않았다. 이것을 안 로마는 이듬해에 이번에는 스키피오 나시카를 수석대표로 하는 조사단을 카르타고에 파견했다.

스키피오 나시카는 누미디아군을 누미디아 영토 안으로 철수시키는 데 성공했다. 많은 사람들은 이것으로 카르타고가 위기를 모면했다고 믿었다. 역사가 폴리비오스 역시 아무 일도 일어나지 않을 거라고 생각한 사람 가운데 하나여서, 모국 그리스로 돌아가려고 브린디시 항구로 갔을 정도다.

그런데 경제적 재능은 타고났지만 정치적 처신에는 서투른 카르타고인은 스키피오 나시카가 성립시킨 타협책이 로마의 소극적인 태도를 보여주는 증거라고 생각했다. 국내에는 아직 6만 명의 용병이 있었다. 이들은 누미디아 국경을 돌파하여, 누미디아 수도에서 90킬로미터 떨어진 곳까지 쳐들어갔다.

로마 원로원은 격분했다. '한니발 전쟁'이 끝난 뒤에 맺은 강화에 따르면, 카르타고는 로마의 승인 없이는 외국과 교전권을 행사할 수 없도록 되어 있다. 누미디아 침공은 분명한 조약 위반이었다.

카토를 리더로 하는 강경파는 발언권이 강해졌고, 스키피오 나시카가 이끄는 온건파는 입을 다물 수밖에 없었다. 로마 원로원은 카르타고에 파병할 4개 군단을 편성하기로 결의했다.

카르타고 정부도 이 결의의 의미를 당장 이해했다. 게다가 누미디아 영토로 쳐들어간 카르타고 용병은 그들을 맞아 싸운 누미디아군에게 패배까지 맛보았다. 경솔하고 쓸데없는 조약 위반 행위를 저질러버린 카르타고 정부는 급히 로마에 사절을 파견하여, 용병부대 해체와 지휘관 처형을 약속하고 로마 원로원의 분노를 가라앉히려고 애썼다. 원로원은 이 말을 믿고, 군단을 파견하는 대신 조사단을 파견하기로 방침을 바꾸었다.

조사단의 임무는 카르타고가 약속을 지키는지 여부를 현지에서 확인하는 것이다. 그런데 로마 조사단을 맞이한 카르타고 정부는 약속을 조금씩 찔끔찔끔 이행하는 실수를 저질렀다. 로마로 돌아온 조사단의 보고는 카르타고에 대한 원로원의 불신을 더욱 강화시켰을 뿐이다.

이런 상태가 계속되는 데 위험을 느낀 것은 수도 카르타고보다 카르타고 제2의 도시인 우티카를 비롯한 카르타고 도시들의 주민이었다. 이들 도시들은 로마에 대표를 파견하여, 만약 로마와 카르타고 사이에 전쟁이 다시 일어나면 자기들은 로마 편에 서서 싸우겠다고 선언했다.

이 말을 들은 로마 원로원은 강경파의 독무대로 변했다. 기원전 149년의 집정관 임지는 아프리카로 결정되었다. 이것은 선전포고나 마찬가지였다.

당황한 카르타고는 특사 5명을 로마에 급파하여 사태를 해명하려고 애썼다. 그러나 로마 원로원은 특사 5명에게 집정관은 이미 로마를 떠났다고 말했을 뿐이다. 카르타고가 로마의 승인 없이 로마의 동맹국 누미디아에 대해 적대행위를 한 것이 선전포고의 이유였다. 특사 5명은 필사적이었다. 그들은 무조건 항복을 제의하고, 그 보증으로 300명의 인질을 보내겠다고 말했다. 원로원은 이것을 받아들였다. 아프리카로 가고 있는 두 집정관에게 카르타고와의 교섭권을 부여한다는 훈령이 보내졌다.

귀국한 특사 5명을 맞이한 카르타고 정부도 이번에는 약속을 조금씩 찔끔찔끔 이행하지는 않았다. 아프리카 땅에 상륙하여 스키피오 아프리카누스가 반세기 전에 카르타고 공략 기지로 삼기 위해 건설한 '코르넬리우스 진지'에 도착한 두 집정관에게 당장 300명의 인질이 보내졌다. 집정관은 이 300명을 우선 시칠리아로 보냈다. 그리고 전쟁을 피하는 것과 관련된 로마 쪽의 요구 조건을 카르타고 정부에 제시했다.

성을 공격하는 데 쓰는 모든 기구와 무기를 제출하라는 것이 로마의 요구 조건이었다. 이것은 카르타고의 완전한 무장해제를 의미한다. 카르타고는 이것을 감수했다. 석궁기(石弓器) 2천 개와 갑옷 20만 벌이 당장 '코르넬리우스 진지'로 보내졌다. 집정관 두 사람은 여기에 만족의 뜻을 표하고, 유력한 시민 30명으로 구성된 대표단을 로마 원로원에 보내 앞으로 해야 할 일에 대한 지시를 청하라고 카르타고 정부에 권했다. 카르타고 정부는 시키는 대로 했다.

그러나 카르타고는 운이 나빴다. 때마침 그리스에서 로마인의 태도를 경화시키는 사건이 일어나고 있었던 것이다.

마케도니아를 중심으로 한 그리스 땅에서, 선왕 페르세오스의 서자를 자칭하는 필리포스라는 사나이가 그리스인들의 반(反)로마 감정의 중심이 되기 시작했다. 이 인물은 실제로는 완전한 가짜였던 모양이다. 하지만 기원전 2세기의 그리스인은 자유와 독립 의식은 강해도, 그것을 현실화하고 유지하기 위한 정치력은 페리클레스의 죽음과 함께 사라져버렸나 싶을 만큼 비정치적인 민족으로 전락해 있었다. 과거에 플라톤이 품었던 절망이 점점 현실이 되어가고 있었다. 로마에 반대하는 필리포스에게 당장 기울어진 그리스인들은 공식 석상에서도 거리낌없이 이렇게 말하곤 했다.

"로마인이 그리스에 오는 것은 환영한다. 하지만 어디까지나 친구로서 와야지, 주인으로 와서는 안된다."

이 말이 만장의 박수갈채를 받은 것은 로마군의 아프리카 침공이 알려졌기 때문이다. 로마가 카르타고에 힘을 빼앗기고 있는 지금이야말로 로마의 패권을 단호히 거부할 절호의 기회라고 그들은 생각했다. 그리스인인 폴리비오스도 '그리스인은 이 기회를 틈탔다'고 말했다.

그리스인에 대한 로마인의 생각도 스키피오 아프리카누스나 플라미니누스의 시대에 비하면 달라져 있었다. 페리클레스 시대를 정점으로 하는 그리스의 문명과 문화를 존경하는 마음은 지난 반세기 동안 변함이 없었지만, 기원전 2세기 당시의 그리스인에 대해서는 로마인도 경멸감을 품지 않을 수 없었다.

기회있을 때마다 자유와 독립을 부르짖는다는 점에서는 기원전 2세기의 그리스인도 페리클레스 시대와 다를 바 없었다. 달라진 것은 이 자유와 독립을 현실화하는 방법이었다. 기원전 2세기의 그리스인은 다른 나라에 의존하거나, 아니면 친구의 위기를 이용하는 방법밖에 알지 못했다.

그리스인이 창조한 미술품과 건축을 사랑하고, 그들의 문학과 역사 서술을 본받으려 애쓰고, 그리스인에게 라틴어를 강요하기보다 오히려 그들 자신이 그리스어를 습득하려고 애썼던 로마인이 지금에 와서 그리스 민족을 경멸하는 이유는 바로 그것이었다. 그리고 페리클레스 시대인 기원전 5세기의 그리스인과 달리, 기원전 2세기의 그리스인은 미술에서도 건축에서도 문학에서도 창조력을 잃어버리고, 새로운 시대를 개척하는 자극적인 작품을 내놓지 못하고 있었다.

기원전 148년, 로마는 이 그리스에 군단을 파견하기로 결정했다. 그리스에 대한 세번째 군사 개입이다. 한니발에게 승리한 이후 연전연승을 계속하고 있는 로마는 역시 군사적으로 문제를 해결하면 이긴다는 자신감을 갖고 있었다. 이런 로마를 비정치적인 그리스인이 자극해버린 것이다.

카르타고 대표들이 로마를 방문했을 때, 로마인은 그리스인의 이같은 동향에 초조감을 보이고 있었다. 말하자면 시기를 잘못 선택한 것이다. 그리스인 때문에 짜증이 난 로마는 카토가 집요하게 외친 카르타고에 대한 강경노선에 대해서도 전보다 저항력을 잃고 있었다.

로마의 지도자들은 타민족을 너그럽게 대해봤자 반대 결과밖에 나오지 않는 것에 짜증을 내고, 그 방식을 바꿔야 하는 게 아닌가 생각하기 시작했다. 여기에 군사적인 자신감이 추가되었다. 카르타고에 대한 강경하기 짝이 없는 최후 통첩은 이런 분위기에서 이루어졌다.

로마와의 전쟁을 피하기 위해서는 무슨 짓이든 하겠다면서, 거기에 대한 지시를 청하는 카르타고 대표 30명에게 로마 원로원은 최후 통첩이라면서 다음과 같이 요구했다.

수도 카르타고를 파괴하고, 주민은 해안에서 10로마마일(약 15킬로미터 정도) 떨어진 내륙지방으로 전원 이주할 것.

대표 한 사람이 이것은 카르타고를 죽이는 것과 마찬가지라면서 저항했지만, 원로원의 태도는 바뀌지 않았다. 대표 30명은 결국 이 요구를 받아들일 수밖에 없었다. 이들 가운데 몇 명은 귀국하는 도중에 달아나버렸다.

그래도 폴리비오스를 비롯한 대다수 사람들은 이것으로 제3차 포에니 전쟁은 피할 수 있을 거라고 생각했다. 폴리비오스는 브린디시 항에서 떠나는 배를 타고 조국 그리스로 돌아가려 하고 있었다.

바로 그때 친구인 스키피오 아이밀리아누스가 보낸 심부름꾼이 급히 달려왔다. 폴리비오스는 막 올라탄 배에서 내려, 심부름꾼과 함께 스키피오 아이밀리아누스가 출항 준비를 하고 있는 오스티아 항구를 향해 아피아 가도를 되짚어 달려갔다.

대표단이 로마의 가혹한 요구를 받아들이고 귀국하자, 지도층에 분노한 카르타고 민중이 로마에 대해 반란을 일으킨 것이다. 지도층의 나약한 태도는 그것이 설령 불가피한 선택이라 해도 일반 민중의 민족감정에 불을 붙이는 경우가 많은 법이다. 로마의 명령을 가지고 귀국한 사람들은 반역자라는 비난을 받고, 분노한 민중의 손에 목숨을 잃었다.

수도 카르타고는 무기제조창으로 탈바꿈했다. 농성전에 대비하여 근교에서 식량 조달이 활발해졌다. 로마에 대한 강경노선을 주장하다가 추방당했던 사람들은 각자 거느리고 있는 용병들과 함께 수도로 소환되었다. 여자들까지도 석궁기의 밧줄로 쓰라고 머리카락을 잘라서 공출했다. 빈부격차도 사라졌다. 수도 방어전에 참가하는 조건으로 죄수와 노예들까지 해방되었다. 배의 침몰을 내다보고 도망친 사람들 때문에 인구는 평소보다 줄어들었지만, 그래도 수도 카르타고에는 6만 명의 인구가 남아 있었다고 한다. 이들 가운데 방어전에 참가할 수 있는 병력은 2만 명을 헤아렸다.

이리하여 로마와 카르타고는 마지막 결전의 순간을 맞이했다.

그런데 이 '마지막 순간'은 정말로 불가피한 것이었을까. 나에게는 아직도 의문이 남아 있다. 로마 원로원이 카르타고의 특사 30명에게 전달한 최후 통첩——수도 카르타고를 파괴하고, 주민은 해안에서 10로마마일 떨어진 내륙지방으로 전원 이주할 것——을 가혹한 요구로 단정한 것은 후세의 역사가들뿐이기 때문이다. 고대의 역사가들은 그것을 가혹한 요구라고는 말하지 않았다.

리비우스의 『로마사』에서 이 시대를 다룬 부분은 중세를 거치는 동안 사라져버렸기 때문에, 그가 로마의 요구를 어떻게 생각했는지는 알 수 없다. 하지만 동시대에 살았던 『역사』의 저자 폴리비오스에 따르면, 로마의 최후 통첩은 결코 도리에 어긋나는 행위는 아니었다고 한다. 또한 고대에 작성된 모든 사료를 참고할 수 있었던 디오도로스와 아피아노스도 강경하다고 쓰긴 했어도 가혹하다고 평가하지는 않았다. 후세의 역사가들은 이 최후 통첩을 받은 카르타고의 특사 가운데 한 사람이 이것은 카르타고를 죽이는 것과 마찬가지라고 항변한 것을 곧이곧대로 믿어버린 건 아닐까.

로마 원로원은 수도 카르타고의 주민 전원이 수도를 떠나 새로 건설한 신도시로 이주할 것이냐, 아니면 전쟁을 할 것이냐의 양자택일을 카르타고 정부에 강요했다. 하지만 원로원은 이 신도시 건설지까지 지정하지는 않았다. 해안에서 10로마마일 떨어진 내륙지방이라는 조건을 붙였을 뿐이다. 바다에서 15킬로미터 이상 떨어져 있어야 한다는 조건만 충족되면, 신도시 건설지의 선정은 카르타고인에게 맡겨져 있었다.

나는 당시 지중해 세계의 유명한 도시들이 해안에서 얼마나 떨어져 있었는지, 그 거리를 조사해보았다.

시칠리아 섬의 시라쿠사와 팔레르모, 이탈리아 남부의 타란토, 카르타고인이 에스파냐에 건설한 도시 카르타헤나와 카디스, 이집트의 알렉산드리아, 소아시아의 에페소스 등은 모두 카르타고와 마찬가지로 바다에 면한 항구도시다. 카르타고 제2의 도시인 우티카도 오늘날에는 해안선이 바다 쪽으로 후퇴하여 내륙 도시가 되어버렸지만, 고대에는 바다에 면한 도시였다.

하지만 시리아의 수도 안티오키아는 당시에도 큰 배가 드나들 수 없는 강을 따라 20킬로미터나 상류로 올라가야만 닿을 수 있는 곳에 건설되어 있다. 또한 통상과 산업으로 번영한 아테네도 바다에 면해 있지 않다. 외항 피레우스와 아테네의 거리는 8킬로미터였다. 아테네와 피레우스 사이에는 강도 없었기 때문에, 아테네의 물산은 테미스토클레스가 평행선으로 건설한 성벽의 사잇길을 통해 피레우스로 운반되어 배에 실렸다.

로마도 테베레 강이 있긴 하지만 바다에는 면해 있지 않다. 로마와 로마의 외항 오스티아 사이는 가도로 이어져 있다. 테베레 강줄기를 따라가면서도 되도록 직선으로 건설한 이 가도의 거리는 22킬로미터다. 테베레 강도 큰 배가 자유롭게 항해할 수 있을 만한 강은 아니었다.

로마가 사하라 사막 한가운데에 도시를 건설하고 거기로 이주하라고 강요한 것은 아니다. 요컨대 해안선에서 15킬로미터만 떨어져 있으면 된다. 고대의 북아프리카는 수목이 울창한 기름진 땅이었다. 강줄기도 많았다. 설령 강을 통해 바다와 이어질 수 없다 해도, 15킬로미터는 아테네와 피레우스의 거리의 두 배도 채 안되는 거다. 그렇다면 테미스토클레스가 그랬듯이, 높고 견고한 벽을 바다까지 평행선으로 쌓아 일종의 '복도'를 만들 수도 있었을 것이다. 로마 원로원에는 스키피오 일파로 이루어진 카르타고 온존파 세력이 있었다는 것을 잊어서는 안된다. 그리고 카토가 이끄는 카르타고 궤멸파도 강을 이용하든 발로 걸어가든 바다까지 가려면 22킬로미터의 거리를 돌파하는 것을 당연하게 여기는 로마의 주민이었다.

반면에 카르타고인은 집에서 한 걸음만 밖으로 나가면 곧바로 배를 탈 수 있는 곳에 도시가 있는 것을 당연하게 생각했다. 그런 그들에게는 고작 15킬로미터의 거리조차도 '죽이는 것과 마찬가지'가 되었던 게 아닐까.

이런 것이야말로 흔히 민족간의 다툼이나 마찰의 원인이 되는 가치관의 차이가 아닐까 하는 생각이 든다. 로마인의 눈에는, 고작 15킬로미터 내륙으로 들어간 곳에 신도시를 건설하여 이주하라는 말에 카르타고인이 반발한 것이 로마의 패권에 정면으로 도전하는 행위로 비친게 아닐까.

그렇기는 하지만, 기원전 2세기 중엽의 카르타고인이 발상을 전환할 수는 없었을까. 수도 카르타고가 천연의 요충지에 있었기 때문에 다른 지방으로 이주한다는 건 생각조차 할 수 없는 일이었을까. 아니면 강대국이었던 역사를 가진 민족이 그렇게까지 해서 살아남을 필요는 없다고 생각한 것이었을까.

카르타고 함락

튀니스 만의 서쪽에 불쑥 튀어나온 곳의 끝을 차지하고 있는 카르타고 시가지는 천연의 요충지에 세워져 있다. 우선 넓은 곳 전체는 삼면이 바다로 둘러싸여 있다. 게다가 북쪽에는 산지가 바싹 다가와 있고 동쪽은 바다가 지켜주고 있어서, 북쪽과 동쪽에서의 공략은 거의 불가능하다고 해도 좋다. 서쪽은 높이가 14미터에 폭이 10미터나 되는 삼중의 성벽이 지키고 있어서, 아마 이쪽을 돌파하는 것도 사실상 불가능했을 것이다.

이 도시를 공략하려면 항구도시 카르타고의 정면 현관, 즉 항구 쪽에서 쳐들어갈 수밖에 없다. 하지만 로마군이 여기에 공격을 집중하게 된 것은 스키피오 아이밀리아누스가 총지휘를 맡게 된 기원전 147년에 이르러서였다. 카르타고에 선전포고를 한 뒤 2년이나 세월을 허송해버린 것은 로마군 총사령관인 집정관들이 싸움을 신중하게 진행하는 지휘관이었던 탓도 있다. 또한 로마의 전쟁 준비도 처음부터 충분했다고 말하기는 어려웠다. 무엇보다도 카르타고만큼 큰 도시의 공략

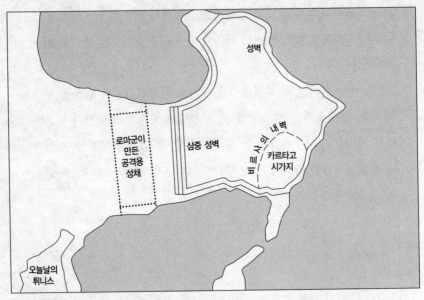

성벽

로마군이
만든
공격용
성채

삼중 성벽

카르타고의 내벽

카르타고
시가지

오늘날의
튀니스

카르타고 수도

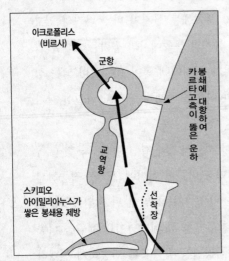

아크로폴리스
(비르사)

군항

봉쇄에 대항하여 카르타고측이 뚫은 운하

교역항

스키피오
아이밀리아누스가
쌓은 봉쇄용 제방

선착장

카르타고 시가지 약도(➡는 로마군의 진로)

전은 몇 년에 걸쳐 이루어지는 것이 상식이었다. 그러나 그리스의 사태 전개로 말미암아 로마는 카르타고 공방전도 빨리 종결지으려고 서두르게 되었다.

그리스에 대해 세번째 군사 개입을 결행한 로마는 1년도 지나기 전에 마케도니아 왕의 서자를 자칭하는 사나이가 이끄는 반란군을 진압하는 데 성공했다. 로마도 이제는 더 이상 마케도니아인의 독립을 존중하려고는 하지 않았다. 4개의 자치국으로 분할되어 있던 옛 마케도니아 왕국의 영토는 자치권을 빼앗기고 로마의 속주로 격하되었다.

그래도 로마는 다른 그리스 도시들의 독립과 자치는 계속 존중해줄 작정이었다. 그런데 그리스인들은 로마의 그런 태도를 힘있는 자의 관용이 아니라, 그리스 문화에 열등감을 가진 자의 저자세로 생각했다. 바로 이 무렵, 그리스 도시국가들 가운데 하나인 코린트를 방문한 로마 원로원 의원들이 코린트 시민들한테서 무례하다고 말할 수밖에 없는 대우를 받는 사건이 일어났다. 이를 통해 로마인은 관용주의의 한계를 깨달았다.

코린트에 급파된 로마군은 코린트를 철저히 파괴하고, 미술품을 몰수하여 로마로 보내고, 주민은 남녀노소를 불문하고 모두 노예로 팔아버렸다. 쟁기와 괭이로 땅을 고르듯 도시 전체가 송두리째 소멸해버린 코린트는 오만불손한 그리스인 전체에 대한 본보기였다.

로마인은 투항 권고를 무시하고 끝까지 싸운 도시에 대해 사흘로 기간을 한정하여 약탈한 적은 있다. 이런 도시의 주민을 노예로 삼은 적도 있다.

하지만 도시 자체를 지상에서 말살하는 행위는 건국 이후 한번도 자행한 적이 없었다. 아테네와 스파르타에 이어 그동안 줄곧 그리스의 3

대 도시였던 코린트의 소멸은 그리스인에게 찬물을 끼얹기에 충분했다. 옛 마케도니아처럼 로마의 속주가 되지는 않았지만, 그후 그리스는 로마의 패권 밑에 안주하게 되었다. 자유와 독립을 무엇보다도 중시한 그들이 자유와 독립을 잃게 된 것이다. 그 대신 질서와 안정을 얻기는 했지만.

기원전 146년은 로마가 '온건한 제국주의'에서 '엄격한 제국주의'로 방침을 바꾼 해로 사람들의 기억에 남게 된다. 같은해에 카르타고가 마지막 순간을 맞이하게 된 것도 불행한 우연이 초래한 결과였다.

더구나 카르타고인이 요구한 것은 자유나 독립이 아니라 단순한 안전이었기 때문에 더욱 애처롭다. 그리스가 독립을 잃은 것은 그리스인 자신에게 책임이 있다고 말한 동시대의 역사가 폴리비오스도 카르타고의 멸망에 대해서는 카르타고인 탓으로 돌리지 않았다.

카르타고인에게 죄가 있다면, 그것은 로마의 투항 권고를 끝까지 거부하고 자기네 도시와 함께 멸망하는 쪽을 선택한 것이리라. 그들은 로마군 포로를 성벽 위에 세워놓고, 로마군이 보는 앞에서 한 사람씩 죽였다. 이것은 전례가 없는 일이었다. 카르타고인이 이런 짓까지 자행한 것도 옥쇄(玉碎)하는 쪽으로 자신들을 내몰기 위해서였다고 생각할 수밖에 없다. 카르타고인은 마지막 순간에 이르러 자신의 운명을 스스로 결정한 것이다.

로마군 총사령관 스키피오 아이밀리아누스는 기원전 147년부터 기원전 146년에 걸친 겨울철 휴전기를 이용하여 로마 원로원에 전령을 보냈다. 카르타고의 수도를 어떻게 처리할 것인지, 그 지시를 받기 위해서였다.

항구 쪽에서 카르타고로 쳐들어갈 준비는 이미 끝나 있었다. 바다와

항구를 잇는 운하는 로마군이 그 입구에 쌓은 제방으로 이제 완전히
봉쇄되어 있었다. 카르타고는 또 하나의 운하를 뚫었지만, 그 앞쪽 해
상을 로마 함대가 순찰하게 된 뒤로는 쓸모가 없어졌다. 육지 쪽 성벽
도 여러 군데가 파괴되었다. 시내에 저장되어 있던 식량도 농성 3년째
를 맞이해서는 바닥을 드러냈다. 최후의 철퇴를 가할 것인가, 아니면
또다시 강화를 시도할 것인가.

제2차 포에니 전쟁을 끝낸 스키피오 아프리카누스의 양손자이기도
한 스키피오 아이밀리아누스는 그해 나이 38세였다. 전쟁터에서의 모
든 행동은 총사령관인 그에게 일임되어 있었다. 하지만 양조부인 스키
피오나 친아버지인 아이밀리우스 파울루스와 마찬가지로, 다른 문화
나 다른 민족에 대해 편견을 갖지 않고 개방적인 이 로마 장군은 카르
타고인의 운명을 혼자서 결정하기를 망설였다.

기원전 146년으로 해가 바뀐 봄에 원로원의 훈령이 도착했다. 이 훈
령에 따라 카르타고에도 코린트와 같은 대우를 하기로 결정되었다.

바다 쪽에서 공격을 개시한 로마군에 대해, 수비군은 우선 외항 주
위에 늘어서 있는 창고와 조선소에 불을 지르는 방법으로 대항했다.
그 불길 속에서 시가전이 시작되었다. 건물 한 채씩, 도로 하나씩 제압
하면서 적을 막다른 곳으로 몰아넣는 시가전이 꼬박 엿새 동안 밤낮으
로 계속되었다.

이레째 되는 날, 신전이 늘어서 있는 '비르사'에서 불길이 치솟으면
서 카르타고는 완전히 정복되었다. 신전을 에워싸고 활활 타오르는 불
길 속에 몸을 내던져, 노예가 되기보다는 차라리 죽음을 택한 카르타
고인도 적지 않았다. 도시가 함락된 뒤, 투항 권고를 거부하고 저항한
시민들의 운명은 정해져 있었다. 노예가 된 카르타고 시민은 어린이까

지 합해서 5만 명에 이르렀다.

총사령관 스키피오 아이밀리아누스와 친한 사이였기 때문에 카르타고 함락을 현장에서 지켜볼 수 있었던 폴리비오스는 당연히 카르타고가 함락되는 과정을 자세히 서술하고 있다. 그의 저서인 『역사』도 중세를 거치는 동안 일부가 소실되어, 유감스럽게도 남은 부분은 3분의 2도 채 안된다. 특히 카르타고 함락 장면은 단편적으로밖에 남아 있지 않다. 그래서 폴리비오스의 저서를 참고했다는 서기 2세기의 그리스 역사가 아피아노스의 저술을 인용하는 것으로 대신할 수밖에 없다.

스키피오 아이밀리아누스는 눈 아래 펼쳐진 카르타고 시에서 오랫동안 눈을 떼지 않았다. 건국한 지 700년, 그 오랜 세월 동안 번영을 누린 도시가 잿더미로 변해가는 것을 그는 물끄러미 바라보고 있었다.

700년이나 되는 긴 세월 동안, 카르타고는 넓은 땅과 수많은 섬과 바다를 지배해 왔다. 그에 따라 카르타고는 지금까지 인류가 만들어낸 어떤 강대한 제국에 견주어도 손색이 없는 방대한 양의 무기와 군선과 코끼리와 부를 소유할 수 있게 되었다.

카르타고는 과거의 어떤 제국보다도 용기와 기개가 뛰어났다. 로마의 요구에 굴복하여 모든 무기와 모든 군선을 공출했으면서도, 3년 동안이나 로마군의 공격을 견뎌냈기 때문이다. 그런데 지금 그 도시가 함락되고 완전히 파괴되어 지상에서 모습을 감추려 하고 있었다.

전해오는 말에 따르면(즉 폴리비오스의 말에 따르면), 스키피오 아이밀리아누스는 적국의 이런 운명을 바라보며 눈물을 흘렸다고 한다.

그는 비록 승자였지만, 인간만이 아니라 도시와 국가, 그리고 제국도 언젠가는 멸망할 운명을 짊어지고 있다는 사실을 생각지 않을 수 없었으리라. 트로이, 아시리아, 페르시아, 그리고 20년 전의 마케도니아 왕국에서, 번성하는 자는 반드시 쇠퇴한다는 것을 역사는 인간에게 보여주었다.

의식적인지 무의식적인지는 모르나, 승리한 로마 장군은 호메로스의 서사시에 나오는 트로이군 총사령관 헥토르의 말을 입에 올렸다.

"언젠가는 트로이도, 프리아모스 왕과 그를 따르는 모든 전사들과 함께 멸망할 것이다."

뒤에 서 있던 폴리비오스가 왜 하필이면 지금 그 말을 하느냐고 물었다. 스키피오 아이밀리아누스는 폴리비오스를 돌아보며, 그리스인이지만 친구이기도 한 그의 손을 잡고 대답했다.

"폴리비오스, 지금 우리는 과거에 영화를 자랑했던 제국의 멸망이라는 위대한 순간을 목격하고 있네. 하지만 지금 이 순간 내 가슴을 차지하고 있는 것은 승리의 기쁨이 아니라, 언젠가는 우리 로마도 이와 똑같은 순간을 맞이할 거라는 비애감이라네."

함락된 카르타고는 성벽도, 신전도, 집도, 시장 건물도 모조리 파괴되었다. 로마군은 돌과 흙밖에 남지 않은 지표면을 가래로 고른 다음 소금을 뿌렸다. 신들의 저주를 받은 땅에는 소금을 뿌리는 것이 로마인의 방식이다.

불모지로 단죄된 이 카르타고에 사람이 다시 살게 된 것은 그로부터 100년 뒤였다. 율리우스 카이사르가 이곳에 식민지 건설을 명령했지만 그의 암살로 중단되었다가, 아우구스투스 황제가 그것을 실현했다. 따라서 오늘날 남아 있는 카르타고 유적은 로마 시대의 것이고, 카르타고인이 만든 것은 거의 없다.

기원전 753년에 건국된 이후 600년이 넘도록, 로마는 패자라 해도 지상에서 말살하는 짓은 한번도 하지 않았다. 그런데 기원전 146년에는 코린트와 카르타고를 잇따라 지상에서 말살했다. 게다가 카르타고가 소멸한 지 13년 뒤에는 에스파냐의 누만티아도 카르타고와 같은 운명을 걷게 되었다. 이때의 총사령관도 카르타고를 멸망시킨 스키피오 아이밀리아누스였다.

현대의 연구자들은 대부분 이 세 도시의 파괴를 변명할 여지가 없는 만행으로 단죄한다. 그들에게 동의할 수 있다면 나도 얼마나 마음이 편할까.

그러나 이 만행의 결과는 어떠했는가.

코린트를 파괴하고 시민을 노예로 만든 행위는, 백 명이 모이면 백 가지 의견이 난립하여 의견 통일이 이루어지지 않았다는 말을 들을 만큼 이데올로기적인 그리스인의 머리를 식히는 효과가 있었다. 그후에도 아테네와 스파르타는 자치도시로 남았고, 이 두 도시를 비롯한 그리스 전역은 로마의 패권을 인정하고 질서있는 평화를 누리게 된다. 또한 이 그리스에는 그리스인이라면 생각지도 못했을 '사회간접자본'의 파도도 밀려왔다. 아피아 가도의 종점인 브린디시와 바다를 사이에 두고 마주보는 그리스 쪽에 에그나티아 가도가 건설되기 시작한 것이다. 그리스에서도 '로마화'가 시작되고 있었다.

그러면 에스파냐의 누만티아를 파괴한 것은 단순한 만행이었을까.

에스파냐 원주민은 좀처럼 정복하기 어려운 민족이었다. 한니발 가문이 에스파냐를 식민지로 다스린 시대에도 카르타고는 거듭되는 원주민 반란에 시달렸다. 그것은 에스파냐인이 그리스인처럼 이데올로기적인 민족이었기 때문은 아니다. 순종하지 않는 그들의 기질은 험한 지형에서 길러진 성향이었다.

이 에스파냐에서 반란이 일어날 때마다 로마는 병력을 보내 군사력으로 제압했다. 에스파냐로 이주한 로마인의 개척작업이 차츰 축적되어, 아우구스투스 황제 시대에 이르러서야 겨우 로마는 에스파냐를 완전히 평정하는 데 성공했다. 이런 점에서도 에스파냐인은 '로마화'의 우등생이었다는 갈리아(오늘날의 프랑스) 사람들과는 달랐다.

그래도 기원전 133년에 로마가 누만티아를 철저히 파괴하고 주민을 무자비하게 노예화한 것은 에스파냐를 일단 평정하는 데 도움이 되었다. 완전히 평정한 것은 아니지만, 로마는 일단 제압한 에스파냐에서도 '사회간접자본'을 통한 '로마화' 작업에 착수했다. 로마에서 출발하는 가도는 현재의 남프랑스를 가로질러 에스파냐까지 연장되었다. '로마화'의 상징인 로마식 가도, 즉 당시의 고속도로는 이 무렵 그리스와 이탈리아를 거쳐 프랑스와 에스파냐를 연결할 만큼 확장되었다. 그리고 마키아벨리도 지적했듯이, 가혹하게 대처해야 할 필요가 있으면, 아예 한꺼번에 집중적으로 해야 한다.

그러면 카르타고를 멸망시킨 것도 이 두 가지 사례와 마찬가지로 필요악이었다고 말할 수 있을까.

아니다. 카르타고의 말살만은 불필요한 만행이었다고 생각한다. 과거에 사로잡힌 강박증에 이끌린 어리석은 짓이었다는 것이 나의 생각이다.

카르타고를 멸망시킴으로써 로마가 얻은 것은 이제 두 번 다시 한니발 같은 인물과 대결하지 않아도 된다는 것뿐이었다. 이것은 당시 로마인에게는 무시할 수 없는 감정이었을 것이다. 하지만 왜 50년이나 지난 뒤에 그래야만 했을까. 그리고 고대의 아프리카는 풍요로운 곳이었다. 그 중에서도 카르타고는 아프리카 물산의 집산지로 가장 적합한 땅이었다. 게다가 카르타고는 로마의 패권에 이의를 제기하지도 않았다. 카르타고가 반기를 든 것은 막다른 궁지에 몰렸기 때문이고, 그런 궁지로 몰아넣은 것은 바로 로마인이었다.

카르타고를 멸망시킴으로써 로마는 곧 새로운 문젯거리를 떠안게 된다. 누미디아(오늘날의 알제리)의 세력 팽창에 제동을 걸 수 있는 존재를 없애버린 셈이기 때문이다.

스키피오 나시카는 카르타고의 존속을 줄곧 주장했는데, 그것은 단순히 관용을 베풀고 싶었기 때문이 아니라 누미디아 왕국에 대한 대책을 고려했기 때문이다. 그리고 그의 현실주의 노선이 카토의 강경 노선에 패배한 것은 카르타고인의 도발 때문이 아니라, 불행히도 같은 시기에 겹쳐버린 그리스인의 도발이 낳은 여파였다.

만약에 스키피오 아프리카누스가 일찍 죽지 않았다면, 또한 카토가 장수를 누리지 않았다면, 그리고 같은 시기에 그리스가 시끄러워지지 않았다면, 역사는 달라졌을까. 나는 달라졌을 거라고 생각한다. 특히 100년 뒤에 재건된 카르타고에 로마인이 건설한 대규모 상수도관의 유적을 보고 나서, 로마인이 카르타고를 재건하기 위한 '사회간접자본' 투자에 그토록 힘을 쏟고, 로마가 존속하는 동안 줄곧 재건된 카르타고가 아프리카에서 손꼽히는 도시였다는 점을 생각하면, 더욱 그런 생각이 강해진다.

기원전 146년에 소멸한 카르타고 영토는 그후로는 우티카에 주재하는 총독이 다스리는 로마의 속주가 되었다. 이 지방은 이제 더 이상 카르타고라고 불리지 않고, 그 호칭은 '속주 아프리카'로 바뀌었다.

'마레 노스트룸'

　로마가 카르타고를 속주로 삼고, 에스파냐를 속주로 삼고, 그리스도 사실상의 속주로 삼은 것과 같은 시기에, 후계자를 낳지 못한 페르가몬의 왕이 자기가 죽은 뒤의 왕국을 로마에 맡긴다는 유언을 남기고 죽었다. 이리하여 페르가몬 왕국이 있는 소아시아 서해안 일대도 로마의 속주가 되었다. 이제 로마는 영토의 넓이에서도 지중해 세계의 확고부동한 패권국가가 되었다. 지중해는 로마인에게 '마레 노스트룸'(우리 바다)이 되었다.

　이 모든 것이 기원전 264년에 일어난 제1차 포에니 전쟁에서 비롯된 일이다. 하지만 카르타고와의 전쟁이 한 번만으로 끝났다면, 또한 제2차 포에니 전쟁이 로마인들이 '한니발 전쟁'이라고 부를 수밖에 없는 형태로 전개되지만 않았다면, 130년이라는 짧은 기간에 로마인이 지중해 제패를 달성하지는 못했을 것이다.

　'한니발 전쟁'에서 카르타고를 굴복시켜 지중해 서부의 패권자가 되었을 때부터 헤아리면, 로마가 지중해 전체를 제패하는 데 걸린 세월은 70년도 채 안된다. 폴리비오스가 아니더라도 놀랄 만한 현상이고, 당시 사람들도 대부분 같은 생각이었을 것이다.

　모든 것은 한니발한테서 출발한다. 이 책은 130년 동안을 다루고 있지만, 지면의 3분의 2는 16년 세월에 불과한 제2차 포에니 전쟁을 기술하는 데 할애되었다. 역사가 리비우스도 『로마사』에서 '한니발 전쟁'에 할애한 지면을 돌이켜보고, 이 전쟁이 로마인에게 얼마나 큰 영향을 주었는가를 새삼 재인식했을 정도다. 카르타고의 멸망까지 포함하여 로마인의 지중해 제패는 모두 '한니발 전쟁'의 여파였다.

로마의 궤멸을 생애의 소원으로 삼았던 한니발은 결국 로마가 강대해지는 것을 어느 누구보다도, 어느 나라보다도 많이 도와준 셈이다. 지중해 전체를 이토록 짧은 기간에 로마인의 '우리 바다'로 만들어버린 장본인도 결국 한니발이었다고 생각할 수밖에 없다.

그러나 성공한 자에게는 성공했기 때문에 치러야 하는 대가가 따라다니는 법이다. 로마인도 예외는 아니었다. 『로마인 이야기』의 제3권인 다음 책에서는 패권자가 된 이후에 로마인이 보여준 행적을 읽게 될 것이다.

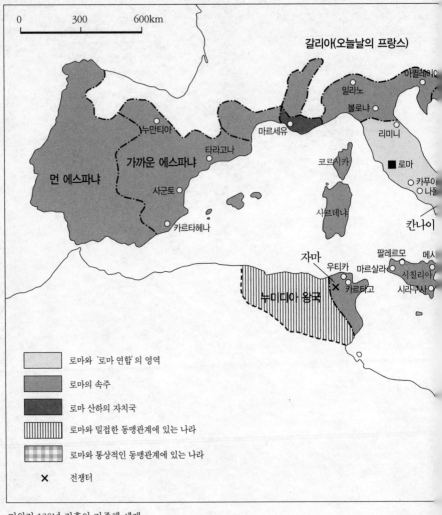

0 300 600km

갈리아(오늘날의 프랑스)

아퀼레이O

밀라노

볼로냐

누만티아

리미니

가까운 에스파냐

타라고나

마르세유

코르시카

■로마

먼 에스파냐

카푸O
O나폴

사군토

사르데냐

칸나이

카르타헤나

팔레르모
메시

자마
우티카

누미디아 왕국

마르살라
시칠리아

× 카르타고

시라쿠사

로마와 '로마 연합' 의 영역

로마의 속주

로마 산하의 자치국

로마와 밀접한 동맹관계에 있는 나라

로마와 통상적인 동맹관계에 있는 나라

×   전쟁터

기원전 130년 전후의 지중해 세계

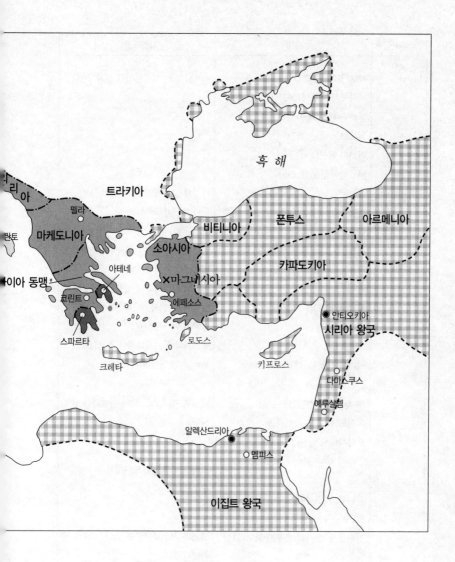

연대(기원전)	로마	카르타고
300	제1차 포에니 전쟁(264~242)	카르타고군, 시칠리아에 상륙(263)
	시라쿠사와 동맹(263)	
	밀라초 해전(260)	
	팔레르모 해전(257)	
	리카타 해전(256)	
	헤르마이움 해전(255)	
250		하밀카르, 사령관이 되다(247)
	전쟁 종결, 시칠리아를 속령으로 삼다	한니발 탄생(247)
	(241)	
	세제, 선거제, 군제 개혁(241)	하밀카르, 카르타고군 반란군 진압,
		에스파냐로 이주(238)
		국내파와 해외파의 항쟁(237~230)
	일리리아 침공(229)	하밀카르 전사, 사위 하스드루발이
		장군이 되다(229)
		에스파냐에 카르타헤나 건설(228)
	갈리아군 침공, 격퇴하다(222)	한니발, 총독이 되다(221)
	제2차 포에니 전쟁(218~202)	한니발, 알프스를 넘어 이탈리아 침공
	티치노 회전, 트레비아 회전(218)	(218)
	트라시메노 회전(217)	
	칸나이 회전, 로마군 참패(216)	시라쿠사 및 마케도니아와
		동맹(215)
	한니발, 이탈리아 남부 도시들 공략	
	(213)	
	시라쿠사, 로마의 속주가 되다(211)	에스파냐의 로마군을 궤멸 상태로 몰
		아넣다(211)
	타란토 탈환(209)	하스드루발(한니발의 동생), 에스파
	스키피오, 카르타헤나 공략(209)	냐를 출발, 알프스를 넘어 이탈리아
	바이쿨라 회전(208)	로(208)
	메타우로 회전(207)	하스드루발, 전사(207)

그리스, 마케도니아	오리엔트	중국
	마우리아 왕조, 아소카 왕 즉위 (268)	
	이란, 파르티아 왕국(247)	
그리스 동맹 전쟁(220~217)	안티오코스 3세, 시리아 왕에 즉위(223)	진(秦) 시황제, 천 하통일(221)
마케도니아의 왕 필리포스 5세, 카르타고와 동맹(215)	이집트의 프톨레마이오스 왕조, 로마와 동맹(214)	

연대(기원전)	로마	카르타고
200	일리파 회전, 스키피오, 에스파냐 제압 (206) 스키피오, 집정관 되다(205) 자마 회전, 스키피오, 한니발 격파 (202) 전쟁 종결, 로마, 서지중해 장악하다 (201) 제2차 마케도니아 전쟁, 로마군 승리 (197) 시리아 전쟁 발발(191) 마그네시아 회전, 시리아군 격파 (190) 스키피오, 재판에 회부되다(187) 스키피오 사망(183)	마고, 제노바에 상륙(205) 한니발, 카르타고로 귀환(203) 로마와 강화 성립(202) 한니발, 시리아로 망명(195) 한니발, 비티니아로 망명(190) 한니발, 자살하다(183)
150	제3차 마케도니아 전쟁, 마케도니아 를 격파하고 4개 자치국으로 분할 (171~168) 제3차 포에니 전쟁 발발(149) 아카이아 동맹의 중심지 코린트 파괴(146) 전쟁 종결, 카르타고 파괴(146)	카르타고 시, 로마와의 전투 준비에 돌입(149) 카르타고 멸망(146) 로마의 속주가 되어, 속주 아프리카 로 불림

그리스, 마케도니아	오리엔트	중국
	누미디아 왕국, 로마와 동맹(203)	한(漢) 왕조 성립 (202)
마케도니아, 남하 개시(200) 로마 장군 플라미니누스, 그리스 도시들의 자유를 선언(196)	누미디아의 왕 마시니사, 카르타고 영토에 대한 공격 개시 (195) 시리아의 안티오코스 3세, 스키피오와 회담(193) 시리아, 로마 해군에 패배, 제해권 상실(190) 시리아, 로마에 패배, 강화 성립 (190)	
필리포스 왕 사망, 페르세오스 즉 위(179)		
마케도니아 왕조 멸망(168)	카르타고 용병, 누미디아 침공 (150)	오초칠국의 난 (154)
마케도니아, 로마의 속주가 되다 (146)		
		한 무제 즉위(141)

참고문헌

역사는 승자가 자신들에게 편리하게 서술한 것이라고 생각하는 사람이 적지 않다. 외국에 별로 영향을 미치지 않는 약소국이거나 언론을 엄중히 통제하는 경찰국가라면 그것도 가능하겠지만, 그밖의 나라나 민족의 경우에는 일이 그렇게 간단히 되지는 않는다.

서술의 편향은 있을지 모른다. 하지만 편향은 터무니없는 거짓을 서술하는 것과는 다르다.

로마인은 승자였다. 그러나 로마인은 서로마 제국이 붕괴될 때까지 1천 200년에 이르는 역사 속에서 초기를 제외한 모든 시대를 2개 언어 사용자로 살았던 민족이다. 승자의 언어인 라틴어와 패배자들의 공통어였던 그리스어는 로마 시대에는 완전히 대등한 지위에 있었다. 패배자였던 그리스인도 유대인도 오리엔트 사람들도 그리스어로 글을 써서 발표할 수 있었고, 승자인 로마인 사이에도 독자를 가질 수 있었다. 로마의 웬만한 가정의 자제에게 그리스어는 필수과목이었다.

그리스어로 글을 쓴 서사시인 호메로스, 철학자인 플라톤과 아리스토텔레스의 저술, 3대 비극작가의 작품들, 아리스토파네스의 희극, 역사가인 헤로도토스와 투키디데스와 크세노폰의 저술이 라틴어로 번역 출판된 것은 고대 로마 말기에 이르러서였다. 이렇게 늦어진 이유는, 로마인이 그들의 업적에 관심을 갖지 않았기 때문이 아니라, 관심을 가질 정도의 지적 수준에 있는 로마인이라면 모두 그리스어를 읽고 말할 수 있었기 때문이다. 번역의 양과 관심의 양은 고대에는 비례 관계에 있지 않았다.

본문에서도 말했듯이, 고대 그리스어는 현대의 영어와 마찬가지였다고 생각해도 좋다. 로제타 돌과 한니발이 남긴 비문이 그것을 실증하고 있다. 로마인 중에도 그리스어로 글을 쓴 사람이 적지 않다. 제2차 포에니 전쟁을 로마 쪽에서 기록한 파비우스 픽토르의 작품은 그에게는 모국어인 라틴어가 아니라 그리스어로 씌어졌다. 나중에는 마르쿠스 아우렐리우스 황제도 그리스어로 글을 쓰는 쪽을 선택했다.

자마 전투 전날 밤에 이루어진 한니발과 스키피오의 회담은 공식적이었기 때문에 두 사람이 모두 통역을 세웠지만, 통역끼리 사용한 언어는 그리스어가 아니었을까 생각한다. 그렇다면 스키피오는 완벽하게 그리스어를 이해했고, 한니발도 그리스어를 배웠다니까, 통역을 세운 회담이라 해도 두 사람의 의사는 거의 완전히 통했을 게 분명하다. 로도스 섬에서 이루어진 두 사람의 대화는 사적인 것이어서 통역은 세우지 않았다. 이때 사용된 언어도 그리스어가 아니었을까. 그리고 카이사르와 클레오파트라가 잠자리에서 나눈 대화도 그리스어가 아니었을까 상상해본다.

역사 서술이 승자의 뜻대로 되기 어려운 또 하나의 조건은 서술되는 사항을 점검할 수 있는 능력을 가진 사람이 얼마나 많으냐와 관련되어 있다.

인쇄기술이 개발되지 않았던 고대에도 출판사 비슷한 것은 존재했다. 다만 인쇄는 할 수 없으니까, 모두 손으로 베껴쓰는 필사다. 사람이 한 자씩 베껴쓰는 것이므로, 당연히 책값이 비싸진다. 제정 시대로 넘어갈 무렵부터는 도서관도 생기지만, 그래도 독자 수는 한정되어 있었다. 하지만 한정된 독자밖에 가질 수 없었다는 것은 그것을 읽는 독자가 서술의 전체는 아니더라도 일부에 대해서는 상당한 지식을 가지고 있었다는 뜻이다.

역사 서술이라는 작업은 사료를 모아서 정리한 다음, 뜻이 잘 통하는 문장으로 서술하지 않으면 독자가 이해할 수 없는 번거로운 작업이다. 비웃음을 살 게 뻔한 일에 그런 노력을 기울일 사람은 많지 않을 것이다.

라틴어에는 "말은 날아가지만 글은 남는다"(VERBA VOLANT, SCRIPTA MANENT)는 격언이 있다. 게다가 글을 쓰는 작업은 무척 어렵다. 역사가 살루스티우스도 "글을 쓰기는 어렵다"(ARDUUM RÉS GESTAS SCRIBERE)고 말했다. 누가 이런 고생까지 해가면서 일부러 왜곡된 역사를 쓰겠는가. 그리고 역사 서술이 제삼자가 생각하는 만큼 자의적이 되기 어려운 세번째 이유는 역사를 쓰기 전의 조사 단계에서 이미 싹트기 시작한다.

후세에 쓰인 역사서와 연구서는 지식을 주지만, 지식만의 역사는 평면적인 파악에 머물기 쉽다. 그것을 입체적으로 파악하려면 원사료로 일괄되어 있는 동시대의 사료나 동시대와 가까운 시대에 쓰인 사료를 읽을 수밖에 없다. 그리고 그것들을 읽기 시작하면 당장 역사가 입체적이 될 뿐만 아니라, 색채를 동반하는 분위기까지 느낄 수 있게 된다. 이 깊은 묘미를 일단 맛보고 나면, 그것을 독자에게도 전해주고 싶다고 생각지 않을 필자는 아마 없을 것이다.

역사(이야기)를 쓰려고 시도하는 사람이라면, 사료를 정리하고 조합하는 단계에서 이미 상상력에 호소하지 않으면 안된다는 것을 알고 있다. 하지만 그와 동시에, 상상력에 지나치게 의존하는 것은 스스로 무덤을 파는 결과가 된다는 것도 알고 있다. 픽션을 쓰는 것이 아닌 한, 역사 그대로와 역사 초탈은 명쾌하게 딱 잘라 결론지을 수 있는 명제는 아니다.

역사를 쓰는 작업은 역사와 맹렬히 싸우는 것이라고 생각한다. 자신의 모든 지능과 모든 존재를 걸고 결투를 벌이는 것이라는 생각까지 든다. 불완전한 역사 서술은 있을 것이다. 하지만 고의로 왜곡하여 쓰기는 정말 어렵다. 자신의 표현을 쓰기로 결심한 사람은 알고 있다. 플루타르코스가 말했듯이, 인간의 성격은 용모보다 그의 글과 말에 나타난다는 것을.

제1권 말미에 이미 게재한 참고문헌은 여기서는 생략하겠다.

● 후세에 쓰인 역사서, 연구서 가운데 중요한 2차 사료

Acquaro E., *Cartagine : un impero sul Mediterraneo*, Roma, 1978.

Africa T.W., *The immense Majesty : a history of Rome and the Roman Empire*, New York, 1974.

Arnold T., *The Second Punic War*, London, 1886.

Ashby Th., *The Roman Campagna in Classical Times*, London, 1927.

Bailey C. ed., *The Legacy of Rome*, Oxford, 1924.

Balsdon J.P.V.D., *Life and Leisure in ancient Rome*, Londra, 1969.

_____, *Roman Women*, Londra, 1962.

_____ ed., *The Romans*, Londra, 1965.

Bellini A., *La battaglia romano-punica del Ticino*, Torino, 1922.

Beloch G., *Le monarchie ellenistiche e la repubblica romana*, 伊譯 : 1933.

Bonner S.F., *Education in ancient Rome*, Londra, 1977.

Bossi G., *La guerra annibalica in Italia da Canne al Metauro*, in 《Studi e Documenti di Storia e Diritto》, XII, 1891.

Brauer G.C., *The Age of the Soldier-Emperors*, Park-Ridge, 1975.

Brisson J.P., *Carthage ou Rome*, Parigi, 1973.

Borch H.C., *Roman Society : A Social, Economic and Cultural*

History, Lexington (Mass.), 1977.

Carcopino J., *La loi de Hiéron et les Romains*, Paris, 1914.

Casson St., *Macedonia, Thrace and Illyria*, Oxford, 1926.

Caven B., *The Punic Wars*, Londra, 1980.

Christ K. ed., *Hannibal*, Darmstadt, 1974.

Ciaceri E., *Storia della Magna Grecia*, Milano, 1932.

_____, *Scipione Africano e l' idea imperiale di Roma*, Napoli, 1940.

Clarke M.L., *The Roman Mind*, Londra, 1956.

Clemente G., *Guida alla storia romana*, Milano, 1978.

Colin G., *Rome et la Gréce de 206 à 146 avant Jésus-Christ*, Paris, 1905.

Clerc M., *Massalia*, 2 vol., Marseille, 1927~1929.

Corradi G., *Le strade romane dell' Italia occidentale*, Torino, 1939.

Crawford M.H., *The Roman Republic*, Londra, 1978.

De Martino F., *Storia della costituzione romana* 2ᵃ ed., Napoli, 1972~1975.

_____, *Storia economica di Roma antica*, Firenze, 1979.

De Ruggiero E., *Le colonie dei Romani*, Roma, 1907.

De Nunzio U., *Su la topografia di Cartagine punica*, Roma, 1907.

Dodge T.A., *Hannibal*, Boston, 1891.

Dorey T.A. e Dudley D.R., *Rome against Carthage*, Londra, 1971.

Earl D., *The Moral and Political Tradition of Rome*, Londra, 1967.

Ehrenberg V., *Karthago*, Leipzig, 1927.

Feliciani N., *La seconda guerra punica nella Spagna (211~208 A.C.). Dalla disfatta dei due Scipioni alla partenza di Asdrubale Barca alla volta d' Italia*, in 《Studi e Documenti di Storia e Diritto》, XXV, 1904.

Ferrabino, A., *La dissoluzione della libertà nella Grecia antica*, Padova, 1929.

_____, *L' Italia romana*, Milano, 1934.

Finley M.I., *The ancient Economy*, Londra, 1973.

Fraccaro P., *Catone il Censore in Tito Livio*, nel volume *Studi Liviani a cura dell' Istituto di Studi Romani*, Roma, 1934 ; dello stesso : *Biografia di Catone*, in 《Memorie dell' Accad. Virgiliana》, III, 1910.

Frank T., *Placentia and the battle of the Trebbia*, pubblicato in 《Journal of Roman Studies》, IX, 1919.

Giannelli G., *Roma nell' età delle Guerre Puniche*, Bologna, 1938.

Grimal P., *La civilisation romaine*, Parigi, 1960.

Groag E., *Hannibal als Politiker*, Wien, 1929.

Gsell S., *Etendue de la domination Carthaginoise en Afrique*, Orientalisten-Kongress, Algeri, 1905.

_____, *Histoire ancienne de l' Afrique du nord*, Paris, 1913~1928.

Harris W.V., *War and Imperialism in the Republican Rome 327~70 B.C.*, Oxford, 1979.

Hennebert E.M., *Histoire d' Hannibal*, Paris, 1870~1891.

Heurgon J., *Il Mediterraneo occidentale dalla preistoria a Roma arcaica*, Bari, 1972.

Holm A., *Storia della Sicilia nell' Antichità*, 伊譯 : Torino, 1901.

Jullian C., *Histoire de la Gaule*, Paris, 1908.

Kromayer J., Veith G., *Antike Schlachtfelder : Bausteine zu einer antiken Kriegsgeschichte*, 5 voll., Berlin, 1903~1931.

Pace B. e Lantier R., *Ricerche cartaginesi*, in 《Mon. antichi a cura Accademia Lincei》, 1925.

Levi M., *La politica imperiale romana*, Torino, 1936.

Liddell Hart H.B., *A Greater Man Napoleon's : Scipio Africanus*, Boston(英國), 1926.

Macdonald A.H., *Scipio Africanus and Roman politics in the second century B.C.*, in 《Journal of Roman Studies》, XXVIII, 1938.

Mansfield H., *Studies on Scipio Africanus*, Baltimora, John Hopkins

Press, 1933.

Martelli G., *Annibale nell'Umbria e la battaglia di Assisi*, Perugia, 1924.

Meyer E., *Hannibal und Scipio* 《Meister der Politik》, Stuttgart-Berlin, 1923.

Monografia storica dei porti dell'antichità nella penisola italiana, pubblicata a cura del Ministero Della Marina, Roma, 1905.

Momigliano A., *Annibale politico*, 1931.

Morris W., *Hannibal soldier, statesman, patriot and the crisis of the struggle between Carthage and Rome*, New York, 1897.

Moscati S., *I Cartaginesi in Italia*, Milano, 1977.

Niccolini G., *La cronologia della prima guerra punica*, in 《Studistor. per l'antichità class.》, Pavia, VI, 1913.

Pace B., *Le fortificazioni di Cartagine*, in 《Atti del II Congresso di studi romani》, Roma, 1930.

Pais E., *Dalle guerre puniche a Cesare Augusto*, vol. II, Roma, 1918.

_____, *Storia di Roma durante le Guerre Puniche*.

_____, *Storia di Roma durante le grandi conquiste mediterranee*, Torino, 1931.

_____, *Storia della Sardegna e della Corsica durante il dominio romano*, Roma, 1923.

_____, *Storia della colonizzazione di Roma Antica*, I, Roma, 1923 : dello stesso : *Serie cronologica delle colonie romane e latine*, in 《Memorie della R. Accademia dei Lincei》, 1924, 1925.

Pareti L., *Contributi per la storia della guerra Annibalica*, in 《Riv. di Filologia classica》, 1912.

Pedroli U., *Roma e la Gallia Cisalpina*, Torino, 1893.

Rouland N., *Clientela : essai sur l'influence des rapports de clientèle sur la vie politique romaine*, Aix-Marseille(diss.), 1977.

Salmon E.T., *Last latin colony*, in 《Classical Quarterly》, 1933.

Schemann L., *De legionum per alterum bellum Punicum historia*, Roma, 1875.

Scullard H., *Scipio Africanus in the Second Punic War*, Cambridge, University Press, 1930.

Sherwin-White A. N., *The Roman Citizenship*, 2ª ed., Oxford, 1973.

Silva P., *Il Mediterraneo dall'unità di Roma a l'Impero Italiano*, 5ª ed., Milano, 1941.

Vianello N., *Quando e perchè i Romani occuparono la Sardegna*, in 《Rivista di Storia Antica》, VIII, 1904.

Watson G., *The Roman Soldier*, Londra, 1969.

Zancan L., *Le cause della terza guerra punica*, in 《Atti del R. Istit. Veneto》, 95, 1935~1936.

로마인 이야기 2
한니발 전쟁

지은이 **시오노 나나미**
옮긴이 **김석희**
펴낸이 **김언호**
펴낸곳 **(주)도서출판 한길사**

등록 • 1976년 12월 24일 제74호
주소 • 413-830 경기도 파주시 교하읍 산남리 파주출판문화정보산업단지 17-7
　　　www.hangilsa.co.kr
　　　E-mail : hangilsa@hangilsa.co.kr
전화 • 031-955-2000
팩스 • 031-955-2005

ROMA-JIN NO MONOGATARI II
HANNIBAL SENKI
by Nanami Shiono

Copyright ⓒ 1993 by Nanami Shiono

Original Japanese edition published by Shincho-Sha Co., Ltd.
Korean translation rights arranged with Nanami Shiono
through Japan Foreign-Rights Centre

제1판 제 1 쇄 1995년 9월 30일
제1판 제45쇄 2003년 5월 30일

Published by Hangilsa Publishing Co., Ltd., Korea

값 11,000원
ISBN 89-356-1025-9 04900